Chris Adrian een van de interessantste en eigenzinnigste literaire schrijvers van dit moment. Hij debuteerde met de indrukwekkende roman *De machine van Gob*, en zijn tweede boek, *The Children's Hospital*, werd in de Amerikaanse pers de hemel in geprezen. Dit boek verschijnt in 2011 als *Het kinderziekenhuis* bij Ailantus. Adrian is kinderarts, woont in Boston en studeert daar theologie. Het prestigieuze tijdschrift *The New Yorker* verkoos hem in 2010 tot een van de beste twintig Amerikaanse schrijvers onder de veertig.

Chris Adrian

De machine van Gob

Vertaald door Paul Syrier

Rainbow Pockets

Rainbow Pockets ® worden uitgegeven door Muntinga Pockets,
onderdeel van Uitgeverij Maarten Muntinga bv, Amsterdam

www.rainbow.nl

Een uitgave in samenwerking met Uitgeverij Ailantus, Amsterdam

www.ailantus.nl

Oorspronkelijke titel *God's Grief*
© 2000 Chris Adrian
© 2001 Nederlandse vertaling Paul Syrier
Omslagontwerp: Studio Ron van Roon
Foto voorzijde omslag: John Cairns / iStockphoto
Foto auteur: Gus Elliott
Druk: Bercker, Kevelaer
Uitgave in Rainbow Pocket december 2010

ISBN 978 90 417 0852 6 NUR 311

Voor mijn broer

Thomas Jefferson Woodhull was elf jaar oud toen hij van huis wegliep om bij het leger van de Unie te gaan. Op een nacht in augustus 1863 rende hij langs een witte weg die uit het donker leek op te bloeien terwijl boven hem een heldere maan hoger en hoger aan de hemel klom. Hij had haast, want hij wilde de trein halen die een mijl ten oosten van de hut stopte waar hij woonde met zijn broer, zijn mamma en haar familie, de beruchte Claflins uit Homer, Ohio.

De trein was al half vertrokken toen hij bij de rails aankwam. Tomo rende voort naast de goederenwagons, luidkeels vloekend: 'Jij klotetrein, kan je niet even *stoppen?*' Hij zou dankbaar zijn geweest als de trein heel kort vaart had geminderd. De trein reed echter snel en onverstoorbaar door. Hij wenste dat hij een pistool bij zich had om erop te schieten.

Toen hij over zijn schouder keek zag hij dat de remmerswagen snel dichterbij kwam. Hij vloekte weer, harder en heftiger, en de vloeken groeiden uit tot een woordloos gebrul terwijl hij zich op een open goederenwagon wierp, deze met een wankele greep vasthield waarvan hij wist dat hij hem elk moment moest laten verslappen omdat hij niet sterk genoeg was om vast te houden. Hij berustte er al in dat hij zou moeten loslaten en stootte een laatste 'Krijg dan de klere!' uit, toen er uit de wagon opeens een stel bleke handen werd gestoken die hem naar binnen hesen.

'Waar is al die herrie voor nodig?' vroeg zijn redder, een man die niet meer dan een duistere gedaante was tot hij Tomo neerzette en een lamp aanstak. De man had bruin haar en lichtblauwe ogen en dikke lippen, die zo rood waren dat het was alsof hij ze van een meisje had gestolen. 'Waarom maak je zo'n lawaai? Snap je dan niet dat ik probeerde te slapen?' Hij sprak, net als Tomo's grootmoeder, met een zwaar Duits accent.

'Ik dacht dat ik het niet zou halen,' zei Tomo.

'Waar wil je heen, dat je een trein een klotetrein noemt en een arme soldaat uit zijn zoete dromen wekt?'

'Naar de oorlog,' zei Tomo.

'De oorlog? Je kunt beter naar je moeder teruggaan, kleine spitsmuis.' Zijn medepassagier begon hem in de richting van de deur te duwen, hem onderwijl vertellend dat hij zich moest laten rollen als hij eenmaal de grond raakte. Tomo draaide zich snel van hem weg, rukte zich los en liet zich op zijn knieën op de ruwe vloer van de wagon vallen.

'Die is dood!' riep Tomo. 'Mijn mamma is dood, samen met mijn pappa en mijn broer en mijn tantes, mijn oom en mijn oma en mijn opa! We hebben allemaal tyfus en ik had ook dood moeten gaan, maar ik ben niet doodgegaan omdat ik de verdomdste ongelukkigste jongen ben die ooit heeft geademd. Gooi me maar naar buiten! Toe maar! Het kan me niet schelen. Het is toch allemaal één grote rotzooi. Ik blijf gewoon langs het spoor liggen en dan *ga ik dood.*' Tomo liet zich met zijn hoofd op zijn armen op zijn buik vallen en huilde met veel gevoel voor drama, af en toe steels opkijkend naar de boven hem uit torenende man; die hield beide handen op zijn hoofd, alsof hij zijn hoed vasthield tegen een hevige wind. Het was allemaal gelogen. Tomo's familie lag vredig te slapen in de bouwvallige hut die ze thuis noemden. Zijn tweelingbroer had bij hem moeten zijn, maar was het niet. Hij was uit lafheid in Homer gebleven. Tomo bonsde met veel vertoon van wanhoop met zijn vuist op de vloer, maar eigenlijk werd zijn hand door woede op zijn broer gestuurd.

'Ik...' zei de man, en knielde om zijn hand op Tomo's schouder te leggen. Hij richtte zich weer op en liep door de wagon, kwam terug, knielde weer en duwde iets ruws tegen Tomo's natte wang. 'Wil je een koekje?' vroeg hij. 'Mijn kleine Frieda heeft ze gebakken, om mee te nemen naar mijn Negende. Zie je hem? Zie je die Negen staan?'

Tomo ging rechtop zitten en pakte het aan. Het was een melassekoek, wel half zo groot als zijn hoofd, en in het midden stond, als op een muntstuk, het cijfer negen. Nog steeds valse tranen vergietend nam Tomo een hap, kauwde en slikte.

'Lekker?' vroeg de man.

Tomo knikte.

'Kinderen en soldaten, ze zijn allebei gek op koekjes. Arme spitsmuis. Heb je dan niemand om op je te passen?'

''k Heb niemand nodig,' zei Tomo.

'Geen familie? Nergens?'

'Alleen Betty.'

'Betty? Is dat je zus?'

Tomo schudde zijn hoofd. 'Mijn trompet,' zei hij, en wees op de bugel die aan zijn zij hing. Hij zette het instrument tegen zijn lippen en blies, geen militaire melodie, maar iets treurigs en boos dat hij ter plekke verzon. De man hield zijn hoofd iets achterover en sloeg zijn handen voor zijn ogen. 'Ik ken ook militaire deuntjes,' zei Tomo, en speelde 'Boots and Saddles'. Tomo was een schitterende kleine bugelspeler —hij kende alle signalen, voor bugel of voor fluit, voor de cavalerie, de infanterie en de artillerie. Hij kon alles spelen, ook al had hij het maar één keer gehoord.

'Wat mooi!' zei de man. 'Speel nog eens wat.'

Tomo speelde en speelde tot het bijna dag werd en de man zei dat ze moesten gaan slapen. Ze hadden elkaar tussen de melodieën door beter leren kennen. De man heette Aaron Stanz. Hij was soldaat op ongeoorloofd verlof van het Negende Vrijwilligers van Ohio, die in Tennessee waren gelegerd in afwachting van orders van generaal Rosecrans. Bij een loterij had Stanz het voorrecht in de wacht gesleept om bij zijn jonge vrouw langs te gaan, die hij niet meer had gezien sinds hij in de zomer van '61 in Camp Harrison met een kus afscheid van haar had genomen. 'Hoe lang kunnen een man en zijn vrouw gescheiden van elkaar leven?' vroeg hij Tomo, die 'Altijd' antwoordde omdat hij aan zijn mamma en pappa dacht, die al voor de oorlog van elkaar waren gescheiden.

Het Negende kon toevallig muzikanten gebruiken. En de C-compagnie, waaruit Aaron Stanz afkomstig was, had alleen een trommelslager; hun fluitist was bij Hoover's Gap gesneuveld. Tomo sloot zijn ogen en kreeg even een visioen van vertrekkende paarden — hij had gehoopt voor een cavalerieregiment te mogen spelen — maar daarna zei hij dat God had voorbeschikt dat hij voor de C-compagnie zou spelen. Aaron Stanz zei dat hij niet in God geloofde, maar gaf toe dat het mooi uitkwam. Het zou niet in overeenstemming met de traditie of de voorschriften zijn, een bugelspeler in plaats van een fluitist, maar hij wist zeker dat kapitein Schroeder ook zou vinden dat ze het in deze noodsituatie maar met Tomo moesten doen. Hoe dan ook: engelen bestonden weliswaar niet, behalve in de hoofden van mensen die door hun godsdienst op het verkeerde spoor waren gezet, maar Tomo blies wel als een engel, en Aaron Stanz kon zich niet voorstellen dat de kapitein weerstand zou kunnen bieden aan Tomo's wondermooie spel.

Toen het tijd was om te gaan slapen installeerde Tomo zich op de rubberdeken van Aaron Stanz en probeerde met zijn hoofd op de arm van de man in slaap te vallen. Hij klaagde dat het te licht was om te slapen en zei dat hij wilde kijken hoe het groene Kentucky aan de andere kant van de deur voorbijtrok. Aaron Stanz legde zijn pet over Tomo's ogen en noemde hem nog eens spitsmuis, wat hem wel iets zei — Tomo's grootmoeder Anna noemde hem en zijn broer soms zo, zij het nooit met zo'n liefdevolle klank als Aaron Stanz aan het woord meegaf. Uiteindelijk dreef Tomo, verdoofd door het gestage geluid van de trein, weg in de slaap, maar schrok even later weer wakker uit een valdroom. De pet viel van zijn gezicht en hij gaf een zachte kreet. Hij stak zijn arm uit naar zijn broer, zonder wie hij nog nooit een nacht had doorgebracht. Toen herinnerde hij zich echter dat Gob in Homer was achtergebleven, bang voor de oorlog en de grote wereld.

De reis naar het zuiden verliep zonder incidenten, afgezien van een oponthoud in Tullahoma, waar een soldaat zijn hoofd door de deuropening stak en even oppervlakkig rondkeek terwijl Tomo en zijn nieuwe vriend zich achter vaten met gezouten varkensvlees verstopten. 'Die man zou toch niet begrijpen dat ik een speciale regeling heb,' zei Aaron Stanz.

Ze arriveerden in Camp Thomas nadat ze zich in de buurt van Winchester uit de trein hadden laten rollen en vijf mijl hadden gelopen; die hele afstand had Aaron Stanz verpletterend zeker geweten welke weg hij moest nemen. In het kamp werd hij niet als iemand die in technische zin een deserteur was, maar als een held verwelkomd. De manier waarop Stanz werd ingehaald had met zijn populariteit te maken—Tomo begreep onmiddellijk dat hij het geluk had gehad toevallig de populairste kerel in de compagnie tegen het lijf te lopen—en met de cadeaus die hij mee terugnam. Naast de melassekoekjes van zijn vrouw had hij twee zakken bij zich die propvol zaten met gebraden kalkoen en zacht brood, nieuwe laarzen voor drie man (iedere laars was gevuld met snoep en kauwgum) en—het beste van alles—een klein vat koel bier. Het Negende van Ohio was een volledig Duits regiment en iedere man in de C-compagnie miste zijn bier verschrikkelijk. Er was maar weinig kans dat je in de wildernis van Tennessee bier zou vinden.

Die avond vierden ze een feestje. Hoewel de compagnie tot de helft van de oorspronkelijke honderdtwee man was uitgedund, was er slechts genoeg bier voor een paar slokken per man, direct uit de kraan. Gelukkig zat er in iedere derde kalkoen een fles whiskey. Aaron Stanz noemde het de

olie der blijdschap en schonk een kroes in voor Tomo, die
hem meenam achter een tent en er niet van dronk maar het
spul alleen onder zijn neus hield en aan zijn pappa dacht,
want toen ze nog klein waren geweest waren hij en Gob
wel eens naar hem toegeslopen als hij zich bewusteloos had
gedronken.

Terwijl Tomo van zijn kroes whiskey genoot kwam er
een jongen op hem af, die zich meteen al heel onbehouwen
gedroeg. De jongen had ongeveer Tomo's leeftijd en was
heel blond; blond als een strooien bezem en met een spek-
witte huid. Zonder hem ook maar goeiendag te zeggen
sloeg hij de tinnen whiskeykroes uit Tomo's hand, gaf Tomo vervolgens een schop zodat hij omviel en ging op zijn
buik zitten. De jongen haalde een stel trommelstokken tevoorschijn en speelde een hardhandig nummertje op Tomo's hoofd.

'Kijk es hier,' zei de jongen. 'Er is maar één trommelslager in dit regiment, en jij bent het niet.' Hij hief zijn stokken weer, maar Tomo had zijn kroes uit de modder ge-
graaid en sloeg hem met een klap in het gezicht van de jongen, voordat deze zijn stokken omlaag had kunnen brengen.
De jongen kwam op zijn zij terecht en in een flits zat Tomo
schrijlings op zijn borst. Tomo pakte hem de stokken af en
ramde ze aan weerszijden van het hoofd van de jongen in
de grond.

'Ik trommel helemaal niet, ik speel bugel,' zei Tomo, terwijl hij Betty onder zijn jasje vandaan haalde. Aaron Stanz
had hem opdracht gegeven haar daar te verstoppen, omdat
hij zijn kameraden als laatste cadeau met muziek wilde ver-
rassen. Niet alleen had de C-compagnie geen fluitist, de
regimentsband van het Negende bestond niet meer sinds
september '62, toen de regering er niet meer voor had willen betalen. Tomo blies een noot recht in het kleine witte
oor van zijn belager. 'Gesnopen?' vroeg hij. 'Ik heb niks met
trommelen te maken.'

'Ik hoor niks meer!' schreeuwde de jongen.

Aaron Stanz sleepte Tomo van hem af. Het lawaai had een zwerm mannen aangetrokken.

'Hij heeft me doof gemaakt!' kermde de jongen, die nu rechtop ging zitten en weer met zijn stokken begon te zwaaien.

'Hou je mond, Johnny,' zei Aaron Stanz. De mannen keken naar de bugel, die lag te glinsteren in het licht van de toortsen langs de straten van het kamp.

'Dat vergat ik jullie nog te vertellen, jongens. Die spitsmuis is trompettist. Is dat geen mazzel?' De mannen van de compagnie staarden Aaron Stanz sprakeloos aan. Toen steeg er uit de hele kring een gemompel op.

'Jezus heeft me hierheen gestuurd om voor jullie te spelen,' zei Tomo. De jongen die Johnny heette lachte vals.

'Also, spiel mal!' zei een man, wiens naam, zoals Tomo later te weten zou komen, Raimund Herrman luidde. Hij tilde Tomo op en zette hem op een van zijn massieve schouders, waarna hij door de hoofdstraat steigerde, in de richting van een groot kookvuur. Tomo ging op het lege biervat staan, waarop een slimme soldaat het woord 'melasse' had geschreven om de autoriteiten te misleiden, en blies de ene melodie na de andere, terwijl de mannen van de C-compagnie dronken en met elkaar dansten. Tomo blies marsen, omdat ze soldaten waren, en gemene polka's, omdat hij wist dat dat het soort muziek was waar zijn grootmoeder van hield, en zij de enige Duitse was wier smaak en gewoonten hij kende. De mannen riepen hem namen van liedjes toe en smeekten hem 'Anna Engelke', of 'Romberg Park: Elf Uhr' of 'Liebe Birgit' te spelen. Tomo kende geen van deze liedjes, maar als ze een paar maten neurieden kon hij wel iets verzinnen en dat scheen hen tevreden te stellen. De jongen die Johnny heette sloop met zijn grote Eagle-trom uit het donker te voorschijn en ging weliswaar een heel eind van Tomo vandaan zitten, maar bood toch een vriendelijk ritme bij Tomo's muziek. Er kwamen mannen van andere compagnieën naar het vuur en ook zij dansten, tot er een kring van vier of vijf paren dik rond het vuur aan het dansen was.

Tomo had wel de hele nacht kunnen spelen, maar het feest was afgelopen toen er iemand op het idee kwam kolonel Kammerling een serenade in zijn tent te brengen. Er werd een optocht gevormd met Tomo en Johnny aan het hoofd. Ze lieten de feestgangers door het kamp marcheren naar de tent van de kolonel, waar ze zich opstelden en met diepe en prachtige en dronken stemmen begonnen te zingen.

Kolonel Kammerling dook op achter een adjudant die zich de keel schor schreeuwde in een poging de menigte stil te krijgen. Er klonken kreten 'Toespraak, toespraak!' van de mannen. De kolonel liep op Tomo af, die nog enthousiast stond te toeteren, rukte de bugel van zijn mond en gaf hem toen terug, met de beker naar voren. Tomo nam hem gedwee aan, omdat kolonel Kammerling er streng uitzag.

'Naar bed, jongens,' luidde zijn hele toespraak. Hij draaide zich om en ging terug naar zijn tent, en opeens was het feest achter de rug. Zodra hij was opgehouden met spelen voelde Tomo zich erg slaperig. Hij drukte Betty tegen zijn borst en volgde Aaron Stanz terug naar diens tent, waar hij tussen Stanz en een andere soldaat, Frohmann, zou slapen. Hij ontdekte dat hij niet tussen die twee mannen in kon slapen, dus rolde hij Aaron Stanz opzij, die 'Frieda!' tegen hem mompelde, hem een zoen op zijn achterhoofd gaf en als een zaag begon te snurken. Die nacht droomde Tomo dat zijn broer overal naar hem zocht in hun kleine kamer. Onder het wankele bed, in de kast met de piepende scharnieren—steeds weer keek Gob op dezelfde plekken, steeds weer vroeg hij aan de lucht: 'Tomo, waar ben je?'

Aaron Stanz schudde Tomo om vijf uur 's morgens wakker.

'Opstaan, Schlaftier!' zei hij. 'Opstaan, spitsmuis! Aan het werk!' Aaron Stanz sleepte hem, terwijl hij nog half sliep, door het stille kamp en zette hem op het fust naast de as van het grote vuur van de vorige nacht. Johnny de trommelslager wachtte op ze. Tomo wreef in zijn ogen, gaapte en keek uit over het sluimerende kamp. De lucht hing warm en zwaar in lage blauwe slierten tussen de tenten. Tomo gaapte weer en zei: 'Het is nog niet eens licht.' Maar hij haalde diep adem en blies verzamelen. De tonen klonken brutaal door de stille lucht. Johnny zei dat het te raar was, die bugel en die trommel die voor de infanterie speelden. 'Je houdt het geen week vol in deze compagnie!' schreeuwde hij tegen Tomo, en stormde toen weg, kwaad op zijn trommel slaand. 'Let maar niet op hem,' zei Aaron Stanz.

Tomo speelde het signaal weer, en een golf van gestaag gerommel trok door de compagniesstraat op en neer. De mannen riepen: 'Het is nog niet eens licht!' en 'Stop die trompetter in het cachot!' en toen, toen Tomo het signaal voor de derde maal blies, riep er iemand: 'Draai die haan zijn nek om!' Op deze laatste opmerking volgde een moment van volmaakte stilte. Toen werd er tegen degene die het geroepen had geschreeuwd in een snel, meedogenloos klinkend Duits, dat Tomo niet kon volgen, ondanks het feit dat zijn grootmoeder dikwijls snel en meedogenloos in haar moedertaal tegen hem had gevloekt.

Tomo en Aaron Stanz liepen terug naar hun tent, tegen een gestage stroom mannen in die op weg was naar de wasplaats. Toen ze bij de tent waren schopte Aaron Stanz zijn slapie wakker, die rechtop ging zitten en zich heftig in de ogen wreef. Aaron Stanz overhandigde Tomo een kroes water, die deze leegdronk, omdat hij niet besefte dat het bedoeld was om zich mee te wassen. Aaron Stanz en soldaat Frohmann lachten tot ze tranen in hun ogen hadden, terwijl Tomo een moorddadige woede voelde opkomen en hij op het punt stond iemand een oplawaai te verkopen toen Aaron Stanz hem optilde en tegen zich aan trok en door elkaar schudde en weer tegen zich aan trok en verklaarde dat hij de mooiste spitsmuis was die er ooit was geweest.

Tomo hielp al spelend de C-compagnie de dag door te

komen. Het was een blije dag, voor hem en voor hen. Voor hen was het een blije dag omdat ze nu bij wijze van dagindeling iets meer hadden dan droge trommelslagen, en blij voor Tomo omdat dit precies het soort leven was dat hem voor ogen had gestaan, een leven ergens anders dan in Homer, ergens anders dan in de povere, leugenachtige wereld van zijn moeder. Het enige dat ontbrak waren een paar Rebellen om op hun falie te geven, maar hij twijfelde er niet aan dat dezen nog zouden komen. Wat er ook aan ontbrak was zijn broer. Tomo's boosheid op hem ebde weg, dus was hij blij en niet blij dat Gob er niet was.

Tomo blies de reveille terwijl de compagnie op de plaats rust stond, alle mannen volledig in uniform. Als je een paar honderd meter verderop keek, waar het Negenenvijftigste Ohio stond opgesteld, zag je mannen echter nog in uiteenlopende stadia van ontkleedheid, sommigen zonder jas, anderen zonder schoenen, een paar met alleen een pet en een overhemd. Niet alleen was het Negende een volledig Duits regiment, het was het soort Duitsers dat Tomo nog nooit eerder had gezien, niet het waanzinnige, bijgelovige, maar het nette en hardwerkende slag. Het regiment was in het hele leger befaamd vanwege zijn efficiency en moed, en werd alleen met mededogen bezien omdat het nooit een aalmoezenier had. Het Negende verjoeg zijn aalmoezeniers echter opzettelijk. In het algemeen waren de mannen ongelovig, afgezien van een paar Beierse katholieken, die de protestantse aalmoezeniers lastigvielen met hun vrome Mariavering.

Na de reveille riep de C-compagnie driemaal hoera voor Tomo. Het luide, Teutoonse geluid spoelde over hem heen terwijl hij op zijn fust stond. Om half zeven speelde hij het signaal voor het ontbijt en om acht uur dat voor ziekenappèl. Hij stond voor de hospitaaltent te kijken hoe de patiënten zich opstelden—in de C-compagnie waren het er maar een paar, en ze waren echt ziek, geen simulanten—en nam kleine slokjes van de stroperige, bittere koffie die Aa-

ron Stanz hem in een soepblikje te drinken had gegeven.
Tomo liep naar een man in de rij toe en zei: 'Mijn vader is
arts.' De man had een groen gezicht en stonk naar ammoniak. Hij zei niets, maar glimlachte zwakjes. Tomo rende
terug naar zijn fust en speelde op de plaats rust en ging toen
kijken terwijl Aaron Stanz dode paarden begroef. De compagnie had ze voor hem bewaard, als lichte straf voor zijn
tijdelijke desertie. Zijn medewerkers waren twee mannen
die een taart hadden gestolen van een marketentster. De
paarden begonnen al te rotten. De twee dieven onderbra-
ken hun werk drie keer om zich in de bosjes terug te trekken, waar ze een geluid maakten dat als hoera klonk, maar
dan zonder de h.

'Dat graf is te ondiep!' bleef Tomo tegen de twee zeggen,
maar dezen verstonden geen Engels en waren sowieso niet
geneigd naar een jongen te luisteren. Aaron Stanz was aan
het werk aan zijn eigen graf, maar toen hij uiteindelijk naar
hen toe kwam om te zien hoe ze opschoten met hun werk
zei hij hetzelfde als Tomo had gezegd. Er volgde een korte
discussie, die eindigde toen ze een stinkend karkas aan-
sleepten en het in het gat duwden. De benen staken ruim
zestig centimeter boven de grond uit.

'O, wat een lucht!' zei Tomo, toen hij zich over het graf
boog en een snuif uit de rottende kuil opving. Hij bleef niet
kijken toen de dieven aan het werk gingen met zagen, maar
rende naar zijn fust terug om het exercitiesignaal te blazen.
Hij liep achter de rij aan terwijl de C-compagnie in de
steeds warmer wordende ochtend haar exercities deed. Hij
haalde water voor soldaat Frohmann en twee korporaals,
een tweeling die Weghorst heette, tot wie Tomo zich om
begrijpelijke redenen voelde aangetrokken.

Om twaalf uur stond hij weer op zijn fust en speelde het
signaal voor het middageten. Hij bracht een maaltijd naar
Aaron Stanz en de dieven, die niet aan de exercitie hadden
meegedaan om door te gaan met hun werk, maar ze konden
geen hap naar binnen krijgen, dus deelde Tomo het eten

met Johnny de trommelslager, die de hele dag beurtelings gemelijk en vriendelijk was. Na het eten speelde Tomo nogmaals het signaal voor exercitie en keek toen samen met Johnny bij een boom toe terwijl het bataljon marcheerde en wendde op het exercitieterrein.

Om kwart voor zes blies hij het signaal voor inspectie en opstellen in volledig uniform en schermde zijn ogen af tegen de blinkende laarzen en het koper van het Negende. Ze boden een schitterende aanblik, en Tomo voelde zich een beetje slonzig in hun gezelschap. Hij was blij met de invallende schemering die zijn vuile Claflinbroek, zijn vlekkerige hemd en zijn opgelapte jas aan het zicht onttrok. Terwijl het donker werd in het kamp blies hij het signaal voor het avondeten en later, met een adem die nog naar bonen rook, het signaal voor het aantreden van de wacht.

Daarna maakte hij nog kruisen van takken en touw terwijl Aaron Stanz het laatste paardengraf aanstampte. Nadat Tomo er de kruisen op had gezet ging hij terug naar het fust en speelde de taptoe: de compagnie moest aantreden voor het laatste appèl. De allerlaatste naam die werd afgeroepen was de zijne—of liever: de naam die hij had aangenomen. 'Alphonsus Hummel!' riep de eerste sergeant, maar er kwam geen reactie. Tomo, die met zijn kin op zijn vuist en met gesloten ogen op zijn fust zat, was in slaap gevallen. De hele compagnie maakte zich vrolijk over hem. Aaron Stanz droeg hem slapend naar de tent, maar maakte hem later wakker om rust te blazen. Dit was Tomo's lievelingsmelodie—hij voelde altijd dat er iets dieps en vredigs in hem neerdaalde als hij die laatste noot speelde. Hij hoorde de fluitisten van andere compagnieën ook die laatste noot spelen en de trommelslagers de laatste klappen van de dag geven. Johnny had zijn weerzin tegen het bugel-infanteriemisbaksel overwonnen en stond naast hem de maat te slaan. Tomo stond op zijn fust en keek hoe de verlichte tenten een voor een donker werden, en toen wachtte hij tevergeefs op het begin van een volgend feest. Door zijn dutje was hij nu klaarwakker, maar de festiviteiten van de vorige nacht hadden uitsluitend met de terugkeer van Aaron Stanz verband gehouden en waren niet iets wat iedere nacht gebeurde. Nadat Johnny hem had achtergelaten zat Tomo dus met een doek in zijn bugel gepropt bij de resten van het feestvuur en nam nog eens tweemaal de signalen van die dag door tot hij ook naar bed ging.

'Er rust een vloek op deze compagnie,' zei Johnny. 'Ze hebben sinds Shiloh vijf fluitisten verloren. De dood loert op ze. Ze kunnen ze niet houden.'

'Ik ben geen fluitist,' zei Tomo. De jongens stonden naar een artillerie-exercitie te kijken. Tomo wilde dat ze voortmaakten en de kanonnen afvuurden, maar ze schenen ze alleen maar lukraak over het veld te slepen. Hij zat nu al een hele week in het kamp en had nog steeds geen zwaar stuk geschut horen afschieten.

'Dat doet er niet toe,' zei Johnny. 'De dood verslindt een bugelspeler even snel, als hij dom genoeg is om bij de C-compagnie te gaan. Maar we hebben nog niet gemarcheerd. Je kunt je leven nog redden als je er nu vandoor gaat.'

'Stop die vervloeking maar in je reet,' zei Tomo, en toen juichte hij en liet Betty even toeteren omdat er in rap tempo zes kanonnen waren opgesteld die, schijnbaar in een paar ademtochten, werden geladen en afgevuurd. Er klonk een tweede groep explosies toen de granaten in de buurt van de doelen aan het uiteinde van het veld ontploften. Eén kanon schoot te ver en blies de top van een boom in het bos achter het veld weg. Tomo speelde een korte treurzang voor de stervende magnolia.

'Dat spelen we ook nog wel eens voor jou, jij dooie trompetter, vervloekte uitslover,' zei Johnny; ditmaal klonk er maar weinig venijn door in zijn stem. Die eerste week was hij de rol van Tomo's maatje gaan spelen. Tomo had geen bezwaar tegen hem. Hij was eenzaam omdat hij Gob miste, en het was prettig iemand in de buurt te hebben om mee te praten, afgezien van het feit dat Johnny een en al pessimisme was, als hij tenminste niet liep op te scheppen dat zijn trommel in Shiloh door een granaat was opgeblazen.

Toen de exercitie achter de rug was renden ze over het veld het bos in om naar de gesneuvelde magnolia te kijken. Een tijdje speelden ze tussen de onnatuurlijk laag hangende takken, tot Johnny wegdook achter de dikke stam en op de grond ging zitten. Hij zei tegen Tomo dat deze naast hem moest komen zitten.

'Tijd om mijn slang te aaien,' zei hij, terwijl hij zijn heupen ophief, zodat hij zijn broek tot op zijn knieën omlaag kon trekken. Tomo had dit al eens eerder gezien, maar hij dacht niet dat hij het prettig zou vinden het zelf te doen. Aaide hij zijn slang nooit? vroeg Johnny. Had niemand hem ooit laten zien hoe je het moest doen?

'Het is zo ongeveer het lekkerste wat er is,' zei hij, terwijl hij traag aan zijn lid sjorde, dat nog witter en viezer was dan zijn eigenaar. 'Kom,' zei hij, 'probeer het eens.' Tomo trok zijn broek omlaag en trok een paar keer, alleen maar om te zorgen dat de jongen verder zijn mond hield. 'Is het niet heerlijk?' vroeg Johnny. Hij sloot zijn ogen en leunde met zijn hoofd tegen de boom. Tomo trok zijn broek weer op en klom naar de nieuwe top van de magnolia. De boom brandde daar een beetje, en hij doofde het vuur met de mouw van zijn jas.

Onder hem trappelde Johnny met zijn voeten en liet zijn heupen op en neer springen en draaide toen zijn hoofd om om de boom te kussen. 'Ah, mevrouw Davis, u bent een verrukkelijk wijf!' kreunde hij, en schreeuwde toen driemaal woordloos achtereen, iedere keer harder dan de voorgaande, de laatste maal zo hard dat Tomo dacht dat er nu wel een wacht het bos in zou komen om te kijken wie er vermoord werd. Johnny slaakte een diepe zucht en legde zijn handen achter zijn hoofd.

'Waar ben je, trompetter?' riep hij. Tomo liet boven zijn hoofd een gefluit horen. Johnny klom naar boven en hield zijn hand boven zijn ogen om over het kamp uit te kijken, dat zich uitstrekte zover ze konden zien.

'Volgens mij zie ik generaal Thomas,' zei Tomo.

Johnny zei: 'Het duurt niet lang meer of ik kan echt spuiten. Dan ga ik op zoek naar een meisje en wil ik een paar baby's.'

Een week later ging het Negende op weg. Tomo liep naast Aaron Stanz en speelde op Betty. Ze liepen naar het zuiden en het oosten, Georgia in; hun beweging was deel van een groot plan om Bragg Chattanooga uit te manoeuvreren. 'Chattanoogey,' zei Tomo steeds maar giechelend tegen zichzelf. 'Ik ben nog nooit in Chattanoogey geweest.'

'Als je één zo'n Rebellenstad hebt gezien,' zei Aaron Stanz, 'heb je ze allemaal gezien.' Tomo had nog nooit een Rebellenstad gezien. Hij stelde zich Chattanooga voor: een stad vol negers en woedende weduwen. Hij verzon onder het lopen een liedje en noemde het 'Chattanoogey'.

Die eerste dag deden zijn voeten pijn en bloedden ze: in zijn slecht passende laarzen zaten zijn tenen raar gekromd en hij had de nagel van zijn linker grote teen eraf gelopen. Hij schudde de nagel uit zijn laars en gooide hem in het kookvuur. Aaron Stanz zei hem dat hij een wens moest doen, dus wenste Tomo dat Gob als door een wonder het kamp in zou komen lopen nadat hij hem vanuit Homer was gevolgd en had gevonden. En toen brandde hij zijn hand terwijl hij de nagel uit het vuur griste omdat het hem leek dat hij een ondoordachte wens had gedaan. Hij wilde zijn broer hier niet hebben. Hij gooide de nagel terug in het vuur en wenste dat er een slang het bed in zou kronkelen dat hij vroeger met Gob had gedeeld en Gob in zijn achterste zou bijten. En toen wenste hij dat hij een nieuwe nagel had om toch maar te kunnen wensen dat zijn broer zou komen.

Met een tinnen bord als schrijftafel op zijn knieën schreef hij een brief:

Secessia, 23 augustus 1863

Broer,

Nou, dit is dan het leven, en jij maakt het niet mee. Geen Mamma en geen Buck, geen bedrog. Iedere avond eet ik zoveel als ik wil, en de mensen geven een bugelspeler wat hem toekomt. Was je hier nou bang voor, een goed leventje leiden? Als je weer bij zinnen bent kun je me hier komen opzoeken, hoewel Richmond dan misschien al zal zijn platgebrand.

De jouwe in oorlog,
Jigadier met strepen en vlekken T. J. Woodhull

p.s. zie je hoe snel ik ben bevorderd je kunt mijn adjudant worden

Hij kocht bij de marketentster een envelop en een postzegel en stak de brief in de zak van zijn jas, waar hij bleef zitten zonder gepost te worden. Bij de marketentster kocht hij verder een grote hoeveelheid taartjes, omdat hij opeens besefte dat hij nog geen stuiver had uitgegeven van het geld dat hij had meegenomen—tien hele dollars, die hij in de loop van veel maanden had opgespaard uit de winst op de oplichterspraktijken van het gezin. Hij liep met zijn armen vol taartjes terug naar de C-compagnie en werd door iedere man geprezen als de ideale taartjongen. Er was één taart op de zeven mannen, maar op een of andere manier scheen er genoeg te zijn voor iedereen.

Na het eten legde de Weghorst-tweeling vier vierkante kistdeksels uit om een dansvloer te maken. Tomo en Johnny en een violist uit het Tweede Minnesota speelden terwijl de mannen van de C-compagnie dansten, ditmaal niet in paren maar individueel. Iedereen had zijn eigen stijl van dansen—Aaron Stanz hield zijn armen recht langs zijn zijden, met zijn handpalmen achter zich omhooggedraaid en bewoog zijn hoofd als een kip terwijl zijn voeten als razenden

22

rondschuifelden. De Weghorst-tweelingbroers hielden hun handen en armen boven hun hoofd en bogen zich vanuit hun middel naar links en naar rechts, naar elkaar toe en weer van elkaar af. Raimund Herrman stak zijn neus uit naar de zwarte hemel, zette zijn handen in zijn heupen en trappelde als een razende met zijn voeten. Tomo draaide al spelend om zijn as, tot hij zo duizelig werd dat hij omviel en dacht dat hij zijn taart zou uitkotsen van de duizeligheid en de hijgende, beverige manier waarop hij lachte.

Ze marcheerden door de Cumberland Mountains, waar Tomo echoënde noten de mistige dalen inblies en Aaron Stanz voor zijn vrouw laatbloeiende wilde bloemen verzamelde. Hij droogde ze in een bijbel die hij alleen hiervoor opensloeg. De bijbel was nu bijna leeg, maar had propvol gezeten toen hij naar huis was gegaan. Stanz vertelde Tomo dat hij een hele avond bezig was geweest ze op de vloer van hun huis voor zijn vrouw uit te leggen, dat hij haar de namen had genoemd en van elke bloem had verteld waar hij haar had gevonden. 'Dwergirissen,' zei hij tegen Tomo, terwijl hij hem met een ervan onder zijn kin kietelde. Hij vroeg of Tomo er niet een wilde om naar huis, naar zijn mamma te sturen, en toen bloosde hij en verontschuldigde zich. Hij zei dat hij Tomo, als het afgelopen zou zijn met vechten, mee naar zijn huis in Cincinnati zou nemen, waar die lieve Frieda melassekoekjes voor hem zou bakken die zo groot zouden zijn als een jongen en ook dezelfde vorm zouden hebben.

Toen ze op de plek kwamen waar Battle Creek in de Tennessee uitkomt zag Tomo zijn eerste levende Rebel. Wachtposten stonden aan weerszijden van de rivier tegenover elkaar. Tomo liep met Johnny omlaag naar de oever en Johnny riep over het water: 'Goeienavond, verdomde rebellen!'

'Loop naar de hel, verdomde Yankee,' kwam het antwoord.

'Ik heb kranten,' zei Johnny, 'en koffie, als jullie iets te roken hebben.'

'Blijf even staan, klerelijer,' zei de Rebel. Tomo kon hem nog net zien als hij zijn ogen halfdicht kneep. Het was een onbewolkte nacht, en er stond een heldere maan, maar de rivier was breed. De Rebel bukte zich over het water en duwde iets van de oever af. Het was een bootje van boombast en touw. Het dreef langzaam naar de overkant. Johnny ving het een stukje stroomafwaarts op, tilde het uit het water en liep weg in de richting van het kamp, in alle gemoedsrust de steeds heftiger vloeken van de Rebel negerend, die in het wilde weg op hem schoot toen zijn voorraad vloeken was uitgeput. Zijn vuur werd door andere wachtposten beantwoord. Tomo en Johnny renden terug naar de tent van Aaron Stanz, waar ze zich in dekens rolden en elkaar de lange, met Rebellentabak gevulde pijp van Aaron Stanz doorgaven.

De volgende ochtend waren de Rebellen verdwenen, en de brigade begon met de oversteek van de rivier. De C-compagnie was als een van de eerste aan de beurt. Tomo zat voorin een kano van een uitgeholde boomstam terwijl Aaron Stanz en de Weghorst-tweeling peddelden. Tomo zocht op de overkant naar sporen van de Geconfedereerden en vond alleen een weggegooide zuidelijke pet met een scheur in de rand. Hij vertrapte hem en schopte hem daarna in de rivier.

Ze zaten een paar dagen in een kamp bij de rivier en begonnen toen aan een trage tocht over Raccoon Mountain, waar Tomo echter geen enkele wasbeer zag, hoewel hij er voortdurend naar uitkeek. Aaron Stanz had hem een Springfield gegeven waarvan hij de loop had afgezaagd, zodat hij niet te groot zou zijn, en Tomo oefende zich in laden. Hij scheurde de papieren patroon met zijn tanden open, liet het kruit en de miniékogel in de loop zakken en perste daarna met zijn stompe laadstok het papier omlaag. Hij vuurde op Rebelleneiken en ceders en eekhoorns, en eenmaal op een Rebellenmus, maar miste alle dieren en alle bomen op twee na.

De stemming in de C-compagnie begon om te slaan. Tomo speelde bij het vuur sombere muziek voor hen terwijl zij hem kennis lieten maken met de doden van het Negende; de beroemdste was hun vroegere kolonel, de zeer gerespecteerde Robert McCook, van de 'vechtende McCooks' uit Cincinnati—hij had vier broers gehad die ook aan de oorlog deelnamen. Voor iedere veldslag werd hij door zijn vurigste bewonderaars geciteerd: 'De Secessionisten zijn onze broeders niet meer. Als ze zich niet onderwerpen moeten ze worden uitgeroeid.' Kolonel McCook was bij Athens in Alabama gesneuveld. Terwijl hij ziek in een ambulancewagen had gelegen was hij door een regiment uit Mississippi overvallen, dat hem tienmaal had doorstoken en zijn lijk in brand had gestoken. Dezelfde lui uit Mississippi hadden zich al de vijandschap van het Negende op de hals gehaald toen ze na Shiloh een paar mensen van het Negende met hun gezicht omlaag hadden begraven. Iedere man van het Negende hoopte er een dood te kunnen schieten.

Die hele trage tocht door de bergen deed Tomo's grote teen vreselijk pijn, en hij had meer dan genoeg van het lopen. Hij wenste dat hij een paard had; hij wenste dat er toevallig een cavalerist op die trein had gezeten, de nacht dat hij uit Homer was vertrokken, en tenslotte wenste hij dat er een veldslag zou komen, want daarvoor zat hij immers hier, voor een kans op een paar Rebellen te schieten.

Toen ze Raccoon Mountain afdaalden hoorden ze het nieuws dat Bragg Chattanooga had ontruimd. Er klonk zo'n donderend gejuich dat het Tomo leek alsof het dramatische landschap zelf een stem had gekregen en de overwinning voor de Unie aankondigde. Tomo zong met het Negende:

'De oude Rosie is onze man,
De oude Rosie is onze man,

Waar hij ons voorgaat laat hij zien wat hij kan,
De oude Rosie is onze man!'

Hij dacht aan generaal Rosecrans, die toevallig de enige
beroemde zoon van Homer was. Het zou een prachtig verhaal zijn om de mensen thuis te vertellen, als Tomo ooit
terugkeerde: hij had in het vorige kamp een glimp van Rosecrans opgevangen en weerstand geboden aan de aanvechting naar hem toe te gaan en zich als mede-Homeriet aan
hem voor te stellen. Misschien als we in Chattanooga zijn,
dacht Tomo. Dan vertel ik hem dat ik uit Homer kom.
Maar ik zeg hem niet dat ik een Claflin ben. Tomo bereidde
zich voor op een triomfantelijke intocht in Chattanooga,
wenste dat hij die Rebellenpet had bewaard, omdat de weduwen van de Secessionisten ongetwijfeld uit hun ramen
zouden hangen en op hem zouden spugen.

Een paar nachten later lag Tomo net lekker te slapen en
te dromen dat hij met zijn nieuwe geweer zijn grootvader
doodschoot toen Aaron Stanz hem wakker schudde. 'Toeter
vlug de jongens wakker,' zei hij. Tomo was opgewekt naar
bed gegaan, maar werd wakker met klamme handen en een
gevoel dat hij moest kotsen, wat hij ook deed, pal in het
midden van een slaperige noot. Hij liep de hele nacht naast
Aaron Stanz en zakte tegen zonsopgang in elkaar, slapend
maar nog steeds voortschuifelend. Aaron Stanz raapte hem
op, droeg hem als een zak aardappelen verder en gaf hem,
toen hij moe werd, door aan een andere man in de compagnie. Raimund Herrman droeg hem een tijdje alsof hij een
bruidje was en de Weghorst-tweeling droeg hem een paar
kilometer om beurten. Toen ze halthielden had Tomo
koorts en zweette hoewel het heel erg koud werd, en zijn
sok was doorweekt met bloed. Hij liep echter koppig door
toen ze na slechts een paar uur weer op weg gingen, tot hij
weer in slaap viel en gedragen werd. Toen hij wakker werd
was het weer donker en marcheerde de compagnie door de
rook. Iemand had de omheining aan weerszijden van de

weg in brand gestoken en de vlammen wierpen scherpe schaduwen over de gezichten van de mannen, waardoor hun gelaatstrekken hard en waanzinnig werden, zodat Tomo, toen hij wakker werd, dacht dat hij in een compagnie onbekenden zat.

Waar ze zich ook zo haastig heen hadden bewogen, ze kwamen er vlak na middernacht aan. Het leek Tomo een plaats die helemaal niets voorstelde. In het licht van de maan zag hij velden die werden onderbroken door groepen bomen – het had Homer geweest kunnen zijn – en in Tomo's ogen was het een beroerde plek voor een veldslag. Er stonden te veel bomen om je achter te verbergen – hij wilde brede, golvende velden zien waar de brede kolonnes mannen ongehinderd konden manoeuvreren en waarop ze als de vuisten van boze goden op elkaar konden botsen.

De C-compagnie kreeg bevel de bevoorradingswagens te bewaken. Onder een ervan sliep Tomo, met zijn hoofd op de kale grond. De volgende ochtend vingen zijn oren een vaag gerommel op, waardoor hij wakker werd. Hij liet zich onder de wagen uit rollen, verstrikt in zijn dekens. Hij keek omhoog en zag Aaron Stanz scherp afgetekend tegen de richel in het landschap die in de verte achter de linie van de Unie opdoemde.

'Ah, spitsmuis, je hebt een worst van jezelf gemaakt,' zei Aaron Stanz, terwijl hij zich bukte en Tomo uit zijn dekens pelde. De hele nacht had Tomo het koud gehad, hoeveel dekens hij ook over zich heen had getrokken, en toch waren zijn hemd en jas gedrenkt in het zweet. Aaron Stanz zei hem dat hij op zoek moest naar een dokter. 'Je hebt malaria,' zei hij, 'of erger.'

'Van malaria ga ik niet dood,' zei Tomo. 'De tyfus heeft het geprobeerd, en die is huilend naar zijn moeder teruggegaan.'

'Ga toch maar,' zei Aaron Stanz, terwijl hij hem naar achteren duwde, precies op het moment dat er ten noorden van hen een geweldig lawaai van kanonnen begon, dat zich snel naar het zuiden verplaatste—een beschieting waarbij de vijand over de hele linie werd bestookt. Er kwam iemand aanrijden om het Negende weg te halen bij de wagens. Aaron Stanz duwde Tomo in de richting van de lazarettenten en rende toen met de rest van zijn compagnie mee. Tomo deed drie stappen, draaide zich toen om en liep achter Aaron Stanz aan, waarbij hij alleen even stopte om zijn geweer onder de wagen uit te halen. Hij strompelde een beetje omdat zijn teen zo'n pijn deed, en omdat hij echt ziek was kwam hij maar langzaam vooruit. Hij had de C-compagnie net ingehaald toen kolonel Kammerling de hele compagnie bevel gaf de bajonet op het geweer te zetten en aan te vallen.

Tomo had geen bajonet voor zijn korte geweer, maar hij rende toch met het Negende mee, een maïsveld in dat door een bos werd omzoomd. Hij was weer kwaad—kwaad op al die verdomde Rebellen, kwaad omdat Gob alle opwinding miste, kwaad dat hij ziek en zwak was, kwaad dat hij maar een jongen was. Hij was echter niet bang. Zodra de gelegenheid zich voordeed zwaaide hij het geweer bij de loop rond en trof een Rebel met de kolf tegen het hoofd. De Rebel—een oude man met een vettig ogende hangsnor—was verrast toen hij een jongen met moord in zijn ogen uit de maïs zag opduiken en maakte geen enkele beweging om zich te verdedigen, tot het te laat was. De oude man viel met zijn hoofd op zijn gestrekte armen en zag eruit alsof hij sliep, maar er zat een groot en duidelijk zichtbaar gat bij zijn slaap. Met zijn laars draaide Tomo het gezicht van de man naar zich toe en keek hoe het oogwit in een waanzinnig, boos rood veranderde.

De mannen van het Negende hakten furieus in op de nu aarzelende, terugdeinzende Rebellen. Sommigen van hen, wier geweer hen uit de hand was geslagen, hielden hun handen met smekende gebaren op tegen het blinkende staal, alsof ze wilden zeggen: *Nee, dank u.* Het is een wonder dat ik niet doodgeschoten word, dacht Tomo terwijl hij daar stond te kijken. Hij was zich scherp bewust van de kogels, maar voelde niet de aanvechting weg te lopen. Hij bedacht dat het geluid dat de miniékogels maakten inderdaad erg vreemd was en volkomen onmogelijk te beschrijven, behalve dat hij er iets van het gezoem van een bij, het gemauw van een katje en het knippen van vingers in dacht te horen. Hij werd pas wakker uit zijn dromerij toen hij zag dat een Rebel Raimund Herrman bedreigde, de grote man soepel op de korrel nam toen deze naar een ingenomen artilleriestelling van de Unie rende. Tomo werd helemaal door de maïs aan het zicht onttrokken toen hij erop af rende. Als de scherpschutter van de Rebellen even had gekeken had hij misschien gedacht dat er een beweging in de lucht op hem af kwam, maar hij draaide zich niet om. Tomo trof hem op de heup terwijl de Rebel vuurde, en toen deze tussen de maïsstaken viel stond Tomo op, zwaaide het geweer als een bijl over zijn schouder en verpletterde de keel van de man. Toen rende Tomo achter Raimund Herrman aan, die met zijn bajonet stekende bewegingen maakte naar een Rebel die naast een blinkende napoleon stond.

'Dit kanon is van ons, klotesergeant!' riep de Rebel.

'Nee,' zei Raimund Herrman, 'dit kanon is *unser*.' Tomo dook achter de Rebel op en gaf hem een dreun tegen zijn nier. Toen de Rebel op zijn knieën zakte stak Raimund Herrman hem door zijn hoofd. Tomo vond het een grof gebaar, dat steken. Hij had liever gezien dat ze daar allemaal als beschaafde mensen netjes bij zouden liggen, maar dat gebeurde niet. Overal om hem heen staken de mannen van het Negende in op de Rebellen, en kregen de overhand. De Rebellen verbraken hun formatie en zetten het op een rennen toen er nog een Unieregiment op de heringenomen batterij afkwam. Tomo keerde met Raimund Herrman terug naar de brigade, op de linkerflank waarvan de vijand nu massaal toestroomde, en het Negende viel weer aan. Ze waren onvermoeibaar als er gechargeerd moest worden. 'Ze

doen alles, als ze hun bajonet maar mogen gebruiken!'
grapten de andere regimenten altijd, en vroegen waarom
het Negende eigenlijk munitie nodig had.

Tomo was totaal niet moe tijdens de veldslag—hij voelde
in zijn bloed een opwinding die zo sterk was dat hij dacht
dat hij nooit meer zou slapen—maar het voelde wel als een
heerlijke rustpauze aan toen hij op zijn buik achter een op
de grond liggende boom lag en over een veld op de Rebellen schoot. Aaron Stanz had hem gevonden en een uitbrander gegeven en hem daarna heftig in zijn armen gedrukt.
Nu lagen ze naast elkaar te schieten, hun lippen, tanden en
tong waren zwart van het openrukken van de kruitpatro-
nen. Ook Johnny lag er te schieten, tussen de schoten in
gemeen vloekend. 'Jeff Davies is een geitenneuker!' riep hij
de herrie in. 'Mevrouw Lee is een slet met korsten in d'r
kut!'

Er leek heel opeens een einde aan de gevechten te komen. De ene minuut richtte Tomo op een Rebellenpet om
te kunnen schieten en de volgende waren de Rebellen allemaal verdwenen en was er niets meer om op te richten behalve de schaduwen tussen de bomen. Verderop langs de
linie hoorde hij nog steeds gedonder, maar hier bij het Negende was alles volmaakt stil en rustig. Het Negende profi-
teerde van de gevechtspauze om de eerste maaltijd van die
dag te gebruiken. Tomo had zo'n honger dat hij een half
pond ongewassen gezouten rundvlees at, dat in de blaren op
zijn tong beet en zijn gezichtsspieren zo hard samentrok dat
hij zijn ogen nauwelijks open kon krijgen. De stilte duurde
en duurde tot in de schemering en het Negende dacht dat
het er voor die dag op zat, maar precies op het moment dat
de zon vlak boven de richel in het landschap stond kwam er
een ongelooflijke vloed schreeuwende Rebellen het bos uit.
Ze vielen door het veld met het lage gras aan, in de richting
van de bomen waar het Negende zich verdekt had opgesteld, en overspoelden hen bijna.

Op dat moment sneuvelde een van de Weghorst-twee-

lingbroers. Toen ze opstonden om zich samen met de rest
van de compagnie terug te trekken deed de ene zijn mond
open om iets tegen zijn broer te zeggen en kreeg daar een
kogel, dwars door zijn mond, en door de achterkant van zijn
hoofd weer naar buiten. Tomo hoorde heel duidelijk het
geluid van brekende tanden, een verschrikkelijk geluid.
Toen Tomo het hoorde werd hij voor het eerst bang. Hij
voelde de aanvechting weg te rennen, weg van het galmen-
de geluid in zijn hoofd, weg van het geschreeuw van de nog
levende Weghorst, weg van de aanvallende Rebellen. Maar
Tomo was Gob niet. Hij zou niet naar Homer terugrennen
en zich onder het bed verstoppen.

Tomo trok zich langzaam terug, onder het lopen ladend
en vurend, tot hij een soldaat van een ander regiment uit
Ohio tegen het lijf liep die hen met een hele divisie te hulp
kwam. De linie hield het tot het helemaal donker was geworden. Tomo bleef blind in het duister schieten. Uiteindelijk kwam Aaron Stanz, die een hand op zijn schouder legde
en zijn arm omlaagdrukte, zodat zijn geweer de grond raakte.

'Het is afgelopen voor vanavond, spitsmuis,' zei Aaron
Stanz, en toen gaapte hij, zo uitgebreid dat Tomo dacht dat
zijn hele gezicht in zijn mond zou verdwijnen, en met zoveel energie dat zijn adem over Tomo's gezicht golfde. Tomo ging op Aarons aandringen bij een dokter langs terwijl
de rest van de niet-gewonden van het Negende een wal begonnen op te werpen. In het lazaret zei Tomo dat hij alleen
maar was gekomen om de gewonden een serenade te brengen, maar de waarheid was dat hij zich zieker voelde. Hij
gloeide nu van de koorts in plaats van dat hij het koud had,
maar dat kwam hem goed uit, want het bleek een ijskoude
nacht te zijn. Bovendien had hij vreemde visioenen. Hij
dacht dat zijn hersenen te warm waren, dus stak hij zijn
hoofd in een teil water, maar nog steeds zag hij een zwarte
tor uit het oor van een gewonde man kruipen en eromheen
lopen voordat hij weer naar binnen ging, en tweemaal zag

hij hoe de maan in een gezicht veranderde en tegen hem knipoogde.

Tomo speelde de hele nacht lieflijke muziek voor de gewonden omdat hij niet kon slapen. Een ziekenbroeder bracht hem warm eten: krokante bacon en een stoofpot van kip en scheepsbeschuit. Op de bodem van de kom lag een hardgekookt ei. Tomo viste het eruit en at het heel precies op: hij knabbelde van het eiwit tot hij een perfecte bol eigeel tussen zijn duim en wijsvinger hield. Deze slikte hij als een pil door. Toen hij zijn eten op had ging hij bij de overlevende helft van de Weghorst-tweeling langs, met de gedachte iets te spelen om hem te troosten, maar toen hij zag dat deze nog steeds bij het lijk van zijn broer zat te huilen kon hij niets anders doen dan zwijgend naar hem staren en Betty tegen zijn borst klemmen. Hij dacht aan zijn mamma, daar in Homer. Als ze hier was, zou ze zeggen dat de dode Weghorst nu in Zomerland was, een plek waar alle goede geesten woonden.

Hij ging naast de overlevende Weghorst zitten, legde zijn hand op die van de grote kerel en barstte in een zo hevig huilen uit dat hij het gevoel had dat zijn hele hoofd in een fontein van zout water was ontploft. Tomo huilde omdat het verschrikkelijk was dat broers van elkaar gescheiden werden en omdat hij zijn eigen broer miste. Hij leed plotseling onder de niet beredeneerde overtuiging dat Gob dood was, dat een Rebellenkogel honderden mijlen naar Homer had afgelegd om de tanden van zijn broer te verbrijzelen en zijn achterhoofd over de muur van hun slaapkamer te blazen. Tomo legde zijn hoofd op de borst van de dode tweelingbroer en huilde, denkend dat hij zou blijven huilen tot er niets meer van hem over was dan droge huid en botten en broze uitgedroogde organen. De overlevende tweelingbroer gaf klopjes op Tomo's haar om *hem* te troosten, wat helemaal niet de opzet was, en de wereld was volgens Tomo helemaal in de war en onrechtvaardig, totdat hij opeens heel diep in slaap viel, als in een diepe greppel.

De volgende ochtend schrok Tomo wakker van het geluid van kanonnen. Hij had liggen dromen: hij zat in het huis in Homer en deelde een bord pannenkoeken met Gob terwijl hun mamma voorlas uit *De storm*. Er brandde een groot vuur in de haard en Tomo voelde zich comfortabel en erg gelukkig omdat zijn opa Buck dood was – zijn hoofd was opgezet en stond op de schoorsteenmantel. Tomo schoof pannenkoeken in zijn mond: ze waren doordrenkt van boter en smaakten erg zout. Plotseling klonk er buiten lawaai, net donder, en mamma sprong gillend op uit haar stoel: 'O, Rosy, er zat alleen maar dat gat dat jij had gemaakt! En nu zit er ook een gat in ons middelpunt en Longstreet heeft het gezien!'

Iemand had Tomo bij Johnny, die met zijn trommel in zijn armen door het lawaai van de artillerie heen sliep, onder een tentzeil gelegd. Tomo stond op, goot water over zijn hete, pijnlijke hoofd en dronk een kop koffie. Johnny werd wakker en krabbelde haastig een briefje met de namen en het adres van zijn ouders en prikte het op zijn jas. 'Dat had ik gisteren moeten doen,' zei hij. Na even nadenken deed Tomo het ook. Hij schreef zijn echte naam op, en toen de naam van zijn moeder: 'Victoria C. Woodhull (De Grote), stad Homer, Licking County, Ohio.'

Tomo en de rest van de C-compagnie zaten twee mijl ten noorden van het gat in de linie waar Longstreet later die ochtend drie divisies naar binnen zou laten stromen. Vlak na twaalven was ook tweederde van het Leger van Cumberland ijlings op de vlucht langs de weg naar Chattanooga. De oude Rosy was niemands man die dag, hij vluchtte ook naar Chattanooga. Tomo vluchtte daar niet heen, hoewel hij ernaar hunkerde die plaats te zien. Hij bleef bij het Negende, dat, net toen alles uiteenviel, naar Snodgrass Hill werd geroepen, de beroemde plek waar Thomas stand wist te houden.

Tomo zat er de hele dag. Tweemaal beklommen de Rebellen Tomo's deel van de heuvel en zetten er hun vlag op;

tweemaal stormde Tomo met het Negende naar voren om de vlag om te duwen en de hijgende Rebellen terug te slaan. Volledig uitgeput van het heuvelop rennen hadden de Rebellen nog maar erg weinig gevechtskracht over als ze de top hadden bereikt.

Een derde maal viel het Negende aan. De Rebellen wachtten de Uniesoldaten met een salvo granaten en kogels op toen dezen achter hun verschansingen vandaan kwamen. Tomo struikelde en viel op zijn gezicht, en het salvo ging over hem heen. Raimund Herrman raakte zijn hoofd kwijt toen hij getroffen werd door een afgedwaalde kanonskogel. Zijn grote lichaam zette nog een paar stappen en leek toen te knielen voordat het voorover sloeg. Een lading hagel trof de overlevende Weghorst in de borst. Aaron Stanz, die achter de eerste aanvalsgolf zat, bleef achter Tomo aanrennen, die voorin vast was komen te zitten nadat zijn kameraden rechtsomkeert hadden gemaakt of zich tegen de grond hadden gedrukt. De artillerie verschoot al haar munitie terwijl Aaron Stanz voortrende en raakte hem niet, maar toen belandde hij in furieus, vernietigend geweervuur en leek voor Tomo's ogen te verdwijnen. Kleine stukjes van Aaron Stanz —een vinger, een deel van zijn pet, een deel van zijn neus— zaten er opeens niet meer en toen desintegreerde hij verder: stukken vlees en bot ter grootte van vlinders vlogen van hem af. Hij naderde Tomo rennend tot op een paar meter, tot zijn wilskracht niet genoeg lichaam meer over had om voort te bewegen.

Deze afgrijselijke gebeurtenis veroorzaakte bij Tomo een omkering van zijn gevoelens. Al zijn vroegere strijdlust verliet hem en maakte plaats voor afgrijzen. Het welde in hem op tot hij het gevoel kreeg dat hij niet meer kon ademen omdat hij erin verdronk. Het was zoveel erger dan wat hij de dag ervoor had gevoeld. Nu wilde hij wél wegrennen naar Homer, zich onder het bed verstoppen en er nooit meer onderuit komen. Hij en Gob zouden daar liggen met een stuk gestolen taart en een kroes cider, een kaars en een boek. Wat had een jongen nog meer nodig, behalve dat en zijn broer? Ze konden eten en lezen en elkaars rug krabben. Ze konden in het donker achter de kaars turen en samen zeggen: 'Ik ben bang. Ik ben bang om dood te gaan.' Overweldigd door koorts en angst sloot Tomo zijn ogen en legde zijn hoofd op de grond.

Het was nacht toen hij wakker werd van het lawaai van de Rebellen, die om hun overwinning juichten. Het geluid werd gedempt door de stapel doden die op hem lag—een van de Unie en drie Rebellen, verstrengeld in een zware broederschap die hem tegen de rondvliegende kogels beschermd moest hebben. Hij kroop onder de lijken uit. Generaal Thomas was verdwenen, met achterlating van Tomo en de doden.

Tomo liep naar het westen, waar hij heen moest, over de weke lichamen van de doden heen klimmend. Tussen de juichkreten van de Rebellen door hoorde hij het gekerm van enkele gewonden, en hij wist zeker dat zijn voetstappen op een zeker moment gekreun zouden veroorzaken, maar dat gebeurde niet. Hij bleef, de kampvuren ontwijkend, in de richting van de richel lopen. Toen hij een groep Rebellen hoorde naderen vluchtte hij een stuk bos in, waar hij volledig verdwaalde tussen de pijnbomen en het eikenhakhout, waar tussen de smeulende struiken nog meer doden verspreid lagen. Uiteindelijk verloor Tomo de richel uit het oog, raakte ieder richtingsgevoel kwijt en kwam tenslotte uit bij een snelle koude kreek, die hij overstak: hij liet zich de ene steile oever afglijden en klauwde zich de andere op, dankbaar voor de kans zijn hele lichaam onder te dompelen. Tomo had het nu zo warm dat hij dacht dat de vlammen hem zo dadelijk zouden uitbreken en de Rebellen als motten naar hem toe zouden lokken. Hij wist niet dat hij honderdtachtig graden was gedraaid en zette aan de overkant van de Chickamauga Creek koers naar het oosten. 'Gob,' riep hij zachtjes terwijl hij door het donkere bos liep. 'Waar ben je?'

Zijn koortsvisioenen gingen door. Een uil streek op een tak neer en zei: 'Tomo! Tomo!' De maan wentelde als een opgegooid muntstuk rond in de hemel. Een kleine jongen die met een houten zwaard zwaaide leidde een groep hoofdloze soldaten naar de kreek. Een man in een smetteloos witte chiton kwam uit de schaduwen, rijdend op een olifant met de afmetingen van een pony.

'Thomas Jefferson Woodhull,' zei hij. 'Ik ken jou.'

'Ik jou niet,' zei Tomo, die ging zitten en zich in de ogen wreef. Maar hij kende hem wel degelijk. Hij herkende hem van de verhalen die zijn moeder hem had verteld over haar geweldige lotsbestemming, over alle geesten in wier schaduw ze wandelde. Hij begon te huilen.

'Kom,' zei de man. 'Kom nou. Je hoeft niet te huilen. Je wilde de olifant toch zien? Nou, kijk maar eens!'

Tomo zei niets, maar legde alleen zijn hoofd in zijn handen en huilde nog harder. De olifant toeterde met zijn slurf een vriendelijk deuntje terwijl de man afstapte en naast hem kwam zitten. Pas toen merkte Tomo dat hij in de kreek Betty was kwijtgeraakt. De man trok Tomo's handen weg van zijn gezicht en hield ze in de zijne. Zijn handen waren koel en droog en te glad om van echt vlees te kunnen zijn.

'O, jongen,' zei hij. 'Je ellende is bijna afgelopen. Je bent erg dicht bij de weg naar huis. Daar op die open plek in het bos zit een officier gehurkt die je op weg kan helpen.' De man in het wit hief een blote arm en wees. Tomo stond op en rende, niet zozeer omdat hij geloof hechtte aan het koortsvisioen, maar omdat hij weg wilde. Er zat inderdaad iemand op de open plek, gehurkt naast zijn paard en met zijn broek omlaag.

Tomo's half uitgesproken vriendelijke begroeting veranderde in een woedend gehuil toen hij zag dat de man op de open plek een Rebel was, en dan ook nog een generaal—zijn sterren blonken heel duidelijk in het heldere maanlicht. Tomo hief al rennend zijn geweer, maar toen hij vuurde miste hij. Terwijl hij de generaal naderde draaide hij zijn geweer om, pakte het bij de loop en hief het boven zijn hoofd, klaar om een verpletterende klap uit te delen. De generaal richtte zijn pistool en vuurde twee schoten af voordat Tomo hem had bereikt. De eerste kogel ging naast, maar de tweede drong Tomo's linkeroog binnen en doodde hem op slag. Tomo viel in het koele gras en zijn koorts begon hem langzaam te verlaten. De generaal liep naar hem toe en knielde om zijn belager beter te kunnen bekijken. Er klonken al geluiden tussen de bomen. De staf van de generaal kwam hem zoeken — zijn kamp was daar niet ver vandaan.

Toen de generaal zag dat hij een kleine jongen had gedood sloeg hij met zijn hand tegen zijn hoofd en trok zich een pluk haar uit, de Yankees vervloekend die kinderen tegen hem in het veld stuurden, en omdat hij toevallig ook priester en bisschop was bad hij zacht en oprecht bij het lichaam van de jongen, smeekte God dit knulletje alstublieft alstublieft een thuis in de Hemel te schenken.

DEEL EEN

Iedere nacht, duizend jaar lang

Verdriet ({onleesbaar}) treurnis bedroefde rouw (gebruik ik)
rouwend vol rouw melancholiek ontzet zwaarmoedig tranen
zwarte snikken—en zuchtend begrafenisriten kermend
klagend stom verdriet welsprekende stilte betreuren
bejammeren berouwen diep verdriet hebben luide klachten
erbarmelijk luid huilen heftig geweeklaag

pijniging geweend diepe depressie zielenpijn hartstochtelijke
treurnis getroffen door rouw terneergeslagen gedeprimeerd
somber ernstig Medeleven ontroerend medelijden tederheid
teerhartig vol compassie donker gedeeltelijke of gehele
duisternis (zoals duisternis in een woud—middernachtelijk
duister) bewolkt bewolktheid (bewolktheid) *van geest geest*
verzonken in somberheid ziel ((verzonken in somberheid)/
ontgoocheling ontgoocheld

{onleesbaar}) schaduwen van de nacht zwaar dof-duister
duistere schaduwen duister(nis) getroffenheid terneerslaan-
terneergeslagen terneergeslagenheid liggend op de aarde
nederig-nederigheid lijden-zwijgend lijden drukkend
Ellende-ellendige ramp Extreme angst (van geest of van
lichaam) Nood foltering opgejaagd terneergedrukt troebelen
diepe getroffenheid klagend Calamiteit ramp iets wat
neerkomt—

WALT WHITMAN
Een verzameling woorden voor 'When Lilacs Last in the
Dooryard Bloom'd'

1

Walt droomde over de dood van zijn broer bij Fredericksburg. Generaal Burnside, die in de gedaante van een engel aan het voeteneinde van zijn bed verscheen, meldde de tragedie: 'Het leger betreurt het u op de hoogte te moeten stellen dat uw broer, George Washington Whitman, door een laaghartige kerel uit Charleston door het hoofd is geschoten.' De generaal landde op de beddenstijl en trok zijn donkere vleugels om zich heen, als om zichzelf te troosten. Het maanlicht legde een krans om zijn vreemde snor en zijn haar. De stem van Burnside trilde toen hij vervolgde: 'Zo'n prachtige jongen. Ik hield hem in mijn armen terwijl zijn leven uit hem wegbloedde. Ziet u? Deze vlek is van zijn bloed.' Hij wees op zijn borst, waar een donkere vlek in de vorm van een vogel op de blauwe wol zat. 'Het spijt me zo vreselijk,' zei de generaal met verstikte stem en huilend. Tranen kwamen in stromen uit zijn ogen, liepen over het bed en het raam uit, waar ze verdwenen in de Rappahannock, die op een of andere manier naar het noorden was gekomen en nu door Brooklyn stroomde, de lichamen van alle doden van de laatste veldslag meevoerend.

De volgende ochtend las Walt de lijst gewonden in de *Tribune*. Daar stond hij: 'Eerste luitenant G. W. Whitmore.' Uit de brieven van George wist hij dat er in de compagnie niemand met de naam Whitmore zat. Hij liep door de sneeuw naar het huis van zijn moeder. 'Ik ga hem zoeken,' zei hij.

Washington, zo ontdekte Walt al snel, was een stad van ziekenhuizen geworden. Hij ging bij de helft ervan langs voordat een lijkachtig ogende administrateur hem vertelde dat hij beter in Falmouth kon gaan kijken, waar de meeste gewonden uit Fredericksburg nog in veldhospitalen lagen. Hij nam een regeringsboot die stroomafwaarts naar de steiger bij Aquia Creek voer en ging met de trein naar de wijk Falmouth, op zoek naar Ferrero's Brigade en het Eenenvijftigste van New York, het regiment van George. Walt stond voor een groot bakstenen landhuis op de oever van de Rappahannock, een schitterende particuliere buitenplaats waar een ziekenhuis was ingericht, bang om naar binnen te gaan en zijn verminkte broer aan te treffen. Om zijn moed bij elkaar te rapen maakte hij een wandeling om het gebouw heen en vond een stapel geamputeerde ledematen, armen en benen van verschillende lengten, alle zwart en blauw en gerot in de kilte. Over sommige lag een dunne laag sneeuw. Hij liep om de hoop heen met de gedachte dat hij de hand van zijn broer zeker zou herkennen als hij haar zag. Hij sloot zijn ogen en dacht na over de amputatie: het geschreeuw van zijn broer als deze wakker werd uit de ethernarcose, de toekomst van zijn broer die tot iets bitters en kleins ineenkromp.

George had echter alleen een gat in zijn wang opgelopen. Een granaatscherf had zijn vlokkige baard doorboord en een tand afgebroken. Hij had bloed en heet metaal in zijn hand gespuugd, de granaatscherf in zijn zak gestopt en deze later aan zijn bezorgde broer laten zien, die in tranen was uitgebarsten en hem als een beer had omhelsd toen ze in de tent van kapitein Francis, waar George met zijn voeten op een kist en een sigaar in zijn verbonden gezicht had gezeten, waren herenigd.

'Maak je toch niet zo druk,' had George gezegd. 'Ik zou niet gezonder kunnen zijn dan ik nu ben. En ik ben bevorderd. Je mag me nu *kapitein* Whitman noemen.' Maar Walt kon het niet laten zich zorgen te maken, ook al wist hij nu dat zijn broer leefde en gezond was. Er was een luid, zorgelijk gezoem begonnen in zijn hoofd, veroorzaakt door de stapel ledematen en de geur van bloed in de lucht en door het vernielde Fredericksburg, een en al ingestorte schoorstenen en verkruimelende muren aan de overkant van de rivier. Walt bleef in Georges tent en voelde, terwijl hij keek hoe de ander sliep, een diepe, prikkelende bezorgdheid. Hij zwierf in het kamp rond, en toen hij langs een vuur kwam op een open plek tussen dennentakken die hoog waren opgetast tegen de wind, ontmoette hij een soldaat. Ze gingen samen bij het vuur zitten en de soldaat vertelde Walt afgrijselijke verhalen over de dood van vrienden. 'Hij legde zijn hoofd in mijn schoot en nam fluisterend afscheid van zijn moeder,' zei de soldaat. 'En toen draaide hij zijn ogen van me weg en was dood.' Walt drukte zijn gezicht in de wand van dennentakken, waardoor zijn baard met verse hars werd besmeurd en peinsde hoe het naar Kerstmis rook.

Tien dagen later kon Walt nog steeds niet vertrekken. Hij stond terzijde en keek terwijl George op kerstdag met de gezonde troepen vertrok, bleef op het verlaten kampterrein rondhangen en keek hoe de eindeloze stoeten legerwagens voorbijkwamen en voorbijkwamen en in de verte verdwenen. Dichterbij hem kwamen er een paar achterblijvers door zijn blikveld—een grote jongeman die een muilezel leidde die een wagen trok, waarop een dikke man in het Frans zat te vloeken. Toen ze allemaal op weg waren en het kampterrein leeg was, liep Walt naar het bakstenen landhuis en maakte zich nuttig, verwisselde verbanden, deed boodschappen voor de verpleegsters en zat gewoon bij de gewonde jongens, met dezelfde opgewonden bezorgdheid als toen hij naar de slapende George had gekeken. In Brooklyn was er een diepe en sinistere melancholie over hem neergedaald. De afgelopen zes maanden had Walt met een vreselijk gevoel door de straten gezworven – de Hel onder zijn schedel, de dood onder de beenderen in zijn borst en een gevoel dat hij het liefst van alles onder de rivier zou gaan liggen en voor altijd slapen. In het ziekenhuis was zijn melancholie echter verdwenen, misschien afgeschrikt door alle schokkende ellende om hem heen, en had ze plaatsgemaakt voor een ander soort bedroefdheid, een vitale bedroefdheid, geen verstilde; een gevoel dat zijn ziel niet deed krimpen maar juist prikkelde.

Toen Walt tenslotte uit Falmouth vertrok, vertrok hij om toezicht te houden op een transport gewonden dat door de duisternis van de vroege ochtend terugreisde naar Aquia Creek, waar ze aan boord werden gebracht van een stoomboot die naar Washington ging. Met iedere schokkende of schuddende beweging van de trein walmde er een koor van afgrijselijk gekreun door de wagons. Walt dacht dat hij er krankzinnig van zou worden. Wat hem redde was het gezang van een jongen met een beenwond. De jongen heette Hank Smith. Hij kwam helemaal uit het verdeelde Missouri en zei dat hij een hele troep neven had die onder generaal Beauregard vochten. Hij zong steeds weer 'Oh, Suzanna' en niemand zei dat hij zijn mond moest houden.

De ernstigste gevallen werden naar een ziekenhuis gestuurd dat Armory Square heette omdat dit het dichtst bij de steiger aan het uiteinde van Sixth Street lag. Walt ging met ze mee en bleef de diensten verlenen waarmee hij in Falmouth was begonnen—bezoekjes brengen, praten, voorlezen, boodschappen doen en helpen.

Bovendien ging hij naar andere ziekenhuizen. Er waren er zeker genoeg om hem aan het werk te houden. De namen werden in de kranten gepubliceerd alsof het een lijst kerken was—Finley, Campbell, Carver, Harewood, Mount Pleasant, Judiciary. En dan waren er nog de openbare gebouwen, ook propvol gewonden. Zelfs in het Patentkantoor lagen ze: jongens op britsen die op de marmeren vloer van de Modellenkamer waren gezet. Hij bracht malrovesnoepjes mee voor een jongen van achttien uit Iowa die met één arm en een pijnlijke keel voor de vitrine lag waarin de drukpers van Benjamin Franklin stond opgesteld. Twee jongens uit Brooklyn hadden een brits voor de kampuitrusting van generaal Washington. Walt las hun voor uit de kranten uit Brooklyn die zijn moeder hem toestuurde, af en toe opkijkend naar de tent van de generaal, die keurig om de palen zat gewikkeld, zijn vouwstoelen en eetgerei, zijn zwaard en rottinkje, zijn wastafel, zijn landmeterskompas en een stukje verderop, in een speciale vitrine, de Onafhankelijkheidsverklaring. Andere gewonde jongens lagen voor stukken van de Atlantische Kabel, naast ingenieus speelgoed, met uitzicht op rattenvallen, naast het scheermes van kapitein Cook.

Walt kon niet iedere plek op één dag bezoeken, hoewel hij het aanvankelijk wel probeerde. Uiteindelijk selecteerde hij er een paar en bleef daar heen gaan. Meestal zat hij echter in Armory Square, waar Hank Smith lag.

'Ik had het pistool van mijn vader bij me,' zei Hank Smith, die met gespreide ledematen in het smalle ijzeren bed lag. 'Daardoor heb ik mijn been nog.' Het was niet de eerste keer dat Walt te horen kreeg hoe Hank zijn eigen been had gered uit de handen van de 'slagers' in het veldlazaret, maar hij vond het niet erg het verhaal nog eens te horen. Het was lente. Het ging nog steeds slecht met het been, maar niet zo slecht als het was gegaan. Dat was in ieder geval de indruk die Hank gaf. Hij klaagde nooit over zijn wond.

Hij had ook tyfus gehad, een cadeautje van het ziekenhuis. 'Ik wil mijn pistool terug,' zei hij.

'Ik zal zien wat ik kan doen.' Dat zei Walt altijd, maar ze wisten beiden dat niemand Hank het pistool zou teruggeven waarmee hij had gedreigd het hoofd van de chirurg af te schieten die had geprobeerd zijn been te amputeren. Ze hadden hem toen met rust gelaten, en later had een andere dokter gezegd dat amputatie niet nodig was.

'Hier heb je intussen een sinaasappel,' zei Walt. Hij haalde de vrucht uit zijn jaszak en pelde hem. Sommige soldaten draaiden hun hoofd in bed om toen de geur door de zaal trok. Een paar vroegen of hij er een voor hen had.

'Natuurlijk,' zei Hank. Walt had een hele jas vol. Hij had ze gekocht op de Center Market en was toen door de mistige, natte ochtend gelopen, over het brakke kanaal en de smerige Mall. Van het onvoltooide monument voor generaal Washington was het geloei van vee naar hem toegewaaid terwijl hij voortliep, verlangend naar een sinaasappel voor zichzelf, maar bang er een op te eten voor het geval hij tekort zou komen als hij eenmaal in het ziekenhuis zou zijn. Hij had van weldoeners in Brooklyn en New York en elders geld voor sinaasappelen, snoepjes, boeken, tabak en andere nuttige zaken gekregen. En hij had een beetje geld voor zichzelf van een baantje, drie uur per dag als kopiist op het Betaalkantoor —voorlopig was hij niet meer op zoek naar een mooiere betrekking, had hij de introductiebrieven voor machtige lieden van meneer Emerson in een la weggestopt. Vanuit zijn kamer op het Betaalkantoor had hij een spectaculair uitzicht op Georgetown en de rivier en op de rotsen waarvan werd gezegd dat ze het watergraf van drie indiaanse zusters markeerden. De zusters hadden die plek vervloekt: iedereen die daar probeerde de rivier over te steken zou verdrinken. Walt zat regelmatig naar de rotsen te staren, stelde zich voor dat hij op de oever zijn overhemd en schoenen uittrok en dat hij probeerde naar de overkant te zwemmen. Hij stelde zich ook voor dat hij verdronk, dat het zware gewicht van het water op hem neerdrukte. (Als kind was hij bijna verdronken in zee.) Onvermijdelijk werden zijn dromerijen onderbroken door het klomp-klomp van eenbenige soldaten die op hun krukken de trap opkwamen naar het kantoor dat, pervers, op de derde verdieping lag.

Nadat hij de sinaasappelen had uitgedeeld schreef Walt brieven voor de verschillende jongens tot zijn hand begon te krampen. *Lieve zus*, schreef hij voor Hank, *ik ben moedig maar slecht geweest. Bid voor me.*

Armory Square stond onder leiding van een briljante dronkaard die Canning Woodhull heette. Bij een glas whiskey legde hij Walt zijn radicale beleid uit—onder meer het wassen van handen en instrumenten, het weggooien van gebruikte sponzen en het afnemen van alles wat je zag met de bitter ruikende Labarraque's-oplossing. Bovendien had hij geen enkel vertrouwen in heilzame etter.

'Niks heilzaams aan,' zei hij. 'Wit of groen, etter is etter, en beide zijn slecht voor die jongens. Er zitten beestjes in die wonden — elementen van het kwaad. Ze zijn de afgezanten van de Hel, naar de aarde gestuurd om ons lijden te verhevigen, om de dood te verhevigen en de rouw te verhevigen. Je kunt ze alleen maar zien door wat ze aanrichten.' De twee mannen klonken en dronken, en Walt trok een gezicht omdat het medicinale whiskey was, met een scheut kinine. Woodhull scheen er echter geen last van te hebben.

'Ik heb deze informatie van mijn vrouw,' zei Woodhull, 'die over grote en geheime kennis beschikt. Ze praat met geesten. Veel van wat ze hoort is onzin — vertel haar niet dat ik dat heb gezegd. Maar dat van die beestjes in etter, dat is waar.'

Misschien was het wel waar. In het ziekenhuis van Woodhull werden de ergste gevallen opgenomen, en het hield hen beter in leven dan welk ander ziekenhuis in de stad ook, zelfs degene die gevallen kregen die maar half zo ernstig waren. De dokter bleef in dienst gehandhaafd ondanks zijn reputatie van mislukkeling en dronkaard en aspirant-waanzinnige. Een jaar daarvoor was hij verwijderd door een coalitie van zijn collega's, en vlak daarna weer op zijn post benoemd door dokter Letterman, de medisch directeur van het Leger van de Potomac, die persoonlijk onder de indruk was geraakt van zijn vele bezoeken aan Armory Square. 'Ze zeggen dat generaal Grant ook te veel drinkt,' had Letterman in antwoord op beschuldigingen tegen dokter Woodhull gezegd.

'Die beestjes zijn gevoelig voor gebeden en broom, en voor whiskey en Labarraque's. Daar hebben we geluk aan gehad.' Woodhull sloeg nog een glas achterover. 'Ach, meneer, en dan is er nog dat gedoe met die verpleegsters. Sommigen klagen. Nog afgelopen dinsdag zat ik in zaal E met de geduchte mevrouw Hawley. We zagen u aan de andere kant van de gang binnenkomen en ze zei: "Daar komt die vreselijke Walt Whitman met mijn jongens over het kwaad en ongeloof praten. Ik zou nog liever de duivel in eigen persoon op mijn afdeling zien—als hij maar duidelijk horens en hoeven zou hebben. Ik stuur hem zo snel mogelijk weer weg!" En ze zette het op een rennen om precies dat te gaan doen. En u weet dat het haar niet lukte u eruit te sturen, dat het haar nooit lukt u eruit te sturen.' Hij schonk weer in.

'Zal ik dan maar niet meer komen?'

'Alstublieft niet. Zolang de oude Hawley klaagt weet ik dat u goed doet. God zegene haar spitse kleine hoofd.'

Er kwamen twee chirurgen binnen in Woodhulls geïmproviseerde kantoortje, een hoek van zaal F, die met drie regimentsvlaggen was afgescheiden.

'*Assistent* chirurg Walker is vastbesloten kapitein Carter te vermoorden,' zei dokter Bliss, een gemelijke man met zwarte ogen uit Baltimore. 'Ze heeft hem opium gegeven voor zijn diarree en, naar mijn mening heel dwaas, juist geen braakwortel en kamomel.' Dokter Mary Walker stond naast hem, rustig kijkend, haar armen voor haar borst over elkaar geslagen; haar blauwe uniform was smetteloos schoon, een opvallend contrast met de gevlekte en kale overjas van Woodhull, die hij zowel 's zomers als 's winters droeg.

'Dokter Walker doet wat ik haar gevraagd heb,' zei Woodhull. 'Braakwortel en kamomel zijn verboden in alle gevallen van vloeiing en diarree.'

'Waarom in godsnaam?' vroeg dokter Bliss, wiens gezicht rood werd. Hij was nieuw in Armory Square. Eerder die dag had Woodhull hem de mantel uitgeveegd omdat hij een etterende borstwond niet had schoongemaakt.

'Omdat dat het beste is,' zei Woodhull. 'Als je het zo doet zal die jongen niet sterven. Als je het zo doet zal het hart van iemands moeder niet breken. Daarom.'

Dokter Bliss werd nog roder, en verbleekte toen, alsof zijn woede was gebroken en weggeëbd. Hij trok een grimas tegen dokter Walker, draaide zich abrupt om en liep het kantoortje uit. Dokter Walker ging zitten.

'Ongelikte beer,' zei ze. Woodhull schonk een whiskey voor haar in, overhandigde haar het glas en begon het verbandpluksel van haar epauletten van tweede luitenant te kloppen. Het was in het ziekenhuis een publiek geheim dat ze behalve in formele zin eigenlijk getrouwd waren.

'Dokter Walker,' zei Woodhull, 'waarom vertelt u meneer Whitman niet over toen u laatst bent gearresteerd?'

De vrouw nam een slokje van haar whiskey en vertelde dat ze pal voor haar pension was gearresteerd omdat ze als man gekleed was. Walt luisterde maar half naar haar verhaal. Hij dacht na over diarree. Het was zo ongeveer het allerergste, had hij geconcludeerd. Hij had gezien dat er meer jongens aan doodgingen dan aan alle miniékogels en scherven en tyfus en longontsteking, dan aan alle andere kwalen samen. Hij had zijn moeder geschreven: *Oorlog is negenhonderdnegenennegentig delen diarree op één deel glorie. De mensen die van oorlogen houden zouden gedwongen moeten worden erin mee te vechten.* En soms geloofde hij, tot zijn nek in ziekte en dood staand, inderdaad dat de oorlog een ondraaglijk kwaad was, maar op andere momenten vond hij het glorieus noodzakelijk en beschouwde hij al het bloed en de slachtingen en de ellende als een verschrikkelijk nieuw begin, dat hem op een of andere manier opluchtte.

'Ik heb mijn best gedaan me tegen ze te verzetten,' zei dokter Walker, 'en ik schreeuwde: "Het Congres heeft me het recht toegekend een broek te dragen!"' Ze hield haar kroes op voor nog wat whiskey, en schudde bedroefd haar hoofd tegen Walt. 'Maar het hielp niet.'

In de zomer zag Walt de president bijna iedere dag. Walt woonde aan de route die meneer Lincoln naar en van zijn zomerverblijf ten noorden van de stad volgde, en als hij op straat liep, kort nadat hij 's morgens zijn kamer had verlaten, hoorde hij altijd het gezelschap naderen. Walt bleef dan steevast staan en wachtte tot ze voorbijkwamen. Meneer Lincoln droeg effen zwart en reed een grijs paard. Hij werd omringd door vijfentwintig of dertig cavaleristen met getrokken sabels die ze op hun schouders lieten rusten. Ze raakten zo aan elkaar gewend dat ze een buiging uitwisselden, hij en de president, waarbij Walt zijn brede, slappe grijze vilthoed afnam en Lincoln zijn hoge stijve zwarte en zich iets vooroverboog in het zadel. En iedere keer dat ze dit deden had Walt dezelfde gedachte: *een droevig man.*

Met de komst van het warme weer verdubbelde dokter Woodhull zijn inspanningen om schadelijke dampen uit te roeien. Hij gaf bevel de ramen open te gooien en brandde eucalyptusbladeren in kleine bronzen wierookvaten die in de vier hoeken van iedere zaal waren gezet. Van de eucalyptus, in combinatie met de alomtegenwoordige scherpe lucht van de Labarraque's-oplossing kregen sommige jongens hoofdpijn, waartegen dokter Woodhull whiskey voorschreef.

'Ik wil een vogel,' zei Hank Smith op een dag in juli. Walt had ettelijke flessen zwartebessen- en kersensiroop meegenomen, mengde het met ijs en water en bracht de jongens het heerlijke brouwseltje, samen met het nieuws uit Gettysburg. Hank liet zich niet inspireren door Meades overwinning. Hij was in een slechte bui.

'Ik zit hier al eeuwen,' zei hij. 'En ik zal hier eeuwig blijven.' Hij had een week tegen hevige koorts gevochten. 'Onzin,' zei Walt, en hielp hem uit zijn doorweekte hemd, waarna hij hem afnam met een koele natte handdoek. Het hemd droeg hij naar het raam, waar hij het zweet eruit wrong en keek hoe het omlaag viel en donkere plekjes maakte op de kale grond. Hij legde het hemd te drogen op de vensterbank en keek naar zijn vochtige, zoutige handen. In de verte kon Walt het Capitool zien: prachtig, zelfs nu het in de steigers stond.

'Ik wil een vogel,' zei Hank nogmaals. 'Toen ik klein was, heeft mijn zus me een vogel gegeven. Ik heb hem naar haar genoemd—Olivia. Zou u me willen helpen er een te krijgen?' Walt liep weg van het raam en ging op een kruk bij het bed zitten. De zon wierp zijn licht op het haar op Hanks borst en gaf Walt het beeld van glanzende korenvelden in.

'Heb je mijn boek gelezen?' vroeg Walt hem, want hij had

Hank tenslotte een exemplaar gegeven, met een opdracht voor *mijn lieve lieve lieve lieve jongen*. Walt had een droom gehad, eindelijk eens een prettige. Hank was, na een gedaanteverandering door Walts woorden, uit bed gesprongen; de wond was verdwenen, de tyfus was verdwenen, en hij had Walt bij diens schouders geschud en 'Camerado!' geroepen, zo hard dat de koepel van het Capitool als een klok had gezongen en alle jongens in het hele land hun geweren hadden neergelegd en elkaar hadden omhelsd ter viering van dit prachtige woord.

'Ik heb er een beetje in zitten bladeren. Maar een vogel, zou dat niet leuk zijn?'

'Ik kan je misschien wel een vogel bezorgen,' zei Walt. 'Al heb ik geen idee waar ik er een vandaan zou moeten halen.'

'Dat weet ik wel,' zei Hank, terwijl Walt hem in een nieuw hemd hielp. Met een rukkerige hoofdbeweging duidde Hank het raam aan. 'Er zitten er zat buiten in de tuin. Je moet alleen voor een steen en een stuk touw zorgen.'

De volgende dag kwam Walt terug met een steen en een stuk touw, en ze zetten een val uit van broodkruimels op de vensterbank. Geknield bij de vensterbank graaide Walt naar alles wat op de kruimels afkwam. Hij miste twee gaaien en een merel, maar ving een schitterende kardinaal bij zijn poot. Het beestje sjilpte paniekerig en pikte naar zijn hand. Het gefladder van de vleugels tegen zijn polsen deed hem denken aan het vreemde gezoem dat zijn ziel nog steeds prikkelde als hij zich op de ziekenzalen bevond. Hij bracht de vogel naar Hank, die het touwtje aan de poot bond en de kei aan het touwtje en vervolgens de kei naast zijn bed op de grond legde. De kardinaal probeerde naar het raam te vliegen, maar bleef halverwege in de lucht hangen terwijl zijn wanhopige vleugelslagen een briesje veroorzaakten dat Walt, die daar in de buurt geknield lag, op zijn gezicht kon voelen. Hank klapte in zijn handen en lachte.

Hank noemde de vogel Olivia, hoewel Walt erop wees dat het geen vrouwtje was. Het vrouwtje van deze soort was grijsbruin en grauw, zei hij, maar Hank scheen hem niet te horen. Olivia werd het huisdier van de zaal. Andere jongens zeurden of ze hem bij hun bed mochten. Het duurde niet lang of het beestje was tam. Algauw at het uit Hanks hand en sliep het 's nachts naast zijn brits. Ze hielden zijn bestaan geheim voor de verpleegsters en artsen, tot Hank op zekere ochtend niet goed oplette en middenin het gangpad met hem in slaap viel terwijl Woodhull zijn ronde maakte. Walt was juist met zijn armen vol snoep, fruit en romans de zaal komen binnenlopen.

'Wie heeft die vieze vogel in mijn ziekenhuis binnengelaten?' vroeg Woodhull. Hij bukte zich heel snel, raapte de kei op en gooide deze het raam uit. Olivia ging er hulpeloos achteraan. Walt liet zijn pakjes vallen en haastte zich naar buiten, waar hij de vogel in de modder aantrof, worstelend met een gebroken vleugel. Hij stopte hem in zijn hemd en nam hem mee naar zijn kamer, waar de vogel drie dagen later het leven liet, vermoord door de kat van de pensionhoudster. Walt vertelde Hank dat Olivia was weggevlogen. 'Je kan niet alles hebben,' zei Hank. Hij noemde Olivia een slechte vogel en morde een week lang over de trouweloosheid van het dier.

Met Kerstmis versierden mevrouw Hawley en haar maatjes de zalen, hingen kerstkransen aan iedere pilaar en spanden guirlandes door de hal. Aan het voeteneinde van elk bed hingen ze een kleine sok, gebreid door deftige Washingtonse dames. Walt maakte een ronde, waarbij hij iedere sok met walnoten en citroenen en drop vulde.

Het ging beter en slechter, beter en slechter met Hanks been. Walt nam dokter Woodhull apart en zei dat hij een slecht voorgevoel had over Hanks gezondheid. Woodhull hield vol dat hij beter zou worden. Walt maakte zich zorgen om niets.

Ook Hanks koorts steeg en daalde. Op zekere avond kwam Walt binnen uit een hevige sneeuwjacht. Zijn baard zat vol sneeuw. Hank wilde met alle geweld zijn gezicht erin drukken en zei dat hij er een veel beter gevoel door kreeg dan van welk medicijn ook, misschien afgezien van opiumtinctuur, wat hij verrukkelijk vond en waarvan hij het gevoel kreeg dat hij lag te vliegen in zijn bed.

Walt las hem voor uit het Nieuwe Testament, alle delen die te maken hadden met de eerste kerstdag. 'Bent u godsdienstig?' vroeg Hank.

'Waarschijnlijk niet, beste jongen, in ieder geval niet in de betekenis die jij bedoelt.' Hoewel hij tijdens zijn bezoeken steevast in de kapel van Armory Square langsging. Het was een klein gebouwtje met een vreemd torentje in de vorm van een ui. Walt ging achterin zitten en luisterde dan naar de diensten voor jongens die hij vrijwel iedere dag had bezocht. Hij noteerde hun namen in een in leer gebonden aantekenboekje dat hij in een van zijn zakken bewaarde. Tegen Kerstmis had hij bladzijden en bladzijden vol namen. Soms zat hij 's nachts in zijn kamer en las bij het licht van een enkele kaars zachtjes de namen op.

Hank sukkelde in slaap terwijl Walt zat voor te lezen, maar Walt ging door met het verhaal, omdat hij merkte dat Hanks buurman gespannen lag te luisteren. Hij heette Oliver Barley. Hij was gemarteld door Mosby's Rangers, met gespreide ledematen en met bajonetten door zijn handen en voeten aan de grond genageld. Iedere keer dat Walt met hem wilde praten wierp Barley een woedende blik op hem en zei: 'Ssst!' En soms, als Walt en Hank te hard praatten, bekogelde hij hen met verbanden die gedrenkt waren in wondvocht van zijn handen. Walt koesterde de ambitie met Barley bevriend te raken, maar de jongen wees al zijn vriendschappelijke toenaderingspogingen af. Toch lag hij nu te luisteren.

'Vind je het een mooi verhaal?' waagde Walt het erop, terwijl hij even ophield met voorlezen.

'Stil,' zei Oliver Barley, en draaide zich op zijn zij. Walt had door kunnen lezen, maar net op dat moment kwam dokter Walker voorbij en vroeg zijn bijbel te leen. Ze zei dat ze nieuws had gekregen van het ministerie van Oorlog.

'Wat voor nieuws?' vroeg hij.

'Niets goeds,' zei ze. 'Het is overal somber, heel somber.' Ze wilde iets uit Job lezen, zei ze, om wat op te vrolijken. Ze pakte Walts bijbel aan en liep de zaal uit, onderweg nu en dan een hand uitstekend om vluchtig het been of de voet van een jongen aan te raken. Toen ze de deur opende om naar buiten te gaan dreef er wat muziek naar binnen. De muziek scheen door een golf ijskoude lucht naar Walts oren te worden gedragen. Stemmen zongen: 'Want o, we staan op Jordaniës strand, onze vrienden steken over.' Walt drukte een kus op Hanks bezwete hoofd en liep achter dokter Walker aan de zaal uit. Hij volgde het geluid van het lied en vond in zaal K een patiëntenkoor, geleid door een jonge verpleegster die zichzelf op een melodeon begeleidde. Het gaslicht was omlaag gedraaid als om het effect van de kaarsen te verhogen die de zangers vasthielden. Over de hele lengte van de zaal zag hij diepe schaduwen. Walt trok zich in een ervan terug, boog zijn hoofd en zong mee.

Soms, als hij niet kon slapen, wat vaak gebeurde, liep Walt rond door de stad, langs de serene landhuizen aan Lafayette Square, langs het huis van de president, waar hij altijd even bleef staan en zich afvroeg of een licht in het raam betekende dat meneer Lincoln wakker was en gekweld werd. Op een nacht zag hij een gedaante in een lange, slepende zwarte sluier met een lamp in de hand langs een rij ramen lopen en stelde zich voor dat het mevrouw Lincoln moest zijn, die zoekend naar haar zoontje, dat twee winters daarvoor was overleden, door het huis zwierf. Walt liep langs de lege marktkramen, het altijd stinkende kanaal, waar hij even bleef staan en omlaag keek in het vuile water en allerlei dingen voorbij zag dobberen: laarzen en mutsen, half opgegeten groenten, dieren. Eenmaal had hij er een dode kat op een kleine ijsschots zien drijven.

Hij liep door en kwam in Murder Bay, waar hoeren lang en bedachtzaam naar hem floten, maar hem in het algemeen met rust lieten. Hij wierp een blik in stegen waar hele families 'smokkelwaar' een onderkomen hadden gevonden. Eén keer was er uit het duister een stevig jong meisje opgedoken dat een kar voortduwde waarin ineengedoken een ander meisje met een kleine witte hond op schoot zat. Het hondje kefte bang, maar de meisjes lachten. Walt gaf hun wat snoep uit zijn zak om een vrolijk ritje op de kar te mogen maken, waarbij ze hem samen een stukje voortduwden tot hij hysterisch lachend op de vuile straat belandde en het hondje bovenop hem sprong en met zijn pootjes in zijn baard verstrikt raakte.

Walt liep dan terug langs het kanaal, stak het over en keek soms hoe de maan op de torens van Smithsonian Castle en op de witte daken en de witte omheining van Armory Square scheen — het hele tafereel zo welsprekend stil in het bleke, zwakke licht. Hij liep langs de struiken en bomen op de Mall, verdwaalde soms op een voetpad dat nergens heen leidde en liep dan naar het Capitool. Daar stond het grote standbeeld van generaal Washington, het beeld waarover iedereen zich vrolijk maakte omdat hij een toga droeg. (Het verhaal ging dat hij zijn zwaard geheven hield als dreigement het land kwaad te doen als hij zijn kleren niet terugkreeg.)

Walt hield van het beeld. Hij klauterde omhoog tot hij in de schoot zat en vleide zich daar dan neer, als een piëta, of legde zijn armen rond de dikke marmeren nek en huilde eens grondig uit. Als de zon opging stond Walt dan naast het Capitool, schreef met zijn urine zijn naam in de sneeuw en rook hoe in de kelder brood werd gebakken. Hij had een vriend bij de bakkerij, die hem met talloze warme broden overlaadde. Daarna liep Walt, verwarmd door het brood in zijn jas, terug naar Armory Square, en soms had hij genoeg, zodat iedere jongen die alles mocht eten wakker werd met een nog warm brood op zijn borst.

'Ze willen mijn been eraf halen,' zei Hank. Het was begin mei, en nog koud. 'Ik wil het niet hebben. U moet een pistool voor me te pakken krijgen.'

'Ssst,' zei Walt. 'Ze halen je been er niet af.' Maar eigenlijk zag het ernaar uit dat ze wel zouden moeten. Net toen Hank weer helemaal gezond leek te zullen worden, net toen hij de tyfus eronder had gekregen, was zijn been weer gaan ontsteken en heel snel achteruitgegaan. Dokter Woodhull maakte de wond schoon, bad erbij, depte met whiskey, niets hielp. Een afschuwelijke, stinkende ontsteking had zich genesteld en breidde zich uit.

'Ik heb vorige week mijn broer gezien,' zei Walt tegen Hank. 'Hij marcheerde in het leger van Burnside. Het was in Fourteenth Street. Ik stond al drie uur te wachten toen het Eenenvijftigste voorbijkwam. Ik ging naast hem lopen vlak voordat ze langs de plek kwamen waar de president en Burnside op een balkon stonden, en doordat hij zo blij was me te zien vergat George op de president te letten en voor hem te salueren!'

'Ssst!' zei Oliver Barley.

Hank verhief zijn stem een beetje. 'Ze halen zijn been er ook af. Of allebei zijn benen. Hij zou er verstandig aan doen ze goed in de gaten te houden.'

'Ja,' zei Walt. 'Het negende Corps heeft het er goed afgebracht.' Hank liet een ongeduldige zucht horen en draaide zich op zijn zij; het was duidelijk dat hij niet meer wilde praten. Walt ging op zoek naar dokter Woodhull om Hanks toestand te bespreken, maar kon hem in zijn kantoortje niet vinden. Er hing een lijkwade van stilte en somberheid in alle zalen. Berichten over de verschrikkelijke verliezen die Grant tijdens zijn Wilderniscampagne had geleden hadden het ziekenhuis bereikt. Dokter Bliss en mevrouw Hawley stonden luid te discussiëren terwijl ze verbanden verwisselden.

'Geloof me maar, een dronkaard geeft niets om de levens van onze jongens,' zei dokter Bliss. 'Hij gooit ze weg alsof het centen zijn,' zei dokter Bliss, 'deze oorlog is een onderneming die wordt gedomineerd door alcoholisten, charlatans en dwazen.' Bliss wierp Walt een valse blik toe.

Walt vroeg of een van beiden dokter Woodhull had gezien. Geen van beiden gaf antwoord, maar de jongeman wiens verband werd gewisseld zei Walt dat dokter Woodhull naar het mortuarium was gegaan.

Daar vond Walt hem, tussen de lijken. Er lagen er maar een paar, alleen die van de afgelopen week. Dokter Woodhull zat te huilen bij een gedaante in een lijkwade, dokter Walker stond met haar hand op zijn schouder naast hem. Zelfs van de overkant van het vertrek, zelfs in de doordringende stank van ontbinding was de geur van whiskey die uit het lichaam van dokter Woodhull wasemde overweldigend.

'Ik kende hem niet,' zei Woodhull, 'maar ik kende hem ook zo goed!'

'Canning,' zei dokter Walker. 'Ze sturen ons nog meer jongens. Je moet nu terugkomen.'

'O, Vicky,' zei hij, tranen vergietend over het hoofdeinde van de lijkwade, zodat de gelaatstrekken van de jongen langzaam zichtbaar werden onder de natte stof. De jongen had een volle snor en een moedervlek op zijn wang. 'Al dat bloed, je zou denken dat ze iets zouden kunnen doen met zo'n enorme hoeveelheid bloed. Iets groots. Is het niet eens tijd dat er iets groots gebeurt?'

Dokter Walker zag Walt bij de deur staan. 'Meneer Whitman,' zei ze. 'Zou u even willen helpen?' Walt sloeg zijn arm om dokter Woodhull heen en trok hem overeind, weg van het lijk en uit het mortuarium. Ze legden de dokter op een lege brits, in een halflege zaal.

'O, liefste,' zei dokter Woodhull, 'ik wil er niet eens aan denken.' Hij draaide zich op zijn zij en begon diep en regelmatig te ademen.

Dokter Walker haalde een horloge uit haar zak en keek erop. 'Er is een telegram binnengekomen,' zei ze. 'Ze brengen duizend jongens over vanuit de veldlazaretten.' Toen boog ze zich dicht naar het snurkende gezicht van Woodhull over en zei: 'Over vijf uur moet je weer klaar staan, meneer.' Ze richtte zich op, zette haar hoed recht en slaakte een explosieve zucht. 'Generaal Stuart is gesneuveld,' zei ze tegen Walt. 'Wist u dat? Neergeschoten door een doodgewone infanterist. Ik heb eens gedroomd dat Stuart me op zijn paard kwam ophalen, met opzichtige veren op zijn hoed. "Kom mee, Mary," zei hij. "Geen denken aan, generaal Satan," zei ik. "Klimt u achterop."' Ze zweeg even, en ze keken samen naar de sereen slapende dokter Woodhull. 'Denkt u dat ik er goed aan heb gedaan? Zou u met hem mee zijn gegaan?'

'Nee,' zei Walt, 'natuurlijk niet.' Maar eigenlijk dacht hij dat hij het wel zou hebben gedaan. Hij stelde zich voor dat hij met generaal Stuart naar het westen reed, naar een plek waar de oorlog hen niet kon bereiken. Hij stelde zich het gekietel van de veren van de generaal in zijn neus voor terwijl ze naar de uiterste rand van het continent reden. En hij dacht aan hen beiden terwijl ze zonder hemd door het zonnige Californië reden, hun handen uitstaken terwijl ze langs wijngaarden kwamen en druiven plukten van zware wijnstokken.

'Ik moet eruit,' zei Hank. Er was een week verstreken en de gewonden uit Spotsylvania hadden Armory Square tot de nok gevuld. Hanks been zou over twee dagen geamputeerd worden. In het mortuarium reikte een stapel ledematen bijna tot het plafond.

'Ga liggen,' zei Walt. 'Er is geen reden voor paniek.'

'Ze krijgen het niet. U moet me eruit helpen. Ik red het niet als ze mijn been eraf halen. Ik weet dat ik het niet red.' Hank had een furieuze koorts en zonk tegen zonsondergang meestal weg in een delirium.

'Ze zeggen dat dokter Walker het snelste mes in het hele leger heeft. Je slaapt. Je zult er niets van voelen.'

'Ha!' zei Hank. Hij zond Walt een lange, verwilderde blik toe. 'Ha!' Hij drukte zijn gezicht in zijn kussen en wilde niets meer zeggen. Walt deed de ronde door de zalen, maakte kennis met de nieuwe jongens en ging toen naar de kapel, waar veel diensten werden gehouden.

Die nacht maakte Walt, die niet kon slapen, zijn gebruikelijke wandeling door de stad en bleef lange tijd voor Armory Square staan. Hij bleek zich voor het raam van Hank te bevinden, en vervolgens binnen, naast diens bed. Hank sliep, zijn arm rustte boven zijn hoofd, hij had zijn deken van zich afgegooid en zijn hemd zat opgekropen om zijn harige buik. Walt stak zijn hand uit en raakte zijn schouder aan.

'Oké,' zei Walt, 'laten we gaan.'

Het was geen moeilijke ontsnapping. Het moeilijkste was Hank zijn broek aan te trekken. Het buigen van zijn knie deed Hank erg pijn, en hij had koorts en was gedesoriënteerd. De nachtverpleging zat op een andere zaal; op weg naar buiten zagen ze niemand, behalve Oliver Barley, die hun een woedende blik toewierp en zich daarna op zijn zij rolde, maar geen alarm sloeg. Ze stalen een kruk voor Hank, maar op de Mall struikelde hij, waardoor de kruk onder zijn lichaam brak. Hank lag zachtjes met zijn mond in het gras te huilen. Walt hielp hem overeind en droeg hem op zijn rug naar het kanaal en erover, en toen Murder Bay in, waar Hank schreeuwde dat hij neergezet wilde worden. Ze rustten even uit op een vuilnishoop, die krioelde van kleine, rondkruipende beestjes.

'Ik wil geloof ik slapen,' zei Hank, 'ik ben zo moe.'

'Ga je gang, lieve jongen,' zei Walt. 'Ik pas wel op je.'

'Ik zou graag naar huis gaan,' zei Hank, terwijl hij zijn hoofd tegen Walts schouder legde. 'Breng me terug naar Hollow Vale. Ik wil mijn zuster zien.' Hank viel langzaam in slaap, nog steeds binnensmonds mompelend. Ze zaten daar een tijdje.

Als deze vuilnishoop een paard was, dacht Walt, konden we naar Californië rijden. 'Laat generaal Stuart de klere krijgen,' zei Walt hardop, terwijl hij Hanks natte hand in de zijne nam. 'In Californië bestaat geen ziekte. En evenmin dood. Op zijn vijfde verjaardag krijgt ieder kind een pony.' Hij keek naar Hanks ingevallen gezicht, dat griezelig glansde in het maanlicht—hij zag er dood uit, en teruggekeerd van de doden. 'Als je in Californië een dode jongen onder een eik plant duurt het maar vijf dagen voordat er een levende hand uit de grond komt. Als je die hand pakt en met het hart van een ware vriend trekt, komt er een levend lichaam uit de aarde. En zo worden echte vrienden in Californië nooit door de dood gescheiden.' Walt keek nog een tijdje naar het gezicht van Hank. De ogen schoten wild heen en weer onder de oogleden. Walt zei: 'Goed, als we dan toch naar Californië gaan kunnen we het beste nu meteen vertrekken.' Maar toen Walt Hank uiteindelijk weer had opgetild bracht hij hem terug naar het ziekenhuis.

'U moet die baard wassen voordat u mijn operatiekamer binnenkomt,' zei dokter Woodhull. Walt stonk naar vuilnis. Hij liep naar een wastafel en dokter Walker hielp hem zijn baard schoonmaken met creosoot, kaliumpermanganaat en Labarraque's-oplossing. Walt hield een in chloroform gedrenkte spons onder Hanks neus, ook al was deze niet wakker geworden sinds hij op de vuilnishoop in slaap was gevallen. Hij hield de hele tijd zijn hand op Hanks gezicht, maar kon niet kijken toen dokter Walker het mes in het been zette en dokter Woodhull de aderen afklemde. Hij keek omlaag en zag bloed over de vloer kruipen, waar het door hopen zaagsel werd opgenomen.

'Dat daar op de vloer is het beste bloed van Amerika,' zei Walt tegen dokter Woodhull, maar hij en dokter Walker waren te gespannen met hun werk bezig om hem te horen. Walt richtte zijn aandacht op een litho die aan de overkant van het vertrek aan de muur hing. Hij was uit een boek over de antieke wereld gescheurd; het was een afbeelding van op hun rug liggende zieken, die verzorgd werden door de priesters van Asklepios, wiens standbeeld de tempel domineerde. Hij hield een staf in zijn hand waaromheen een slang kronkelde, en aan zijn voeten lag een grote, vriendelijk ogende stenen hond. *Iedere nacht, duizend jaar lang,* stond er, *zochten de zieken en wanhopigen genezing en dromen in de tempels van Asklepios.* Walt sloot zijn ogen en luisterde hoe de zaag zich piepend een weg zocht door Hanks botten. Hij legde een hand op Hanks hoofd en dacht: Leef, leef, leef.

Hank werd even wakker.

'Ze hebben mijn been,' zei hij. 'U hebt het ze laten weghalen.'

'Nee,' zei Walt. 'Ik heb het hier.' Het been lag in zijn schoot, verpakt in twee schone witte lakens. Hij had niet toegestaan dat de verpleegsters het naar het mortuarium meenamen. Walt gaf het aan Hank, die het stevig tegen zijn borst drukte.

'Ik wil niet dood,' zei Hank.

Walt pakte zijn tas en ging erop zitten; hij wachtte op het station op de trein die hem naar Brooklyn terug zou brengen. Toen de trein eindelijk kwam bleef Walt op zijn tas zitten en keek niet eens op terwijl deze lawaaierig aan het perron wachtte, en toen de conducteur vroeg of hij wilde instappen zei hij niets. Toen de trein weer was vertrokken stond hij op en liep terug naar Armory Square. Het was nacht. Hanks bed was nog steeds leeg. Hij ging erop zitten en zocht in zijn jas naar een pen en een stukje papier. In het donker schreef Walt:

Beste vrienden,

Ik dacht dat het een troost zou zijn als u enkele regels zou ontvangen over de laatste dagen van uw zoon, Henry Smith van de E-compagnie van het 14e Vrijwilligers van Missouri. Ik schrijf u in haast, maar ik twijfel er niet aan of ieder bericht over Hank zal welkom zijn.

Vanaf het moment dat hij in Armory Square Hospitaal terechtkwam tot hij stierf verstreek er nauwelijks een dag dat ik niet een deel van de tijd bij hem was — zo niet overdag dan wel 's nachts — (ik ben niet meer dan een vriend die de gewonde en zieke soldaten bezoekt). Bijna vanaf het begin was ik om een of andere reden bang dat Hank ge-

vaar liep, of in ieder geval dat zijn toestand veel ernstiger was dan ze in het ziekenhuis vreesden. Hij had een zware verwonding aan zijn been en bovendien tyfus, maar omdat hij niet klaagde dachten ze dat het niet al te slecht met hem ging. Hij was een dappere jongen. Ik heb de arts van de afdeling keer op keer gezegd dat hij er heel beroerd aan toe was, maar deze vatte het licht op en zei dat hij zeker zou genezen; hij zei: 'Ik weet meer van dit soort gevallen dan u —voor u ziet hij er heel beroerd uit, maar ik zal zorgen dat hij er goed doorkomt.' Waarschijnlijk heeft de arts zijn best gedaan—in ieder geval werd hij ongeveer een week voor Hanks dood erg ongerust, en daarna probeerden alle artsen hem te helpen, maar toen was het te laat. Hoogstwaar-schijnlijk zou het geen verschil hebben gemaakt.

Ik geloof dat hij hier rond januari '63 is aangekomen—ik mocht hem graag. Hij was een rustige jongeman, gedroeg zich altijd erg netjes en fatsoenlijk. Ik zat gewoonlijk op de rand van zijn bed. We praatten met elkaar. Toen hij erge last had van tyfus zat ik meestal aan zijn bed, het grootste deel van de tijd zonder iets te zeggen, hij had moeite met ademen en had last van warmte, en dan wuifde ik hem koelte toe—soms wilde hij iets drinken—sommige dagen lag hij bijna voortdurend te doezelen—soms als ik binnen-kwam stak hij zijn hand uit en streek over mijn haar en mijn baard terwijl ik op het bed zat en me over hem heen boog—het was erg om te zien hoeveel moeite zijn keel moest doen om adem te krijgen.

Sommige avonden zat ik tot diep in de nacht aan zijn brits, de lichten waren uit en ik zat daar uren zwijgend— hij leek het prettig te vinden als ik daar zat. Ik zal die nachten in dat donkere ziekenhuis nooit vergeten, het was een merkwaardig en plechtig tafereel, die zieken en gewon-den die daar lagen en deze lieve jongeman zo dicht bij me, liggend op wat zijn sterfbed zou blijken. Ik wist niet zoveel van zijn verleden, maar naar wat ik zag en weet heeft hij zich als een hoogstaande jongen gedragen—Vaarwel, lieve

jongen, het was een voorrecht bij je te zijn in je laatste da-
gen. Ik ben niet in de gelegenheid geweest veel voor je te
doen — er kon niets gedaan worden — maar je hebt daar niet
tussen vreemden gelegen zonder iemand in de buurt die
zielsveel van je hield en wie je je laatste kus hebt gegeven.

Meneer en mevrouw Smith, ik heb snel neergeschreven
wat er bij de herinnering aan Hank bij me opkomt en moet
de brief nu beëindigen. Hoewel we elkaar niet kennen en
elkaar waarschijnlijk nooit zullen zien betuig ik al Hanks
broers en zijn zuster Olivia mijn liefde. Als ik thuis ben
woon ik in Brooklyn, New York, aan Portland Avenue,
vierde verdieping, ten noorden van Myrtle.

Walt vouwde de brief op en stak hem in zijn overhemd, ging
toen op zijn zij op het bed liggen. Even later kwam er een
verpleegster met schone lakens. Hij dacht dat ze hem de
mantel zou uitvegen en hem zou wegjagen, maar toen ze
hem aankeek draaide ze zich om en haastte zich weg. Hij
keek hoe de maan opkwam in het raam, luisterde naar de
gewonden en zieken om hem heen, die in hun bedden lagen
te woelen. Het leek hem, terwijl hij keek hoe de maan op het
Capitool scheen, dat er nooit een einde zou komen aan de
oorlog. Hij dacht: *Morgenochtend sta ik op en ga ik hier weg.*
En toen dacht hij: *Ik ga hier nooit weg.* Hij sliep kort en
droomde dat hij een hand in het donkere graf van Hank stak,
hopend en vrezend dat iemand zijn tastende hand zou vastgrijpen.

Toen hij wakker werd scheen de maan nog in zijn gezicht
en begon hij te huilen, diepe, schokkende snikken die hij probeerde te smoren in het kussen dat nog sterk naar Hanks
glanzende haar rook. Iemand raakte zijn schouder aan en
toen hij opkeek zag hij Oliver Barley geknield bij het bed
liggen met een stralenkrans van maanlicht van het raam om
zijn hoofd; hij hield zijn handen, die nog steeds in verband
zaten, voor zich geheven. Hij stak ze weer uit om Walts
schouder aan te raken, maar ditmaal raakte hij hem hard,

met een duw die zijn wonden vreselijk pijn moest hebben gedaan. 'Stil jij,' zei hij nadrukkelijk, 'hou je mond.'

2

Ieder jaar na het einde van de oorlog kwamen er in de lente
dromen over wijlen de president. Vlak voordat het weer veranderde bezocht meneer Lincoln Walt in diens slaap; hij
stapte uit een oplichtende mist, een bosje seringen in zijn
hand geklemd en de geur van seringen om zijn lichaam. Dat
was altijd de eerste droom—de marmottendroom, noemde
Walt hem, de droom die het einde van de winter aankondigde. Andere volgden: een droom waarin hij worstelde met een
Lincoln die met enorme zwarte vleugels was getooid, een
droom waarin hij een bed bouwde waarin hij en meneer Lincoln konden slapen, een wel heel lang bed. En een droom
waarin Walt samen met de overleden president op een houten platform stond dat over Pennsylvania Avenue uitzag,
vanwaar hij een prachtige troepenparade bekeek.

De twee mannen keken toe terwijl dichte rijen soldaten—
twintig of vijfentwintig breed—gestaag de avenue af marcheerden, het ene regiment na het andere. Een uurlang
kwam er niets anders voorbij dan cavalerie, zich traag voort-
bewegend op uitgeputte grijze paarden met bloedende ogen—
de cavaleristen zwaaiden met hun sabels als saluut aan meneer Lincoln en zijn metgezel. Dan kwamen er batterijen
vernielde kanonnen, met kanonniers die kaarsrecht op vernielde munitiewagens zaten. En dan weer infanterie, negers
en blanken, Unie en Geconfedereerden, die met een scherpe
beweging hun hoofd naar rechts draaiden om Lincoln te zien
en voor hem te salueren. Ze marcheerden terwijl de schemering zachtjes op hen neerdaalde en er werd een licht ontsto-
ken op een gebouw tegenover het platform. Iemand had een

reeks gaslampen zo opgesteld dat ze de woorden 'Hoe gaat ie, Lee?' vormden. Walt tuurde in het duister in een poging zijn broer George onder de marcherende soldaten te herkennen. Toen besefte hij echter dat George er niet tussen liep omdat dit een parade van doden was.

'Wat een schouwspel,' zei de overleden president.

'Het zijn er heel veel,' zei Walt.

'Ja. Ik zou erdoor verpletterd worden, denk ik, maar de dood heeft mijn zorgen een beetje weggeslepen.'

'Er lopen vrienden van me bij,' zei Walt. Hij liep naar de balustrade en boog zich eroverheen, ingespannen naar de gezichten kijkend terwijl ze voorbijkwamen.

'Die lieve Henry Smith,' zei Lincoln.

'Kent u hem dan?'

'Ik ken ze allemaal. Zijn het niet mijn jongens, allemaal, zoals het de jouwe waren? Ze willen terugkomen. Luister maar naar ze — ze schreeuwen of ze terug mogen komen.' Walt luisterde — hij sloot zijn ogen en besefte dat de parade in volmaakte stilte voorbijtrok.

'Ik hoor niets,' zei hij.

Meneer Lincoln schudde zijn hoofd. 'De doden zwijgen niet,' zei hij, en draaide Walt zijn rug toe, zodat Walt de wond zag die vlak achter zijn oor gaapte. 'Toe maar,' zei hij. 'Je mag er wel aankomen, als je wilt.' Opeens had Walt het idee dat dat precies was wat hij moest doen. Het was geweldig nodig zijn vinger in dat gat te steken. *Ik heb zo lang gewacht*, dacht Walt, terwijl hij zijn vinger uitstak, *om dit te doen*. Zijn vinger verdween in de wond als in een zuigende mond. Er klonk een oorverdovend gebrul van de soldaten. Walt voelde een schok door zijn hele lichaam, alsof hij uit een boom op harde grond was gevallen, en werd met gespreide ledematen, als een geschrokken baby, wakker in zijn bed.

Het was mei 1868. Walt zat nog in Washington, verdiende een prettig salaris als klerk op het kantoor van de minister van Justitie. Hij lag in bed te hijgen omdat deze droom hem altijd een gevoel van uitputting bezorgde en luisterde naar het geluid van migrerende vogels aan de andere kant van het raam. Hij hield van de geur van dit uur – hij dacht dat het ongeveer vijf uur in de ochtend was – en hij vond het prettig om daar te liggen en naar het luide gezang te luisteren en zich de immense troep vogels voor te stellen. Hij luisterde aandachtig, probeerde vast te stellen om welke soorten het ging. Terwijl hij daar met gesloten ogen zo ingespannen lag te luisteren hoorde hij Hanks stem zachtjes in zijn oor praten. Hij klonk altijd zo dichtbij – dichtbij genoeg om te kussen. Walt had hem niet sinds zijn dood maar sinds die van Lincoln gehoord, sinds hij voor de eerste keer van het platform had gedroomd, sinds de eerste keer dat hij zijn vinger in de grote wond had gestoken en die exuberante, elektrische klap had gevoeld. Aanvankelijk had Walt gedacht dat zijn broer Andrew tegen hem praatte. Hij was aan tuberculose gestorven, vlak nadat Hank was doodgegaan, en Walt dacht dat hij was teruggekeerd om bij hem te spoken, om hem te berispen dat hij niet op zijn begrafenis was geweest, omdat hij minder rouwde om een broer dan om Hank, of zelfs om meneer Lincoln. Maar de stem die hij hoorde was die van Hank met dat zangerige Missouri-accent, een zachte stem uit het onbegrensde westen, die door de dood een zekere elegantie en duidelijkheid kreeg. *Bobolink, tanager, Wilsons lijster*, zei hij. *Witgekroonde mus. Vreemde muziek, nietwaar, Walt?*

Walt was in New York toen hij van de dood van Lincoln hoorde. Die zaterdag zat hij aan de ontbijttafel met zijn moeder; ze aten geen van beiden iets, ze zeiden geen van beiden iets. Hij was de rivier overgestoken naar Manhattan en had de hele dag in de vreemd stille en ingetogen stad rondgelopen. Alle winkels waren dicht, behalve die waar rouwartikelen werden verkocht. Walt liep ergens binnen en kocht crêpe om het huis van zijn moeder in rouw te hullen, en een spreuk voor haar voordeur: *O the pity of it, Iago, the pity of it!*
Die hele week ging hij eropuit om te zien hoe de rouw de stad in haar greep kreeg. Van Bowling Green tot Union

Square, op iedere winkel, ieder huis en ieder hotel aan Broadway wemelde het van de nationale vlaggen ter viering van Appomattox, en over al deze vlaggen hing zwart laken. In de haven wapperden zwarte wimpels boven de halfmast gehesen vlaggen, en de individuele vlaggen van kapiteins en eigenaren waren zwart omfloerst. In de hele stad werden met het verstrijken van de week de crèpeslingers donkerder, dichter en talrijker, tot Walt dacht dat de hemel zou verdwijnen achter een laaghangende buik van crèpe, die zo dicht en laag boven iedere straat hing dat Manhattan voor de eeuwigheid voor de wereld verborgen zou kunnen worden.

Toen het lichaam van de president in New York aankwam stond Walt in de immense menigte, die rijen vormde rond City Hall, wachtend op zijn beurt om de dode te zien. Van de westelijke ingang van het park stonden de mensen twintig rijen breed en drie huizenblokken diep in Murray Street. De menigte strekte zich over het hele Printing House Square uit, en vandaar Chatham op tot Mulberry Street. Iedere minuut klonken er kanonschoten en in de hele stad beierden kerkklokken. Voor City Hall zong een groep Duitsers het 'Geestenkoor' van Schumann.

In City Hall stond de schitterende katafalk op Walt te wachten. De doodskist lag onder een tweeëntwintig voet hoge boog waarop een zilveren adelaar stond die zijn kop treurig liet hangen en zijn vleugels bedeesd tegen zijn lichaam gevouwen hield. Heel langzaam bewoog de rij zich vooruit, tot Walt tenslotte het lijk lang en terdege kon bekijken, de kist van hout en lood en zilver en fluweel, de bloemen – scharlakenrode azalea's en dubbele nasturtiums, witte japonica's en sinaasappelbloesem en seringen. Het lichaam lag daar al vele uren toen Walt het zag. Het gezicht begon al tekenen van ontbinding te vertonen – misschien, dacht Walt, door de druk van al die duizenden en duizenden paren ogen die het hadden gezien. De onderkaak was opengezakt, de lippen waren van elkaar geweken, waardoor je de tanden zag. Een begrafenisondernemer bukte zich naast Walt en stofte het gezicht discreet af, maar hierdoor werd het alleen maar erger.

Walt staarde en staarde, hield de rij op, gefascineerd door het dode, grauwe gezicht. Een dame achter hem gaf hem een beleefd duwtje. Haar kind, dat van afschuw was vervuld door het onaangenaam ogende gezicht, huilde, en ze wilde verder. Walt maakte een lichte buiging voor haar, maar toen hij zich omdraaide om weg te lopen hoorde hij een stem zijn naam roepen, *Walt, Walt, Walt*. Hij draaide zich weer om naar de dame.

'Zei u iets?' vroeg hij haar, hoewel het geen damesstem was die hij had gehoord. Ze schudde haar hoofd, nee, gebaarde of hij alstublieft wilde doorlopen. Walt keek nog eens naar het gezicht van de overleden president, naar de openhangende lippen. Terwijl hij wegliep hoorde hij de stem weer, nu klagend: *Walt!*

Wekenlang zou de stem alleen maar zijn naam roepen. Toen hij weer in Washington was riep de stem hem als hij aan zijn bureau op het Patentkantoor zat. Hij had sinds januari een nieuwe baan en werkte nu als klerk bij de Afdeling Binnenland. *Walt*, zei de stem dan, en dan keek hij op naar de indianen die sereen wachtten tot ze een ondersecretaris te spreken zouden krijgen, verheven en afwezig daar zittend, met hun halskettingen en veren en verf. 'Zei u iets?' vroeg Walt hun dan.

De stem bleef die hele zomer Walts naam roepen, en daarna ook nog. Ze riep hem tijdens zijn werk op het kantoor van de minister van Justitie, dat voor hem door een vriend geregeld was nadat hij (vanwege zijn *Leaves*) bij het ministerie van Binnenlandse Zaken was ontslagen. Dag en nacht hoorde hij haar, als hij wakker was, als hij sliep en als hij droomde, en hij dacht dat het zijn broer was, tot hij wist dat het Hank was en hij noemde de stem Hank, en toen sprak ze liefkozend en langdurig tegen hem en riep niet meer alleen zijn naam. En tot hij haar een naam had gegeven was hij bang dat de stem een symptoom van een geesteziekte was, maar zijn bezorgdheid smolt langzaam weg tot het hem niet meer kon schelen of zijn geest tot waanzin verviel, zolang de stem maar bleef spreken. *Wat dacht je?* vroeg de stem hem. *Dacht je dat ik je alleen zou laten?*

Een van Hanks goede eigenschappen was dat hij Walt nooit zei wat hij moest doen. De levende Hank had onophoudelijk en nadrukkelijk van alles gevraagd — Walt, haal even wat ijs voor me, Walt, ik heb jeuk op mijn rug, rol me even op mijn zij en doe er wat aan; stop even een pijp voor me; zorg dat ik een vogel krijg; zorg voor een foto van een Frans meisje, naakt. Hanks stem vroeg echter nooit ergens om. Ze begroette hem 's morgens. Ze leverde commentaar op de schoonheid van een prachtige dag. Door de dood was de waardering van Hank voor de poëzie van Walt veranderd — de stem liet Walt zijn eigen woorden terughoren of gaf hem nieuwe in overweging, ze was een genereuze muze. Ze vroeg echter nooit ergens om, ze gaf nooit een order, tot de herfst van '68, toen Walt voor een soort vakantie in New York was.

Op Manhattan, als het erg prettig weer was, maakte Walt altijd een ritje in een omnibus. Bijna alle koetsiers op Broadway waren persoonlijke vrienden van hem. Ze lieten hem gratis meerijden als hij er niet op aandrong te betalen — hij liet zich uren en uren rondrijden en betaalde een veelvoud van de ritprijs. *Je ziet alles*, zei Hank de eerste keer dat ze samen zo'n rit maakten. Het klopte — er waren winkels en prachtige gebouwen en enorme etalages, trottoirs propvol rijk uitgedoste vrouwen en mannen die beter gekleed waren en er beter uitzagen dan de mannen die je elders zag. Het was een volmaakte mensenstroom.

Op een dag in oktober nam Walt Hank mee voor een rit met de Belt Line. Ze stapten vroeg in de middag in en reden steeds maar weer rondjes, om de zuidelijke wijken van Manhattan heen, omlaag langs de steigers aan de Hudson, weer omhoog langs de oever van East River en dan Fiftyninth Street over, waar de rit opnieuw begon. Het was een stoffige en warme dag. Walt liet zijn hoofd tegen het raam rusten en keek hoe de zon door de scheepsvlaggen priemde. *Een prachtige dag*, zei Hank, en Walt vroeg zich, niet voor het eerst, af of hij niet tweemaal de ritprijs moest betalen omdat hij Hank bij zich had.

Geheel in beslag genomen door de zonbeschenen vlaggen merkte Walt de in- en uitstappende passagiers nauwelijks op, tot er op Fulton Market een man instapte die Walts aandacht trok. Hij struikelde op de treeplank en viel de omnibus in, waarbij hij zich nog net kon vasthouden aan de leidsels van de koetsier en er een enorme ruk aan gaf. De koetsier (hij heette Carl en was een vriend van Walt) vloekte hem uit. De man stak zijn hand omhoog en gaf een kneepje in de kuit van de koetsier, die omlaag hing, in het zicht van alle passagiers.

'Neemt u me niet kwalijk,' zei hij. 'Het spijt me vreselijk.'

Er kwam een gesmoord antwoord van de koetsier op zijn hoge zitplaats. Walt wendde zijn blik af toen de man naar achteren liep: hij voelde zich opeens verlegen, hoewel hij nog nooit eerder verlegen was geweest op een omnibus. Hij had op omnibussen allerlei mannen aangeklampt en op die manier tal van goede vrienden gemaakt. Maar nu, terwijl de man tegenover hem plaatsnam, staarde Walt uit het raam op de grond, waarover al die schaduwen van masten en tuigage lagen. Toen de man dichterbij was gekomen had Walt even geloerd en gezien dat de ander jong was, of er in ieder geval heel jong uitzag, ondanks die grote bruine baard.

'Hallo,' zei hij. Walt reageerde niet, en dat was het moment dat Hank zijn eerste postume eis stelde. *Zeg hallo terug, Walt.* Maar Walt zei niets.

De jonge kerel begon een deuntje te zingen: 'Houthakker, spaar die boom alsjeblieft,' en verviel soms tot een geneurie als hij de woorden vergeten was. Toen ze East Side op waren geweest en langs de zuidelijke grens van Central Park waren gekomen zei de kerel weer iets. 'U maakt gewoon een ritje, net als ik.' Walt zei niets en Hank foeterde hem uit. *Ik heb nooit geweten dat je zo onbeleefd was.* Walt liet zijn hoofd hangen en deed alsof hij sliep. Zijn handpalmen gloeiden en zijn hart voelde aan alsof het vlak onder zijn kin bonkte. *Kijk nou naar hem*, zei Hank. *Kijk eens goed naar hem. Dan snap je het.*

'Die lui uit Boston doen tegen iedereen uit de hoogte,' zei de kerel.

Walt liet een namaakgesnurk horen.

'Komt u uit Boston?'

Walt deed zijn ogen open, maar keek niet op. 'Ik kom niet uit Boston,' zei hij. '*En ik ben gewoon niet in de stemming voor een gesprek.*'

'Nou, dat had u dan evengoed kunnen zeggen.' De jonge man zat een tijdje te mompelen, en toen ze bij de oesterboten aan Tenth Street waren gekomen stond hij op en stapte uit de omnibus. De verlegenheid en angst van Walt verdwenen meteen; hij wenste dat hij niet zo onbeleefd was geweest en hij voelde de aanvechting achter de man aan te rennen, alleen maar om zijn verontschuldigingen aan te bieden.

Maar de ander was maar een minuut weg. Voordat de omnibus hem achter had kunnen laten keerde hij terug met een emmertje oesters en ging weer op zijn oude plek zitten. Algauw hoorde Walt hoe hij de oesters leegslurpte en de schalen op de vloer gooide, op het stro en de opgedroogde modder. 'O, verdomme,' zei de man opeens. Walt keek op en zag dat de man zich in zijn duim had gesneden toen hij had geprobeerd een oester open te maken. Aan de gewonde hand had hij maar vier vingers: hij miste de pink van zijn linkerhand. Hij bracht zijn duim naar zijn mond, waardoor zijn lippen onder het bloed kwamen te zitten. Hij keek weg van de deur en zijn blik ving die van Walt en Walt zag dat zijn ogen niet sterker op die van Hank hadden kunnen lijken als wanneer hij ze had gestolen en in zijn eigen gezicht had gezet. Walt kreeg op dat moment een gevoel dat zijn hart binnensloop en zich bij zijn verlegenheid en angst nestelde, maar er niet voor in de plaats kwam. Deze kerel, deze jongen, kwam hem intens bekend voor—hij wist zeker dat hij hem al eerder had ontmoet of zijn gezicht had gezien, hoewel hij wist dat het niet zo was. *Kus hem, Walt,* zei Hank. *Omhels hem. Hij is voor jou, en jij bent voor hem, een grote, ware kameraad en een grote ziel. Hij is een bouwer.'*

'Gaat het, meneer?' vroeg Walt hem, want de duim, die nu niet meer in de mond van de jongeman stak, bloedde overvloedig. Walt dacht terug aan een moment in Armory Square, toen hij zichzelf in zijn duim had gesneden met een scalpel die onder het gangreenvuil had gezeten. Zijn duim was als een pruim gezwollen en het had maanden geduurd voor hij was genezen.

'Het is maar een schram,' zei de jongen. Nu dacht Walt echt dat het maar een jongen was, nog geen twintig, hoewel er diepe groeven over zijn voorhoofd liepen. Walt boog zich heel langzaam voorover om de wond te bekijken.

'Het is een diepe wond. Hij moet verbonden worden.'

'Zo diep is hij niet,' zei hij. 'Ziet u wel? Hij droogt al op.' Hij schudde er een paar keer mee en het druppelen van het bloed vertraagde en hield op.

'Maar het was wel diep,' zei Walt, die dacht een flits van een wit bot tussen de wanden van de snee gezien te hebben.

'Nee,' zei de kerel. 'Volgens mij niet. En ik ben arts. Een kenner, zo u wilt, van wonden.' Hij stak zijn bebloede hand uit, zodat Walt haar kon schudden. 'Dokter George Washington Woodhull,' zei hij, 'maar noemt u me alstublieft Gob.'

Walt staarde en staarde hem aan, maar schudde de hand niet. Hoewel Armory Square hem zo levendig voor de geest stond dat hij soms dacht dat hij nog steeds bloed en ether in zijn baard en zijn huid rook, duurde het even voordat hij de naam Woodhull had thuisgebracht.

'Goed, u bent Walt Whitman. Dat hoeft u me niet te vertellen. Ik wist het op het moment dat ik instapte. Wie anders, vraag ik u, zou er op Walt Whitman lijken? En kijkt u hier eens, de hele stad is van uw bezoek op de hoogte gesteld.' Hij ging naast Walt zitten en haalde een exemplaar van de *Times* uit zijn jaszak. 'Met de komst van de herfst,' las hij, 'maakt Walt Whitman weer zijn opwachting op de trottoirs van

Broadway. Zijn grote, massieve persoon, zijn ernstige en profetische, en toch vrije en mannelijke verschijning, zijn zorgeloze omgangsvormen en manier van bewegen, zijn makkelijke en nonchalante maar schone en gezonde uitmonstering—dit alles resulteert in een gedaante en een individualiteit die de aandacht en belangstelling van iedere voorbijganger trok.' Walt staarde naar de krant, herinnerde zich dokter Woodhull van Armory Square en besteedde nauwelijks aandacht aan het persoonlijke bericht in de krant, hoewel hij er erg aangenaam door was getroffen. Hij had de schets ervoor zelf geschreven en bij een vriend bij de *Times* ingediend.

'Meneer Whitman,' zei de jongen. 'Ik ben toch zo blij u te leren kennen.' Hij stak nogmaals zijn hand uit en ditmaal pakte Walt hem wel aan. Het was een kleine maar sterke hand, en de jongen kneep zo hard dat Walt dacht dat hij zou gaan kreunen. Hij pompte Walts arm op en neer, en bij iedere beweging kreeg Walt een gevoel, een gelukkig gevoel, alsof deze jongen hem volpompte met vreugde. *Zie je?* vroeg Hank. *Zie je hem, Walt? Zie je hem?*

De volgende dag ging Walt iets in het Park planten. Terwijl hij op zijn nieuwe vriend wachtte zocht hij plekken uit waar naar zijn idee mensen zouden kunnen neerstrijken om te picknicken. Hij knielde op een goede plek op het grasveld bij het meer, trok wat gras uit de grond en maakte er een bedje van, waarop hij zijn boek kon leggen. Hij had het al voorzien van een opdracht in een net maar achteloos handschrift: Voor *jou.*

Het was zijn overtuiging dat hij het meeste effect sorteerde bij mensen die zijn werk in de buitenlucht lazen, en dus legde hij het hier, in de zekerheid dat iemand die zijn gedichten in de natuurpracht van dit Park aantrof, erdoor betoverd zou worden en erdoor zou veranderen. Hij ging vijftig meter van de plaats waar hij zijn boek had achtergelaten op een bank zitten en keek. Hij sloeg een krant open, deed alsof hij zich erin verdiepte en dacht niet aan zijn aspirant-lezer maar aan

74

dokter Woodhull—aan Gob.

Gob had Walt uitgenodigd wandelingen met hem te maken, en wandelen deden ze inderdaad, urenlang door de hele stad, zodat vandaag zelfs Walt, altijd een enthousiaste en onvermoeibare wandelaar, pijnlijke voeten had. Walt biechtte op dat hij al een dokter Woodhull kende en Gob biechtte op dat Canning Woodhull inderdaad zijn vader was, hoewel hij hem voor het laatst had gezien toen hij vijf was geweest. Ze praatten over gedichten omdat Gob beweerde dat hij een groot bewonderaar was van Walts *Leaves*, en ze praatten over politiek omdat er bij het vallen van de avond een grote bijeenkomst van de Democraten en een optocht met toortsen begon. Democraten stroomden met duizenden tegelijk de straat op, en de hele stad werd door hun toortsen verlicht. Op Second Avenue klommen Walt en Gob op een omnibus die in de menigte was blijven steken om de optocht te zien voorbijtrekken. Er waren scheepsmodellen, sommige wel achttien meter lang, volledig bemand, en Vrijheidswagens die stampvol zaten met vrouwen in rode, witte en blauwe gewaden. Iedere deelnemer aan de parade droeg een toorts. Gob lachte naar een dame met een hoed met Romeinse kaarsen die kleine vuurballetjes het publiek langs de straat inschoten. Ze hadden afscheid genomen toen de laatste achterblijver aan de optocht, een kind dat een reclamebord van Seymour droeg, hen was gepasseerd. Ze spraken af elkaar de volgende dag in het park te zien, en toen ging Walt naar huis, denkend aan zijn nieuwe vriend, zich verwonderend dat hij ooit bang voor hem was geweest. Hank zei niets, behalve af en toe een uitroep. *O vreugde*, zei hij. *O geluk*.

In het park hield Walt zijn boek in de gaten; er kwamen een paar mensen voorbij, maar niemand bukte zich om het op te rapen. Zijn stemming begon net in te zakken toen hij de stem van Gob achter zich hoorde: 'Hallo, Walt!' Gob bewoog zich in hoog tempo over het rijtuigpad, in het gezelschap van een lachende, roodharige vrouw in een vrijgevochten jurk. Alleen hun bovenlichamen waren zichtbaar boven een heg die langs het pad liep, en ze leken te zweven, wat onmogelijk was. Walt dacht dat ze waarschijnlijk op fietsen zaten, maar toen ze de heg rondden zag hij dat ze apparaatjes aan hun voeten hadden, grote rubberwielen ter grootte van een menselijk hoofd, twee voor iedere voet, bevestigd aan ijzeren klemmen die onder hun schoenen pasten.

'Kijk, meneer Whitman,' zei de dame, die knap en dik was en dezelfde ogen had als haar metgezel: blauw en Hankachtig en prachtig. 'We zijn velovoetgangers!' Ze zwaaide met haar armen en hervond haar evenwicht toen ze stopte.

'Dit is mijn tante,' zei Gob, 'juffrouw Tennie C. Claflin. Toen ik haar vertelde dat ik vandaag een afspraak met je had wilde ze per se mee.'

'Het is me een groot genoegen, meneer,' zei ze, terwijl ze zijn hand pakte en deze krachtig schudde. 'Een heel intens genoegen.' Ze was gekleed in een donkerblauwe tuniek en een rok van blauwe wol en droeg om haar benen een gele knickerbocker die nog meer de aandacht trok dan de wielen aan haar voeten. In het hele park stonden, voorzover Walt kon zien, mensen naar haar te wijzen, wat ze echter niet scheen op te merken.

'Hoe vind je mijn landschaatsen?' vroeg Gob. De vorige avond had hij Walt verteld dat knutselen en uitvinden zijn echte roeping waren, dat hij zowel tot ingenieur als tot arts was opgeleid, en Walt had gepraat over zijn broers, George en Jeff, die beiden ingenieur waren.

'Erg vreemd,' zei Walt, want hij wist niet precies wat hij van de schaatsen moest denken. Tennie wilde Walt met alle geweld de hare lenen, zodat hij ze kon uitproberen. Ze hielden hem bij zijn armen vast en trokken hem heen en weer over het gras bij het meer, tot hij er iets bedrevener in werd.

'Het is net als schaatsen op ijs!' zei Walt, die het erg prettig vond, zoals hij met een snelheid van zeker vijftien kilometer per uur over het pad vloog. Hij stelde zich een bericht in de kranten voor: *Walt Whitman was gisteren in Central Park, rijdend op de wielen der toekomst.* Gob legde zijn vingers op

Walts pols om hem in balans te brengen en pakte toen zijn hand vast. Ze schaatsten een volledige ronde om het meer en troffen bij hun terugkeer Tennie zittend bij het water aan. Ze stond op en rende op hen af, een warreling van blauw en geel textiel, de hele wijde wereld haar benen tonend en zwaaiend met het boek dat ze had gevonden.

'Een donkere plek,' zei Tennie, 'maar ik vind het hier leuk.' Walt had hen meegenomen naar Pfaff's, omdat hij dacht dat Tennie de omgeving aanzienlijk zou verlevendigen. Het was er nogal saai geworden sinds de dagen voor de oorlog, toen Henry Clapp en Ada Clare er hadden hofgehouden. 'We zitten hier in mijn buurt, weet u,' zei ze. 'Ik woon met mijn familie in Great Jones Street, nummer zeventien. Als u langs wilt komen bent u welkom, meneer Whitman. Mijn zuster zou opgetogen zijn u te leren kennen. Als u langskomt moet u natuurlijk niet denken dat u de kleine Gob er zult aantreffen. Great Jones Street is niet goed genoeg voor hem. Hij woont aan Fifth Avenue en krijgt niet graag bezoek.'

'Ik woon in een erg somber huis,' zei Gob. 'Het is van mijn leraar geweest. Toen hij overleed heeft hij het me nagelaten.'

'Hebt u gehoord van die vreselijke moord in Frankrijk?' vroeg Tennie. Walt zei dat hij er niet van gehoord had. 'Een man, Gaucher, ging een wandeling in de Tuilerieën maken en zag een mooi zakdoekje op de natte grond liggen. Hij is een niet erg bemiddeld man, deze Gaucher. Hij heeft nooit veel geluk gehad in het leven, maar dankt nu de fortuinlijke omstandigheid dat hij dit werkelijk schitterende stukje stof heeft gevonden. Voordat hij het opraapt maakt hij al plannen om het te verkopen. Maar zodra hij het opraapt ontdekt hij dat er een afgrijselijk starend oog zichtbaar wordt. Een afschuwelijk, starend groen oog. Het was een oog van het jongste kind, het enige lid van een gezin van vijf dat niet is begraven door de onverlaat die de rest ook heeft vermoord.'

'Daar had ik niets van gehoord!' zei Walt.

'Nee,' zei Tennie. 'Allicht niet. Het gebeurt pas over een

jaar. Ik ben soms een beetje in de war. Maar maakt u zich geen zorgen, meneer Whitman. Die arme kleintjes krijgen goed onderdak in Zomerland.'

'Ik denk dat ze liever door de aarde beschut zullen worden,' zei Gob. 'Maar wat hebben wij daarover te zeggen, nietwaar, Walt?'

'Pfaff's was vroeger een levendige tent,' zei Walt, verbijsterd. 'In die goede oude tijd.'

'Gob, haal eens een paar worstjes,' zei Tennie. 'Ik heb zin in een worstje en in bier.' Zodra Gob weg was boog Tennie zich naar Walt over en begon te fluisteren. 'Meneer Whitman,' zei ze heel langzaam. 'Luistert u naar me. Ik ben mooi en ik houd van u. Ik denk dat u een kind voor me heeft, een hoogstaand en volmaakt mannelijk kind. Onze jongen... houdt u niet al van hem? Hij moet verwekt worden op een bergtop, buiten. Niet in wellust, niet in alleen maar een bevrediging van seksuele hartstocht, maar in een adelende, zuivere, sterke, diepe, hartstochtelijke, brede, universele liefde!'

Bij deze woorden deinsde Walt terug, zover dat zijn stoel achterover helde en zou zijn omgeslagen als Gob niet achter hem was opgedoken en de stoel met zijn heup had teruggeduwd. Tennie was eerder op de dag nog charmant geweest, en nu was ze niet meer dan de zoveelste vrouw die hem een onbehaaglijk gevoel bezorgde.

'Walt,' zei Gob, 'volgens mij heeft mijn tante een grap met je uitgehaald.'

'Een grap!' zei Tennie. 'Meneer Whitman, ik wilde u alleen maar aan het lachen maken!'

'Natuurlijk,' zei Walt. 'Natuurlijk.' Hij nam zijn worstje van Gob aan, terwijl deze zijn tante de mantel uitveegde.

'Dat is een afwijking van me, meneer Whitman,' zei Tennie om zich te verdedigen. 'Ik voel me altijd gedwongen de boel een beetje op te vrolijken.'

Onder de mannen en vrouwen, de menigte, zei Hank, *zie ik er een die me er met geheime en goddelijke tekenen uitpikt.* Walt zat aan zijn bureau op het kantoor van het ministerie van Justitie. Het was één uur op een sneeuwmiddag in het begin van december '68. Voor de achteloze waarnemer leek hij erg hard aan het werk te zijn, gebogen over een vel papier en met zijn breedgerande hoed naast zijn arm op het bureau. Hij wekte de indruk een of ander officieel document te kopiëren, waarbij hij een stukje schreef en vervolgens weer naar het origineel keek, maar in werkelijkheid zat hij een brief van zichzelf over te schrijven, waardoor deze fraaier zou ogen en de geadresseerde prettiger in de oren zou klinken.

Beste Gob,

Ik stuur je een paar regels, hoewel er niets nieuws of bijzonders met me aan de hand is. Ik werk nog op dezelfde plek en verwacht hier de hele winter te zullen zitten (hoewel een misrekening natuurlijk altijd mogelijk is). Mijn gezondheid houdt zich goed en het werk is makkelijk. Ik denk dikwijls aan je, mijn jongen, en vraag me af of het goed met je gaat en of je gezond bent en of je nog de Belt Line neemt naar plaatsen waar je stemming je heenvoert.

Ik neem aan dat je de brief hebt ontvangen die ik je gestuurd heb. Ik heb de jouwe op 15 november gekregen en heb je er de twintigste of de eenentwintigste een gestuurd, geloof ik. Sindsdien heb ik niet meer van je gehoord.

Het Congres is hier afgelopen maandag begonnen. Ik ben erheen gegaan om getuige te zijn van de vergadering. De zalen waar ze bijeenkomen zijn schitterend. Het licht komt allemaal uit het grote dak. Het nieuwe deel van het Capitool is wel heel erg fraai. Het is een mooie bezienswaardigheid voor iedereen die op goed vakwerk is gesteld, zowel in hout als in steen. Ik hoop echt dat je me zult komen opzoeken, waar je het over had—of we inderdaad in de toekomst de kans zullen krijgen veel samen te zijn en te genieten van elkaars liefde en vriendschap—of dat wereldse aangelegenheden ons van elkaar zullen scheiden—ik weet het niet. Maar op een of andere manier heb ik het gevoel (als ik niet droom) dat de goede, oprechte liefde in onze harten is, voor elkaar, zolang het leven duurt.

Zoals ik je in mijn vorige brief heb verteld heeft deze stad eigenlijk niets om het lijf als je in New York hebt gewoond. De openbare gebouwen zijn groot en indrukwekkend. De meeste zijn van wit marmer en op veel grotere schaal gebouwd dan de City Hall van New York, maar de oceanen van leven en mensen, zoals in New York met al die scheepvaart enz., ontbreken hier. Toch moet een jonge man eens in zijn leven Washington hebben gezien. Dan vermaak ik mezelf met de gedachte dat je het leuk zult vinden bij me te zijn, Gob, ik wil dat je me zo vaak schrijft als je kunt.

Walt vouwde de brief op, stopte hem in de envelop en nam een pauze om hem te posten. Buiten leunde hij even tegen een straatlantaren omdat hij opeens werd overweldigd door een gevoel zoals hij het in Central Park had gehad—er zaten toverwielen onder zijn voeten en hij vloog hand in hand met zijn kameraad voort. Dit gevoel bleef terugkomen, op dezelfde manier als waarop een klotsende zee naar hem terugkeerde op het moment dat hij in slaap viel na een dag spelen in de branding. *Niemand anders erkennend,* zei Hank. *Geen ouder, echtgenote, echtgenoot, broer, kind, dichterbij dan ik ben. Sommigen zijn verbijsterd, maar hij niet—die man kent me.*

Walt kreeg geen antwoord op zijn brief van december. Kerstmis kwam en ging, en hoewel hij in het gezelschap van goede vrienden verkeerde, voelde hij zich eenzaam. Hij en Hank verwelkomden het nieuwe jaar terwijl ze aan zijn raam zaten. Walt maakte een punch van citroen, Schotse whisky, suiker en sneeuw van de vensterbank. 'Op het nieuwe jaar!' riep Walt naar de donkere hemel. *Een jaar, vlekkerig van goed en kwaad!* schreeuwde Hank. Er verliep weer een week, en nog een en nog een, en nog steeds geen woord van Gob. Walt gaf de hoop op dat hij ooit nog eens van hem zou horen en vervloekte zijn eigen extreme karakter. Wat stom eigenlijk, om zo'n lachwekkende binding te voelen! 'We laten omnifilie over aan de heer Fourier en zijn verwilderd kijkende landgenoten,' zei Walt tegen Hank. 'Niet geschikt voor Walt Whitman.' Hank zei: *Noch bijeen of iedereen O kleverigheid! O polsslag van mijn leven! Mijn nood gebiedt dat jij bestaat en je meer laat zien dan in deze liederen.*

Maar 's avonds op 20 januari, toen Walt in zijn favoriete (en enige) stoel zat te lezen, werd er op zijn deur geklopt. Hij luisterde er even naar en hoorde stemmen. Een vrouw zei: 'Weet je zeker dat het hier is?' Walt opende de deur en zag een vorstelijk ogende dame, geheel in het blauw gekleed, met een witte theeroos op haar keel en alweer zo'n stel Hankachtige ogen in haar hoofd. Gob, die door haar grote hoed aan het zicht werd onttrokken, stapte om haar heen en greep Walt bij diens borst.

'Hallo, Walt!' zei hij. 'Hallo, mijn vriend! Hier ben ik, precies zoals ik had beloofd. En hier is ook mijn moeder. Victoria C. Woodhull, maar je mag haar keizerin Eugenie noemen.'

'Gob toch,' zei de dame. Ze stak haar hand uit en wachtte geduldig tot Walt hem zou pakken. Ze stapte zijn kamer in, waarbij ze het deed voorkomen of Walt haar naar binnen had getrokken, hoewel dit niet zijn bedoeling was.

'Walt,' zei Gob. 'Trek je jas aan en doe niet zo chagrijnig.' Walt trok zijn jas aan, en zijn schoenen, terwijl Victoria Woodhull verschillende dingen zei, waarvan hij vanwege zijn geagiteerde staat niets echt goed hoorde. Om zich heen kijkend naar de smoezelige muren, de sokken die aan de beddenstijl hingen te drogen en de gordijnen die tegen de muur waren gespijkerd, waar ze zijn licht of uitzicht niet in de weg zouden zitten, maakte ze hem een compliment over zijn kamer. Het voorwerp dat onder het bed had behoren te staan stond pal in het zicht en was tot de rand gevuld. Haar blik viel erop en daalde verder.

'Een eerlijke kamer, meneer Whitman,' zei ze. 'Eenvoudig en streng. Toch voel ik, als ik mijn ogen dichtdoe, dat het een paleis van wijsheid is.'

'Aanzienlijk minder dan dat,' zei Walt. 'Een schuurtje van gezond verstand, misschien. Of een met riet gedekte hut van welwillendheid. Ik krijg niet vaak bezoek.'

'Nou,' zei mevrouw Woodhull. 'Komt u dan mee.' Ze bood Walt haar arm – toen hij de zijne erdoor stak had hij niettemin het gevoel dat hij haar de zijne had geboden – en ze vertrokken. Het kwam niet bij Walt op te vragen waar ze heen gingen, tot ze in het fraaie rijtuig zaten dat buiten stond te wachten.

'Waar anders heen dan naar de vrouwenconventie?' zei Gob. Het werd duidelijk dat Gob dacht dat Walt een brief had gekregen waarin de plannen voor deze avond uiteen werden gezet. Toen hij eenmaal besefte dat Walt een dergelijke brief niet had gekregen waren zowel hij als zijn moeder gegeneerd en verontschuldigden ze zich. Mevrouw Woodhull bood aan hem naar zijn kamer terug te brengen, maar Walt wilde er niet van horen. 'Ik ben dol op verrassingen,' zei hij, wat niet helemaal waar was. Maar deze specifieke verrassing – dat Gob onverwachts voor zijn deur stond en hem uit een stilstaande poel van treurigheid plukte – was volkomen prettig en goed.

Met zijn drieën begaven ze zich naar de Nationale Conventie voor Vrouwenkiesrecht, de eerste die in de hoofdstad werd gehouden. In Carroll Hall zaten ze naast elkaar in een wel heel heterogeen gezelschap. Er waren mannen en vrouwen, blanken en negers, mensen die er welvarend uitzagen en mensen wier kleding van armoede sprak. Met een opgerold programmablad wees mevrouw Woodhull de mensen op het podium aan.

'Dat is mevrouw Mott, met die Quakermuts. Ze ziet er lief en oma-achtig uit, niet? Nou, ze is niet zomaar een grootmoeder, hoewel ik gehoord heb dat ze heel zachtmoedig is. Daar zit mevrouw Stanton, naast haar. Vindt u ook niet, meneer Whitman, dat ze er als een koningin uitziet?'

'Zeker,' zei Walt. Mevrouw Stanton zag er inderdaad als

een koningin uit, met dat kapsel, dat een en al witte krulletjes was en die neus, waarvan Walt de fijne bouw en adeldom zelfs van een afstand wist te waarderen. Bovendien had ze een enorme, immense solide ogende boezem, die hem robuust genoeg leek om de fundering van een koninkrijk te kunnen zijn. 'En daar,' zei hij, 'aan het uiteinde van het podium, met dat Eva-achtige warrige haar, dat is dokter Mary Walker. Ik heb haar tijdens de oorlog gekend, toen ze een collega van uw man was.'

'Mijn gewezen echtgenoot,' corrigeerde mevrouw Woodhull hem. 'En nu we het toch over mannen hebben, is dat senator Julian, daar rechts? Ik heb begrepen dat hij onze zaak vriendelijk gezind is. Die geestelijke herken ik niet. Hij is in ieder geval geen Beecher.'

De geestelijke eindigde zijn openingsgebed met een slecht doordachte verwijzing naar Eva: hij noemde haar de rib die Adam overhad. Hiermee gaf hij aanleiding tot een gemompel dat tijdens de volgende twee sprekers aanhield. De menigte kalmeerde pas toen mevrouw Stanton aan de beurt was.

'Een groots idee van vooruitgang nadert haar verwezenlijking,' begon mevrouw Stanton, 'als staatslieden in de bestuursorganen van de natie voorstellen het vaste vorm te geven in statuten en grondwetten, als Eerbiedwaardige Vaderen het erkennen in een nieuwe interpretatie van hun geloofsbelijdenis en canons, als de rechtbank op zijn bevel de wetgeving van eeuwen terzijde schuift en meisjes van twintig de Cokes en Blackstones van het verleden onder hun hakken vertrappen.'

Walt werd volledig door mevrouw Stanton en haar toespraak opgeslokt. Hij waardeerde haar boosheid en haar welsprekendheid en haar boezem. Ze bood hem de gelegenheid zich in zijn eigen fantasieën te verliezen, en hij stelde zich haar voor als reuzin van dertig meter lang, die rondwaadde in de Potomac en het ene schip na het andere te water liet vanaf de borstwering van haar boezem, duizend schepen, elk gevuld met duizend boze vrouwen. Deze vrouwen maakten net aanstalten zware salvo's van explosieve ontevredenheid af te vuren op de hoofdstad toen Walt door een lichte druk op zijn schouder werd afgeleid. Gob had er zijn hoofd neergevlijd en was diep in slaap.

'Mijn broer is gesneuveld in Chickamauga,' zei Gob. 'Daar is hij gestorven.' Hij en Walt waren, nadat ze de conventie maar een paar uur hadden bijgewoond, naar een saloon vertrokken. Mevrouw Woodhull was gebleven, hoewel ze de gang van zaken al kleinerend als een reeks stormen in een glas water omschreef. 'Ze praten en praten en praten maar,' had ze gezegd, 'terwijl ze iets zouden moeten *doen*.'

'Mijn broer is in Brooklyn gestorven,' zei Walt, die het over Andrew had. 'Zijn keel was weggerot.' Ze hadden samen een fles whiskey soldaat gemaakt en hun gesprek had een sentimentele wending genomen.

'Tomo is van huis weggelopen toen we elf waren. Walt, ik had erbij moeten zijn geweest. We hadden bij elkaar moeten zijn geweest, daar aan het einde.'

Walt was geen groot drinker, maar hij probeerde gelijke tred te houden met Gob, die op het gebied van sterke drank zijn vader, de oude dokter Woodhull, achterna leek te gaan. Walts emoties waren door de whiskey labiel geworden en neigden nu naar het monstrueuze. Hij staarde naar het droevige gezicht van Gob, speelde met het beeld dat Gob arm in arm met zijn tweelingbroer stierf, beiden op identieke wijze met kogels doorzeefd, vaarwel, vaarwel tegen elkaar fluisterend terwijl ze van de aarde wegdreven. Wat een tafereel — het was geweldig afgrijselijk en geweldig prachtig. Hij ging ervan huilen. Hank, die ook dronken was, zei: *O kleverigheid! O polsslag van mijn leven!*

'Ja, ja,' zei Gob. 'Precies wat ik voel. Ik heb er altijd om gehuild, tot het me begon te dagen dat tranen niets uithalen. Ze troosten de levenden, maar verzoenen ze ook de doden? Hebben de doden behoefte aan onze tranen? Heeft het voor hen zin dat we om ze rouwen? Het leven zou wel voortdurend kunnen rouwen om verloren levens. Je zou denken dat er iets mee gedaan kon worden.'

'Al dat bloed,' zei Walt. 'Al dat kostbare bloed. Er zou een groots werk verricht moeten worden, nietwaar?' Hij snikte, slaakte een verstikte kreet, als een harig dier. Het trok de aandacht van de andere klanten van de saloon, allen wagenmenners en omnibuskoetsiers, velen van hen vrienden van Walt. Er kwamen er een paar bij hem staan om hem te troosten; ze wierpen woedende blikken op Gob. 'Walt, maakt die kerel je van streek?' vroegen ze. Walt schudde zijn hoofd, maar de jongens bleven boos naar Gob kijken, dus liepen hij en Walt naar buiten, in de richting van het Capitool. Onderweg bood Walt zijn verontschuldigingen aan voor het gebrek aan gastvrijheid van de jongens in de saloon. 'Overal waar ik kom heb ik vrienden,' zei hij. 'Maar geen enkele vriend zoals *jij.*'

Ze zaten op de trappen van het Capitool en dronken om beurten uit een fles die ze uit de saloon hadden meegenomen.

'Dronker en dronker en dronker en dronker,' zei Walt.

'Weet je wat ik denk, Walt?' vroeg Gob.

'Je denkt aan mevrouw Surrat,' zei Walt, 'omdat ze daar verderop is opgehangen.' Hij wees over het besneeuwde terrein aan de overkant van de straat, waar vroeger de oude gevangenis had gestaan. 'Je denkt: "Arme vrouw, die is er vast door iemand ingeluisd." En je denkt hoe je moeder en al die andere toch heel dragelijke vrouwen van streek zouden zijn dat een vrouw wel opgehangen mag worden maar niet mag stemmen. Ik ben deze zomer bij het proces van John Surrat geweest. Hij is heel jong. Ik zat vlakbij hem. Het was warm in de rechtszaal, en hij hield me koel met zijn grote waaier, een palmblad.'

'Ik dacht,' zei Gob, 'dat we moeten gaan schuilen voor de sneeuw.' Hij had zijn zin nog niet afgemaakt toen Walt merkte dat de sneeuw weer viel, dichter en sneller dan daarvoor. Gob stond op, sloeg zijn enorme zwarte jas om zich heen – het leek Walt dat hij wel twee posturen van Gob zou kunnen herbergen, of die van Walt en Gob samen. Hij rende de trappen van het Capitool op, met twee of drie treden tegelijk. 'Kom mee, Walt!' zei hij. 'Ik zie een huisje waar we kunnen schuilen!'

Het liep tegen tweeën in de ochtend, dus er was niemand op het terrein, en in het Capitool kon, afgezien van een verdwaalde bewaker, evenmin iemand zijn. Niettemin klopte Gob aan, alsof hij verwachtte dat er een slaperige herbergier uit zijn bed zou komen en opendoen. 'Hallo!' riep hij. 'Doe eens open voor twee reizigers die genoeg hebben van de kou!' Walt lachte, maar de deur ging met een hard klikkend geluid open, waardoor er een vrolijk geel licht op Gobs schoenen viel.

Precies op dat moment kreeg de nacht in Walts ogen iets droomachtigs en vreemds, maar het was niet angstaanjagend. Ergens drong een stemmetje—maar niet dat van Hank—erop aan dat hij over de sneeuw zou vliegen en zich in de armen van George Washington zou werpen, dat hij zich tot zonsopgang aan de generaal zou vastklampen. De stem fluisterde echter door smorende kussens van drank en tevredenheid heen. Walt kon haar nauwelijks horen. Ze viel gemakkelijk te negeren. Hij volgde Gob het grootse gebouw in en liep achter hem aan door de schitterend beschilderde gangen.

'Ze zeggen dat het hier spookt,' zei Gob. 'Ze zeggen dat je de geest kunt zien van een arbeider die van de steiger is gevallen toen ze de nieuwe koepel bouwden. Ze zeggen dat zijn nek een verschrikkelijke hoek maakt en dat hij een heel angstaanjagend gekreun laat horen.'

'Ik ben niet bang voor geesten,' zei Walt.

'Er loopt ook een demon-kat rond. Een heel grote, roetzwart, met rode kooltjes als ogen. Hij verschijnt altijd vlak voor er een belangrijke persoonlijkheid sterft. En ze zeggen dat deze standbeelden op nieuwjaarsnacht tot leven komen en dat ze dan met elkaar dansen om te vieren dat die broze, ziekelijke Unie weer een jaar heeft overleefd.'

Ze waren in de Beeldenzaal aangekomen. Walt bleef bij

een beeld van meneer Adams staan en probeerde zich voor te stellen dat hij van zijn sokkel stapte en met klikkende marmeren hielen in het vertrek rondliep. 'Kom mee!' riep Gob, en rende weg. 'Naar de Zaal van het Huis. We gaan wetten uitvaardigen!'

Toen Walt de Zaal binnenkwam stond Gob al aan het andere uiteinde. Walt riep naar hem: 'John Quincy Adams is hier gestorven. Middenin een hartstochtelijke toespraak kreeg hij een apoplectische aanval en viel dood neer. In tijden van tegenspoed verschijnt hij weer en maakt zijn toespraak af. Als je de hele toespraak beluistert ontdek je dat hij helemaal aan het einde de oplossing onthult voor iedere nationale crisis die zich kan voordoen. Een mooie regeling, vind ik. Ze zeggen dat meneer Lincoln hier in de oorlog heen is gegaan in de hoop advies te krijgen, maar meneer Adams heeft zich niet laten zien.'

'Geesten staan erom bekend dat ze grillig zijn,' zei Gob.

'Ik ga hier vaak naar de vergaderingen kijken. Maar ik denk dat ik maar eens een einde maak aan die gewoonte. Ik ben ziek van die geslepen, babbelende kleine marionetten, allemaal in het zwart en allemaal zonder een greintje bekwaamheid.' Walt zweeg even en keek in het vertrek rond; hij voelde zich stoutmoedig, en dronken en sterk. 'Van hieruit zouden ze het kunnen doen,' zei Walt. 'Van hieruit zouden ze iets groots kunnen verrichten met dat bloed, hadden ze iets groots kunnen verrichten, maar ik begin zo langzamerhand te denken dat het allemaal voor niets is geweest.'

'Zullen wíj er dan iets aan doen, Walt? Zullen wíj een paar wetten maken?' Gob sprong op het spreekgestoelte, pakte een hamer en gaf er een klap mee op het blad. 'Hierbij verklaar ik,' riep hij, 'dat broers nooit meer gescheiden zullen worden! Laat het zo geschreven zijn in de wetten, de natuurwetten en de onnatuurwetten, de wetten van deze Unie en de wetten van iedere staat!' Hij sloeg er weer op los met de hamer. 'Meneer Whitman,' riep hij, 'wat hebt u hierop te zeggen, meneer?'

Walt hief zijn handen in een breed gebaar. 'Laat het zo zijn!' riep hij. 'En laat het bovendien verboden zijn dat ware vrienden en kameraden ooit van elkaar gescheiden worden!'

'Niet door afstand!' zei Gob. 'En niet door de dood! Laat het zo zijn!' Hij sloeg weer met de hamer, bonkte erop los, onophoudelijk en furieus, tot de hamer in zijn hand doormidden brak.

Walt vroeg zich al die tijd af waar de bewakers uithingen. Ze werden niet aangelokt door de herrie die hij en Gob in het Capitool maakten. Ook nu, in de Modellenkamer van het Patentkantoor, was er geen teken van hen te bespeuren terwijl de laarzen van Gob toch scherpe, harde geluiden maakten. Gob stampte heen en weer door de zalen, loerde bij het licht van een lucifer in de vitrines. Walt liep achter hem aan, bekeek de drukpers van Ben Franklin, de modellen van brandblusapparaten en ijssnijders, geweren en rattenvallen. Gob was heel opgewonden. Hij zei dat hij ergens naar op zoek was, en hij wilde dat Walt erbij was als hij het vond. Er stond een hele reeks vitrines die verdragen tussen de Verenigde Staten en uiteenlopende vreemde mogendheden bevatten. Gob boog zich over Bonapartes wijde, nerveus ogende handtekening onder het verdrag van 1803. Iets verderop lagen verschillende oosterse voorwerpen. Walt wees op een oosterse sabel, op een Perzisch tapijt dat president van Buren van de imam van Muscat cadeau had gekregen. 'Is dat het? Ben je daarnaar op zoek?' Gob schudde zijn hoofd en liep door.

'Nee,' zei Gob. 'En ook niet hiernaar, maar misschien... ja, dit.' Hij stak een nieuwe lucifer af bij een volgend model, heel simpel en ruw gemaakt, dat een stoomboot voorstelde. Op een kaartje stond: *Model van het zinken en lichten van boten door middel van eronder geplaatste balgen. A. Lincoln, 30 mei 1849.* Hank verhief zijn stem, die ditmaal, in de immense stilte in de Modellenkamer, heel luid klonk. *Ook hij was een bouwer.*

'Is dat het?' vroeg Walt. 'Was je hiernaar op zoek?'

'Nee,' zei Gob, 'maar het heeft iets te maken met waar ik naar zoek. Ah, daar is het.' Met heel weinig omhaal—hij boog alleen zijn arm iets—duwde hij zijn elleboog door de ruit van de vitrine naast die welke meneer Lincolns boot bevatte. Hij reikte naar binnen en nam een hoed weg, die hij meteen op zijn hoofd zette.

'Dat is een misdaad!' zei Walt. 'Dat is een misdaad wat je daar deed!' Maar hij zei het niet erg hard en eigenlijk vond hij dit vandalisme wel opwindend. Hij had de oude opwinding teruggevonden—het gezoem in zijn ziel, net de panisch fladderende vleugels van Olivia, en hij wist niet of het door de misdaad, of door de nabijheid van Gob, of door de dronkenschap werd veroorzaakt. Hij streek nog een lucifer af en hield hem bij het kaartje dat aan de rand van de hoed bungelde. *Hoed gedragen door Abraham Lincoln*, stond er, *op de avond dat hij werd vermoord.*

'Kijk,' zei Gob. 'Nu gaat het denken een stuk beter. Hij hield zijn handen voor zijn gezicht en zweeg een tijdje. Ook Walt sloot zijn ogen en zag zieke en gewonde jongens op britsen tussen de vitrines liggen, zag bij gaslicht bloed glanzen op de gepolijste marmeren vloer. Toen Walt zijn ogen opendeed had Gob zich weer naar de gebroken vitrine omgedraaid.

'Kijk!' zei Gob. 'Dat moet ik ook hebben!' Hij stak zijn arm weer naar binnen, naar een andere plank, en haalde er een stuk kabel uit. Hij duwde het in Walts gezicht en wreef ermee tegen diens wang, vragend: 'Weet je wat dit is? Het is de Atlantische Kabel. Een stuk van de echte!'

'Een misdaad,' zei Walt. Alsof deze woorden een signaal waren kwam de bewaker dan toch eindelijk en zag hen staan. Hij riep: 'Hé daar!' Gob pakte Walts hand en zette het op een rennen, sleepte hem voort en hield hem moeizaam aan een arm overeind, zo snel en soepel dat Walt niet zeker wist of hun voeten de grond wel raakten. Ze renden op de bewaker af en liepen hem ondersteboven, waardoor hij met gespreide ledematen op de vloer belandde, zoals een trein een onfortuinlijke koe over een weiland kon laten zeilen. Walt hoorde hoe hij met een oef en een vloek neerkwam en toen vlogen ze de trappen af, terwijl Walt bij iedere stap struikelde en Gob hem overeind hield.

Gingen ze hierna naar het Ford's Theatre? Walt had geen idee meer, en later, toen hij het Gob vroeg, haalde deze bij wijze van antwoord alleen zijn schouders op. Het was alsof je je iets herinnerde door een grote hoeveelheid water heen. Walt dacht dat ze het theater binnen zouden gaan en elkaar zouden omhelzen op de plek waar Lincoln om het leven was gekomen. Hun verrukkelijke hartstocht zou in golven van hen uit gaan, de tijd, de geschiedenis en het lot een gedaante-verandering laten ondergaan, de moord op Lincoln ongedaan maken, de oorlog terugdraaien en al die zeshonderdduizend weer tot leven wekken: ze zouden aan de dood worden ont-trokken en het theater betreden, waar hun sterke armen zou-den opgaan in een omhelzing die de wereld zou veranderen, tot er tenslotte een grote historische liefdesberg in Washing-ton City zou liggen, een gigantische parel met Gob en Walt als zandkorrel in het middelpunt.

De loge was echter verdwenen. Het hele theater was leeg-geloopt en tot medisch museum verbouwd. Gob ging Walt voor, via een wenteltrap op de begane grond die bezaaid was met bureaus, langs de eerste verdieping, een bibliotheek, naar bovenin het gebouw.

De tweede verdieping stond vol afgrijselijke curiositeiten, getuigenissen van de manieren waarop het vlees van de mens de erfgenaam van ellende is. Bovenaan de trap werd Walt verwelkomd door een rij potten die hoofden bevatten die, omdat ze bij een raam stonden, in het maanlicht leken te zweven. Drie Maorihoofden uit Nieuw-Zeeland grijnsden tegen hem terwijl hij erop afliep. Hij bukte zich om naar hun lege oogkassen te kijken, naar hun wangen met strepen van taoeages met betelsap, naar hun opgloeiende witte tanden. Er vlakbij waren tumoren opgetast, als snoepjes in een pot. Walt had het perverse idee dat hij en Gob ze er als appels uit zouden gaan vissen. Hij wendde zich af van de tumoren en richtte zijn aandacht op alle beenderen — ze hingen van het plafond in de vorm van volledige geraamten of delen ervan. Er stonden schedels in rijen op planken, getrepaneerd of met sabelhouwen of vol kogelgaten. Gob begon buit van de planken te plukken en stopte botten van armen en benen, vingers en tenen, ribben en heupen in een zak die hij uit zijn jas tevoorschijn had gehaald. 'Die heb ik nodig, Walt,' zei hij. 'Ik heb die beenderen nodig.' Toen de zak vol was maakte hij aanstalten te vertrekken, maar opeens draaide hij zijn hoofd om, alsof hij door de hoed van meneer Lincoln werd geleid, naar een plek waar drie menselijke wervels op een staak stonden opgesteld. Walt streek een lucifer af om het kaartje te lezen:

Nr. 4086 — De derde, vierde en vijfde ruggenwervel. Een kegelvormige karabijnkogel drong de rechterzijde binnen, verbrijzelde de basis van de rechterlamina van de vierde wervel, brak de wervel in de lengte doormidden en scheidde hem van het ruggenmerg. Afkomstig van een geval waar de dood enkele uren na de verwonding intrad. 26 april 1865.

Een apart kaartje vermeldde dat de wervels aan de heer Booth hadden toebehoord. Het leek Walt alsof ze gevlekt waren, alsof er mensen op hadden gespuugd. Gob stopte ook deze in zijn zak. Hij boog zich voorover en fluisterde in Walts oor, waarbij zijn stem bijna klonk als die van Hank. 'Ik heb die botten nodig,' zei hij. 'Ik heb ze nodig voor mijn machine. Ik ben een machine aan het bouwen om ze allemaal terug te brengen, mijn broer en alle anderen. Een machine om de dood af te schaffen, hem af te troeven als een laffe Rebel. Ik heb die botten nodig, ik heb die hoed nodig, en ik heb jou nodig, Walt. Vooral jou heb ik nodig.' Walt probeerde zich een beeld te vormen van de machine waarvoor dergelijk materiaal nodig was en slaagde er niet in.

Dat was het laatste dat Walt zich van deze erg merkwaardige nacht herinnerde. Hij herinnerde zich de wandeling naar huis vanuit het Ford's niet meer. Hij herinnerde zich niet meer dat hij zijn jas en hemd, zijn broek en zijn laarzen had uitgetrokken. Hij werd voor zonsopgang nog een keer wakker met het slapende hoofd van Gob op zijn borst en daarna de volgende morgen met zijn hoofd op Gobs borst.

Walt ging rechtop zitten. Gob zei de naam van zijn broer, 'Tomo,' maar werd niet wakker. Walt keek in de kamer rond en zag geen zak met botten, maar er stond wel een hoed keurig op de tafel naast het bed. Het was een doodgewoon ogende hoed. Er hing geen kaartje aan. Maar hij was zwart, en hoog, en gemaakt om op een groot hoofd te passen. Walt pakte hem op en zette hem op zijn eigen pijnlijke hoofd. *Luister, Walt*, zei Hank. *Hoor je dat?* Walt luisterde braaf en hij hoorde een geluid. Aanvankelijk dacht hij dat het de ademhaling van Gob was, laag en regelmatig en diep, maar toen begreep hij dat het iets anders was, een dieper, machtiger geluid, als een reuzenademhaling, een geluid van golven die te pletter sloegen in de verte, een geluid als de zee.

3

'Kijk daar eens, Walt,' zei Gob. 'Wat vind je van die boot? Het was juli 1870. Walt en Gob zaten in New York. Ze waren naar de waterkant gegaan om naar de Queen's Cup-zeilwedstrijd te kijken en stonden in een menigte van honderdduizend toeschouwers die overal rond de haven op de oevers en heuvels was samengestroomd. Walt volgde Gobs wijzende vinger naar een boot die *America* heette.

'Het mooiste scheepje dat ik ooit heb gezien,' zei Walt, maar eigenlijk was hij gek op alle boten en waren ze in zijn ogen allemaal even prachtig. Walt keek hoe de witte zeilen klapperden op de bries en de boten door het groene water sneden, vlaggen en wimpels meeslepend en met hun voorstevens wit stuifwater opwerpend. Hij leunde tegen Gob aan en probeerde nergens aan te denken, probeerde de prachtige, vooruitschietende vormen zijn blikveld en geest te laten domineren. Gedachten aan Gob begonnen de boten echter te verdringen – eerst stelde hij zich voor dat hij met Gob in de *America* zeilde, hoe opgetogen ze beiden zouden zijn zo snel te varen. En toen stelde Walt zich voor dat ze zich over het water bewogen zonder een boot nodig te hebben. Hand in hand renden Gob en hij over de baai en sprongen brullend van de hoge toppen van de golven. Zo ging het altijd: het was niet genoeg om gewoon met hem samen te zijn; samen zijn met hem leidde tot denken aan hem, zelfs als ze samen waren. *Je Camerado*, zei Hank, en soms had het er inderdaad veel van weg dat Gob dat was, een vriend die uitsteeg boven alle vrienden. Toch leek hij soms een vreemde, zelfs na een omgang van een jaar en meer. Of misschien kon hij beter zeggen dat hij vreemd was in plaats van een vreemde. Want hij *was* vreemd, oneindig vreemd. Hij beschikte over vreemde kennis en had vreemde obsessies. Zijn beroep was medicijnen, maar hij wijdde zijn leven aan die wonderlijke, tirannieke machine – wonderlijk omdat hij werkelijk de dood wilde afschaffen, tiranniek omdat hij verslaafd was aan de schepping ervan. 'Ik geef hem alles,' zei hij bij een gelegenheid tegen Walt, 'en hij geeft mij niets.'

Hij is een bouwer, zei Hank, maar Walt vreesde dikwijls dat Gob een beetje krankzinnig was, dat zijn droge, tot obsessies leidende verbeeldingskracht door de dood van zijn broer in vuur en vlam was gezet. Gob bewaarde de machine bij zich thuis, een huis van vier verdiepingen aan Fifth Avenue in de buurt van de voortdurend groeiende katholieke kathedraal. Madame Restell, de beruchte abortrice, woonde nog geen drie huizen verderop. Gob kende haar. Hij noemde haar Tantetje.

Walt had een hekel aan het huis gehad sinds hij er voor het eerst was binnengekomen, de eerste keer dat hij naar New York was gegaan om Gob op te zoeken en een rondleiding had gekregen. Het was een oord zonder licht en het zag eruit alsof het in geen jaren was schoongemaakt. Iedere muur, zelfs in de keuken, stond vol boeken. Walt kneep zijn ogen halfdicht om in het voorbijgaan de titels te lezen. Hij zag *Orthographic and Spherical Projections, Determinative Mineralogy, Design of Hydraulic Motors, On the Vanity of Arts and Sciences*, maar er was geen regel poëzie te vinden. Overal lag het bouwmateriaal van Gob verspreid – geweldige tandwielen en metalen balken lagen op een hoop in de eetkamer, stapels magneten op de banken in de salon. 'De bedienden zijn vertrokken toen mijn leraar was overleden,' zei Gob. Walt stelde vragen over deze leraar, hoe het kwam dat Gob gescheiden van zijn moeder woonde, en waarom hij al langer in New York woonde dan zijn moeder – hij woonde er, zo begreep Walt, al sinds de herfst van 1863, terwijl Victoria Woodhull er pas in '68 was aangekomen. Op al zijn vragen antwoordde Gob eenvoudigweg: 'Het is niet belangrijk. Het is allemaal verleden tijd.' Walt kreeg langzamerhand een beeld van deze leraar als een soort anti-Camerado, een niet-vriend, die zowel wijs als wreed was, het soort beest dat graag vanuit de comfortabele positie van zijn graf vriendschappen vernietigt.

'Wat is daarachter?' had Walt aan het einde van de rondleiding gevraagd, toen ze in Gobs slaapkamer bovenin het huis waren aangekomen, de plaats waar de bedienden gewoonlijk werden ondergebracht. Walt wees op een reusachtige ijzeren deur op enkele meters van het bed.

'Mijn werkplaats,' zei Gob zachtjes. Hij was stil en nerveus geworden toen ze eenmaal de hoger gelegen delen van het huis hadden bereikt. Op de vierde verdieping stak Walt zijn hoofd in een niet meer gebruikte en verwaarloosde broeikas. Hij stond vol dode planten en de vloer ging schuil onder een laag dode bladeren. 'Daar is niets te zien,' zei Gob, terwijl hij hem door de enige andere deur trok die op de lange gang uitkwam.

Walt keek om zich heen. Dit was de enige schone kamer die hij in het huis had gezien, een in simpele stijl ingerichte slaapkamer, afgezien van het bed, dat geweldig groot en druk versierd was, en behangen met witte gordijnen die huiverden en golfden op de bries die door een in weerwil van de kou openstaand raam kwam. Door een blauw bovenlicht viel er getint zonlicht in de kamer. Er stond een kast en een pijnboomhouten bureau, dat overdekt was met wiskundige krabbels. De vloer was van hout en dik bedekt met tapijten, behalve in één hoek, die met een kleine cirkel van steen was geplaveid. Terwijl Walt in de kamer rondkeek, was Gob naar deze hoek gegaan, had zijn broek losgemaakt en laten zakken. Hij viel op zijn knieën en boog zijn hoofd naar de vloer. Walt wendde zijn blik te laat af—hij zag het afgrijselijke ding als een vlezig oog dat obsceen naar hem knipoogde.

'Ik ben klaar,' zei Gob zacht, maar Walt was gevlucht, de deur uit en de trap af. Hij rende de hele Fifth Avenue af en haastte zich naar Brooklyn, rende zelfs terug naar Washington nadat hij de eerste de beste trein had genomen, na heel haastig afscheid van zijn moeder te hebben genomen. Toen hij weer in zijn kamer in Washington zat had hij het gevoel dat hij eindelijk weer rustig adem kon halen. Hij huilde omdat hij dacht dat zijn prachtige vriendschap was vernietigd. Gob stuurde hem een pakje met een simpel briefje. *Vergeef me*, schreef hij, *ik dacht even dat je mijn meester was*. In het pakje zat een cadeau, een exemplaar van *Leaves*, het enige cadeau, zei hij later, waarvan hij absoluut zeker wist dat Walt het zou waarderen. Gob had er als opdracht een parafrase van Emerson in gezet: *Ware vriendschap is, net als de onsterfelijkheid van de ziel, te mooi om in te geloven*.

Walt schreef terug: *Beste Gob, je moet me vergeven dat ik de laatste dag zo koud tegen je was. Ik was onzegbaar geschokt en vervuld van weerzin door dat voorstel van je – je weet wat ik bedoel. Het leek me inderdaad (want ik zal duidelijk tegen je spreken, liefste kameraad) dat degene van wie ik hield, en die altijd zo mannelijk en gevoelig was geweest, verdwenen was en dat een dwaas en aspirant-moordenaar zijn plaats had ingenomen. Maar ik zal het hier verder niet over hebben – want ik weet dat deze inval bij je moet zijn opgekomen toen je niet jezelf was, op een moment van verstandsverbijstering – en dat hij als een slechte droom is vervlogen.*

Ze zeiden niets meer over het incident, en hoewel het vreselijk was geweest was Walt later blij dat het was gebeurd, omdat het het geweldige karakter van hun vriendschap blootlegde – het leek hem dat alleen de beste en zuiverste soort vriendschap een dergelijke verschrikking kon overwinnen. Dat Gob eenmaal of honderd keer zijn afgrijzen wekte, dat hij een klein beetje of heel erg krankzinnig was, dat hij een jongen van zeventien was die zich dikwijls als een oude man van zevenenzeventig gedroeg – wat deed het ertoe? Walt had zijn gevoelens voor Gob nauwgezet onderzocht en ontdekt dat ze even breed en diep waren als zijn eigen ziel.

De dag na de Queen's Cup-zeilwedstrijd gingen Walt en

Gob naar Paumanok, omdat Walt nu al maanden beloofde dat hij Gob de oceaan zou laten zien. 'Tweehonderdtwintig pond waterverplaatsing,' zei Walt, terwijl hij zich op zijn naakte borst en buik sloeg, waarna hij de branding in rende, het ontzagwekkende ademende geluid van de zee in. Hij hield ervan rond te springen in het water, zijn lichaam tegen de brekende golven aan te smijten of met ze mee te zwemmen tot ze hem optilden en voortdroegen, rondtuimelend en draaiend, naar de kust. Gob vermaakte zich op een meer gereserveerde manier. Hij ging traag en weloverwogen de branding in, liep door tot het water tot halverwege zijn borst kwam, begon toen met sterke, gelijkmatige slagen te zwemmen, dook als een dolfijn onder de golven door tot hij er voorbij was en zette toen rechtstreeks koers naar diep water. 'Waar ga je heen?' riep Walt hem achterna, maar hij kreeg geen antwoord. Omdat Gob in een sombere stemming was — het uitbreken van de nieuwe oorlog aan de Rijn had een buitengewoon deprimerende uitwerking op hem gehad — was Walt even bang dat hij in oostelijke richting wilde zwemmen tot hij moe zou worden en zou verdrinken. Hank zei: *Ik heb een hekel aan die snelle getijdegolven; ze gooien hem nog op de rotsen!*

Maar al heel snel nadat hij aan de horizon was verdwenen zag Walt hem weer; hij kwam terug, zijn lieve dobberende hoofd groeide van een spikkeltje tot een vlek uit naarmate hij dichterbij kwam. Hij kwam net zo kalm en gelijkmatig terugzwemmen als hij was vertrokken. Een golf kreeg hem te pakken, zodat hij voorover tuimelde en op zijn voeten terecht kwam. Hij kwam de oceaan uit en liep het hete zand op naar de schaduwen aan de voet van een duin, waar ze hun kleren hadden achtergelaten. Walt waadde naar de kust en rende achter hem aan.

'Wat een show!' zei hij. 'Ik was bang dat je zou verdrinken.'

'Ik houd van zwemmen,' zei Gob. 'Het is mijn vroegste herinnering, zwemmen met mijn broer.'

'Voel je je nu beter?' Walt ging zitten, legde zijn arm om Gobs schouder en trok hem even tegen zich aan. Hij wenste dat hij het niet had gevraagd. Want meteen leek Gob zich weer te herinneren hoe treurig hij was.

'Nee,' zei hij. Walt probeerde hem op te beuren met een maaltijd van koude geroosterde kip en door verhalen over het strand te vertellen. Hij vertelde Gob dat hij als jongen altijd naar ditzelfde stuk strand was gegaan: in de winter spieste hij aal en in de zomer raapte hij eieren van meeuwen. Op een of andere manier bracht deze prettige herinnering bij Gob weer de laatste moord naar boven waarvan de sensatiebeluste New Yorkers hadden genoten. De heer Nathan, een gedistingeerde jood, was in zijn prachtige huis doodgeslagen.

'Mijn moeder zegt dat ze met die dode heeft gepraat,' zei Gob. 'Ze zegt dat de zoon het heeft gedaan.'

Walt zei dat hij het een afschuwelijke zaak vond dat een zoon zijn vader met een loden pijp doodsloeg, dat het een weerspiegeling was van een onvermogen dergelijke gedachten terzijde te schuiven. 'Ik word niet beheerst door mijn duistere aanvechtingen,' zei hij. 'Dat is het belangrijkste aspect als je de strijd en het gezwoeg van het leven wilt doorstaan, beste Gob—opgewekt blijven.'

'Denk jij dan niet aan ze, Walt?' vroeg Gob. 'Die Fransen die sneuvelen bij hun opmars naar Saarbrücken? Meneer Nathan die zijn razende zoon om genade smeekt? Jouw broer die je riep in het gekkenhuis, stervend tussen vreemden?' Walt had die winter nog een broer verloren, Jesse. Hij was jaren krankzinnig geweest nadat hij een zware val uit de mast van een schip had gemaakt. Walt had hem in het King's County Lunatic Asylum laten opnemen en hem maar één keer bezocht. Jesse had er heel stil bij gezeten terwijl Walt een cadeau in zijn schoot legde—vers brood en jam van hun moeder—en hem nieuws van thuis vertelde. Toen was Jesse echter zonder te waarschuwen uit zijn stoel gesprongen en had Walt tegen de grond gedrukt. Hij had hem in zijn neus gebeten en zijn ogen gelikt en hem een verachtelijke hater van kool ge-

98

noemd. Nu was hij dood, en Walt ontdekte dat zijn broer, nu hij dood was niet zoveel verder weg leek te zijn omdat hij hem al uit zijn hoofd had gezet nadat de waanzin hem had opgeëist. Hoe moest hij het uitleggen? De dood van Jesse en Andrew leken onbelangrijk, en toch sloeg de gedachte dat Gob dood zou kunnen gaan hem met verlamming. De gedachte *had* hem zelfs verlamd. Als hij er te lang over nadacht zou hij zich tot een vreselijke staat opwerken en licht in het hoofd worden van bedroefdheid en angst. Zijn handen zouden gloeien, er zou een steeds grotere brok in zijn keel komen en hij zou een verschrikkelijke diarree-aanval krijgen. Als Gob tijdens dat lange zwempartijtje veel langer uit zicht was gebleven zou Walt misschien in het water zijn flauwgevallen en verdronken zijn.

'Natuurlijk denk ik daaraan,' zei Walt. 'Natuurlijk ben ik treurig. Als ik het op zijn beloop laat zou het me verteren. Zijn hart scheurde en ik vraag me af of zijn hart niet verscheurd werd door de gecombineerde last van waanzin en verdriet, zoals handen een papieren zak kunnen verscheuren. Soms denk ik dat ik hem hoor, raaskallend en huilend en stervend. Ik kan nadenken over zijn leven – hoe het eruit had kunnen zien als de waanzin hem niet had opgeëist, en ik kan van dat verloren leven houden zoals ik van het verloren leven van Andrew kan houden, en ik kan om hem rouwen. Je zou je hele leven zo kunnen doorbrengen, in dienst van de rouw. Je hebt dat zelf gezegd. En waar is het goed voor? Het zal ze niet terugbrengen als je jezelf uitholt, als je je eigen hart verplettert met eenzaamheid en verbittering. Mijn vriend, daar krijg je ze niet mee terug.'

Nog terwijl Walt deze woorden uitsprak vond hij ze steeds minder prettig klinken, omdat ze conventioneel en laf en dom leken en niet met zijn eigen ervaring leken te rijmen. Was Hank niet in zekere zin bij hem teruggekomen?

Natuurlijk, zei Hank, *natuurlijk.* En Gob zei: 'Misschien ook wel.'

'Meneer Whitman,' zei Tennie. 'U bent dikker en knapper dan ooit.' Walt bevond zich in het huis van Victoria Woodhull, samen met Gob op een warme septemberavond uitgenodigd voor een feestje ter ere van Stephen Pearl Andrews, een uitermate geleerd en uitermate radicaal man, die zeer regelmatig bijdragen leverde voor het blad dat mevrouw Woodhull in mei 1870 samen met Tennie was begonnen: *Woodhull and Claflin's Weekly*. Ze waren een heel bijzonder stel zusters. In de winter hadden ze hun eigen makelaardij geopend. Walt had hun kantoor een paar dagen na de opening bezocht, toen de vertrekken aan Broad Street nog vol verslaggevers en nieuwsgierigen stonden. De vrouwelijke makelaars hadden Walt in hun eigen werkkamer ontvangen. Walt had ervoor gezorgd dat hij en Tennie door een geweldig walnoten houten bureau gescheiden bleven, maar had de beide dames zijn oprechte complimenten gemaakt. 'Aan jullie zie je hoe de toekomt eruit zal zien,' had hij hun gezegd.

'New York bekomt me goed,' zei Walt op het feestje tegen Tennie, terwijl hij om zich heen keek of Gob er was, maar hem niet vond. Het huis van mevrouw Woodhull was niet zo groot als dat van haar zoon, maar het was veel mooier. De gasten zaten bijeen in twee salons, waarvan de muren met paars fluwelen stof en witte zijde waren behangen. Overal witte rozen, in vazen en potten, langs de trapleuningen geleid en zelfs in schalen aan het plafond. 'Dit is een mooi huis. Volgens mij is het ruimer dan uw huis in Great Jones Street.'

'Great Jones Street?' zei Tennie. 'Hebben we dan ooit in die vreselijke gribus gewoond?' Er kwam een man op hen af, een grote, zware, massieve kerel, zwaargebouwd in een zwart pak. Hij pakte Tennies hand en kuste deze, en wierp daarna een koele blik op Walt.

'Dokter Fie,' vroeg Tennie, 'kent u meneer Whitman? Hij is een goede vriend van Gob. En ook van mij. Meneer Whitman, dokter Fie is ook een vriend van onze Gob.' Walt stak de dokter zijn hand toe. Dokter Fie keek er even naar voordat hij haar drukte.

'Ik ben medicus,' zei dokter Fie, terwijl hij Walts hand stevig en traag schudde. 'Wat is uw beroep, meneer Whitman?'

'Ik schrijf gedichten,' zei Walt.

'Meneer Whitman heeft in de oorlog voor onze zieke jongens gezorgd,' zei Tennie. 'Nietwaar, meneer Whitman?'

'Echt?' vroeg dokter Fie. Zijn glimlach was niet vriendelijk. 'Ongetwijfeld hebt u ze met verzen genezen.'

'Ik heb hun het medicijn van dagelijkse affectie en persoonlijk magnetisme toegediend,' zei Walt.

'Heel effectief natuurlijk,' zei dokter Fie.

'Dokter Fie,' vroeg Tennie, 'gelooft u soms niet dat magnetisme een sterk medicijn is?' Ze stak haar vinger uit en porde dokter Fie in zijn brede borst. Deze sprong op, alsof hij geschokt was. Tennie gooide haar hoofd achterover en lachte luid. Dit lokte haar zuster aan, die knikkend en glimlachend tegen haar gasten elegant door de kamer kwam aanlopen tot ze de plaats had bereikt waar Walt stond.

Mevrouw Woodhull knikte tegen haar zuster en dokter Fie en vroeg Walt even mee te komen. Walt vreesde dat ze hem weer zou vragen haar kandidatuur voor het presidentschap van de Verenigde Staten in 1872 te steunen: ze had zichzelf in april als kandidaat opgeworpen, in een brief in de *Herald.*

'Is Tennie geen heerlijke vrouw?' vroeg ze, maar voordat Walt haar antwoord kon geven bracht ze het gesprek op de afgelopen oorlog tussen de Fransen en de Duitsers. Ze zei dat Lodewijk Napoleon zijn nederlaag ten volle had verdiend.

'Ja,' zei Walt. 'Ondanks zijn knappe uiterlijk beschouw ik hem als veruit de grootste schurk die ooit op een troon heeft gezeten.'

'Gob is erg opgewekt,' zei mevrouw Woodhull. 'Dat het nu afgelopen is met al dat gemoord.' Ze boog zich voorover en fluisterde hem in het oor: 'Toch maakt hij deze avond een beetje een sombere indruk. Zou u willen proberen achter de oorzaak te komen?' Ze liepen om een reusachtige varen heen, waarvan de doorbuigende bladeren waren volgehangen met rozen. Gob zat alleen op een bidstoel. 'Goed, meneer Whitman, ik hoop dat ik deze winter in Washington zal zijn. U zult me kunnen verwachten.' Mevrouw Woodhull gaf hem een duwtje in de richting van Gob, die er inderdaad somber uitzag, hoewel hij eerder die dag heel vrolijk was geweest. Hij en Walt hadden een van hun gebruikelijke wandelingen langs de rivier gemaakt, en de aanblik van alle Duitse stoomboten met hun felgekleurde vlaggen had Gob tot allerlei bokkensprongen verleid.

'Hallo!' zei Walt, terwijl hij ging zitten. 'Ik dacht dat ik je kwijt was.'

'Ik rust alleen wat uit.'

'Je hebt je erg wreed gedragen tegen deze bloem.' Gob had een roos uit de varen geplukt en alle blaadjes eruit getrokken. Ze lagen verspreid op zijn schoot.

'Ja,' zei Gob. Hij pakte de blaadjes en begon ermee te rommelen, rolde er kleine sigaartjes van en probeerde ze met de uiteinden aan elkaar te knopen. 'Hoe vind je het feest?'

'Het is ingetogener dan ik had verwacht. Ik dacht dat er meer gewaagde jurken te zien zouden zijn. Meer Vrije Liefde. Meer mensen die ondersteboven hangend aan het plafond revolutionaire leuzen roepen. Ik had verwacht dokter Graham zijn broodjes van zaagsel te zien verkopen. Wist je dat je tante Tennie een brochure heeft geschreven? Ze heeft me een exemplaar gegeven.' Walt haalde het uit zijn zak—*The Non-Participatory Female, and Other Natural Abominations*.

Gob lachte. Hij pakte de brochure en stak hem in de pot van de varen. Toen wijdde hij zijn aandacht weer aan het aan elkaar knopen van de blaadjes. Walt keek zwijgend toe. Vijf minuten lang maakten Gobs negen vingers een stille, drukke, geobsedeerde en repeterende beweging. Toen hij klaar was pakte hij Walts hand en bond de armband van rozenblaadjes eromheen. 'Alsjeblieft, mijn vriend,' zei hij. 'Een cadeautje voor je.'

Walt hield zijn hand op, trok aan de armband. Hij was even sterk als welke goede draad dan ook. Hank liet zich horen: *Camerado, ik geef je mijn hand! Ik geef je liefde, kostbaar-*

der dan geld. Ik geef je mezelf, eerder dan prediking of de wet;
geef jij me jezelf? Reis je met me mee? Zullen we bij elkaar
blijven, zolang we leven?

'Dank je,' zei Walt.

'Het is maar een versierinkje,' zei Gob. 'Ga nou niet huilerig doen. Luister, ik wil je mening weten.' Hij boog zich naar Walt toe en spreidde de bladeren van de varen, waardoor Walt een tafereeltje van het feest te zien kreeg: een jonge dame, in gesprek met een afgrijselijk lelijke man. Walt kende die man. Het was de lelijke Benjamin Butler, het congreslid dat de heer Johnson zo graag uit zijn mooie huis had willen zetten. De jonge dame kende Walt niet. Ze leek ongeveer vijfentwintig jaar en was heel klein en donker.

'Zie je haar?' vroeg Gob. 'Vind je dat een mooi meisje?'

'Beste jongen,' zei Walt. 'Prinses Lelijk van Lelijk tot Lelijk zou, als ze naast Ben Butler stond, nog mooi zijn, alleen maar door het contrast. Ze zou een stukje van hem af moeten gaan staan, dan kan ik pas goed oordelen.'

Precies op dat moment ging de deurbel, en uit het gezelschap klonken kreetjes waaruit bleek dat Stephen Pearl Andrews was gearriveerd. Walt en Gob voegden zich bij het gezelschap dat zich bij de deur van de salon had verzameld om hem te verwelkomen. Er ging een gastvrij applaus op, dat steeds luider werd, tot er een bediende binnenkwam, niet in het gezelschap van meneer Andrews, maar van een kleine, magere figuur met een verfomfaaide hoed op en een vuile tas in zijn hand. Het applaus verstomde. Misschien wist de man niet wat hij anders moest doen, of misschien was hij dronken, maar hij nam zijn toegetakelde hoed af en maakte een diepe buiging. Tennie zei: 'Dok!' maar liep niet naar voren om hem te begroeten. Dat deed Walt.

'Dokter Woodhull!' riep Walt. 'Wat een genoegen u weer te zien!' Er roerde zich iets onder de gasten, maar niemand riep dat hij eruit gegooid moest worden, hoewel hij eruitzag als een sandwichman en naar verval rook. Hij was wanhopig en dronken en charmant, bij zijn vrouw teruggekeerd omdat hij van verre haar faam had vernomen en omdat hij nergens anders heen kon. Mevrouw Woodhull ontving hem met alle égards. Hetzelfde gold voor haar tweede echtgenoot, kolonel Blood, die hem mee naar boven nam, zodat hij een bad kon nemen en zich kon verkleden, en die hem een te groot pak gaf tot hij zelf fatsoenlijke kleding kon aanschaffen.

Dokter Woodhull bleek de ster van het feest te zijn; hij vertelde dokter Fie verhalen uit het ziekenhuis, praatte met Walt over Armory Square, veegde meneer Butler de mantel uit, omdat deze de eer van de vrouwen van New Orleans had beledigd. Iedereen was vriendelijk tegen hem behalve Gob, die niet met hem wilde praten en hem nauwelijks aankeek. Gob liep terug naar zijn zitplaats bij de varen en Walt hield hem daar gezelschap terwijl hij woedend naar de vloer staarde.

'Wie kan die ridicule zatlap wat schelen?' zei hij. '*Ik* ben dokter Woodhull.'

Walt was erbij toen mevrouw Woodhull haar memorandum aanbood aan de gezamenlijke Commissies van de beide Huizen van het Congres, in januari 1871. Tennie was met haar meegegaan, evenals de jonge vrouw die Gob en Walt met Ben Butler hadden zien praten op het septemberfeest van mevrouw Woodhull. De drie vrouwen waren identiek gekleed: een donkerblauwe rok en een colbert, overhemd en stropdas. Boven hun taille leken ze als man gekleed te zijn. Walt bekeek hun identieke Tiroler hoedjes, die in een identieke hoek scheef op hun hoofd stonden en dacht aan dokter Mary Walker. Zij zou nooit een dergelijk hoedje hebben gedragen.

De drie dames zaten naast elkaar aan een mahoniehouten tafel in een kleine vergaderkamer in het Capitool—een lekkende kachel had in het veel voornamere vertrek waar mevrouw Woodhull haar toespraak eigenlijk had zullen houden de lucht vergiftigd. Verschillende dikke politici met rode neuzen zaten aan de tafel tegenover haar en haar twee supporters, geduldig wachtend tot ze het woord zou nemen. Walt stond bij de zijmuur van het vertrek tegen een boekenkast geleund en voelde zich een beetje duizelig. Hij was pas eind november hersteld van een aanval van een steeds terugkerende ziekte die hij, dat wist hij zeker, had opgelopen in zijn tijd aan Armory Square – een vermoeid, koortsig, onbehaaglijk gevoel waarvan Gob hem met zijn bekwaamheden had genezen.

Behalve met Congresleden en senatoren en verslaggevers zat het vertrek stampvol met beroemde radicale vrouwen – mevrouw Woodhull was zo slim geweest de presentatie van haar memorandum op de dag te laten plaatsvinden waarop de Beweging voor Vrouwenkiesrecht haar winterconventie in de hoofdstad hield. Ze had willen bereiken dat de Beweging haar conventie zouden afgelasten en zou komen kijken als het Congres haar de ongehoorde eer van een formeel en eerbiedig onderhoud bewees. Ze waren inderdaad komen kijken en zaten geschokt tegen elkaar te fluisteren. Ze vonden mevrouw Woodhull en haar zuster – vooral haar zuster – buitengewoon aanstootgevend. Iedereen had gehoord dat mevrouw Woodhull een aanhangster van de Vrije Liefde was en dat ze gescheiden was, dat ze in haar blad had verklaard dat het huwelijk het graf van de liefde was en dat prostitutie een beroep was, dat zo gereguleerd diende te worden dat het respectabel werd.

Gob was er ook. Hij stond naast Walt, hand in hand met een bleek kind van vijf of zes jaar, dat hij Pickie noemde en dat, zei hij, zijn nieuwe pleegkind was. 'Ik heb hem twee weken geleden gevonden in een sneeuwbank op Madison Square,' vertelde hij Walt. 'Kon ik hem daar achterlaten? Kon ik hem overleveren aan de saaie goedertierenheid van een weeshuis?' Pickie was een vriendelijk kind, maar een vreemd kind. Walt besloot drie minuten nadat hij hem had leren kennen dat Pickie gek was geworden van de wreedheden die hij had ondergaan voordat Gob hem had gevonden, wat die wreedheden ook mochten zijn.

'Daar bent u!' zei Pickie tegen Walt toen Gob hen aan elkaar had voorgesteld. 'Daar bent u dan eindelijk!' Hij rende
op hem af en sloeg zijn armen om Walts been. 'Til me op!'
riep hij. 'Til me op, oom Walt!' Walt tilde hem op, en toen hij
hem een liefdevol kneepje gaf maakte de jongen een merkwaardig geluid, een diepe, echoënde boer, en de lucht om
hem heen rook opeens naar bloed. Walt zette hem weer neer.
De jongen aaide als een vlieg over zijn gezicht. Later merkte
Walt dat er een groot gat in zijn baard zat, alsof iemand er
een hap uit had genomen. *Prachtig kind!* zei Hank. *Prachtig
prachtig kind!*

Een heel vreemde jongen, maar Gob scheen dol op hem te
zijn, dus was Walt vriendelijk tegen hem en zeurde nooit
over de duidelijke karaktergebreken van de jongen. Gob aaide hem en drukte hem tegen zich aan en gaf hem harde rode
snoepjes, die hij uit zijn zak viste. Walt merkte dat zijn aandacht tijdens de toespraak door hen beiden werd afgeleid. Ze
babbelden en fluisterden als schooljongens, zelfs toen Walt
hen sissend tot stilte maande. Gob en de jongen waren identiek gekleed in fijne grijze wollen pakken met blauwe jasjes
en dassen die pasten bij de uniformen van mevrouw Woodhull, haar zuster en de jonge dame, die, had Walt ontdekt,
Maci Trufant heette. Ze werkte voor mevrouw Woodhull als
redactrice bij *Woodhull and Claflin's Weekly*. Bij nader inzien
had Walt geconcludeerd dat het een knappe vrouw was.

Mevrouw Woodhull stak nerveus en bleek van wal en wekte de indruk dat ze binnen de kortste keren zou bezwijmen
onder al die scherpe aandacht, maar herstelde zich algauw.
Er verscheen enige kleur op haar wangen en haar stem kreeg
een sterke en zoetvloeiende klank. Haar hand ging naar haar
keel om over de blaadjes van de theeroos te strelen die ze om
haar nek droeg. Ze sprak uit het blote hoofd, dus had ze haar
andere hand vrij om te gesticuleren en vloeiende bewegingen
te maken, alsof ze de stemming en aandacht van haar publiek dirigeerde.

Het was een mooie toespraak, een sterke toespraak. Gob zei

tegen Walt dat hij door Demosthenes was gedicteerd, de leidgeest van mevrouw Woodhull, dat hij uit de mond van zijn
moeder was gestroomd terwijl ze op haar eigen eettafel had
gelegen en dat kolonel Blood haar gedicteerde woorden alleen maar had kunnen bijhouden omdat Stephen Pearl Andrews hem een nieuwerwetse stenomethode had geleerd. Ze
pleitte voor een declaratoire wet, behelzend dat vrouwen al
kiesrecht hadden op grond van het Veertiende Amendement.
'De soevereine wil van het volk,' zei ze, 'vindt zijn uitdrukking in onze geschreven Grondwet, die de hoogste wet is van
het land. De Grondwet maakt geen onderscheid naar ge-
slacht. De Grondwet bepaalt dat een vrouw die in de Verenigde Staten geboren of genaturaliseerd is, staatsburger is.
En de Grondwet erkent het kiesrecht van de burgers.'

Het was eenvoudig en schitterend. Walt wist zeker dat hij
beter had moeten luisteren, want hij had de indruk dat er iets
heel belangrijks aan de oppervlakte kwam, en hij stond er
met zijn neus bovenop. Hij werd echter afgeleid door het serene, bleke gezicht van Pickie en diens snoeprode mond en
babbelende gefluister. Bovendien herinnerde de omstandigheid dat hij zich in het Capitool bevond hem aan de vreemde
nacht die hij er met Gob had doorgebracht, dus als hij niet
naar de jongen keek dacht hij aan die nacht. Hij durfde nog
steeds niet goed naar het Patentkantoor terug te gaan, omdat
iemand hem als een dief of medeplichtige van een dief zou
kunnen herkennen.

Toen mevrouw Woodhull was uitgesproken en door iedereen in het vertrek was toegeklapt en was weggevoerd in de
armen van de kiesrechtactivistes, die haar nu aanbaden, gingen Walt en Gob met Pickie een wandeling maken op het
terrein van het Capitool. Ze hadden nog even de tijd voor ze
ter viering van de grote dag naar een feest in het Willard Hotel moesten. Walt en Pickie liepen de sneeuw in terwijl Gob
op de grote veranda bleef, waar hij na korte tijd door juffrouw
Trufant werd aangeklampt. Hij keerde haar na een tijdje de
rug toe en liep naar Walt, terwijl hij een sneeuwbal kneedde.

Walt gooide sneeuwballen naar Pickie terwijl deze in het standbeeld van Washington klom. Gob gooide zijn eigen sneeuwbal, perfect gericht, maar Walt sloeg hem weg voordat hij zijn hoofd kon raken. Gob klapte in zijn handen. Al zijn herfstsomberheid was verdwenen. Walt lachte alleen maar om hem te zien lachen.

'Hoe gaat het met je werk?' vroeg Walt. De kleine Pickie sprong uit Washingtons armen en deed radslagen in de sneeuw. Hij ging zitten, liet zijn kin zakken en snoot zijn neus in zijn das.

'Uitstekend!' zei Gob, heel breed glimlachend en Walt op zijn rug slaand. 'Heel erg goed!'

De jongen kwam aanrennen en legde zijn koude handen op Walts wangen, bracht zijn rode lippen naar zijn oor en fluisterde: 'Ik heet Pickie Beecher!' zei hij. 'Ik de eerste.'

'Hij wil iets groots bereiken,' zei Gob. 'Vandaag is hij een Beecher, morgen is hij een Astor of een Vanderbilt.' Hij bukte zich en keek naar de jongen, die op en neer huppelde maar er opeens mee ophield, alsof Gob hem met zijn blik had gekalmeerd. 'Woodhull,' zei Gob. 'Nu ben je een Woodhull.' De jongen lachte en liet zich in de sneeuw vallen, waar hij zich rondwentelde als een hond in het vuil. Walt dacht: Woodhull, ik houd van die klank, en Hank zei: *Walt Woodhull, ja dat klinkt goed.* Walt wendde zijn blik af van Gob, die de kleine Pickie in zijn armen had opgetild. Hij sloot zijn ogen en stelde zich Gob voor, een engel van naastenliefde die zijn armen naar hem uitstrekte in plaats van naar Pickie terwijl Walt verlaten en vergeten in de sneeuw in Madison Square Park lag. Hij deed zijn ogen weer open en zag juffrouw Trufant alleen op de veranda staan. Toen ze zag dat Walt naar haar keek draaide ze zich om en liep weg.

'Ik ben naar New York gekomen om te sterven,' zei Canning Woodhull. Hij en Walt zaten in een saloon die speciaal voor veteranen was bedoeld. Er hingen oude regimentsvlaggen aan de muren en groepen mannen – nu met geamputeerde ledematen of eeuwig wanhopend of met een geruïneerde gezondheid—zaten, nog steeds trouw aan die vlaggen, eronder te drinken. 'Mijn prachtige vrouw heeft visioenen van de toekomst. Ze ziet het paradijs komen—kristallen steden en dagen van zonneschijn. Ik heb haar verteld, meneer Whitman, dat iedereen helderziend is, dat iedereen de toekomst kan zien. U kunt het nu. Sluit uw ogen, kalmeer uw geest, laat uw buitengewone gezichtsvermogen de mist van de tijd doorboren. Ziet u het? Daar ligt u in uw lijkkist. Ik wilde bij mijn vrouw in de buurt zijn als ik zou sterven.'

'Ik houd van deze plek,' zei Walt. Hij was naar mevrouw Woodhull gegaan in de hoop er Gob te vinden, maar er werd niet opengedaan in het huis aan Fifth Avenue, waar hij dokter Woodhull tegen het lijf was gelopen. 'De jongens maken het nog steeds goed,' zei hij, om zich heen naar de verwoeste mannen kijkend, van wie sommigen niet erg veel ouder waren dan Gob, en die tegen elkaar aan geleund 'Jeff Davis' Dream' zongen.

'Oorlogsschimmen,' zei dokter Woodhull, en toen stroomde zijn eigen verhaal over verwoestingen naar buiten. Hij was na de sluiting van Armory Square naar het zuiden gegaan en had in een ziekenhuis in Charleston gewerkt. Dokter Mary Walker was naar het noorden vertrokken om haar loopbaan in het professionele vrouwenradicalisme voort te zetten. De arme Canning Woodhull was zonder haar en zonder de oorlog gedegenereerd. 'Ik werd er een beter mens door dan ik in werkelijkheid ben,' bekende hij Walt. 'Ik droomde altijd van ziekte en hoe ze overwonnen kon worden. Ah, ik praatte in mijn dromen met Asklepios, en hij vertelde me geheimen. Nu kan ik niet eens met deze hond hier praten en droom ik alleen nog van mijn eigen dood. Daar lig ik in mijn kist. Ziet u me?'

'Nee,' zei Walt. Hij probeerde van onderwerp te veranderen. 'Ik ben een goede vriend van uw zoon. Een uitzonderlijke jongeman. Volgens mij moet u erg trots op hem zijn.'

'Hij haat me!' kreunde Woodhull. 'O, Gob heeft een goede

reden om me te haten. Ik ben hier alleen maar gekomen om te sterven. Ik zou het uitstekend hebben gevonden onder haar bed te kruipen en langzaam te sterven, maar ze is vriendelijk tegen me geweest. Ze heeft me gefêteerd en van haar vrienden mijn vrienden gemaakt, en nu heb ik haar verschrikkelijke problemen bezorgd.' Het was mei 1871, de conventieperiode, en mevrouw Woodhull had de bijeenkomst van de Nationale Vereniging voor Vrouwenkiesrecht in New York betoverd. Pal de dag hierop hadden de kranten echter een verhaal gepubliceerd over een proces dat haar moeder tegen kolonel Blood had aangespannen. Het publiek was wat aandachtiger naar de familie van mevrouw Woodhull gaan kijken en had ontdekt dat er, afgezien van haar zuster, nog meer Claflins waren en dat het een diefachtig, ruziemakend stelletje was. De familieruzies waren in de rechtszaal ter sprake gebracht en het was algemeen bekend geworden dat er bij Victoria Woodhull twee echtgenoten in huis woonden. 'Ik ben iedereen die ik ontmoet tot last!' zei dokter Woodhull. Walt gaf hem klopjes op zijn hand.

'Mij niet, meneer,' zei hij.

'O, meneer Whitman,' zei Woodhull, zijn woorden wegwuivend. 'U bent de vriend van *iedereen*.'

Er vonden nog meer vreemde nachten plaats, naast die op het Patentkantoor en in het Ford's Theatre. Soms zette Gob de hoed op, en dan wist Walt dat hij iets raars zou meemaken als hij met zijn vriend door de stad liep. Ze gingen zich niet meer te buiten aan kwajongensvandalisme, maar zwierven wel rond op plekken die niet deugden, in Front Street en Water Street, waar op koude avonden straatrovers uit de riviermist opdoemden en prompt door de sterke arm van Gob opzij werden geduwd. Eenmaal stonden ze over het water gebogen terwijl Gob met een lantaarn in de rivier scheen. Walt zag een baby, overleden aan een ingeslagen schedel, ongeveer een halve meter onder het wateroppervlak drijven, een hand in zijn mond en de andere naar hem uitgestoken alsof hij aan de fascinerende baard van Walt wilde trekken. 'De rivier ligt er vol mee,' zei Gob zachtjes. 'Je kunt ze hier iedere dag zien drijven.' Hij nam Walt mee, verder South Street op, naar een kade waar een Frans stoomschip lag aangemeerd en waar ze in het donker bleven staan. Walt vroeg herhaaldelijk waarop ze stonden te wachten, maar Gob zei alleen: 'Geduld.' Plotseling schoot er een straal wit licht door de hemel, zo schel dat Walt dacht dat ze zich middenin een onmogelijk stille explosie bevonden. Maar toen klonk er geluid, het gesputter en gezoem van een elektrische booglamp hoog op het schip. 'Is het niet prachtig?' vroeg Gob, zich in het licht badend alsof het een warme zon was. Walt hield zijn hand voor zijn gezicht en dacht dat ze in dit licht net de hand van een lijk was.

Een andere nacht gingen ze naar Greenwood Cemetery in Brooklyn. Walt bleef staan onder de toegangspoort, een massief zandstenen bouwwerk dat eruitzag als een kleine kathedraal. Maanbeschenen beelden staarden op hem neer terwijl Gob het slot van het hek forceerde: een groep die de opvoeding van de zoon van de weduwe uitbeeldde, een andere die Geloof, Hoop, Herinnering en Liefde voorstelde. 'Dat zou jouw motto moeten zijn,' zei Walt over de zin die in de steen boven hen was uitgehouwen. Ze gingen naar binnen en bleven even later bij de grafmonumenten van Charlotte Canda en De Witt Clinton staan. De kleine Pickie was op dit uitje naar de begraafplaats meegegaan. Hij sprong haasjeover over de grafstenen, rende de lege maanschaduw onder een treurwilg in. Met zijn drieën zwierven ze over grote stukken begraafplaats terwijl Gob nu en dan commentaar gaf: 'Hier liggen honderdvijftigduizend mensen begraven,' of: 'Walt, we glijden de eeuwigheid in.'

Walt liep naar het graf van McDonald Clarke. 'Wat een kerel!' zei hij tegen Gob. De gedachte aan de man maakte hem blij, maar Gob begon te huilen. 'De hemel zou moeten openscheuren!' riep hij. 'Ze horen te huilen!' Gob sloeg met zijn vuist op de grafsteen, en de hemel scheurde inderdaad open: er kwam een zware zomerregen omlaag, donker en dicht en warm.

Iedere vreemde avond eindigde met een wandeling naar Gobs huis, naar de vierde verdieping. Ze liepen Gobs kamer binnen, kwamen langs de steencirkel (waar ze geen blik op wierpen) en bleven staan voor de ijzeren deur. Gob gooide de deur dan open, waardoor zijn geweldige werkplaats en zijn machine zichtbaar werden, een enorm, onzinnig samenstel van mechanische onderdelen dat onder een enorme telescopische gaskroon stond waarvan de pijpeinden in de vorm van vogels waren gegoten die uit hun snavels vlammen braakten. Glazen pijpen en ijzeren tandwielen, stalen ribben en meters en meters gewonden, polsdikke bundels koperdraad, hier en daar een bot—inderdaad uit het theater—iedere keer dat Walt de machine zag was deze weer groter geworden. *Hij is voor jou,* zei Hank. *Jij bent een kosmos.* Gob vroeg dan, terwijl hij een stoommachine aanzette of een accu activeerde: 'Wil jij me niet helpen, Walt? Wil je me niet helpen de strijd te winnen? Hij is nog niet klaar,' zei Gob, 'maar dat komt wel, en dan zal jouw hulp nodig zijn om hem af te maken. Zul je me die hulp geven, Walt?'

'Ja,' antwoordde Walt steevast. Hij stak dan zijn hand uit en betastte een koperen pijp, die niettegenstaande de junihitte in het huis koud was. Pickie danste op dergelijke momenten in een kring rond en zei: 'Kleine broer!'

Soms dronken ze gedurende deze nachten, maar ook als ze dat niet deden had Walt op dergelijke momenten een dronken gevoel. 'Jij bent het belangrijkst, Walt,' zei Gob als ze samen in bed lagen. 'Er zijn anderen die me zullen helpen, maar niemand is zo belangrijk als jij.' Hij sliep dan als de dageraad kwam en werd wakker met Gobs hoofd zwaar als een blok hout op zijn schouder. Hij keek naar de andere kant van de kamer en zag dat de ijzeren deur weer dicht en op slot was, en dan voelde hij iets in zijn buik, een vraag die in een gevoel veranderde—gebeurde dit allemaal wel echt? Iedere keer dat Walt wakker werd nam hij een besluit: hij hoefde het antwoord niet te weten, het antwoord kon hem niet schelen. Gob was echt, hun prachtige, berghoge, zeediepe liefde was echt, hem knijpen was echt, zijn gesnurk en zijn slaperige glimlach waren echt en natuurlijk en volmaakt.

Walt werd uitgenodigd om bij de veertigste jaarlijkse tentoonstelling van het American Institute, een festival van de industrie, een gedicht voor te lezen. Op 7 september begaf hij zich met Gob, Tennie en juffrouw Trufant naar het Cooper Institute.

'U bent vast een heel welkome afwisseling na meneer Greeley,' zei juffrouw Trufant voordat hij het spreekgestoelte besteeg om te beginnen. Horace Greeley hield ieder jaar de toespraak. 'Hij wauwelt maar wat.'

'Dank u, lieve mevrouw,' zei Walt.

De tentoon te stellen goederen werden nog opgesteld toen Walt in een grijs pak en een wit vest—geschenken van Gob— een podiumpje beklom om de tentoonstelling met zijn gedicht te openen. Aan de rand van het publiek werkten mannen in hemdsmouwen met hamers en zagen en moersleutels om de tentoonstelling van goederen en machines in te richten. Terwijl Walt voorlas legden ze hun gereedschap neer, dus tegen de tijd dat hij halverwege was was het lawaai van de werkzaamheden verstomd. Onder het voorlezen dacht hij aan Gob, die met Walts panama in zijn hand aan de voet van het podium stond. Tennie en juffrouw Trufant stonden naast hem. Voor Walts geestesoog zwaaide de ijzeren deur open op dezelfde manier als waarop de deuren van Armory Square soms waren opengezwaaid en herinneringen aan ziekte en sterven en dood hadden losgelaten. De deur ging open en Walt zag tandwielen en accu's, rook zuur en steenkool en frisse witte stoom. Hij hoorde de stem van Hank, die met hem meelas terwijl hij zei: *Het moderne wonder van de aarde, de zeven wonderen van de geschiedenis overtreffend, hoog oprijzend laag op laag met glazen en ijzeren gevels.*

Toen het gedicht uit was en nadat Walt zich onder enthousiast applaus had teruggetrokken, nam Gob hem mee om de tentoonstelling te bekijken. Gob was nieuwsgierig naar alle voorwerpen: van een naaimachine of een knoopsgatmaker kreeg hij hetzelfde schijnsel in zijn ogen als van een propellor of een blinkend elektrisch apparaat, en hij scheen op de hoogte van alle intieme details van de werking van ieder voorwerp. Ze bekeken een oogstmachine die in tweeëntwintig minuten een veld haver kon leeghalen, een meubelcombinatie die helemaal van Indisch rubber was gemaakt—hier raakten ze Tennie kwijt, die in een ingewikkeld vormgegeven stoel plaatsnam en hof hield voor de werklieden.

'Als je het mij vraagt is wetenschap zijn godsdienst,' zei Maci Trufant. Walt praatte een beetje met haar terwijl Gob met openhangende mond naar een koperen vat met de afmetingen van een klein landhuis staarde.

Mevrouw Woodhull hield thuis een ontvangst voor Walt. Die hele avond was Gob in een borrelende, springerige stemming, het gevolg, dacht Walt, van het feit dat hij een hele dag apparaten had kunnnen aanbidden. Tennie speelde, geïnspireerd door Walts gedicht, 'zoek de muze'. 'Niet hier!' zei ze, een blik onder een kussen op een stoel werpend. Ze keek achter gordijnen en zei: 'En hier ook niet! Nee, ze zit tussen de keukenspullen!' Walt wist niet of ze hem voor de gek hield of niet.

Die avond was Walt degene die zich op de bank bij de varen terugtrok, nu en dan rondloerend om Gob de ronde te zien maken tussen de elegante radicalen, te zien lachen met Tennie, te zien hoe hij zijn hand op de arm van Maci Trufant legde. Uiteindelijk kwam mevrouw Woodhull naast Walt zitten en nodigde hem uit voor een bijeenkomst van spiritisten in Troy, waar ze laat op de avond heen zou gaan. Walt sloeg de uitnodiging beleefd af.

'Maar,' zei ze, 'uw gedicht zou er goed worden ontvangen. Ik vind het heel erg dat ik het eerder op de dag heb gemist. U begrijpt, door mijn verantwoordelijkheden met de werklui ben ik de hele dag in touw geweest.' Ze had onlangs nieuwe verantwoordelijkheden op zich genomen, naast die van uitgever en makelaar en presidentskandidaat. Ze was nu hoofd van Afdeling Twaalf van de International Workingmen's Association. Walt zei dat ze waarschijnlijk nergens bang voor was, dat ze zich met communisten inliet. 'Inderdaad,' zei ze, 'Demosthenes heeft me gezegd: "Wees radicaal, wees radicaal, maar niet te verschrikkelijk radicaal." Maar ik ga waar ik moet gaan, in de hemel en op aarde. Als ik me zorgen zou maken over wat de mensen over me zeiden zou ik de hele dag onmachtig van de zenuwen thuis in bed liggen. Maar volgens mij weet u even goed als ik wat het betekent om door zwartgallig, onwetend geboefte belasterd te worden.' Ze stak haar polsen uit en liet hem zien dat ze psalm 120 in de mouwen van haar jurk had gestikt.

'Ik ben voor vrede,' zei Walt, 'maar als ik dat hardop zeg, zijn zij voor oorlog.'

'Het is niet makkelijk, nietwaar, meneer Whitman, te proberen de wereld te verbeteren.'

Maci Trufant en Gob trouwden in april 1872, in Plymouth Church. Waarom ze precies trouwden in de kerk van de glorieuze Henry Beecher met zijn vettige hoofd was Walt niet duidelijk. Hij had de indruk gehad dat Beecher en mevrouw Woodhull vijanden waren, ondanks het feit dat Theodore Tilton, de schilferige hulp van Beecher, die zomer ervoor voortdurend in het huis van mevrouw Woodhull was geweest. Walts ellende werd nog vergroot door het plaatsarrangement — hij was naast Tennie en de andere Claflins gezet. 'Meneer Whitman,' zei Tennie terwijl ze wachtten tot de plechtigheid zou beginnen, 'u hebt uw haar en uw baard helemaal weggeknipt!'

'Ja,' zei Walt. 'Al mijn kennissen zijn woedend en wanhopig en lopen handenwringend rond. "Wie bent u?" vragen ze.'

'Ik vind het wel aardig,' zei Tennie. 'U bent er tien jaar jonger door geworden. Waarom cultiveert u bewust een beeld van ouderdom?' Het zag ernaar uit dat ze nog meer wilde zeggen, maar de muziek snoerde haar de mond.

Walt legde zijn hand op zijn drastisch gekortwiekte baard. Hij had alles in een angstaanval weggeknipt toen hij het telegram van Gob had ontvangen waarin deze zijn verloving aankondigde. Het nieuws had hem totaal overvallen. Walt was net in Washington terug uit New York, waar hij een lange vakantie van twee maanden had genomen die hij vrijwel helemaal met Gob had doorgebracht, en er was toen geen sprake geweest van een komend huwelijk. Toen Walt het bericht had gekregen had hij de hele nacht in zijn favoriete stoel gezeten, met in zijn ene hand een glas whiskeypunch en in zijn andere een onlangs ontvangen brief van Tennyson. 'Hij zegt dat ik een groot en dierbaar karakter heb,' had Walt tegen Hank gezegd, die die hele beroerde nacht slechts één ding steeds maar weer herhaalde: *Je bent een kosmos.*

Het huwelijk zelf was een simpele en heel fraaie plechtigheid, die alleen werd bedorven door Tennies voortdurende gefluister dat haar neef en juffrouw Trufant een verschrikkelijke fout maakten. Iedere kerk behalve de Plymouth zou propvol met gasten hebben gezeten—Gob had tegen Walt het grapje gemaakt dat zijn huwelijk een aspect van de verkiezingscampagne was. De ster van mevrouw Woodhull maakte waanzinnige duikelingen en capriolen. Het scheen Walt toe dat ze niet kon inzien dat verschillende soorten radicalisme niet met elkaar gecombineerd konden worden, dat een aanhangster van het Vrouwenkiesrecht haar kon haten omdat ze communiste was, dat een communist haar kon haten omdat ze spiritiste was, en dat een spiritist haar als een dwaas kon beschouwen omdat ze te veel vertrouwen stelde in Graham Crackers.

Er bestonden geen mensen die mevrouw Woodhull niet van zich kon vervreemden, maar het leek alsof er anderzijds altijd mensen waren die van haar hielden. Het huwelijk en de associatie met de eerbiedwaardige heer Beecher had al haar oude aanhangers gemobiliseerd. Ze zat preuts en vorstelijk te kijken terwijl haar zoon met haar beschermelinge in het huwelijk trad. Een geestelijke met een vollemaansgezicht, niet veel minder theatraal dan meneer Beecher, riep voor het stel de eeuwige tropische weelde van een gezegende liefde aan. *Maar als ik hoor*, zei Hank, *van de broederschap der geliefden, hoe het met ze was, hoe samen door het leven, door gevaren, schande, onveranderlijk, lang en lang, door jeugd en door middelbare leeftijd en door ouderdom, hoe onwankelbaar, hoe liefdevol en trouw ze waren. Dan word ik nadenkend —ik loop haastig weg, vervuld van de bitterste jaloezie.*

De gasten vulden de hele veerboot die voor het feest ten huize van mevrouw Woodhull naar Manhattan terugvoer. Walt probeerde zich op de voorplecht te verbergen, maar de kleine Pickie kwam achter hem aan.

'Zo, Pickie,' zei Walt, 'nu heb je een moeder.' Pickie haalde zijn schouders op en liet hem twee onbewerkte smaragden zien die hij uit zijn zak had gehaald. 'Ze zijn voor mijn broer, maar u mag er een hebben, omdat u ook voor mijn broer bent.' Toen Walt geen van beide juwelen aanpakte stopte hij ze weer weg en zei: 'Mijn broer is er niet. Uw broer is er niet. Ze zitten niet op deze boot, ze zijn daar en daar en daar niet.' Pickie wees met beide handen op Brooklyn en Manhattan, en toen boven zijn hoofd. 'Ze zijn niet in de hemel. De hele wereld bestaat uit de afwezigheid van broers.' Hij pakte Walts hand en stond met hem op de voorplecht, onder zwermen meeuwen die in kringen boven de boot vlogen, achterom kijkend naar de ronddrentelende radicalen die als de meeuwen rond Gob en zijn bruid zwermden. Walt had hen als allereerste gefeliciteerd—daar had hij goed op gelet, dat zijn gelukwensen de eerste en de hartelijkste waren. Hij had Gob gekust en gezegd: 'Mijn lieve jongen, ik ben zo vreselijk blij voor je.' Nu wendde Walt zijn blik van Gob en de nieuwe mevrouw Woodhull af en staarde over het water uit naar de plek waar de toren voor de grote brug zich hoog op de oever van Brooklyn verhief. Was hij daar op een vreemde nacht met Gob heen geweest? Had Gob hem naar de top van de Brooklyntoren gedragen en hem het onmogelijke vergezicht laten zien? Het leek allemaal heel onwerkelijk—elk jaar van volmaakt liefdevolle kameraadschap leek onwerkelijk en onmogelijk, een ridicule droom, geïnspireerd door eenzaamheid. *Ook ik legde de oude knoop van tegenslag, stotterde, bloosde, beneed, loog, stal, mokte.*

'O, houd je mond, Hank,' zei Walt voor de allereerste keer. Hank zweeg, maar nu hoorde hij een andere stem, naast zich.

'Meneer Whitman,' zei de grote dokter Fie. 'U ziet er nadenkend uit.'

De kleine Pickie trok zijn hand uit die van Walt, wees op de Brooklyntoren en zei: 'Hij komt als eerste en baant de weg. Net als ik.'

'Ja,' zei dokter Fie. 'Ga maar een eindje rennen, Pickie.' De jongen rende een paar passen, bleef staan en begon naar meeuwen te graaien als ze dicht over het dek scheerden. Dokter Fie knikte in de richting van de toren. 'Kunt u zich de brug al voorstellen?'

Walt zei: 'Ik denk dat hij prachtig wordt.' Dokter Fie glimlachte, en boog zich dicht naar Walts gezicht toe.

'Natuurlijk. Ik weet zeker dat u hem in al zijn glorie kunt zien. U bent zo kostbaar en bekwaam, meneer Whitman. U met uw paraderende pas en uw grote ziel en dat opvallende ontbreken van een das. Maar ik ken u, meneer. Ik ken u goed, en u stelt helemaal niet zoveel voor. U denkt dat u bijzonder bent, maar eigenlijk bent u dat niet. Eigenlijk, meneer, bent u helemaal niemand. Eigenlijk bent u de minst belangrijke persoon in de hele wereld.' Dokter Fie liep weer weg, diepte zijn aanval niet verder uit en lichtte hem ook niet toe. In plaats daarvan nam hij Pickie in zijn grote armen en ging terug naar het gezelschap. Walt hing over de reling en keek naar het voorbijschietende water. Gewoonlijk was hij gevoelig voor wrede woorden, maar vandaag betekende het niets voor hem om door een vreemde te worden aangevallen.

Canning Woodhull overleed twee weken na het huwelijk van zijn zoon. Walt ging naar New York voor de begrafenis op Greenwood Cemetery, hoewel hij niet van plan was geweest er binnen afzienbare termijn terug te komen. Hij had zijn moeder aangemoedigd met George naar Camden te verhuizen, zodat hij vaker bij haar op bezoek kon, maar niet alle plekken hoefde te zien in Brooklyn en op Manhattan—iedere laatste plek, overal, leek het wel—waar hij en Gob hadden rondgezworven.

Het was een mooie, witte begrafenis, met veel vreugdevolle liederen—een spiritistische begrafenis. Mevrouw Woodhull en Tennie en Maci Trufant en alle dames Claflin droegen bij elkaar passende jurken van witte zijde met kant om hun keel en witte rokken die aan de zoom groen werden gevlekt door het gras op de begraafplaats. Gob en dokter Fie droegen witte pakken met witte zijden dassen en dasspelden met een diamant. Pickie Beecher was zo gekleed dat hij precies bij hen paste, afgezien van een speld met een robijn in zijn kleine das, die daar glinsterde als een spatje vers, nat bloed.

De opgewekte witte rouwenden stonden bijeen bij een kist die als een paasaltaar met wit linnen en lelies was versierd. Terwijl iedereen een blij lied zong werd hij in de aarde neergelaten. Mevrouw Woodhull zelf leidde de plechtigheid—meneer Beecher was nergens te zien. Ze sprak elegant en hardvochtig over de dode, ze zei dat haar echtgenoot een genie was, zelfzuchtig en onverzadigbaar in zijn behoefte aan drank en dat de dood hem had omgevormd tot een gelukkige geest die met alle andere geesten zou samenwerken om de dag naderbij te brengen waarop Aarde en Hemel tot één enkele volmaakte plaats zouden worden verenigd. Walt stond met zijn arm om Gob heen, die naast hem was komen staan terwijl zijn moeder sprak, en luisterde. Walt droeg een keurig zwart pak en had het gevoel dat hij er waarschijnlijk uitzag als een pinguïn in een wildernis van ijs.

Gob bleef nog even achter nadat zijn moeder en haar familie waren vertrokken. Zelfs toen de nieuwe mevrouw Woodhull met dokter Fie wegzwierf tussen de grafstenen bleef hij staan en keek omlaag in het graf. Omdat Gob het hem had gevraagd bleef Walt bij hem. Gob begon te huilen. Niet, dat wist Walt zeker, omdat hij van zijn vader had gehouden, maar simpelweg omdat hij van alle doden hield. Walt drukte hem lang tegen zich aan en zong een lied voor hem, even opgewekt als de liederen die door de witte rouwenden waren gezongen. Hij boog zich voorover en zong luid en met melodieuze stem in het graf:

'Mijn dagen zie ik henenvlieten,
Als vreemde en pelgrim in dit land.
Houd ik ze niet tegen: ze verschieten,
Als water stromen ze door mijn hand.
We zien onze vrienden oversteken,
Want o, we staan op Jordaniës strand.'

Eind juni maakte Walt een tochtje naar New England om ter gelegenheid van het begin van het nieuwe studiejaar aan Dartmouth College een gedicht voor te lezen. Het was een prettige tocht, maar het hielp niet om hem even zijn ongelukkige gevoel te laten vergeten. Maci Trufant was uit deze streek afkomstig.

Hij wilde haar niet haten. Hij was niet jaloers, wat Hank ook mocht zeggen. Hij voelde zich treurig, en hij voelde zich een dwaas, en zijn maag deed pijn als hij aan hen samen dacht, zo vertrouwd en gelukkig. Je kon geen twee Camerado's hebben—dergelijke intimiteiten van de ziel konden maar met één ander worden gedeeld—en Gob had het meisje als de zijne gekozen. *Haast het tij zich, naar iets op zoek, het geeft toch nooit op? O ik de idem dito*, zei Hank. Maar Walt was wel degelijk van plan het op te geven. Hij voer op 4 juli de Hudson af, doezelend terwijl de boot door een reeks onweersbuien voer die werden afgewisseld door heldere hemels, toen hij zijn besluit nam. In zijn slaap droomde hij dat hij een kleine spin was, die zijde afscheidde uit zijn buik, tere draden die in een vacuüm wegdreven op zoek naar een niet-bestaande ander. Toen hij wakker werd haalde hij zijn laatste dagboek uit zijn zak en schreef een stukje: ABSOLUUT en voorgoed deze KOORTSIGE, FLUCTUERENDE, nutteloze en onwaardige jacht op GW OPGEVEN — te lang (veel te lang) in volhard, zo vernederend. Het moet uiteindelijk toch gebeuren en kan maar beter nu gebeuren — LAAT ER VANAF DIT MOMENT GEEN AARZELING MEER ZIJN (NIET EENMAAL in welke omstandigheden dan ook) — vermijd het hem te zien — OF WELKE ONTMOETING DAN OOK, VANAF DIT UUR, VOOR HET HELE LEVEN.

O, *Walt*, zei Hank, *dat kun je niet menen.*

Walt en Gob schreven over en weer brieven, de rest van de zomer en de herfst van 1872. *Mijn werk houdt me hier vast,* schreef Walt. En *Moeder is naar Camden verhuisd, dus heb ik nu eigenlijk weinig reden om naar Brooklyn terug te gaan.* En *Ik vind het echt erg, alle tegenslagen waardoor je moeder wordt getroffen. Volgens mij heeft ze er niet goed aan gedaan meneer Beecher te pakken te nemen — hij en zijn vrienden zullen terugslaan, hard en lang.* De fortuin van mevrouw Woodhull had inderdaad een steile duik gemaakt na in mei schijnbaar een hoogtepunt te hebben bereikt toen ze een factie van de Vrouwenkiesrechtactivistes naar zich had toegetrokken en de People's Party had gevormd. Deze had haar als kandidaat voor het presidentschap aangewezen, met Frederick Douglas als kandidaat voor het vice-presidentschap, hoewel deze laatste van niets wist. Na haar kandidaatstelling begonnen verschillende mensen haar heviger te vervolgen vanwege haar overtuigingen. Ze werd uit haar fraaie huis gezet en de zaken in haar makelaardij droogden op. Beecher was inderdaad weer haar vijand, ze zag hem en zijn zusters Catherine en Harriet als de voornaamste aanstichters van haar ellende. Ze sloeg terug door een verhaal te publiceren over de affaire van Henry Beecher met een van zijn parochieleden, de vrouw van Theodore Tilton. Meneer Beecher bracht in praktijk wat mevrouw Woodhull predikte — waarom was hij dan niet even gedegenereerd als zij? Een man, een zekere Comstock, liet haar en Tennie en kolonel Blood arresteren vanwege de verzending van obsceen materiaal via de posterijen. De dag van de verkiezingen brachten ze in de gevangenis door, en daar verbleven ze met enige onderbrekingen vanaf oktober.

Ik mis je, Walt, schreef Gob. Zijn leven leek echter gladjes en gelukkig voort te gaan, zonder dat Walt er een rol in speelde. Met zijn werk ging het erg goed—*je zou eens moeten zien hoe onze kleine vriend is gegroeid,* schreef Gob, doelend op zijn machine. Hij meldde dat zijn vrouw met de dag mooier werd, en iedere keer dat hij de pen ter hand nam was het weer in New York zoel of prikkelend of viel de prachtige sneeuw als een zegening uit de hemel. (In Washington was het op dezelfde momenten snikheet of bitter bijtend koud of viel er ijs uit de hemel, waardoor de paarden bij tientallen stierven.) De kleine Pickie was dik en blij, maar miste zijn oom Walt. *Een heel gelukkig gezin, jullie drieën,* schreef Walt. *Wat fijn voor je, mijn jongen.*

Uiteindelijk beantwoordde Walt geen brieven meer. Een tijdlang stuurde hij slechts heel korte kattebelletjes. *Zo druk! Ik schrijf snel!* Eenmaal stuurde hij, in een lichte aanval van eenzaamheid en wrok, slechts een lege envelop, en daarna niets meer. Gobs brieven stopte hij ongeopend in een sigarenkistje, dat hij in zijn kast wegzette. Hank foeterde hem eindeloos uit en zijn toon werd steeds schriller—*Je bent een kosmos. Hij is een bouwer. Jullie moeten samen zijn. Je moet hem helpen. Hoe kunnen we nu terugkomen als je hem niet helpt?* Walt negeerde hem, of foeterde terug en bracht Hank tenslotte tot zwijgen. Toen was zijn winter werkelijk stil en donker en eenzaam. Walt sleepte zich heen en weer naar zijn werk en zag er weer als een oude man uit nu hij zijn baard en haar weer had laten groeien; hij liep nu ook als een oude man. Hij sliep steeds meer, hoewel hij dit niet wilde, omdat Hank en Gob in zijn dromen met smeekbeden op hem wachtten.

'Jullie zijn hem niet,' zei Walt dan tegen hen beiden. Hij

droomde van het platform in de winter, zonder meneer Lincoln en zonder de parade. Alleen de tekst was gebleven, doch deze luidde nu: *Hoe gaat ie, Walt?* Hank en Gob stonden bij hem op het platform. 'Jij bent niet de Camerado, en jij bent niet de Camerado,' zei Walt. Omdat ze het niet waren. De een had hem verlaten voor de dood, de ander voor een huwelijk, en geen van beiden, zo begreep hij uiteindelijk, had zijn affectie en zijn vriendschap beantwoord — hun liefde was nooit zo zuiver en sterk geweest als de zijne. In de droom krioelden Hank en Gob om hem heen, sloegen hun armen om hem heen. 'We houden wel van je,' zeiden ze. 'Broer, vader, zoon, we houden van je — je bent onze liefde en onze hoop. Kom bij ons terug. Kom terug naar New York.' En dan hield Gob zijn oprechte mooie gezicht voor dat van Walt en zei: 'Help me winnen, Walt, help me alsjeblieft winnen.' Ze klemden hem in hun armen en klemden hem in hun armen tot hij wakker werd met de kreet: 'Ik doe het niet, ik doe het niet! Laat me met rust!'

In de tweede week van januari 1873 ging Walt naar New York terug omdat hij wilde slapen zonder dat Gob en Hank hem de hele nacht lastigvielen, en ook omdat hij dacht dat een weerzien met Gob hem zou helpen bevrijden van dat zware gevoel — het diepe verdriet dat in zijn buik drukte, alsof hij stenen had gegeten. Er had zich een gevoel van hem meester gemaakt dat leek op het oude gevoel dat hij had gehad voordat hij naar Washington was gegaan om zijn broer te zoeken. Walt voelde zich moe en gedemoraliseerd, alsof hij al zijn dagen voor niets had geleefd en al zijn werk niet meer was geweest dan gefluister in zijn eigen handen — niemand had het gehoord en het kon niemand een zier schelen. In de trein sliep hij droomloos, zonder omklemmingen, voor het eerst in maanden. Toen hij wakker werd was hij echter niet minder moe.

Toen Gob de deur opendeed en Walt zag staan zei hij: 'Je bent precies op tijd.' Achter de vestibule kon Walt zien dat het huis een gedaanteverandering had ondergaan. Er waren muren gesloopt, op alle verdiepingen waren plafonds verwijderd, zodat wat vroeger veel kamers op veel verdiepingen waren geweest nu één geweldig loodsachtig bouwwerk was, dat door enorme bogen werd overspannen, als de ribben van een leviathan. Gob trok zijn jas aan en duwde Walt de deur uit. 'We kunnen beter voortmaken.'

'Waar gaan we heen?' vroeg Walt.

'Naar een toespraak luisteren,' zei Gob. 'Heb je mijn brief niet gekregen? Je bent expliciet uitgenodigd, en nu ben je er.'

'Ik heb hem gekregen,' zei Walt. 'Ik heb gedroomd...' Hij probeerde Gob te vertellen dat hij in de ene droom na de andere door hem was achtervolgd, maar voor de eerste maal sinds zijn kindertijd merkte Walt dat hij totaal geen woorden kon vinden.

'Ach,' zei Gob. 'We kunnen later praten.' Dokter Fie stond te wachten in de stal, met een gereedstaand rijtuig. Hij tikte voor Walt aan zijn hoed. 'Meneer Whitman,' zei hij. Toen Walt en Gob hadden plaatsgenomen vertrok hij, de paarden als een bezetene aanvurend. 'Will is een moedig bestuurder,' zei Gob. 'Vroeger reed hij op ambulances. We halen het wel.'

'Houdt je moeder een toespraak in de gevangenis?' vroeg Walt.

'De gevangenis?' zei Gob. 'Nee, ze is ontsnapt! Ze is naar New Jersey ontsnapt.'

'Mijn moeder ook,' zei Walt. Gob had zijn arm om hem heen geslagen en hield hem stevig vast, maar het was geen opdringerig gevoel, zoals in de dromen. Walt had behoefte aan meer.

Federale politie bewaakte alle ingangen van het Cooper Institute, wachtend, zei Gob, om zijn moeder op te pakken als ze de moed had haar gezicht te laten zien. Walt vroeg of ze echt zou komen.

'Natuurlijk komt ze,' zei Gob. Walt keek op zoek naar mevrouw Woodhull in de vertrekken rond, maar vond slechts de vrouw van Gob. Ze stond helemaal alleen in de menigte en zag er erg moe uit. Ze beantwoordde zijn starende blik even en verlegde haar aandacht toen naar het podium, waar een dame naar voren was gestapt die het woord nam.

'De vijanden van de vrijheid van meningsuiting,' zei ze, 'hebben dit gebouw door de politie laten belegeren. Onze vriendinnen zitten weliswaar niet meer in de Ludlow Street-gevangenis, maar de hoeders van recht en orde bewaken de deuren van het Instituut, en noch mevrouw Woodhull noch juffrouw Claflin kan, hoe graag ze ook zouden willen, vanavond op dit podium verschijnen.' Deze aankondiging werd op geloei en gesis onthaald.

De dame probeerde over het lawaai van het publiek heen te roepen dat ze gemachtigd was de toespraak voor te lezen, en dat ze dat ook zou doen als iedereen even stil wilde zijn. Terwijl ze daar stond te roepen kwam een oude Quakervrouw, gekleed in een lange grijze mantel, met een muts in de vorm van een kolenkit op haar hoofd en gehuld in een dikke sluier bij de dame op het toneel staan. De oude vrouw liep half voorovergebogen en hield haar handen voor zich uit alsof ze blind was. De mensen lachten om haar, denkend dat ze maar een verwarde oude tang was die op een of andere manier kans had gezien het podium op te komen, tot ze plotseling haar mantel naar achteren trok, zodat deze van haar schouders viel en haar muts en sluier meenam. Victoria Woodhull stond in volle glorie tegenover het publiek.

'Nou,' zei Gob, 'daar is ze dan.' Haar haar was in de war en haar jurk was gekreukt, maar ze zag er trots en machtig uit. Haar dominerende verschijning dwong in de hele zaal een haastig zwijgen af. De dame die als eerste had gesproken glimlachte opgetogen en zei: 'Dames en heren, hier is ze dan: Victoria Woodhull!'

Gejuich en applaus vulden de zaal, maar mevrouw Woodhull hield haar handen op om om stilte te verzoeken en kreeg deze meteen. 'Vriendinnen en vrienden, medeburgers!' begon ze. 'Ik sta hier voor u na een verblijf in de Amerikaanse Bastille, waar ik ben opgesloten door de laffe onderdanigheid van deze tijd. Ik sta nog steeds onder grote druk om naar die cel terug te keren, op een schandalige aanklacht die is opgeklopt door de onwetende of corrupte dienaren van de wet, die met anderen hebben samengezworen om me onder de meest valse en holle voorwendselen van mijn natuurrechten als Amerikaans staatsburger te beroven. In mijn persoon wordt de vrijheid van drukpers aangerand en de mond gesnoerd, en de constellatie van omstandigheden is van dien aard geweest dat de pers zelf zich bijna unaniem en zwijgend in deze schennende aanranding van een van de heiligste burgerrechten heeft geschikt!'

Ze hield een krachtige toespraak, waarin ze inging op de details van de samenzwering tegen haar. Ze vertelde dat Anthony Comstock het werktuig van Beecher was, dat zijn agenten in het kantoor van de *Weekly* hadden huisgehouden, dat de heer Comstock had gezworen haar volledig te gronde te richten, ook al zou het hem alle energie kosten die hij de rest van zijn leven kon opbrengen. Ze zag er die avond echter niet uit als iemand die men kon vernietigen. Ze trilde van energie, had een magnetische uitstraling en was fascinerend —zelfs de politie staarde ademloos naar haar en luisterde betoverd. De agenten schenen te vergeten dat ze haar moesten arresteren. Walt vergat, terwijl hij naar haar stond te kijken, iets van zijn neerslachtigheid.

Tenslotte sprak mevrouw Woodhull haar peroratie uit. 'Seksuele vrijheid, het laatste recht dat de mens nog kan opeisen in zijn lange strijd voor algehele emancipatie, het minst begrepen en meest gevreesde van alle vrijheden, maar voorbestemd het weldadigste van alle te zijn, zal de wereld overspoelen!' Er klonk een gebrul van instemming. Ze rukte de roos van haar keel en smeet hem als een bom in de menigte, rende toen het podium af en het gangpad door, langs de uitgestoken armen van mensen die haar probeerden aan te raken toen ze voorbijkwam, helemaal naar de achterdeur, waar twee politiemensen stonden. Ze bleef staan, kruiste haar polsen en gaf zich over.

'En dat was dat,' zei Gob.

Walt en Gob gingen na de toespraak naar Pfaff's. Gob leek geen belangstelling te hebben om zijn moeder in de gevangenis op te zoeken. 'Ze zit er toch niet lang,' zei hij vol vertrouwen, 'en ik heb vanavond dringender zaken.'

'Wat dan?' vroeg Walt.

'Jou, natuurlijk,' zei Gob. 'Je bent bij me teruggekomen, net zoals ik hoopte en wist dat je zou doen.' Ze zaten een tijdje zwijgend, zonder hun bier aan te raken, bij elkaar, terwijl Gobs hand op die van Walt rustte. Nu en dan stak Gob zijn hand uit om Walts kin op te tillen, zodat hij hem in de ogen kon kijken. 'Ja,' zei hij met diepe tevredenheid, 'inderdaad, daar ben je dan.'

Na Pfaff's gingen ze een wandeling maken, een lange gearmde wandeling door de avondmenigten op Broadway, zelfs helemaal het park in, waar ze aan het meer gingen zitten, hand in hand op dezelfde plek waar Tennie jaren daarvoor Walts klaargelegde boek had gevonden. Op het grasveld liepen spookachtige schapen rond.

Ze hadden nog niet veel tegen elkaar gezegd. Walt wilde protesteren, zeggen dat het niet meer kon zijn zoals het was geweest, zeggen: 'Je bent hem niet.' Maar het was makkelijker niets te zeggen, en Walt vreesde dat als hij een geluid zou maken Gob zijn hand zou terugtrekken en haar nooit meer zou teruggeven.

'Mijn werk zit erop,' zei Gob tenslotte, nadat ze daar een uur hadden gezeten. 'Het is af. Alleen jij ontbreekt nog, Walt.'

'Ik,' zei Walt zacht. Gob trok zijn hand niet terug.

'Dacht je dat ik loog toen ik zei dat ik je nodig had? Toen ik je smeekte me te helpen winnen, dacht je dat dat toen een grapje was? Ze willen terugkeren. Hoor je niet hoe ze smeken terug te mogen keren?'

'Niet meer,' zei Walt. Hij had het wel met Gob over Hank gehad, maar nooit over de posture babbelziekte van de jongen gesproken.

Gob stond op en trok Walt mee. 'Ga mee naar huis,' zei Gob. 'Ik zal je iets prachtigs laten zien.'

'Je vrouw is thuis,' zei Walt, maar Gob negeerde hem. Nu wenste Walt wel dat Gob zijn hand zou loslaten. Hij was weer bang, zoals die keer op de omnibus, toen hij Gob voor het eerst had ontmoet. Gob trok hem mee, de hele weg naar het huis aan Fifth Avenue, waar de kleine Pickie de deur opende op het moment dat ze erop afliepen en zei: 'Welkom, Meester, welkom, Kosmos.'

Binnen kon Walt beter bekijken hoe ingrijpend het huis was veranderd. 'Mijn broertje,' zei Pickie, alles met brede gebaren aanduidend. De machine stond overal. Hij was omlaag gegroeid van zijn kamer op de vierde verdieping, door de plafonds en de muren tot hij, scheen het, het huis zelf was geworden. Ergens stond een grote rode imitatiebrandspuit, ergens anders een manshoge elektromagneet. Eén onderdeel viel echter bijzonder op omdat het groter was dan alle andere en omdat het geplaatst was in wat het middelpunt kon zijn van een ding dat anders lelijk asymmetrisch zou zijn geweest. Dit onderdeel leek op de toegangspoort van Greenwood Cemetery, compleet met een poorthuis, en het hele geval ging schuil onder een stel vleugels. Het poorthuis was prachtig, een klein kerkje van glas en botten en staal. Het zat vol tandwielen — door het glas zag je ze draaien — die in afmeting varieerden van een verdieping hoog tot de nagel van Pickies duim, en ze stroomden overal uit het poorthuis en wentelden door de ruimte. De tandwielen dreven allerlei apparaten aan, waarvan de meeste geen nuttige functie leken te hebben. De allergrootste werkten samen om de vleugels aan het draaien te krijgen — Walt keek er even met halfdicht geknepen ogen naar voordat hij besefte dat ze van glas waren, van glazen negatiefplaten.

Dokter Fie en de nieuwe mevrouw Woodhull waren er

ook; ze keken plechtig en ernstig. 'U hier?' vroeg dokter Fie, die voor de verandering eens hartelijk klonk. Hij stak zijn dikke vinger uit en porde Walt in zijn buik. Walt nam niet de moeite de vraag te beantwoorden. Dokter Fie leek dronken of verward te zijn of pijn te hebben. Maci Trufant Woodhull zei: 'God zegene u, meneer Whitman.'

'Daar is hij dan,' zei Gob, terwijl hij met een breed handgebaar het hele huis omvatte. 'De machine. Hij is klaar, afgezien van jou dan. Er is binnenin plaats voor jou, Walt. Jij moet in de machine gaan zitten en dan zal hij ze allemaal terugbrengen, al die zeshonderdduizend, mijn broer en de broer van Will en Maci's broer en ook jouw Hank. Alle doden van de oorlog, alle doden van alle oorlogen, alle doden van het verleden. Vannacht zullen we de dood te snel af zijn, Walt, als jij ons helpt. Ik ben klaar. Will is klaar en Maci is klaar. Pickie is klaar en de machine is klaar. Ben jij klaar?'

Walt deed zijn mond open om te antwoorden, pauzeerde even zonder iets te zeggen en rende toen weg. Hij vluchtte langs Will Fie, duwde hem opzij toen hij Walt de weg wilde versperren en liep Maci Trufant tegen de vlakte. Hij rende, springend over draden en onder stalen steunen en koperen pijpen door duikend, tot hij in de hal stond en naar buiten rende. Hij rende de marmeren treden af en de straat uit en minderde pas vaart toen hij het huis van Madame Restell en de kathedraal was gepasseerd. Hij hield halt, keek of hij achtervolgd werd en zag dat er niemand achter hem aankwam. Hij ging op de trap van de nog onvoltooide kathedraal zitten en liet zijn hoofd in zijn handen rusten. Hij probeerde zijn angst te beteugelen, maar ontdekte dat het niet ging. Eenmaal, als kind, was hij tijdens een strandvakantie bijna verdronken. Een sterke golf had hem opgetild en op de zeebodem neergesmeten en hem daar vastgehouden alsof hij hem had willen vermoorden. Hij had zijn longen vol water gekregen en wist vrijwel zeker dat hij zou sterven. Zelfs toen, toen hij nog nooit over de dood had nagedacht, toen hij nog niet eens wist wat het was, was hij er toch bang voor geweest. Nu was hij weer bang, op dezelfde manier, hij stroomde vol met blinde paniek. Toen hij de stem hoorde dacht hij aanvankelijk dat Gob hem achterna was gekomen en iets riep, maar het was Hank, die zich lange tijd had stilgehouden, maar nu schreeuwde: *Walt! Walt! Walt! Walt!*

'Nee,' zei Walt.

Walt. Help alsjeblieft. Ik wil terugkomen. We willen allemaal zo graag terug. Alleen jij kunt het. Niemand houdt van ons zoals jij. Ga alsjeblieft terug je moet terug je moet niemand houdt van ons zoals jij.

'Ik ben bang,' zei Walt.

Wees niet bang je gaat iets goeds doen. Het beste dat je ooit hebt gedaan.

'Ik kan het niet,' zei Walt. Maar Hank zei: *Je kunt het wel en je moet*, en dus deed Walt het. Hij liep langzaam de straat weer af naar het huis van Gob. De deur stond nog open. Gob, zijn vrouw, de kleine Pickie en dokter Fie stonden allen geduldig te wachten, alsof ze hadden geweten dat het niet lang zou duren voordat hij zou terugkomen. Ze zetten hem in het poorthuis en bonden hem met draad in een stoel van ijzer en glas vast. De jonge mevrouw Woodhull zette Lincolns hoed op zijn hoofd. Deze was nu versierd met een kroon van zilveren staken, die elk in een gaatje in de kristallen muur van het poorthuis werden geduwd.

'God zegene u, meneer Whitman,' zei Maci Woodhull weer, terwijl ze hem de hoed opzette, en ze kuste hem op zijn voorhoofd zoals een moeder zou doen. Walt dacht toen aan zijn eigen moeder, dacht dat hij haar buiten haastig voorbij zag komen met een stapel pannenkoeken op een bord, dacht dat hij de gezonde geur rook die van haar af kwam.

'We zijn klaar,' zei dokter Fie, en sloot de glazen deur van het poorthuis.

Gob drukte er zijn gezicht tegenaan en riep erdoorheen. 'Wees niet bang, Walt,' zei hij. 'We doen het met de beste bedoelingen.'

Hank zei het ook. *Het is voor mij. Het is voor ons. Dank je, Walt.*

Walt keek door de deur terwijl Pickie snel ladders op en af rende, schakelaars omzette, verbindingen maakte en accu's activeerde, terwijl dokter Fie in de hele ruimte allerlei machines opstookte, terwijl Gobs vrouw overal aan assen draaide en knoppen verzette. Gob hield zijn hand voor zijn gezicht en keek er strak naar. Walt probeerde zich een beeld te vormen van wat er na deze avond zou komen. Niet, dat wist hij zeker, de afschaffing van de dood. Hoe vreemd en prachtig Gob ook was en in weerwil van de buitengewone dingen die hij Walt op hun rare avonden had laten zien, wist hij dat niemand dat kon laten gebeuren. Vonken zouden als vuurwerk de hemel boven Manhattan kunnen verlichten, het hele huis zou kunnen instorten en hen als door een wonder onberoerd laten, er zou misschien een walvis door de Narrows worden gedreven en zich bij de Battery op de kust werpen, maar als de volgende dag zou aanbreken zouden de doden nog steeds dood zijn. Hank zou er misschien eindelijk het zwijgen toe doen en Walt zou hier misschien weggaan en nooit meer aan Gob denken. Misschien zou dat het grote wonder zijn — dat Walt zijn niet-bestaande Camerado trouw zou blijven maar eindelijk niet meer voor zijn trouw zou lijden.

'Nu!' zei Gob, en Hank zei: *Vaarwel, Walt.* Een onnatuurlijk licht stroomde door het poorthuis en er ontstond een enorm lawaai overal in de lucht om hem heen — een krakend, rammelend, kuchend machinegeluid dat uitmondde in een geweldig ademend geluid, als het geluid van de zee. Toverbeelden dansten overal om Walt heen — de op de vloer gesmeten gezichten van mannen en jongens, en dode lichamen, verscheurd door kogels en granaten, schimmig tegen de glazen wanden. Hij keek omlaag naar zijn borst en zag er een beeld — een rij lijken die langs een afrastering waren gelegd.

Vaarwel, zei Hank weer, op heel treurige toon, en Walt dacht hoe hij bij hem had gezeten toen hij was gestorven. Hanks ogen hadden angstig in zijn hoofd heen en weer geschoten en hij had Walts arm met grote kracht omklemd gehouden, ondanks de morfine die dokter Woodhull hem had gegeven om het hem in zijn laatste uren gemakkelijker te maken. Hij had geen afscheid genomen, toen, alleen steeds maar weer 'Nee' gezegd, tot hij geen lucht meer had kunnen krijgen om dit woord uit te spreken, maar zijn mond had zelfs toen nog stil het woord 'Nee' gevormd. 'Vaarwel, lieve jongen,' had Walt gezegd, en een volle, wanhopige kus op zijn lippen gedrukt.

Walt verstarde in zijn stoel van ijzer en glas omdat een verschrikkelijke pijn zijn hoofd vulde, alsof de staken op de hoed opeens zijn getroubleerde brein in werden gestoten. De pijn breidde zich uit naar zijn nek, trok door zijn borst en armen, zijn buik, lendenen en benen. Hij stootte een rauwe kreet uit en wenste dat hij harder en verder van deze plek was weggerend, wenste dat hij het eiland was afgerend en door was gerend naar het zuiden tot hij de alleruiterste punt van Florida zou hebben bereikt, want het leek erop dat hij heel ver zou moeten rennen om veilig te zijn voor deze onmetelijke pijn. Hij schreeuwde weer en weer, en riep toen naar Gob, die met licht in zijn hand vlak achter de glazen deur stond. Walt schreeuwde naar hem, maar de pijn werd alleen maar erger. Walt zei weer iets, veel zachter, en toen nog iets, zo zacht dat hij niet eens wist of hij geluid maakte.

'Help me,' zei Walt.

Het was tijd om weg te lopen naar de oorlog: ze hadden op een kromgetrokken deurlijst hun groei bijgehouden en heel kort daarvoor een streepje gezet dat een lengte aangaf die Tomo voldoende achtte voor een jongenssoldaat. Tomo dacht dat ze wel voor vijftien konden doorgaan, en als ze niet mochten vechten konden ze in ieder geval nog compagniesmuzikant worden. Ze hadden allebei een bugel, hoewel Gob niet zo goed speelde als Tomo. Gob kende de signalen wel, maar ze kwamen eruit als het geblaat van angstige schapen. Het was wel voldoende, zei Tomo over Gobs bugelspel. Tomo was er vast van overtuigd dat het hele leger wanhopig op zoek was naar muzikanten.

Tomo sleurde Gob uit hun bed, een vierkante tijken hoes, gevuld met droge maïskolven. Ze sliepen erop met één deken en elkaars rug als kussen. Gob zei: 'Hou je handen thuis. Ik zat al op.' Maar hij bleef nog even liggen.

'Ik geef je een schop, hoor,' zei Tomo. Gob kwam overeind tot hij op zijn knieën zat, en toen rechtop stond. Hij was in zijn kleren naar bed gegaan. Hij hoefde alleen maar zijn schoenen aan te trekken en dan was hij klaar. Tomo had afgelopen zomer nieuwe halve Jefferson-laarzen voor hen in de wacht gesleept en ze voor deze nacht naast het bed gezet.

Gob stond op het bed. 'Dag, kamer,' zei hij, een laatste blik werpend op de plek waar hij en Tomo bijna hun hele leven hadden gewoond. Het was een kleine kamer, hoogstens driemaal zo groot als hun bed. De ruwe pijnhouten vloer liet gemakkelijk splinters los. Het plafond was vlekke-

133

rig van de rook van kaarsen. 'Dag, bed,' zei Gob. 'Dag, boeken.' Ze hadden niet veel boeken, maar Gob hield van ze allemaal. Hij rende weg van het bed, knielde bij een stapeltje boeken dat bij de kast tegen de muur aan de overkant stond, en pakte er een.

'We hebben geen ruimte voor boeken,' zei Tomo, die bij het open raam stond, maar Gob wist dat Tomo *Hardee's Tactics* in zijn eigen rugzak had gepropt die in de boomgaard stond.

'Nog eentje,' zei Gob, maar hij raakte de boeken alleen maar aan en raapte er geen op. Hij had het volledige werk van Shakespeare al in zijn rugzak, een cadeau van de schooljuf, die gewoonlijk fruit naar hen gooide als ze hun hoofd door het raam staken en de klas in keken, waar ze niet welkom waren, maar soms ook, als ze haar boos genoeg maakten, een boek. Een deel van hun bibliotheek hadden ze te danken aan de woedende hand van juffrouw Maggs; het merendeel was afkomstig van hun moeder.

'Dag, huis,' zei Tomo, staande in de berk die dicht tegen hun raam aan groeide, terwijl hij voorzichtig van de ene tak naar de andere omlaag klom. Gob volgde hem langzaam, niet minder behendig, maar banger. 'Dag, kolen. Dag, schuur. Dag, meneer Spleethoef.' Meneer Spleethoef was de Appaloosa van hun grootvader Buck. Tomo zwaaide naar de schuur terwijl ze deze passeerden.

'Dag, boomgaard,' zei Gob zachtjes terwijl ze tussen de appel- en perenbomen liepen die iedere herfst overvloedig fruit gaven. De jongens stonden tot hun enkels in de rottende bloesem.

Ze liepen naar een open plek die de ijverige Tomo voor zichzelf had gemaakt door tussen de bomen een kleine ronde plek open te hakken. Hun rugzakken lagen op de open plek, verstopt achter een muurtje dat ze van leem en gebroken bakstenen hadden gebouwd. Geconfedereerde Vogelverschrikkers—die ze bij spelletjes gebruikten—zagen er heel echt uit, zoals ze achter de muur gehurkt zaten. Toen

hij dichterbij kwam verwachtte Gob half en half dat een ervan hen met droge houten stem zou aanroepen. Gob hielp
zijn broer in zijn rugzak en wrong vervolgens zijn schouders
in de zijne terwijl Tomo hem op zijn rug tilde.

'Die is zwaar,' zei Gob, niet bij wijze van klacht, maar
gewoon de constatering van een feit. In die zak had hij het
boek, drie kaarsen, een extra hemd en twee onderbroeken,
wollen sokken die hij van Buck had gestolen (hun oma
breide er houtvezel in mee tegen vocht en kou), een zak-
mes, een tinnen bord, een kleine vork en een grote lepel,
een zij rookspek die half zo groot was als zijn hoofd, verpakt
in een stuk vetvrij papier. Een veldfles die aan een riempje
aan de band hing bonkte onder het lopen tegen zijn borst.
Zijn bugel bungelde aan een riem aan de andere kant.

'Zoals het hoort,' zei Tomo. Gob wist dat de zak van zijn
broer even zwaar was. Tomo was precies zo uitgerust als
Gob, alleen had hij twee paar van de magische sokken van
hun grootmoeder en een mes met een benen handvat waarin taferelen uit het leven van Andrew Jackson waren uitge-
sneden. Hij had ook al hun geld bij zich, tien dollar die ze
afgelopen zomer hadden gespaard uit de inkomsten uit hun
bedriegerijtjes.

'Dag, Anna,' zei Tomo. Ze bleven even voor het huis
staan. 'Dag, tante Tennie. Dag, oom Malden. Dag, tante
Utica. Dag, mamma. En dag Buck, moge God je
rechtstreeks tot de hel veroordelen.'

Gob keek naar het stille huis. In het donker zag het er
minder als een hut uit en werden de afbladderende verf en
de doorzakkende balustrade van de veranda aan het oog
onttrokken. Het huis stond op een heuvel boven het stadje.
Een volgende heuvel verhief zich achter de boomgaard en
achter die heuvel lagen beboste heuvels waar een krankzinnige analfabete tovenaar woonde die de Urfeist heette. Het
gerucht ging dat hij ongelooflijk oud en verweerd was, dat
hij een tijdgenoot van generaal Washington was, dat hij een
indiaanse halfbloed was, of de nakomeling van een dier.

Vaststond dat hij gek was op kindervlees; de kinderen die zo dwaas waren zich op zijn territorium te wagen keerden stom van afgrijzen en zonder pink aan hun linkerhand terug. Verder was bekend dat er soms mensen met hem onderhandelden en dan veel of weinig macht kregen, afhankelijk van wat ze hem aanboden en van de kwaliteit van wat ze wilden. Oma Anna was eens naar hem toegegaan. Ze miste een vinger en had een klein beetje toverkracht, in overeenstemming met haar kleinzielige verlangen: ze wilde op een dag rondrijden in een rijtuig dat helemaal van haar zou zijn.

De jongens draaiden het huis de rug toe en liepen de oostelijke flank van de laagste heuvel af. Ze zouden de trein nemen waar deze vanuit Brandon, het dichtstbijzijnde stadje, langs zou komen. 'Dag, mamma,' fluisterde Gob. Ze hadden nog geen twaalf stappen gelopen toen hij een witte flits in een struik dollekervel aan de voet van de heuvel zag. Hij rende onmiddellijk weg om het te onderzoeken.

'Waar ga je heen?' riep Tomo hem achterna. 'We moeten voortmaken. We missen de trein nog.'

Gob bleef staan en draaide zich om. 'Ik heb een trol gezien!' zei hij, en rende verder de heuvel af, in zijn haast struikelend maar meteen weer overeind krabbelend en doorrennend. Algauw bevond hij zich in het diepere duister onder de bomen. Hij dacht dat die wegschietende witte gedaante een geest was. Het was een van zijn diepste wensen er ooit een te zien. Zijn familie verdiende de kost met waarzeggerij: iedere zomer trokken ze er in een opzichtige wagen op uit om de mensen die door de oorlog van geliefden waren beroofd te troosten en het vel over de oren te halen. Gob en Tomo waren oplichters. Op schemerige huurkamers verzonnen ze zoete verhalen voor rouwende echtgenoten, echtgenotes, moeders, vaders, broers, zusters, geliefden. Wat het verlies ook was, ze ontkenden het altijd, hetzij door te beweren dat het helemaal niet gebeurd was (Hij leeft!) of door te beweren dat het verlies geen betekenis had (De do-

den zijn niet dood—uw geliefde beziet u glimlachend vanuit het huis waar zijn ziel woont!). Maar Gob en Tomo hadden nog nooit een geest gezien, of geestenmuziek gehoord
of een planchette laten bewegen, behalve dan met hun
aardse vingers.

Hun moeder, die wel geesten zag, zei dat ze ze zouden
zien zoals zij ze ook zag, op een dag. 'Als jullie man zijn,' zei
ze. 'Als jullie volwassen zijn.' Tomo was een scepticus—de
doden waren voor hem dood. Hij zou pas in geesten geloven
als hij er zelf een zag, en dat zou nooit gebeuren. Gob was
meer tot geloven geneigd. Als zijn moeder in trance was
hield hij altijd haar hand vast en dwong haar kracht bij
zichzelf naar binnen. Hij zag nooit iets. Ze kwam weer bij
en drukte een kus op zijn hoofd. 'Ah, een beetje geduld,
mannetje van me,' zei ze dan. Maar hij praatte liever met
beroemde doden dan geduld te oefenen. Zijn moeder praatte met Joséphine, met Bonaparte, met een oude Griek die
zijn naam niet wilde prijsgeven. Gobs fantasie vulde lege
lucht altijd met blinkende spirituele lichamen—zijn drie
dode tantes, Augustus Caesar, Marie-Antoinette, die met
haar hoofd stuiterde alsof het een bal was. Hij wist dat ze
niet echt waren, maar hoopte uit de grond van zijn hart dat
ze het ooit wel zouden zijn. Terwijl hij langs de boomstam-
men rende stelde hij zich voor dat de geest die hij achterna-
zat generaal Jackson was, die nog steeds van streek was door
zijn recente dood bij Chancellorsville. Een afgrijselijk jode-
lend geluid teisterde Gobs oren. Rusteloze geest! dacht hij.
Zielige geest, om zo vreselijk te klagen!

Maar het was geen geest. Het was een meisje, gehuld in
een wit laken, met loshangend blond haar, zodat het achter
haar aan wappperde terwijl ze tussen de bomen rende en
dat merkwaardige jodelende geluid uitstootte. Ze heette
Alanis Bell. Ze was hun buurmeisje. Ze woonde aan de voet
van de heuvel en hield er een verboden liefde voor de twee
jongens op na. Iedere keer dat haar moeder haar betrapte
als ze met ze praatte, kreeg ze een pak slaag met een liniaal

waar splinters uitstaken.

'Ah, daar ben je,' zei ze, terwijl ze op Gob afrende. Door de manier waarop haar laken over haar voeten viel leek het alsof ze zweefde. 'Waar ga je heen?' Tomo rende naast Gob, hijgend en met een stuurse uitdrukking op zijn gezicht.

'Naar de oorlog,' zei Tomo. Hij sjorde aan Gob om hem mee te krijgen, maar Gob duwde zijn hand weg. Hij vond Alanis Bell fascinerend, hoewel Tomo haar haatte.

'Naar de oorlog?' zei Alanis Bell. Ze gooide haar hoofd achterover en maakte weer dat jodelende geluid.

'Hou je mond!' zei Tomo tegen haar. 'Anders worden we gepakt!' Maar ze bleef jodelen, tot Tomo een stok naar haar gooide. Hij raakte haar tegen haar hoofd, en maakte een einde aan het gejodel, maar snoerde haar niet de mond.

'Ik rouwde om je!' riep ze, over haar hoofd wrijvend. 'Ik rouwde om je zoals ik om Walter rouw, maar nu kan je het wel vergeten!' Walter was haar broer, en sinds zijn dood in Shiloh rende ze in de bossen rond. 'Nu zal ik blij zijn als je doodgaat! Ga maar! Ga maar weg, ga maar, en sterf maar! Twee Claflins minder in de wereld. Ieder goed mens zal er blij om zijn!'

'We zijn Woodhulls, jij verdomde idiote *meid*,' zei Tomo. 'Kom mee, Gob.' Ze lieten Alanis Bell in de dollekervel achter, terwijl ze hen vervloekte. Ze hadden echter nog geen vijf minuten gelopen toen Gob bleef staan.

'Het is een slechte nacht om naar de oorlog te gaan,' zei hij. 'Je moet niet aan een reis beginnen als het volle maan is.'

'Dan is het licht het beste,' zei Tomo. 'We kunnen beter opschieten.'

'Het is niet goed,' zei Gob, 'om aan het begin van een reis vervloekt te worden. Laten we morgen gaan.'

Tomo bleef staan en draaide zich om om zijn broer aan te kijken. 'Laten we vannacht gaan,' zei hij. Ze waren al drie andere nachten thuis gebleven omdat Gob zich zenuwachtig had gemaakt. 'Laten we vannacht gaan of helemaal niet gaan.'

'Tja,' zei Gob. Maar hij bewoog niet, wat hij wel geacht werd te doen. Het gefluit van de trein klonk in de verte.

'We moeten gaan,' zei Tomo.

'Tja,' zei Gob weer. 'We zouden ook niet kunnen gaan.' Het was dapper van hem dit te suggereren. Tomo, die vijf minuten ouder was dan hij, had hun leven altijd richting gegeven.

'Niet gaan?' vroeg Tomo, die meteen woedend werd. 'Hoe kunnen we? Er is geen reden ter wereld om niet te gaan.'

'Ik wil niet,' zei Gob voor de eerste maal. Hij had dit nog nooit gezegd, niet met zoveel woorden, omdat het hem tijdens al hun dagdromerijen en plannenmakerijen altijd had toegeschenen dat ze het nooit echt zouden doen; bovendien wist hij zeker dat wat zijn broer ook wilde, hij het zelf vroeg of laat ook zou willen. En toch wilde hij niet weg. Hij wilde absoluut niet naar de oorlog.

'En waarom niet, verdomme?' vroeg Tomo heel rustig, maar zijn stem zat vol woede.

'Ik wil gewoon niet,' zei Gob eenvoudig. Tomo pakte hem bij de schouders en schudde hem door elkaar. Gob zei: 'Ik ben bang,' en Tomo schudde weer.

'Waarom zou je bang zijn?' vroeg Tomo. Dacht hij soms dat Rebellen iets waren om bang voor te zijn? Rebellen moest je doodschieten, net zoals je een kuil groef als je er een nodig had. En wist hij niet dat Tomo iedere Rebel zou doodmaken die het zou wagen zijn broer te na te komen? De trein kwam dichterbij en Tomo praatte maar door. Hij schold Gob uit en fleemde. Hij noemde Gob een slechte broer en een valse vriend, hij noemde hem een laffe meid.

'Je rent nu naar die trein, voor het te laat is,' zei Tomo.

Gob zei: 'Ik ben bang om dood te gaan.' Hij sloot zijn ogen en probeerde zijn voeten vast te draaien in de grond. 'Ik ga morgen wel.'

'Dan ga je ook niet,' zei Tomo. Hij verwijderde zich een

paar stappen en zei: 'Moge je dan verdoemd zijn,' en rende weg. Hij rende naar de trein en Gob rende ervan weg. Gob rende langs de witte gedaante van Alanis Bell, die nog steeds gillend heen en weer schoot door de dollekervel. Hij rende naar huis terug, naar de berk die dicht tegen het huis aan groeide. Pas toen hij in de boom was geklommen en ter hoogte van hun slaapkamer was gekomen draaide hij zich om en zocht naar zijn broer. Hij zag de rook van de trein als een lage wolk tegen de heldere hemel hangen, maar de trein zelf zag hij niet, en Tomo evenmin. Toen hij daar had gerend was hij te bang geweest om spijt te kunnen voelen, maar nu had hij wel spijt. Hij bonkte met zijn vuisten tegen zijn hoofd en huilde, maar ook al voelde hij zich heel be- roerd, hij voelde ook een vreemde verrukking. Hij had daar in die boom een zelfzuchtige gewaarwording van geluk, een gretige waardering voor veiligheid, en hij kon dat gevoel niet rijmen met het geluid van de trein, met het feit dat Tomo van hem wegreed.

'Wacht!' zei Gob, terwijl hij overwoog uit de boom te komen en achter Tomo aan te rennen. Door de haast werd hij echter onhandig. Hij viel uit de boom, sloeg met zijn hoofd tegen de grond en beet op zijn tong. Toen sliep hij een tijdje. Alanis Bell kwam de heuvel op om naar hem te kijken en had hem misschien over zijn hoofd geaaid of een troostend woord gezegd, maar ze keek vol walging naar de manier waarop zijn been in een vreselijke, onnatuurlijke hoek lag, en ze liet hem daar liggen. Ze ging terug naar de struik dollekervel, waar ze in het maanlicht rende en dans- te, en zong voor haar broer.

Een weeklang was hij bewusteloos van de klap tegen zijn hoofd, en toen hij bijkwam was hij in een wezen veranderd dat iets miste. Iedere keer dat hij de fluit van de trein in de verte hoorde bedacht hij dat hij zijn broer in de steek had gelaten en dat hij door zijn broer in de steek was gelaten, dat ze nog bij elkaar zouden zijn als hij niet bang was geweest. De broerloze dagen liepen ellendig in elkaar over, tot Gob op een nacht wakker werd en absoluut zeker wist dat zijn broer gesneuveld was. Hij probeerde het niet te geloven, uit angst dat het daardoor waar zou worden, maar hoewel hij tegen deze wetenschap vocht werd ze aan het einde van de zomer bevestigd, toen Tomo's lijk naar Homer werd teruggebracht.

Gob werd niet geacht een van die zielige, sentimentele rouwenden te zijn. Tranen waren voor gewone mensen, en de Claflins waren een slag apart; de leugen van de dood werd door hun zin voor magie tenietgedaan. Zijn moeder foeterde hem uit als hij om zijn broer huilde.

'De doden zijn niet dood,' zei zijn moeder. 'Zou je ook huilen als Tomo naar Wyoming verhuisde? Zomerland is dichterbij dan Wyoming.' Het was voor Gob geen enkele troost. Wyoming leek hem ongelooflijk ver weg. Hij wist niet eens zeker waar het lag, en hij wist dat het een oord moest zijn dat uitsluitend door wilden en beren werd bevolkt. Het was niet een plek waarvan hij wilde dat zijn broer er zou zijn. Dit zei hij ook, en zijn moeder legde haar zachte witte hand over zijn mond en zei hem weer dat de doden niet dood waren, maar zelfs meer leefden dan de levenden. Ze woonden gelukkig en tevreden in Zomerland.

Gob was als kind al aan deze ideeën gewend geraakt, maar Tomo had er altijd een hekel aan gehad. Nu had Gob er ook een hekel aan. Hij vermoedde nu dat de doden dood waren, dat de dood iets was als een droomloze slaap, of iets als opgesloten zijn in een donkere kast waar je niet kon horen of ruiken of voelen of aanraken, waar je niet sliep of wakker was, waar je niet eens het donker kon bekijken, maar waar je er één mee was, en het was een groot, afgrijselijk niets.

Hij vroeg zijn moeder of ze Tomo niet terug kon brengen, zodat Tomo op bezoek kon komen. Kon ze niet met hem praten? Ze zei dat ze dat kon. Ze deden, afgezien van een enkele kaars, alle lichten in de kamer uit. Ze werd stil en kalm en begon toen licht heen en weer te deinen. 'Mamma?' vroeg ze. 'Loop jij daar in het licht? Ben jij dat? Is dat mijn broer Gob? Waarom kijk je zo treurig, Gob? Weet je niet dat ik een levende geest ben? Weet je niet dat ik naast je loop, en dat je me op een dag net zo zult zien als mamma me ziet, als je eenmaal een man bent? Weet je dan niet dat dat waar is, Gob?'

Gob dacht dat hij weg zou drijven van vreugde en opluchting, en greep in de matras om steun te vinden. Hij praatte een tijdje met Tomo, vroeg hoe het was in Zomerland, of er andere kinderen waren, of hij aardig werd behandeld. De antwoorden van zijn moeder stemden hem echter achterdochtig. Hij was een ervaren bedrieger en er leek iets niet in de haak te zijn. Was er een boodschap voor Alanis Bell? 'Ja,' antwoordde zijn moeder, die niets wist van Tomo's haat jegens het meisje. 'Vertel haar dat ik mijn lieve vriendinnetje mis.' Toen begon Gob te huilen, omdat hij nu wist dat zijn moeder tegen hem loog, omdat hij op dat moment zeker wist dat er na de dood niets meer kwam dan het smerige, stille graf. Hij liet zich achterover op het bed vallen en stelde zich voor dat hij zelf in een graf viel—hij viel, en hij had eeuwig door kunnen vallen als er niet een razende woede in hem was opgeweld. Hij deed zijn ogen open en zag zijn moeder, die bezorgd op hem neerkeek. 'Gob?' vroeg ze. 'Wat is er aan de hand, broertje?' Hij schreeuwde tegen haar, geen woorden, alleen maar een gebrul, en hij haalde met zijn vuist uit naar haar gezicht. Hij joeg haar weg uit zijn kamer, en toen ze weg was bonkte hij op de deur die hij achter haar had dichtgeslagen en brulde en brulde.

Gob was voor het eerst in zijn leven eenzaam en hoopte dat hij, als hij bij Tomo's lijk in de buurt zou zijn, van dat nieuwe gevoel af zou komen. Hij zat op een houten stoel bij de platte steen in de boomgaard waar ze soms aan hadden gegeten en die nu Tomo's grafsteen was. Gob voelde zich niet minder eenzaam omdat hij daar zat, maar hoewel het hem droevig stemde daar te zitten en te bedenken hoe het lijk van zijn broer daar in de grond lag en door de wormen werd toegetakeld, er was geen enkele andere plek waar hij zich op zijn gemak voelde. In zijn vuist hield hij de brief die Tomo in Secessia had geschreven maar niet had verstuurd, die hij had gelezen en herlezen, die hij had verscheurd en met lijm en draad weer had gerepareerd, die hij had begraven en opgegraven.

Nadat Tomo's lijk, geëscorteerd door een stel soldaten die vertelden dat een genereuze Rebellengeneraal had geregeld dat het lichaam naar Homer zou worden teruggebracht, uit de oorlog was teruggekomen, was zijn familie, ieder op zijn eigen manier, aardig tegen hem. Anna maakte zich druk over Gobs kwetsuren. Zij was degene die hem van de dood redde. Kinderen gingen dood aan zulke verschrikkelijke botbreuken. Ze zette het been en zwachtelde het met allerlei zoet ruikende kruiden. Gob werd, dronken van haar medicijnen, opeens bang dat ze hem had gekruid om hem in de pan te kunnen stoppen. 'Mamma,' riep hij, 'gaat ze me opeten?'

Tennie kwam naar het graf; ze had een zonnebloem bij zich die ze tegen de steen legde. Ze vertelde hem dat Tomo niet in Zomerland was. Geen van haar geestenvrienden daar kende hem. Maar dat wilde niet zeggen dat hij er uiteindelijk niet heen zou gaan, en vandaar niet heel gemakkelijk op de levende aarde zou terugkeren. 'Mijn lieve kind,' zei ze, 'er bestaat geen dood.' Gob zei niets. Hij geloofde haar niet.

'Wat doe je hier?' wilde Utica weten, toen ze hem kwam opzoeken. Het was nacht. Gob had de hele dag in de boomgaard gezeten. 'Denk je dat hij uit dat graf zal komen als je hier zo'n beetje zit te staren? Denk je soms dat hij uit de Hemel omlaag zal komen? Nou, dat gebeurt niet.' Utica was een sceptica als ze nuchter was. Als ze dronken was kon ze woedeaanvallen krijgen vanwege de meningen die de meeste leden van haar familie erop nahielden. 'Een lichaam komt niet terug van de plaats waar het is heengegaan, kleine vriend.' Ze had een aanbidder gehad, een kuiper in Brandon, waar de Claflins een minder slechte naam hadden, maar deze was aan cholera gestorven en niet bij haar teruggekomen toen ze hem er, alleen of samen met haar zusters, om had gesmeekt. 'Je bent een vervelende kniesoor,' zei ze. 'Ze gaan dood. Wat wil je? De rest van je leven hier zitten? Wil je soms bij hem in het graf kruipen? Je maakt me zenuwachtig. Besef je wel hoe zenuwachtig je me maakt?' Utica porde Gob van zijn stoel af en zei: 'Een heer maakt altijd plaats voor een dame.' Zonder een klacht te laten horen ging Gob op een stronk in de buurt zitten. Utica gaf hem haar glas whiskey.

Er waren schilfertjes van het glas geslagen, dus sneed Gob zich in zijn lip toen hij een slok nam, maar hij vond de smaak van bloed in combinatie met de whiskey lekker. Utica haalde een fles uit haar jurk en dronk met hem mee. 'Wat zou je moeder tekeergaan als ze je met whiskey zag!' zei ze, en giechelde. Ze stond op en liep weg, maar kwam al snel terug met een sluier. Ze ging met de sluier over haar hoofd op de boomstronk staan en reciteerde, zwaaiend met haar fles, alle vrouwentekst uit *A Midsummer Night's Dream*. Ze stapte van de stronk en rende om het graf heen, waarbij ze er spookachtig en magisch uitzag. Gob keek hoe zijn tante om haar as draaide en schreeuwde, maar zei niets, en toen ze klaar was en een buiging maakte klapte hij niet. Haar rondzwierende witte sluier deed hem aan Alanis Bell denken, die hem nooit kwam opzoeken aan het graf van zijn broer.

'Vervelende jongen,' zei Utica, maar er sprak toch wel enige liefde uit haar stem, en ze schonk zijn glas nog eens vol voordat ze wegliep naar de bomen, terwijl ze de sluier gedachteloos achter zich aan liet wapperen. Gob nam een slok van zijn whiskey en hield een hand als een kom voor zijn gezicht om zijn adem te ruiken, waarbij hij aan zijn vader dacht.

De whiskey bracht hem op het ogenschijnlijk schitterende idee op het graf van zijn broer te knielen en in de grond
te graven. Hij wist niet zeker of hij groef om Tomo uit het
graf te redden of er een onderkomen voor zichzelf te vinden. Met zijn linkerhand pakte hij handenvol grond en
gooide deze over zijn schouder. Met zijn rechterhand groef
hij met het glas. Toen hij moe begon te worden had hij nog
maar een ondiepe kuil in de vorm van Gob gegraven, maar
hij ging er in liggen en drukte zijn ogen tegen de verse aarde. De aarde rook naar oude appels. Iets—het had een stuk
kalkoenbot geweest kunnen zijn—drukte tegen zijn wang.
Iets anders streek tegen zijn hals, kroop een paar centimeter
over zijn huid en nam toen een andere route. Hij zag slechts
duisternis. Als hij bij het graf zat en zijn ogen dichtdeed
kreeg hij soms het gevoel dat Tomo achter hem stond, dat
Tomo een hand uitstak om zijn schouder aan te raken,
maar iedere keer dat Gob zich omdraaide was er alleen lege
ruimte. Terwijl hij nu op het graf lag was zelfs dat gevoel er
niet, maar hij smeekte toch of Tomo niet voor zijn ogen uit
het duister kon stappen. Het duister kon alles verbergen.
Waarom zou het dan zijn broer niet verbergen? Deuren
konden alles verbergen. Hij had thuis zijn slaapkamerdeur
geopend en gesloten, iedere keer hopend Tomo erachter te
vinden. Eenmaal had zijn moeder er gestaan, die naar boven was geslopen omdat ze zich met hem wilde verzoenen.
Hij sloeg de deur in haar gezicht dicht.

Hij stelde zich voor dat Tomo nu met zijn ene goede dode
oog naar hem omhoog staarde. Het was uitgedroogd
geweest toen Gob tijdens de begrafenis stiekem onder het
deksel van de kist had gekeken, verschrompeld als een heel
oude druif. Gob keek terug, riep Tomo's liggende dode
beeld voor zich op, kleurde hem bij met twee weken extra
ontbinding. Als hij bleef graven zou hij uiteindelijk met
zijn hand het dode vlees kunnen aanraken. Ze werden
slechts door een paar voet aarde en een paar centimeter
hout van elkaar gescheiden. Of door slechts een paar voet

aarde en alle muren die God misschien tussen de levenden en de doden opwierp. Maar als de aarde zou wijken voor de hand van een mens, waarom die andere muren dan niet? 'Ik zal je terugbrengen,' zwoer Gob zijn broer, in de grond pratend zodat zijn tong en tanden vies werden. En niet alleen maar als een geest, zoals zijn liegende moeder beweerde hem gezien te hebben. Hij zou op een of andere manier zijn broer in den levenden vleze terugbrengen. Hij zou een manier vinden om dit te doen, omdat zijn broer hetzelfde voor hem zou doen, en omdat hij schuld had aan Tomo's dood— hij wist zeker dat Tomo niet zou zijn gesneuveld als hij met hem mee was gegaan. Hiervan was Gob overtuigd: dat hij zijn broer met zijn angst had vermoord, net zozeer als die Rebel het met zijn kogel had gedaan. Het vooruitzicht van een leven zonder Tomo was niet minder ondenkbaar dan het vooruitzicht hem van een gerotte verschrikking in een warme levende jongen te veranderen, en als het lot had bepaald dat hij het ene of het andere moest doen gaf hij sterk de voorkeur aan het laatste. 'Ik zal je terugbrengen,' zei hij weer, en deze woorden waren een grote troost voor hem, omdat hij zich alleen met de dood van zijn broer kon verzoenen door diens dood als tijdelijk te zien. Met een vredig gevoel werkte Gob zich dieper de grond in, en luisterde toen er een windstoot door de boomgaard trok die aan de bomen schudde en waardoor de vruchten op de grond vielen. Hij hoorde nog een ander geluid—hij kon het horen als hij heel heel ingespannen luisterde, een geluid als een geweldig, zacht ademen, of als de oceaan, dat hij zich herinnerde uit zijn verre kindertijd in San Francisco. Het geluid rees en daalde en wiegde hem in slaap.

Gob had, gezien zijn onwetendheid, een leraar nodig, maar wie kon hem leren hoe hij de dood kon verslaan? Hij dacht aan juffrouw Maggs, simpelweg omdat ze onderwijzeres was, maar hij wist zeker dat ze hem alleen maar kon leren hoe hij verbitterd en lelijk kon worden en de verkeerde boeken kon uitzoeken. Zijn moeder had een kandidate kunnen zijn als ze niet zo schaamteloos had gelogen. Hij vertrouwde haar niet meer, en als ze niet eens Tomo's geest kon overhalen met hem te praten, hoe kon ze dan leven terugbrengen in zijn vlees? Om dezelfde reden was tante Tennie niet geschikt. Utica beschikte niet over kennis waar hij iets aan had. Opa Buck was niet dom, maar Gob had geen behoefte aan lessen hoe je mensen moest bedriegen. Oom Malden was niet alleen dom maar stonk ook nog. Oma Anna beschikte slechts over kleine krachten, en alles wat hij van haar kon leren kon hij ook van haar leraar leren. Dus draaide Gob zich om tot hij met zijn rug naar het stadje Homer stond, en liep door de boomgaard en de heuvel op, toen door de bossen daarachter en de hoogste heuvels in, waar de Urfeist woonde. Het was een simpel besluit: er was maar één persoon in de hele wereld bij wie hij in de verste verte kon hopen te leren wat hij moest leren, ook al was het maar een begin. Het leek wel een eenvoudige en juiste zaak de tocht naar de hoogste heuvels te maken, maar hij voelde zich toch duizelig en zwak en laf terwijl hij onder de donkere bomen voortschuifelde. Hij wist heel goed wat de Urfeist afnam van de kinderen die hij te pakken kreeg. Vergeleken met het leven van zijn broer leek het een kleinigheid. En het leek hem heel logisch dat hij iets angstaanjagends moest doen om de gevolgen van zijn angst teniet te doen.

Alanis Bell liep hem tegen het lijf toen hij over de hoge heuvel kwam.

'Gob Woodhull,' zei ze. 'Waar ga je heen?'

'Ga weg, laat me met rust,' zei Gob. Ze danste om hem heen, sprong van het ene been op het andere en stak haar handen met stotende bewegingen uit. Haar grappenmakerij leek een belediging aan het adres van zijn bedroefdheid.

'Het is een prachtige nacht,' zei ze. 'Waar ga je zo haastig heen?'

'Ik ga de Urfeist opzoeken,' zei hij. Meteen was het afgelopen met haar grappen. Ze greep zijn arm.

'Ssst! Je weet dat je die naam niet mag noemen. Je roept hem nog over ons af!' Hij rukte zijn arm los.

'Laat me met rust,' zei hij, maar ze bleef zich aan hem vastklampen.

'Hij bijt je vinger nog af! Hij eet je op! Hij breekt je botten!'

'Ik zal de jouwe nog breken!' zei hij, haar van zich af duwend. 'Ik til je op en breek je doormidden, meid!' Hij had haar tegen de grond gedrukt en stond nu boven haar, klaar om op haar te gaan staan of haar een schop te geven. 'Ga weg!' zei hij kalm. Hij draaide zich om en liep door.

'Ga maar!' riep Alanis Bell hem achterna. 'Het kan me niet schelen!' Maar het jodelende geluid kwam achter hem aan terwijl hij verder liep. Hij stak zijn vingers in zijn oren.

Gob wist niet waar hij heenging. Hij doolde gewoon rond. Het was algemeen bekend dat de Urfeist een kind op kilometers afstand kon ruiken. Gob sloot zijn ogen en deed alsof hij sliep, omdat er ook werd verteld dat de Urfeist slapende kinderen naar zich toe lokte met een roep die alleen zij konden horen en volgen. Meer dan één kind sliep 's nachts met een touw om zijn enkel dat aan zijn beddenstijl vastzat, juist om dat soort omzwervingen te voorkomen. Gob raakte volledig verdwaald.

Er was wind opgestoken en er stond een smalle maansikkel aan de hemel. Hij piepte nu en dan te voorschijn tussen voortjagende blauwe wolken en verlichtte de spiralende val van eikenbladeren als ze door de wind van de bomen werden gerukt. Gob vond een meidoornstruik op zijn weg. Toen hij ernaast op de grond ging zitten zag hij dat een klauwier een kleine spitsmuis op een lange doren gespiest had achtergelaten. Als dat geen voorteken is, dacht hij, heet ik Mary Lincoln en heb ik veel mooie jurken. Precies op dat moment, toen hij nog net niet werd overspoeld door lafheid, kreeg hij een vrolijk geel licht in de gaten dat hem door de struik heen wenkte.

Hij baande zich voorzichtig een weg. Hij verborg zijn

handen in zijn jas en boog zijn hoofd, zodat zijn kin op zijn borst lag, maar toch liep hij hoog op zijn voorhoofd een schram op. Hij vroeg zich af of de geur van bloed de Urfeist uit zijn grot zou lokken. Lange tijd stond Gob naar de ingang te kijken. Ervoor was een ruimte vrijgemaakt waar in ordelijke rijen rozen waren geplant, en toen hij iets dichterbij kwam zag hij dat er ook grote rozenstruiken aan weerszijden van de ingang van de grot stonden, in wat ongetwijfeld de hoogste heuvel in het bos was. De toegang maakte meteen na de opening een bocht. Het enige dat hij zag was een geel licht dat op grijze rots flikkerde.

'Ik ben hier,' zei Gob, die zo zachtjes sprak dat hij zichzelf nauwelijks boven de wind uit kon horen.

'Dat weet ik,' zei een stem naast hem. De Urfeist zag er precies uit zoals de mensen dachten. Daar was het verwarde ijzerkleurige haar, de zwierige rode pet. Hij droeg een lang hemd van de vacht van een of ander dier, en de vingerkilt was tot hoog op zijn harige buik opgetrokken. Zijn voeten waren omwonden met boombast. 'Je bent hier welkom, kind,' zei hij. 'Ik heb op je gewacht.' Hij wachtte altijd tot er een kind naar hem toe kwam. De Urfeist glimlachte, waarbij hij sterke witte tanden liet zien, waarop een paard jaloers zou zijn geweest.

'Ik wil iets,' zei Gob. 'Ik zal ervoor betalen. Ik wil mijn broer terug. Hij is dood, maar ik wil hem weer hierheen brengen, in de wereld. Hij moet weer een levende jongen worden.' Hij babbelde maar door omdat de Urfeist niets zei. Hij bewoog alleen een vinger traag naar Gobs gezicht. Gob probeerde niet terug te wijken, maar hij dacht ook dat hij het niet had gekund als hij het had geprobeerd. De Urfeist legde zijn vinger zachtjes op Gobs lippen.

'Ssst,' zei hij. Hij liet zijn vinger een hele tijd liggen. Gob werd door afschuw besprongen, alsof iemand een emmer met zuivere vloeibare afschuw had gevuld en over zijn hoofd had leeggegooid. Hij ontdekte nu dat hij kon bewegen, dus draaide hij zich om en zette het op een rennen, sneller dan hij met zijn gekwetste been voor mogelijk had gehouden. Hij brak dwars door de haagdoorn heen, zich nauwelijks bewust van de schrammen die hij opliep, en rende terug in de richting van huis. Hij voelde zich gedragen door angst, door een geweldig, blazend afgrijzen opgetild en voortgestuwd. Zijn moeder zat hem soms achterna als ze dronken was van haar visioenen van persoonlijke glorie. Ze wilde dan altijd Gob, nooit Tomo. Ze wilde Gob dan in een verpletterende omhelzing vastgrijpen en in zijn oor haar gejaagde sibyllemonoloog uitstorten—ze ging dan maar door over alle fantastische dingen die voor haar en haar zoons in het verschiet lagen, dat ze de leidster van haar volk zou worden en de hele wereld zou bevrijden van ellende, dat er in haar en via haar een gouden tijd zou worden geboren. Gob was zo langzaamaan beducht geworden voor die aanvallen van haar. Hij rende bij haar weg als ze die bijzondere blik in haar ogen had, als hij wist wat er stond te gebeuren. Tomo spoorde hem dan aan: 'Rennen, Gob, rennen!' Hij vluchtte dan door de boomgaard met zijn moeder op zijn hielen, haar armen voor zich uitgestoken en haar handen naar hem graaiend als de kaken van een klein, uitgehongerd dier. Ze kreeg hem altijd te pakken, fluisterde hem altijd in zijn oor over haar glorie, vertelde hem dat haar zoons deel van haar waren, dat ze met mystieke koorden met haar verbonden waren, zodat, hoever hij of Tomo ook weg zou gaan, ze met zijn drieën nog altijd één zouden zijn.

Gob keek geen enkele keer achterom, maar hij dacht te voelen hoe de Urfeist hem achtervolgde, steeds dichterbij kwam. Op dat moment wist hij zeker dat het monster hem zou doden. Hij wist zeker dat het zijn hoofd eraf zou rukken en het helemaal naar Homer terug zou voetballen of dat het bloed uit zijn polsen zou drinken tot hij bezwijmd zou sterven. Hij wist dat hij moest blijven staan en op een of andere manier de confrontatie moest aangaan, dat hij het omwille van Tomo moest doen, en toch deed hij het niet.

Hij rende des te harder, maar hij kon niet hard genoeg rennen om eraan te ontkomen. Gob wist het toen de Urfeist vlak achter hem zat en sloot zijn ogen net voordat het ding hem in zijn rug stompte, waardoor hij plat op zijn buik tussen de dorre bladeren op de bosgrond belandde.

'Ssst,' zei de Urfeist weer. Hij kleedde de sidderende Gob heel teder uit, wat vreselijk was omdat Gob het niet had verwacht, en hoewel hij er mager en zwak als Anna uitzag was zijn greep in Gobs nek sterk en voelde zijn gewicht op Gobs rug zwaar aan als de wereld. Hij begon in een betoverd, onbegrijpelijk ritme te bewegen. Toen hij klaar was pakte hij Gobs slappe hand en stak Gobs linkerpink in zijn mond. Hij beet hem er schoon af. Gob kon niet toekijken terwijl het gebeurde, maar hij stelde zich voor dat de mond van de Urfeist wijdopen ging en dat het maanlicht snel tussen de wolken bewoog en zijn witte tanden raakte. Gob bedacht op dat moment dat de beet een daad van erbarmen was, omdat het je afleidde van dat andere, en hij maakte een geluid, hoewel hij zich heilig had voorgenomen geen geluid te maken. Het was een zielig geluidje, een enkel klagend, kwijnend 'O', zoals een meisje misschien zou maken als je haar pop afpakte. Gob hoorde het geluid alsof iemand anders het maakte, en toen zakte hij terug op de grond, waarbij hij het restant van zijn pink met een nat, ploppend geluid uit de zuigende mond van de Urfeist trok.

Toen hij wakker werd bevond Gob zich in de grot van de Urfeist, een voorname verblijfplaats. Er lagen tapijten drie lagen dik op de stenen bodem, en het meubilair was elegant en zag er duur uit. Gob, die weer was aangekleed, lag op een met blauw damast beklede divan. Er kwam een tweede grot uit in die waarin hij lag, en daarachter zag hij de ingang van een volgende. Gobs hand was netjes verbonden; er zat een klein vlekje lichtroze vloeistof op de plek waar zijn pink had gezeten. De Urfeist zat in een bijpassende blauwe stoel recht tegenover hem te roken.

'Ik weet wie je bent,' zei hij. 'Heeft je grootmoeder je

naar me toegestuurd?'

'Nee,' zei Gob, en toen vroeg hij weer: 'Zult u het me leren?' Hij besefte nu opeens dat hij dit wezen geen beloften had ontfutseld voordat hij zich aan zijn wil had onderworpen.

'Wat zou je willen weten?' vroeg het wezen. Het droeg nog steeds zijn schoenen van boombast en zijn rode pet, zijn hemdjurk en die afgrijselijke vingerkilt, waar Gobs blik overheen schoot op zoek naar zijn eigen verloren pink. De Urfeist leek echter een toonbeeld van mondaniteit, en sprak met een verfijnd air dat Gob deed denken aan de manier waarop zijn moeder praatte als ze mensen het idee wilde geven dat ze geen Claflin was.

'Alles,' zei Gob, die slechts kon bedenken dat dat genoeg zou zijn om zijn eed gestand te doen. De Urfeist lachte. Hij rolde iets heen en weer tussen de duim en wijsvinger van zijn rechterhand. Toen Gob zag dat het zijn pink was stond hij op en probeerde hem de ander af te nemen. Hij was niet bang meer, alleen maar vervuld van woede op het wezen en op zichzelf, omdat hij hierheen was gegaan. 'Geef terug!' zei hij. De Urfeist ging op zijn stoel staan en liet de pink vlak buiten Gobs bereik heen en weer bungelen. Gob spuugde op hem. Dit maakte de ander alleen maar vrolijker, dus zette Gob zijn tanden in diens harde scheenbeen, waardoor hij opeens aan de taaie, leerachtige, zwarte huid van een kalkoen moest denken die hij en Tomo ooit in zijn geheel boven een vuurtje in de open plek in de boomgaard hadden geroosterd. De Urfeist stootte een gebrul uit en rukte met zijn grote kracht Gob los van zijn been. Daarna tilde hij Gob bij zijn hemd op tot hij hem recht in de ogen kon kijken.

De Claflin-blik was vreeswekkend. Gob en Tomo hadden wel eens bij wijze van spelletje over de heg naar de moeder van Alanis Bell gekeken toen deze met haar bijbel in de zon lag, tot ze was opgestaan en haar huis in was gevlucht met de woorden: 'Die ogen! Die ogen!' De Urfeist deinsde echter niet terug. Hij had een blauw oog en een bruin oog, en het tweede zat op een heel rare manier in zijn hoofd, alsof hij het er pas onlangs in had gezet, als vervanging van het verloren gegane origineel, geoogst van een kind met bruine ogen. Gob deinsde evenmin terug. Hij stelde zichzelf als soldaat voor en fantaseerde kogels en bajonetstoten waarmee hij het wezen raakte. Langzaam zette de Urfeist hem weer neer en bekeek hem vervolgens langdurig. Ze stonden elkaar ettelijke minuten strak aan te kijken voordat de Urfeist zei: 'Ik zal het je leren,' waarna hij Gob woest met een peddel van hickoryhout sloeg die hij speciaal had bewaard voor de dag dat hij eindelijk een leerling zou nemen.

Gob ging een oude zwarte jas van Malden dragen. De familie dacht dat hij hem droeg als teken van rouw, maar eigenlijk gebruikte hij de te lange mouwen om zijn hand en zijn blauwe plekken te verbergen. Hij was ervan overtuigd dat zijn moeder of Tennie, met hun zogenaamd bovennatuurlijke zintuigen, een verandering bij hem zouden opmerken. Toen hij echter bij dageraad uit de heuvels kwam en de jas van Malden aantrok en aan de keukentafel zat te wachten tot het huis om hem heen wakker zou worden, zei niemand dat hij veranderd leek. Ze waren bezig met de voorbereidingen voor het vertrek naar een volgende gelegenheid om mensen uit te schudden, de laatste van het seizoen, dat gelijk opliep met de eb en vloed van de oorlog. Er moesten spullen worden ingeladen: een tent waaronder iemand al fresco de toekomst kon voorspellen, gezouten varkensvlees en scheepsbeschuit die van het Cumberland-leger waren gestolen, flessen en flessen met hun eigen patentmedicijn—het Magnetio Elixer van juffrouw Tennessee. Gob keek naar alle drukte, maar hielp niet mee, en niemand foeterde hem hierom uit. Behalve zijn moeder sprongen ze vanwege Tomo's dood allemaal voorzichtig met hem om.

Afgezien van de toegeeflijkheid waarmee ze hem behandelden begon Gob te denken dat zijn familie al vergeten was dat Tomo dood was. Wat gingen ze toch gewoon door met hun leven! Niet alsof er niets was gebeurd, maar alsof er niets was veranderd. Voor Gob was de dood van zijn broer een even grote en zekere verandering in de wereld als wanneer er opeens twee manen aan de hemel hadden gestaan. De Claflins zetten echter hun oude leven voort alsof de dood hen niet kon raken.

Die avond in oktober 1863 werd er een feestje gevierd op het erf. De hele dag had Anna in een ketel boven een open vuur het elixer gebrouwen. Tennie bracht het met een lepel over in blauwe flessen, waarop Malden etiketten met een afbeelding van Tennie plakte. Het elixer bestond grotendeels uit whiskey, die eraan was toegevoegd nadat het mengseltje had gekookt, en een flinke dosis laudanum en kruiden om het minder lekker te maken—als het te lekker was zou niemand geloven dat het een medicijn was. Toen de flessen waren gevuld en ze allemaal (behalve Gob en zijn moeder) dronken waren vierden de Claflins dat er een einde was gekomen aan het werk en dat hun tocht binnenkort zou beginnen—de laatste voordat de winter inviel, waardoor het aanrichten van bloedbaden onpraktisch werd en hun oplichterijtjes geen winst meer opleverden.

Buck had zijn banjo tevoorschijn gehaald. Hij plukte eraan terwijl Tennie en Victoria en Utica en Anna om het vuur dansten, en toen ze genoeg hadden van het dansen bleven ze buiten rondhangen. Utica ging op haar rug op de grond liggen en mompelde Shakespeare tegen de sintels. Buck zat in het donker achter het vuur te roken en whiskey te drinken terwijl Anna tegen hem aan geleund zat en in zijn baard mompelde. Victoria en Tennie zaten in wrakkige schommelstoelen op de veranda tegen elkaar te fluisteren. Ze letten niet op Gob, die een tijdje naar hen stond te kijken en zich toen terugtrok in de boomgaard. Zijn moeder had haar geduld met zijn verdriet verloren en was beledigd over zijn ongeloof. Ze had haar pogingen tot verzoening gestaakt en gedroeg zich koeltjes tegen hem, wreef hem haar onwankelbare kennis over het leven na het leven in.

Tomo zat behouden en wel in Zomerland en Gobs moeder
zei dat het een zoon van haar niet betaamde blijk te geven
van een gebrek aan vertrouwen in die zekerheid. Gob haatte haar vanwege deze uitspraak, en het feit dat hij haar met
de zuivere, woedende haat van een kind haatte maakte het
hem veel gemakkelijker bij haar en de anderen weg te
gaan. Terwijl hij vanuit de boomgaard naar hen keek nam
hij weer fluisterend afscheid. Dag molenpoel, dag molen,
dag huis. De Urfeist had als voorwaarde voor zijn onderwijs
gesteld dat Gob uit Homer zou vertrekken. Homer was voor
de Urfeist alleen maar een zomerverblijf—hij was al te lang
gebleven. Als Gob bij hem in de leer wilde zou hij hem
naar zijn winterkwartier moeten vergezellen. Ze zouden
niet alleen vertrekken omdat de Urfeist Ohio in de winter
ondraaglijk vond, maar ook omdat het geen plek was waar
hij kon onderwijzen wat Gob moest leren.

Gob wilde net naar het graf gaan om afscheid te nemen
van Tomo toen hij uit de richting van het huis gelach hoorde. Aanvankelijk lachte er maar één persoon—het klonk
alsof het Tennie was—maar toen vielen de anderen in en
hoorde hij het hoge, heldere lachen van zijn moeder boven
de anderen drijven. Voordat Tomo was gesneuveld was Gob
nooit boos geworden over onbenulligheden. Hij was niet zo
opvliegend als Tomo. Maar die nacht kreeg hij een woedeaanval, fel en heet als die welke tegen zijn moeder was op-
gelaaid toen deze hem met die vreselijke leugen had gekwetst en tegen de Urfeist toen deze hem met zijn eigen
pink had uitgedaagd. Gob rende door de boomgaard terug
naar de restanten van het vuur en de gedaanten eromheen.
Ze lachten nog steeds toen hij hen bereikte. Zijn moeder en
Tennie waren van de veranda gekomen. Ze stonden met de
anderen bij het vuur, lachend en hun buik vasthoudend.
Gob ging tegenover hen staan en hief zijn armen op. In zijn
jas en in het donker zag hij er als een onheilsgeest uit, maar
toen ze hem zagen begonnen ze nog harder te lachen. Waarschijnlijk lachten ze om iets wat Tennie had gezegd, of om

een grove grap van Buck. Gob had echter de indruk dat ze om hem lachten, of, erger nog, om Tomo, of, het ergste van alles, om Tomo's dood. Hij rende op zijn moeder af, bleef vlak voor haar staan en hield zijn gewonde hand voor haar gezicht.

'Zijn jullie het vergeten?' vroeg hij hun allen. 'Zijn jullie het nu al vergeten?' Zijn moeder hield op met lachen en stak haar armen uit om hem te omhelzen, maar hij dook weg. Voor hij wegrende deed hij haar een belofte. 'Ik ben dood,' zei hij rustig tegen haar. 'Ik ben dood en je zult me nooit meer zien. Ik ga naar de oorlog.'

Het was dramatisch en heerlijk, deze uitspraak. Hij voelde zich er beter door dan door wat dan ook. Het gaf hem een uitstekend gevoel, zoals haar trotse gezicht betrok bij zijn woorden, zoals het zich plotseling vulde met gekwetstheid, zoals het voor Tomo had moeten staan.

Ze liep achter hem aan, maar door de zwarte jas was hij moeilijk te zien. Zelfs met dat been ontkwam hij haar. Hij rende de hoge heuvels van de Urfeist op, met de gedachte: *Vaarwel, ik haat jullie!* tegen iedereen.

Zijn nieuwe leermeester stond voor de grot te wachten. 'Je bent laat,' zei de Urfeist, maar hoewel hij de peddel in zijn hand had gebruikte hij hem niet. Hij zat op een grove kar, tussen een verzameling koffers en kisten.

'Moet je niets meenemen?' vroeg de Urfeist. Gob zei van niet, maar hij had zijn zakken volgepropt met aarde van Tomo's graf. De Urfeist stak zijn hand uit en hielp Gob in de kar. 'Op weg, Paymon,' zei hij tegen zijn paard. Ze vertrokken langs een pad dat Gob bij zijn vorige bezoek niet had opgemerkt, en hij verwachtte half en half dat het zich achter hen zou sluiten. Gob keek achterom naar de duistere ingang van de grot tot ze een bocht omsloegen en de grot tussen de bomen verdween. 'Je geluk is niet terzake doend en kan je zaak zelfs schaden,' zei de Urfeist, terwijl hij zijn arm om Gobs nek legde. 'Maar ik denk dat je je nieuwe thuis wel prettig zult vinden.'

DEEL TWEE

Het glazen huis

Op welke lijst levende wezens de doden van de mensheid worden meegeteld; waarom een alom gebezigde uitdrukking wil dat ze geen verhalen vertellen, ofschoon ze meer geheimen kennen dan de Goodwin Sands! hoe het komt dat we aan de naam van hem die gisteren naar de andere wereld vertrok een zo veelbetekenend en trouweloos woord hechten en hem er toch niet mee aanduiden, als hij slechts op weg gaat naar de verst gelegen Indiën van deze levende aarde; waarom de Levensverzekeringsmaatschappijen uitkeringen voor doden betalen terwijl ze toch onsterfelijk zijn; in welke eeuwige, roerloze verlamming en dodelijke, uitzichtloze trance de oude Adam neerligt, die ruim zestig eeuwen geleden is gestorven; hoe het komt dat we nog steeds weigeren ons te laten troosten voor degenen van wie we niettemin volhouden dat ze in onzegbare gelukzaligheid verkeren; waarom alle levenden zich zo inspannen alle doden het zwijgen op te leggen; waarom slechts het gerucht dat er kloppen in een doodskist is gehoord een hele stad angst aanjaagt. Al deze zaken zijn niet zonder betekenis.

HERMAN MELVILLE
Moby-Dick

1

'Je bent het evenbeeld van je broer,' zei kapitein Brower. Dit was niet helemaal waar. De gezichten van Will en Sam Fie leken op elkaar, maar Will was veel groter. Hij mat op zijn sokken een meter negentig en woog honderdtwintig kilo, maar was absoluut niet dik. Sam was drie jaar ouder geweest, maar had zich tegen de tijd dat Will twaalf was gedwongen gezien zijn broertje niet meer te slaan. Will kon de stompen gemakkelijk verwerken en de vuist van Sam lag als een wilde appel in zijn grote hand. 'Als je maar half zo dapper bent als hij hebben we geluk dat je bij ons komt.'

'Dat ben ik niet,' zei Will. Kapitein Brower dacht dat hij een grapje maakte. Will was sterk en koppig en dikwijls gehoorzaam, maar als moed een van zijn eigenschappen was geweest was hij niet bang geweest thuis te blijven. Was hij niet bang geweest de deur van zijn slaapkamer open te doen toen zijn moeder hem boven het nieuws van de dood van zijn broer kwam vertellen. De deur had getrild alsof hij door een sterke windstoot was geraakt en Will had hem niet open willen doen omdat hij heel even had gedacht dat een deur dergelijk nieuws buiten je leven kon houden.

Kapitein Brower was in Syracuse om te helpen bij de rekrutering van vervangers voor degenen die, zoals Sam, bij Bull Run waren gesneuveld. Hij had een brief geschreven dat hij graag persoonlijk de ouders zou eren die een jongen als Sam Fie hadden grootgebracht. Maar voordat Brower zijn bezoek had kunnen afleggen was Will met een vervalste brief, waarin zijn moeder uiting gaf aan haar liefde voor de kapitein van Sam, naar Syracuse gegaan. Hier was haar andere zoon, die ze niet uit het hoofd kon praten naar de oorlog te gaan. Ze getuigde dat Will de vereiste leeftijd had en vroeg kapitein Brower goed voor hem te zorgen.

De werkelijkheid luidde dat ze had gespuwd op de naam van de kapitein en zijn aanbod haar op te zoeken; ze had hem een moordenaar genoemd en gezegd: 'Hoe durft die zijn gezicht hier te laten zien?' Tijdens de maaltijden, die voor Will eerst een zwaar korvee en daarna een bron van diepe ellende waren, beschuldigde ze kapitein Brower ervan Sam de dood in te hebben gestuurd. Dan bonkte ze met haar vuist tegen haar hart en legde haar hoofd op tafel om te huilen terwijl Will en zijn vader naar hun koud wordende vlees zaten te staren. Ze bleven zo lang zo zitten dat Will het idee kreeg dat ze eeuwig zo konden zitten, als een erbarmelijk tableau vivant. Er zou een ondernemende kerel langs kunnen komen en een muur uit hun huis slopen, zodat nieuwsgierigen een stuiver konden betalen om langs te paraderen en hen te bekijken. Er zou een bord worden opgehangen: *De tol van de oorlog in Onondaga County, New York – september 1862.*

Will was laat in de nacht uit het huis van zijn ouders vertrokken. Zijn moeder had liggen slapen op de groene bank waarop ze volgens haar nieuwe gewoonte lag te rouwen tot ze was uitgeput. Hij keek naar haar terwijl ze luidruchtig door haar openstaande mond lag te ademen en verkeerde in tweestrijd of hij haar een afscheidszoen zou geven. Hij boog zich voorover maar bedacht zich – ze zou immers wakker kunnen worden en een afgrijselijke, tranendoordrenkte scène kunnen beginnen. Hij draaide zich van haar af en stelde zich, terwijl hij de deur uit liep, voor dat de geest van Sam hem passeerde en even zeker zijn plaats in het huis overnam als hij Sams plaats in de oorlog.

Kapitein Brower schudde hem de hand en sloeg toen zijn armen om hem heen. Will werd gerekruteerd in het 122ste Vrijwilligers uit New York, dat door zijn leden, die erg op hun plaats van herkomst georiënteerd waren, het Derde Onondaga werd genoemd. Hij stuurde zijn premie naar zijn ouders, met een kort briefje. 'Nu ben ik een van de driehon-derdduizend van Vader Abraham. Vaarwel.'

Zes dode mannen zonder schoenen—hun voeten zijn gezwol-len en door het opzwellen van hun bovenlijf zijn de knopen van hun hemd gesprongen. Achter hen staat een vernielde wagen, vast aan een dood paard. In de verte staat een kerk waar ooit pacifisten bijeenkwamen voor de eredienst.

In Maryland, op weg naar Harpers Ferry, waar het Derde heen was gestuurd om een eind te helpen maken aan de ca-priolen van generaal Lee, zag Will zijn eerste Rebel, een do-de, die lag waar hij was gesneuveld, voor een kerk in Bur-kittsville. In de kerk lagen gewonden te kreunen. 'Wat een psalm!' zei Jolly Forbes, een jongen met een langgerekt ge-zicht en een van de weinigen die iets met Will te maken wil-de hebben.

De D-compagnie had Will aanvankelijk hartelijk onthaald. De kreet: 'de broer van Sam!' was hem overal gevolgd waar hij ging, en volstrekt vreemden omhelsden hem en bevoch-tigden zijn dikke nek met tranen. 'Het is goed je te zien, mijn vriend,' was een voortdurend terugkerend refrein. 'Ik ben je vriend niet,' luidde onveranderlijk Wills antwoord. Hun lief-de en respect voor de nagedachtenis van Sam waren zo groot —er was ten minste een dozijn mannen dat beweerde dat hij hun leven had gered—dat de mannen van de D-compagnie zijn onbehouwen gedrag door de vingers hadden kunnen zien en van Will hadden kunnen houden, ondanks zijn gemelijke gedrag en het feit dat hij niet op zoek was naar vrienden. Hij was echter zonder enige aanleiding grof en bleek binnen de kortste keren een verschrikkelijke pretbederver te zijn. Hij sloeg iemand tegen de vlakte omdat deze in zijn aanwezig-heid had gevloekt, en als hij een fles whiskey in de gaten kreeg smeet hij hem kapot. Terwijl ze buiten Washington in kampement lagen had het nichtje van een man geprobeerd een vat whiskey naar binnen te smokkelen. Ze had het vat een wit jurkje aangetrokken, er een wit mutsje op gezet en in zachte dekens gepakt. Soldaten die in het geheim waren ingewijd koerden ertegen, staken hun hand in de kinderwagen en deden alsof ze het kind over zijn kin aaiden. Jolly Forbes kwam erbij staan en keek in de wagen. 'Madame,' zei hij, 'dat is de *knapste* baby die ik ooit heb gezien.' Will stond achter Jolly, en toen hij zag wat het was stak hij zijn hand in de wagen, sleurde de inhoud naar buiten en gooide de baby kapot op de grond.

Waar Sam tientallen mannen tegelijk had gered, zorgde Will dat ze met tientallen tegelijk in het cachot belandden door zijn verklikkerijen. Ze vroegen Sam om vergiffenis en vloekten luidkeels op die door de duivel gezonden hanswurst. Will werd uit de Tiger Mess gegooid, waarvan Sam lid was geweest. De anderen schreven een oneervol ontslag op een enorm stuk scheepsbeschuit. *Verbannen wegens misdaden tegen een goed humeur*, stond er. Tenslotte had hij alleen nog Jolly en een groepje andere verschoppelingen als gezelschap.

Voor de kerk waren er twee mannen druk in de weer bij de dode jongen. Een fotograaf schreeuwde in het Frans iets tegen zijn assistent. Will kende genoeg Frans om te begrijpen dat de dikke kleine fotograaf—hij was maar een meter vijftig lang en had de vorm van een ei—in een erg slechte stemming was. Hij wilde dat de assistent het hoofd van de dode jongen naar de zon draaide, maar de dode jongen verkeerde al in staat van ontbinding en de assistent was ervan overtuigd dat het slecht voor zijn gezondheid zou zijn als hij hem aanraakte. De fotograaf beende ernaartoe, stak zijn arm omhoog om zijn assistent bij zijn nekvel te grijpen en gooide hem bovenop de dode jongen, wiens arm in een amicale omhelzing over de assistent heen viel. De assistent schoot weg, brullend alsof de dode jongen hem gebeten had. De bolle fotograaf bukte zich en begon heel zorgvuldig de ledematen van de Rebel te arrangeren. Hij schikte de arm van de jongen boven diens schouder in het gras en vouwde zijn hand open. De fotograaf keek op en wierp een minachtende blik op Will: 'Wat sta je daar te kijken? Je ogen puilen helemaal uit!' zei hij. Precies op dat moment reed kapitein Brower langs in de passerende colonne.

'Doorlopen, soldaat,' zei hij tegen Will. 'Geen tijd voor gelanterfant.' Will keek nog even naar de dode jongen. Hij vroeg zich af hoe Sam was gesneuveld, of hij er hetzelfde had uitgezien als deze gezwollen, door vliegen omzwermde jongen. Hij draaide zich om, salueerde stram naar de kapitein en liep door.

Op nog geen vijftien minuten van de kerk kwamen ze langs het slagveld van South Mountain. Dode Rebellen lagen schouderhoog opgestapeld langs de weg. Will vroeg zich af of dit bouwwerk het werk van de bolle Fransman was. Hij keek naar de grond terwijl hij langs de lijken kwam, bang in hun starende ogen te kijken. Hij dacht weer aan Sams lichaam. Er zou in Onondaga County een begrafenis zijn gehouden, die Will had gemist. Later zou Will een droom hebben waarin hij over een muur van lijken klom die tot de maan reikte. Ieder lichaam was dat van Sam, en iedere mond fluisterde terwijl hij erlangs kwam: 'Laag richten, broer!'

Jolly liet zich iets in de colonne terugzakken om weer naast hem te lopen. Voordat hij een slok water nam stak hij zijn veldfles op naar de ordelijke doden. 'Op jullie gezondheid, jongens,' zei Jolly.

Ook op deze foto zijn ze gezwollen. Ze zien er bijna gezond door uit, zulke enorme torso's, zulke dikke benen—hun kleren kunnen hen nauwelijks bevatten. Ze liggen in verschillende houdingen langs een hek. Hier ligt er een met zijn armen boven zijn schouders. Daar ligt er een met zijn hand op zijn buik. Waar zijn hun schoenen?

Het Derde Onondaga kreeg bevel weer uit Harpers Ferry te vertrekken op het moment dat ze er waren aangekomen, van de berg gelokt door generaal McClellans zuigende, gulzige behoefte aan versterkingen. Ze arriveerden echter te laat om bij Antietam mee te doen. Will bracht de nacht van 17 september met het binnendragen van gewonden door. Als ze er niet te slecht aan toe waren kon hij er onder iedere arm een dragen. Het donker was genadig: het was gemakkelijker tussen de doden rond te dwalen als je ze niet kon zien. Bij zonsopgang zat hij bij een vuurtje gehurkt, koffie te drinken met Jolly. De zon kwam op en leek speciaal een huis naast een rij toegetakelde bomen te beschijnen. De muren waren gepokt door inslagen van kanonskogels, maar uit de vernielde schoorsteen kwam nog een opgewekte witte pluim rook.

'Soms,' zei Jolly, die zijn tinnen kroes tussen zijn handen heen en weer rolde, 'maak ik me zorgen dat niets echt een doel heeft. Dat zou het allerslechtste nieuws zijn, volgens mij.'

'Van dat veld heeft God zich in elk geval teruggetrokken,' zei Will, die met zijn duim over zijn schouder naar de stapels doden van de Irish Brigade wees. Hij schaamde zich dat hij geen vertrouwen had. Maar het kwam hem op een soort boosaardige manier logisch voor dat het universum verweesd raakte, zijn enige eigen verwant werd, opgevoed op een dieet van zelfgeleerde, onwetende wreedheid. Hij maakte zich zorgen dat er niets bestond dan de tastbare wereld, dat er na de dood niets bestond dan vergetelheid. Op weg naar Harpers Ferry had hij zich zijn eigen dood voorgesteld en geprobeerd te besluiten of hij liever langzaam zou wegkwijnen of in een flits zou verdwijnen. Deze ontmoedigende gedachten hadden hem sinds hij soldaat was geworden voortdurend beziggehouden. Hij vreesde God, ook al was hij er heimelijk zeker van dat zo iemand niet bestond, en maakte zich zorgen dat hem misschien een ergere straf wachtte dan een vreugdeloos leven.

'Ik denk dat ik wel een tijdje somber zal zijn,' zei Jolly, terwijl hij zijn elleboog op zijn knie zette en zijn kin in zijn hand liet steunen. Hij leek in die houding heel erg op Wills peinzende moeder. Will stond juist op het punt te vertrekken toen een spichtige korporaal hem kwam ophalen om hem naar de tent van kapitein Brower te brengen. Will trof er, bij de kapitein, de kleine Franse fotograaf aan. De tent stond vol sigarenrook.

'Hier is de jongen die ik voor u in gedachten had!' zei kapitein Brower. Hij stelde Will voor aan de fotograaf, die Carnot bleek te heten, maar Will gaf hem in gedachten de bijnaam Frenchy.

'Ik ken hem,' zei meneer Carnot. 'Ik ken die uitpuilende ogen.' Hij blafte Will in het Frans een paar vragen toe. De kapitein had verteld dat Will Frans kende — was dit waar? Kon hij lezen? Was hij een gedisciplineerd werker? Had hij een vaste hand? Was hij katholiek?

Will antwoordde traag, eerst in het Frans en toen weer in het Engels. Hij had dat Frans van een verre buurvrouw in Onondaga County geleerd, naar wie zijn moeder hem had gestuurd, omdat ze er zeker van was dat hij er beschaafder door zou worden, hoewel zijn vader had gezegd dat hij er een mietje van zou worden. Natuurlijk kon hij lezen; hij dacht verder graag dat hij even gedisciplineerd was als wie dan ook; hij had een vaste hand en was niet onhandig. 'Ik ben niet katholiek,' voegde hij er enigszins aarzelend aan toe.

'Uitstekend,' zei meneer Carnot. 'Ik heb het wel gehad met die bijgelovige afgodenaanbidders. Je bent wel geschikt.'

Kapitein Brower gaf Will een klap op zijn rug.

'Neemt u me niet kwalijk, meneer,' zei Will. 'Maar begrijp ik goed dat er iets beklonken is?'

Inderdaad. Will was juist van de ene hand in de andere overgegaan. Meneer Frenchy had een nieuwe assistent nodig omdat zijn vorige een dag eerder door een gewonde Rebel met een bajonet was doodgestoken toen hij aarzelend op hem af was gelopen om de ledematen van de ogenschijnlijk dode jongen in een meer dramatische pose te schikken. Will zou een ideale assistent zijn, wist de kapitein zeker, omdat hij Frans sprak en omdat hij ijverig en slim was. Will had hetzelfde gevoel als toen hij uit de Tiger Mess was geschopt. Hij kreeg ditmaal geen oneervol ontslag, maar had wel duidelijk de indruk dat hij de D-compagnie werd uitgegooid.

Dit was niet helemaal het geval. Will at en sliep en vocht nog steeds bij zijn compagnie, maar hij moest ook als assistent en lijfwacht werken voor meneer Frenchy, die extreem goede connecties had en over brieven van allerlei hotemetoten—van Sedgwick en McClellan helemaal tot aan Stanton—beschikte, waarin ze hem vergunning gaven overal in de weg te lopen en foto's van de slagvelden te nemen. Frenchy duidde zichzelf als kunstenaar en wetenschapper aan; zijn doel, zei hij, was de bruutheid van oorlog te kwantificeren en te kwalificeren.

Een stapel lijken op een holle weg. Hoe hij het ook probeerde, Will zag geen kans er afzonderlijke jongens van te maken. Ze lagen in een dode verstrengeling, armen en benen om elkaar heen geslagen. Hij werd getroffen door de gedachte dat ze elkaar eeuwig zouden omhelzen. Will hing dit beeld hoog aan de noordelijke muur van het huis.

Will droeg fotoapparatuur en hielp de doden arrangeren, waarbij hij altijd hun gezichten vermeed als hij ze verlegde. Sommigen waren stijf. Frenchy schreeuwde tegen hem toen hij tegenzin liet blijken op het moment dat hij de arm van een gesneuvelde cavalerist in een fraaiere pose moest dwingen. Will brak de schouder van de arme man, legde zijn arm over zijn borst en verwonderde zich dat hij niet het hele Rebellenleger over zich heen kreeg omdat hij hun doden zo mishandelde. Als hij de lijken niet arrangeerde hielp hij ze begraven. Will legde de cavalerist zelf in een diep graf, dat hij van een rand hooi voorzag. Frenchy vloekte over deze begrafenissen, omdat zijn kostbare doden in de grond verdwenen.

Het Derde sloot zich aan bij de trage achtervolgers die achter de vluchtende Rebellen aansukkelden. Tijdens de marsen legde Frenchy Will het fotografisch procedé uit, en begon te schreeuwen als Will een plaat verknoeide. Hij bracht uren in

Frenchy's krappe wagen door, collodium makend van spring-
katoen en zwavelether en alcohol, waarna hij glazen platen
met dit mengsel bekleedde. Frenchy schold hem uit als een
harpij, en iedere keer dat Will iets deed wat speciaal zijn
gramschap wekte, stootte hij een razend, luid geloei uit, dat
aan het geluid van een stoomorgel deed denken. Aan de andere kant was hij ook niet zuinig met loftuitingen—zijn assistent leerde snel. Opgejaagd door tijdgebrek kwam hij met
een plaat naar Will in de wagen terug en liet hem deze ontwikkelen terwijl hij een volgende natte plaat meenam om
een volgende foto te maken. Will trok de plaat uit de houder.
Hij hield hem boven een bak en goot de ontwikkelaar over
het glas. De ontwikkelaar rook naar een mengsel van azijn en
bloed, en hij liet de plaat bijna vallen toen hij door een hevige niesbui werd getroffen. Hij boog zich voorover, kneep zijn
ogen halfdicht in het vage gele licht van de lantaren en zag
dan het beeld, uit het glas oprijzend als uit water.

Een jongen met benen die op een onmogelijke manier volkomen verdraaid waren: iemand had zijn heupen gestolen en
door een kleine strook aarde vervangen. Zijn hand houdt hij
hol achter zijn oor, alsof hij zich inspant een bericht te horen.
Deze hing Will aan de oostelijke muur, waar hij het licht van
de opkomende zon zou vangen.

In Fredericksburg had Frenchy veel werk aan de slachting bij
de voet van Marye's Heights. Het was december, en bitter
koud. Frenchy ging schuil in een wildernis van een geleende
jas—zijn eigen jas was nog nat van een val van een ponton-
brug in de Rappahannock. Hij zwom als een otter en had er
met zijn natte bruine haar en blinkende zwarte ogen ook als
een otter uitgezien.

Als hij met zijn hoofd onder het cameradoek stond was
Frenchy blind voor gevaar. Will had de taak uit te kijken
voor aansluipende Rebellen. Er was een wapenstilstand afge-
kondigd om de doden en gewonden op te halen, maar Will

vertrouwde er niet op dat ze zich eraan zouden houden. Er lag een massa jongens op de grond verspreid, geen van hen dichter dan honderd meter bij de stenen muur waar Burnside hen tegenaan had gedreven.

'Had je ooit gedacht dat je nog eens *fotograaf* zou worden?' vroeg Frenchy van onder het laken van de camera; hij sprak het woord op erg eerbiedige toon uit.

'Nee,' zei Will. Toen hij nog een jongen was had hij zeeman willen worden, omdat hij en Sam grote bewonderaars van *Typee* waren geweest en hadden gefantaseerd dat een troebel vijvertje achter hun huis de wijde groene baai van Nukuheva was. Later had Will gedacht dat hij dokter zou worden, waar hij geen enkele goede reden voor had gehad, behalve dat het werk van dokter iets heel anders was dan het boerenwerk dat zijn vader deed. Nu dacht hij dat hij misschien al die tijd alleen maar was opgegroeid om een steen in een muur van lijken te worden.

Frenchy trok zijn hoofd onder het doek uit en biechtte Will, die hij langzamerhand met een soort affectie behandelde, iets op. Hij hoopte, zei hij, een foto van een soldaat te maken precies op het moment dat deze doodging, omdat hij geloofde dat de ziel die het lichaam verliet, en die onzichtbaar was voor het menselijk oog, wel door de camera kon worden gezien. Korte tijd na deze bekentenis vond Frenchy iemand op het veld die lag te stuiptrekken, maar toen hij er de camera bij had gezet en had klaargemaakt was de jongen al dood geweest.

Will werd die hele dag van hot naar her gecommandeerd. Laat in de middag, toen het licht te slecht was geworden om foto's te maken, pakte hij een houweel om de bevroren grond open te hakken om graven te delven, en was hiermee bezig tot zijn armen en schouders brandden. Hij voelde de aanvechting van uitputting in huilen uit te barsten, maar er waren altijd meer doden die begraven moesten worden, sommigen naakt omdat slecht geklede Rebellen 's nachts uit hun linies waren gekropen om hun kleren te stelen. Toen hij uiteindelijk klaar was met zijn werk kon hij nauwelijks meer zijn armen optillen om te eten. Hij vond Frenchy in een lazarettent; deze had zijn camera naast het bed van een jongen met blond haar opgesteld, die de indruk wekte het zeker niet te zullen halen. Wills handen waren een chaos van blaren. Frenchy gaf hem een plaat te ontwikkelen, maar hij liet hem vallen, wat hem een zo grondige vervloeking opleverde dat Will weerstand moest bieden tegen de aanvechting de kleine man tegen de grond te slaan. Frenchy was bijna de tent uitgegooid als hij niet zijn eeuwige brieven tevoorschijn had gehaald en ermee had gezwaaid alsof het een stel strijdbanieren waren. Hij hervatte zijn wacht en stuurde zijn assistent weg.

Will ging terug naar de D-compagnie. Ze waren het grootste deel van de vorige dag in reserve gehouden omdat ze een vleugje actie hadden meegemaakt toen ze waren opgeroepen om een batterij onder Fredericksburg te helpen beschermen. Ondanks de granaten die boven hun hoofd waren ontploft was hun enige gewonde een jongen die door de opwinding overmand was geraakt en zichzelf per ongeluk in de knie had geschoten. Jolly zat te eten met een paar andere leden van het Leprozenhuis. Een lange, magere kerel, die Lewy Greeley heette en impopulair was vanwege zijn voortdurende pogingen anderen te bekeren, klaagde over zijn lot. 'Dit is het slechtste regiment dat er ooit is geweest,' zei Lewy, terwijl hij zijn lepel in de bonen stak. 'We komen niet echt in actie en worden overspoeld door goddeloosheid. Ik geloof dat ik het voor gezien houd en maar eens bij het Honderdtiende ga.' Hij doelde op het Honderdtiende uit Illinois, een regiment dat geheel uit Methodistische predikanten bestond. Hij zat voortdurend over ze te zeuren, over hun sombere uniformen en hun vrome gedrag: ze zongen daverende psalmen terwijl ze laadden, richtten en vuurden. God was met hen, precies zoals hij niet met dit zootje advocaten en boeren was.

'Als je niet uitkijkt pak ik mijn mes, dan krijg je er nog een mond bij om te klagen als je je smoel niet houdt,' zei Jolly, die niet bekendstond om zijn loze dreigementen. Will liet zich op zijn hielen zakken, plukte met zijn vingers warme bonen uit de pot en bracht ze langzaam naar zijn mond. 'Heb je gisterennacht de hemel nog gezien, Tiny?' vroeg Jolly hem.

'Ja,' zei Will. Het was een schitterend schouwspel geweest, de nacht na de slag. Het noorderlicht was naar het zuiden gekomen en had fel aan de hemel gestaan, boven de rechterflank van de Unie. Will had op zijn rug liggen kijken en een gebroken lens tegen zijn oog gehouden die hij uit de wagen had gepikt en gedacht dat het prachtig zou zijn een foto te maken van zo'n feestelijk verlichte hemel.

'Denk je dat het een teken was? Denk je dat God voor de Rebellen met zijn zakdoek zwaaide? Misschien zijn we wel gedoemd te verliezen.'

'We zijn vandaag anders goede christenen geweest,' zei Will.

'Nee,' zei Lewy Greeley. 'Dat zijn we nooit geweest.'

Een catalogus van gelaatsuitdrukkingen — angst, bedroefdheid, woede, verbazing, tederheid, zelfs wat een brede glimlach lijkt, deze laatste op een hoofd dat alleen nog met een paar draden vastzit aan de nek waar het ooit op heeft gestaan. Een catalogus van lichaamsdelen — armen en benen, rompen en buiken, oren en neuzen, een plat deel van een schedel. Het haar zit er nog aan, maar de rest van het lichaam is nergens meer te bekennen. Het had een muskusrat geweest kunnen zijn, ineengedoken in het gras. De hele westelijke muur is een catalogus van lichaamsdelen en gezichten.

In mei '63 trok Will met een paar andere leden van de D-compagnie de Rappahannock over. Lewy Greeley was erbij en Jolly ook. Het was vlak voor de dageraad. Ze gingen naar de overkant om een paar hardnekkige scherpschutters op te ruimen die het hun onmogelijk maakten pontons voor een brug in de rivier te leggen. Lewy had zenuwtrekken van opwinding. Door maanden van nietsdoen in het kamp was hij een nerveus mens geworden. Een paar keer 's nachts op wacht had hij blind op de vijandelijke linies geschoten. Die ochtend kon hij zich nauwelijks inhouden. Ze werden al beschoten door ongastvrije Rebellen, hoewel hun bezoek als verrassing was bedoeld. Lewy probeerde in de boot rechtop te gaan staan. Een jongen in een boot naast de hunne was opgestaan en had met zijn achterste naar de Rebellen gezwaaid, waarna hij zonder te zijn geraakt weer was gaan zitten. 'Laat los, jij grote aap!' zei Lewy tegen Will, en rukte zijn mouw los uit Wills vingers.

'Laag blijven, Lewy,' zei Jolly. 'Het is echt ongezond daarboven.'

Lewy luisterde niet. Hij ging rechtop staan en zei: 'Kijk mij nou! Ik ben een *zeeman*!' Een kogel trof hem in het hoofd. Hij viel en bleef stil liggen en maakte geen geluid, maar zijn bloed stroomde uit hem weg en vormde een plas om hun knieën.

'Ah, Lewy,' zei Jolly. 'Je was te goed voor deze wereld.'

De Rebellen gaven nog een paar salvo's, maar verlieten de oever bijna zonder strijd. Will zat bij een vuur, eigenlijk als bewaking voor de genisten die er aan het werk waren, maar in werkelijkheid keek hij naar het lichaam van Lewy, dat in een jas gerold op de oever lag. Hij wenste dat hij een foto van hem had, want hij had ontdekt dat hij beter kon meevoelen met een foto van een dode jongen dan met de dode jongen zelf. Als hij naar de foto's keek kon hij zich afvragen: wat zag die jongen toen hij stierf, waar waren zijn gedachten? Als hij een foto van het lichaam van Lewy had, had hij zich kunnen afvragen of Lewy in de halve seconde waarin hij zijn kogel incasseerde, aan zijn Methodistische regiment had gedacht en had gehoopt dat hij zich er in de Hemel bij kon voegen, wat hem op aarde immers niet was gelukt. Als hij op het moment van zijn dood een woord had kunnen kiezen en het had uitgesproken, wat zou het dan geweest zijn? Was zijn geest door een kleur gevuld toen hij de laatste adem uitblies? Met een foto had Will kunnen proberen zich voor te stellen hoe het voelde om gewond te raken zoals Lewy was overkomen, hij had een hand kunnen opsteken om zijn eigen hartslag in zijn slaap te voelen. Maar nu was hij vervuld van een stenige, grauwe gewaarwording en ontdekte dat hij al begon te vergeten hoe Lewy eruit had gezien.

Lewy Greeley, zorgvuldig gearrangeerd. Hij ziet er edeler uit dan hij er tijdens zijn leven ooit heeft uitgezien. Hij ligt met zijn armen over zijn borst geslagen, zijn kleine gezicht sereen en mooi in een plekje ochtendzonlicht. Hij zou kunnen dromen. Will hing hem aan de noordelijke muur, bij alle andere jongens van de D-compagnie.

'Ik heb gefaald!' zei Frenchy, die bij zijn wagen zat; het was een paar dagen na de dood van Lewy en nadat de D-compagnie en de rest van het Leger van de Potomac zich in het kielzog van de grote ramp bij Chancellorsville haastig over de Rappahannock hadden teruggetrokken. Frenchy was boos geweest omdat de gewonden, de stervenden en de doden aan de overkant van de rivier waren blijven liggen, waar hij ze niet kon fotograferen. Hij had zijn toevlucht gezocht in een veldlazaret en er positie gekozen naast een jongen die zich, in weerwil van de amputatie van zijn beide benen en herhaalde aanvallen van bloeddiarree, wanhopig aan het leven vastklampte. In zijn delirium dacht de jongen dat Frenchy zijn moeder was. In eerdere gevallen was Frenchy op het kritieke moment net even gaan eten of drinken of in slaap gevallen, maar deze jongen begon erbarmelijk te kermen als hij van zijn zijde week, dus zou hij erbij zijn als de jongen stierf. 'Ellendige, afgrijselijke mislukkeling!' zei Frenchy.

Het was een heel prettige nacht, met een voluit schijnende maan. Hij was vloekend door het maanlicht naar de plek gebeend waar Will, terugdenkend aan de overkant van de rivier, bij de wagen zat. Er was veel gevochten, zelfs 's nachts, op de momenten dat Will vrij had gehad en mee had kunnen doen. Het prachtige maanlicht had over alles heen gelegen, maar Will had gevonden dat de maan de jongens wier hoofd had besloten alle kanten tegelijk op te springen, de open buiken en blootliggende botten had moeten ontzien.

Frenchy gooide de platen bij Wills voeten op de grond, en een ervan brak doormidden. Will pakte de stukken op en hield ze tegen het maanlicht. Daar was de jongen uit het lazaret, zijn verschrikkelijke wonden waren voor eeuwig vastgelegd. Will merkte dat hij zich afvroeg of het niet het tegendeel van erbarmen was om hem zo vast te leggen. De jongen op deze foto's zou altijd pijn lijden. Zijn gezicht was een vlek —het leek alsof hij een hele menigte monden had, die allemaal om zijn moeder riepen. Op de laatste foto, de gebroken foto, lag hij echter stil. 'Precies op het moment dat hij doodging,' zei Frenchy. 'Ik weet dat dit het moment was, maar er komt niets uit hem, er is alleen maar lucht om hem heen.'

Will liet Frenchy alleen met zijn ellende en liep met de gebroken stukken van de laatste plaat in beide handen weg. Hij doolde doelloos door het kamp en het kamp uit, bedenkend dat hij een bewijs van het niet-bestaan van zielen in zijn handen hield. Hij dacht aan Sam, hoe aardig Sam was geweest toen ze nog klein waren, afgezien van een incidenteel pak slaag, en hoe afstandelijk hij was geworden toen ze ouder waren, hoe ze onenigheid hadden gekregen over iets wat onuitgesproken en onbekend was en hij peinsde dat er geen hoop op verzoening was tussen de levenden en de doden. Hij ging op de grond zitten en liet zijn hoofd hangen. Er zat een brandend gevoel achter zijn ogen en zijn buik trok zich heftig samen, alsof hij probeerde te braken. Hij voelde dat zijn mondhoeken langzaam omlaag zakten. Hij herinnerde zich hoe lelijk zijn moeder altijd was geweest als ze huilde en deed erg zijn best zelf niet te huilen. Niettemin huilde hij, en zoals alleen een jongen van zijn afmetingen en kracht kon huilen, diepe snikken, waarbij zijn borstkas met de kracht van drie kleinere borstkassen omhoogkwam. Hij werd bang bij de gedachte dat alles wat hij was in een afgrond kon verdwijnen als hij zijn dodelijke verwonding kreeg, want hij voelde dat dat onvermijdelijk was. En het stemde hem ondraaglijk droevig als hij eraan dacht dat alles wat Sam was geweest eenvoudigweg was opgehouden.

Will was op een begraafplaats vol doden van de Unie terechtgekomen. Sommigen had hij de vorige winter zelf begraven. Toen hij was uitgesnikt zat hij daar een tijdje en dacht dat hij waarschijnlijk in slaap was gevallen, omdat hij zeker wist dat hij droomde toen er vrolijk geklede vrouwen de begraafplaats op kwamen zweven. Ze waren met zijn zevenen. Vier van hen droegen lantarens, die ze zo neerzetten dat ze een groot vierkant vormden. Ze staken hun hoofden bij elkaar en fluisterden, en leken ergens op te wachten. Algauw kwam er een kleine man op zijn tenen de begraafplaats op. Hij boog voor hen, haalde een viool uit een kist en begon een horlepijp te spelen. De dames begonnen aan een vrolijke dans op de graven van de doden van de Unie.

Ze zagen Will niet in zijn donkere uniform, ze zagen niet dat zijn bedroefdheid door hun dans in woede omsloeg. Het stuk fotoplaat, dat uit het donker kwam aanvliegen, moet een oordeel hebben geleken van de onbekende god die over de waardigheid van de doden waakt. De plaat trof een vrouw in de heup—in haar onderjurk of haar vlees, dat kon Will niet met zekerheid zeggen. Ze gaf een gil en de dames stoven weg, met achterlating van hun lantarens.

Een jongen met een gat waar zijn borstkas zou moeten zitten. Hij is op zijn zij gelegd. Zijn grote ernstige ogen kijken recht in de camera. Zijn linkerarm is gestrekt, zijn hand geopend als in een smeekbede, alsof hij wil zeggen: *Geef terug*. Hij is het vierde beeld van rechts, in de tweede rij van onderen, aan de zuidelijke muur.

'Mijn moeder zegt dat ik nooit mag vergeten dat ik vecht om de beste regering op deze aarde overeind te houden,' zei Jolly. Het was etenstijd op de avond van de tweede dag bij Gettysburg. Het Derde Onondaga had weer te laat positie ingenomen om mee te kunnen doen. Andere regimenten bespotten hen, en zeiden dat hun lelijke gezichten de olifant afschrokken. Will dacht dat het door zijn moeder kwam, deze veiligheid. Haar torenhoge verdriet zou niet toelaten dat hem iets gebeurde—haar verdriet was van dien aard dat zelfs het noodlot er bang voor moest zijn. 'Maar mijn vader zegt dat we de slaven moeten helpen, ook al wordt de Unie helemaal verpletterd.' Jolly hield twee brieven op, een van zijn moeder en een van zijn vader, in iedere hand één. 'Wat denk jij?' vroeg hij Will.

'Ik weet het niet,' antwoordde deze. Hij pakte de brieven uit Jolly's handen en hield ze achter zijn rug, waarbij hij ze een tijdje van de ene hand naar de andere liet verhuizen voordat hij Jolly zei dat deze er een moest kiezen. Jolly koos de linkerhand en Will gaf hem de brief terug. Jolly maakte hem open en keek ernaar, terwijl hij moe in zijn ogen wreef.

'En?' vroeg Will.

'Nou, ik ga voor de slaven vechten,' zei Jolly. Ze zaten een tijdje bij elkaar voordat ze hun eten gingen maken—een stoofpot van rundvlees met koffie. Jolly had zijn overhemd uitgetrokken en de mouwen van zijn onderhemd opgerold vanwege de hitte. Ze waren de enige twee overgebleven leden van het Leprozenhuis; de anderen waren gestorven of gedeserteerd of in meer respectabele gezelschappen opgenomen. Ze waren een tijdje bezig met het verkruimelen van scheepsbeschuit voor de stoofpot. 'God, verlos me van dit beschuit,' zei Jolly, die uit alle macht probeerde er een te breken. Will verkruimelde het zijne gemakkelijk tot er een fijn poeder ontstond en maakte meelballen met water uit zijn veldfles. Deze liet hij voorzichtig in de stoofpot zakken, tussen stukken vlees en groente. Jolly boog zich over de kookpot om er een kop koffie bij te gieten en toen strooiden ze om beurten verkruimeld beschuit om de stoofpot te binden. 'O, dat wordt heerlijk!' zei Jolly, maar toen het tijd was om te eten zei hij dat hij geen honger had en gaf hij zijn deel aan Will.

Na het eten gingen ze in hun tent liggen, maar sliepen niet, hoewel ze beiden uitgeput waren van de mars—ze hadden drie dagen lang dertig kilometer per dag gelopen. 'Soms denk ik wel eens dat het allemaal niet waar is,' zei Jolly. Wills ingewanden maakten lawaai, ze beklaagden zich over de stoofpot. 'Toen ik een kleine jongen was vertelde mijn moeder me dat de hele wereld alleen maar een droom van een slapende beer was en dat we moesten oppassen dat we elkaar het leven niet al te zuur maakten, want dan zouden we de beer wakker maken en zou hij ons te grazen nemen en dan zouden we niet meer bestaan. Dat was een godslastering, dat weet ik. Maar zou een oorlog niet het geweten van God kunnen zijn, dat met zichzelf overhoop ligt? Misschien is hij gaan liggen om even een dutje te doen maar werkt zijn spijsvertering niet goed en is zijn droom ervan in de war geraakt. Onze hele geschiedenis is misschien niet meer dan zo'n dutje, denk je ook niet? Zijn slechte geweten heeft een oorlog voor hem gedroomd. Ik maak me om een of andere reden zorgen dat we hem wakker maken. Denk jij dat we hem wakker zullen maken?'

Will had hier geen antwoord op. In de stilte die nu volgde pakte Jolly Wills hand en legde haar op zijn borst. Jolly's hart ging als een razende tekeer. 'Klopt het?' vroeg Jolly. 'Leef ik?'

'Ja,' zei Will, en trok zijn hand terug.

'Soms vraag ik het me wel eens af.'

De beelden zien eruit als portretten van geesten. Ze zijn licht waar levende mensen donker zijn en donker waar levenden licht zijn. Als de zon door de glasnegatieven schijnt is het net een bezoek van gene zijde, zoals ze glinsteren en gloeien. 's Nachts, als hij met een lantaren het onvoltooide huis binnenkomt maakt het terugwijkende duister ambrotypes van de beelden en nemen de doden de tonen en schaduwen van de levenden aan. Hij vindt het logisch dat het zo is, dat de doden 's nachts tastbaarder, werkelijker zijn, en dat het daglicht geesten van hen maakt.

Frenchy koesterde nieuwe hoop, die het resultaat was van een nieuw plan en een nieuwe techniek. Hij had geconcludeerd dat het hem niet was gelukt de ziel van de jongen te fotograferen toen deze het lichaam had verlaten, omdat het medium waarmee hij werkte niet gevoelig genoeg was. Hij moest een beter collodium hebben. Was het calotype-proces van Fox-Talbot niet even ongevoelig geweest, en had ook dat niet gefaald? In juni was hij twee weken weg om in New York bij een geleerde heer te rade te gaan. Toen hij terugkwam had hij een nieuwe formule voor het collodium. Het was dezelfde als de oude formule, behalve dat er drie druppels vloeistof uit een geheimzinnig ogende blauwe fles aan werden toegevoegd. De vloeistof zag eruit en rook als whiskey, en Will voelde de aanvechting de fles kapot te gooien.

Will en Jolly raakten de laatste dag van de gevechten bij Gettysburg van elkaar gescheiden, een dag waarop het Derde ruimschoots zijn portie kreeg. Will werd door Frenchy weggeroepen, omdat diens muilezel was omgekomen toen de Rebellen, op zoek naar het onderkomen van de kwartiermeester, hoog over de linies heen hadden geschoten. Will trok zelf de wagen terwijl Frenchy hem toeschreeuwde dat hij haast moest maken. Ziekenwagens en tenten van marketentsters stonden rug aan rug tegen elkaar. Will en Frenchy vluchtten de Baltimore Pike af tot ze een plek bereikten waar ze tamelijk veilig waren. Hier wachtten ze in een menigte andere vluchtelingen. Zijn machtige aanbevelingsbrieven bewezen hun diensten toen Frenchy zich een nieuwe muilezel wilde toe-eigenen. Tegen de tijd dat Will in de linie van het Derde op Culp's Hill terugkeerde was het bijna donker. De hele avond was hij vruchteloos op zoek naar Jolly.

De vierde juli waagde Will zich met Frenchy de regen in. Voor het eerst zagen ze veel jongens van het Derde dood op het veld liggen. Er was een jongen bij, een van de eerste die Will had leren kennen. Hij had Will, toen ze in de trein zaten te wachten tot ze uit Syracuse zouden vertrekken, om een gunst gevraagd. 'Hé, Goliath,' had hij gezegd. 'Geef me eens

177

een kontje.' Will had hem door het raam gehesen, waarbij hij even had vermoed dat de ander zich op het laatste moment had bedacht en nu al wilde deserteren. Er stonden groepjes vrouwen bij de trein om afscheid te nemen van de jongens uit Onondaga County, en de jongen had alleen maar een paar kussen in de wacht willen slepen. Will hield de jongen bij zijn laarzen vast terwijl deze obsceen zijn lippen tuitte en nat op de willige lippen van drie, vijf en toen tien verschillende vrouwen drukte. Uiteindelijk had Will hem op zijn hoofd laten vallen, en was zo zijn eerste vriend in het regiment kwijtgeraakt. Het was een klein kereltje geweest, met brede, dikke lippen. Bij nader inzien begreep Will wel dat de jongen in de verleiding was gekomen zo excessief met de vrouwen te zoenen. Nu waren die lippen verdwenen, weggerukt door een kogel of een granaatscherf. Iedere keer dat Will op een natte, zachte plek op het veld stapte was hij bang dat hij op die sensuele lippen was gaan staan.

Frenchy had Will net de huid volgescholden omdat deze een hoop doden in overtuigende 'zoals ze sneuvelden'-posities had gelegd—hij werd geacht naar stervenden te zoeken en niet met doden te rommelen—toen Will een levende Rebel ontdekte. De Rebel opende zijn grijze ogen en begon te gillen toen Will zijn arm pakte. 'Begraaf me niet!' zei hij. 'Ik ben niet dood, klootzak!' Het mocht wel een wonder heten dat hij nog leefde. Zijn buik stond wijdopen en zijn ingewanden puilden chaotisch door de wond. 'Ga weg,' zei hij tegen Will, zodra hem duidelijk was geworden dat Will niet van plan was hem te begraven. 'Is het nog niet genoeg dat je me vermoord hebt? Waarom laat je me niet met rust? Mijn grootmoeder komt me hier halen. Ze komt zo. Ze heeft het niet zo op vette Yanks, en iemand die glimt en stinkt als jij, dat zou ze vreselijk vinden.'

'Ik breng je naar de dokter,' zei Will.

'Nee,' zei de Rebel. Frenchy kwam opgewonden aanwaggelen.

'Je bent een prachtjongen!' zei hij tegen de Rebel.

'Laat me met rust,' zei deze. Maar daartoe waren ze niet bereid. Will trok de lijken om de jongen heen weg en Frenchy gaf hem slokjes whiskey uit een heupfles. Terwijl Frenchy zijn camera opzette liet de jongen zijn hoofd zakken en leek in slaap gevallen te zijn, dus toen Frenchy even niet oplette raapte Will hem op en droeg hem weg naar het lazaret. De jongen werd wakker en begon verschrikkelijk te schreeuwen en Frenchy schreeuwde ook verschrikkelijk, steeds harder loeiend terwijl Will zich weghaastte met zijn prooi. Will hield de Rebel stevig tegen zich aan gedrukt om te voorkomen dat er iets vitaals uit hem zou vallen en over de grond zou slepen. Toen hij het lazaret had bereikt was de jongen stil en dood. Will legde hem op een deur die op twee zaagbokken lag en die kort daarvoor als operatietafel dienst had gedaan. Had Will iets voelen wegvliegen onder het lopen? Was er een geest door hem heen gegaan? Het zou als een vlaag kilte hebben aangevoeld, dat wist hij zeker. Maar hij had niets gevoeld. Hij zat daar lange tijd en had geen zin meer om Frenchy te assisteren bij een onderneming die nu dom en laaghartig en ongehoord grof leek.

Maar het deed er al niet meer toe. Frenchy was dood toen Will bij hem terugkwam, door zijn borst geschoten terwijl hij een foto nam. Jolly was het onderwerp geweest, en was nu ook dood — hoewel Will er zeker van was dat hij nog grotendeels had geleefd toen zijn portret werd gemaakt. Jolly droeg geen duidelijke wond. Will dacht dat hij waarschijnlijk van treurigheid en onzekerheid was gestorven, maar toen hij beter keek zag hij dat Jolly in zijn dijbeen was geschoten. Hij had kuis zijn benen over elkaar geslagen, alsof hij de wond had willen verbergen. Toen Will zijn hand op Jolly's voorhoofd legde was het nog warm, maar nog terwijl hij daar geknield lag koelde het af. Even bleef hij daar geknield met zijn hand op Jolly's hoofd liggen, denkend aan zijn vriend, die daar de hele nacht had liggen sterven. Will hield zijn ogen dicht. Hij wachtte tot iemand hem dood zou schieten. Hij wilde iets zeggen, maar leek even ieder woord dat hij had geleerd vergeten te zijn. Toen drong zijn moeder zijn geest binnen. Ze sleepte haar groene sofa het slagveld op en ging erop liggen. Ze trok Jolly bij zich op schoot en riep: 'Waar staat geschreven dat een vrouw zo'n hartenpijn moet verdragen?'

Frenchy's camera was omgevallen, maar de plaat die erin zat was behouden gebleven en niet beschadigd. Met de plaat in een dichte houder liep Will naar de plek waar de nieuwe muilezel de wagen heen had getrokken, een paar honderd meter verderop. In het gele licht goot hij de ontwikkelaar over de plaat en wachtte tot het beeld zou opkomen.

Daar is Jolly's langgerekte gezicht, zijn lippen zijn in een frons vertrokken. Zijn ogen staan open. Zijn hoofd rust op zijn arm. Hij wijst in het niets. Hij heeft zijn mond gesloten rond een pol gras. Er stijgt iets uit hem op. Het ziet eruit als een flard donkere mist in de vorm van een vleugel.

In Wilderness, en bij Spotsylvania en in Cold Harbor en Petersburg zag het Derde de olifant heel erg vaak, en hij vertrapte hen. Frenchy zou tal van kansen hebben gehad de foto te maken die de wereld zou veranderen. Op grond van moedig of dwaas gedrag mocht Will terug naar de Tiger Mess — hij redde een paar levens en de mannen hadden nu meer waardering voor hem. Hij wilde opeens vrienden maken, even onmiddellijk en intens als hij ze daarvoor niet had gewild. Hij smeet nog steeds je whiskey kapot, maar dat werd algauw iets waar ze in de wegkwijnende broederschap van de D-compagnie een oogje voor dicht konden knijpen. De jongens maakten zich allen de gewoonte eigen hun naam en het adres van hun familie op een stukje papier te schrijven, dat ze op hun hemd speldden als ze de slag ingingen. Will had ook een stukje papier op zijn hemd gespeld, maar niet met het adres van zijn ouders — hij wilde zelfs niet dat zijn lichaam naar huis zou worden teruggebracht. In plaats van het adres had hij geschreven: *Sam, ik kom eraan.*

Will ontsnapte talloze malen aan de dood. Het leek wel alsof de kogels hem alleen maar even wilden aanraken. Hij kreeg schampschoten op zijn armen en benen, langs zijn schedel. Hij raakte een oorlelletje kwijt. Maar hij liep geen enkele keer een ernstige wond op, hoewel hij tenslotte wel het idee kreeg dat hij er klaar voor was. Jolly's foto, die hij overdag in zijn rugzak bewaarde en 's nachts onder zijn hoofd, vrolijkte hem op. Zo'n geestvorm zou misschien ook uit hem opstijgen als zijn kogel hem uiteindelijk vond. Zo'n geestvorm als uit Jolly was opgerezen was misschien ook uit Sam opgerezen, verbleef misschien op een plek waar hij geen last had van de zware zorgen van de oorlog en de wereld.

De genereuze Frenchy had een soort testament opgesteld, dat hij ongetwijfeld had gewijzigd als hij nog had geleefd nadat zijn assistent hem in Gettysburg had verraden. Hij had bij kapitein Brower instructies achtergelaten. Mocht hij sterven, dan kreeg Will zijn wagen en de hele inhoud ervan, en bovendien nog een grote geelkoperen sleutel met een adres waar het slot te vinden was. Will verkocht de wagen. De nieuwe muilezel ging terug naar zijn vorige eigenaar, van wie Frenchy hem met de nodige dreigementen had losgepraat. Will hield alleen de sleutel en het negatief van de foto van Jolly.

Na de oorlog ging Will naar Brooklyn, waar zijn sleutel bleek te passen op een bedompte fotostudio op de derde verdieping van een gebouw in Fulton Street. De huur, zo ontdekte hij, was voor de komende twee jaar vooruit betaald. Hij liep rond tussen de requisieten—marmeren pilaren, rijke draperieën, beschilderde decors met afbeeldingen van bergen of de zee. Hij stond even stil onder een geweldig bovenlicht en keek omhoog naar de grijze hemel. In een donkere hoek, onder een gigantische rubberdeken, vond hij keurige hoge stapels negatieven, honderden en honderden, alle genomen tijdens de oorlog, waarvan hij er sommige zelf had ontwikkeld. Frenchy had ze naar deze plek teruggestuurd.

Will bouwde het glazen huis op het dak. Er bevond zich daar een vervallen kas, waar hij de doorzichtige panelen afsloopte en verving door de jongens bij de kerk, de jongen zonder heupen, de catalogi. Al die honderden negatieven werden vier wanden en een dak. Tenslotte was er nog de foto van Jolly – deze kwam boven de deur, op, zo vond Will, de ereplaats. Will hing het laatste paneel op en het huis was klaar.

Het zou nog een uur duren voordat de zon opkwam. Hij ging zonder lamp naar binnen en nam in het midden van het huis plaats. Het was waarschijnlijk en zeker en noodzakelijk dat er iets zou gebeuren als de zon eenmaal op hem neer zou schijnen. Maar wat? Zouden de witte geesten hem aanvallen? Zou hij de stem van Jolly een vraag horen fluisteren? Zou de mist die misschien Jolly's geest was zich losmaken van de plaat en als manna over Will neerdalen? Misschien zouden geesten elkaar verdringen in het huis en misschien zou Sam erbij zijn. Misschien zou Will in slaap vallen onder hun beeltenissen en dromen van hun verdwenen levens.

Misschien zou er ook niets gebeuren. De dageraad werd nu zichtbaar aan de hemel. De zon piepte net over het naburige gebouw. Will sloot zijn ogen en wachtte.

2

In september 1867 zat Will in het amfitheater van het Bellevue Medical College, met zijn hoofd tussen zijn handen geklemd strak naar dokter Gouley, docent pathologische anatomie, te staren. Dokter Gouley was een lief ogende man,
wiens vriendelijke stem in tegenspraak was met de afgrijselijke inhoud van zijn college. 'De huid van het kind,' zei hij,
'was droog en hard en leek op veel plaatsen gebarsten, waardoor ze enigszins op de schubben van een vis leek. De mond
was groot en rond en stond wijdopen. Het kind had geen uitwendige neus maar twee gaten waar de neus had moeten
zitten.'

'Voel je je wel goed, Will?' vroeg zijn buurman, een kleine
jongeman die Gob Woodhull heette. Aangezien er in het volle amfitheater geen echte zitplaatsen meer over waren zaten
ze naast elkaar op een traptrede. 'Krijg je een aanval? Ik
maak me zorgen zoals je ogen uitpuilen.'

Ze hadden elkaar een maand daarvoor leren kennen, nadat
Will in de hal van het ziekenhuis in elkaar was gezakt. Toen
hij weer bijkwam lag hij in een bed op zaal 10, omringd door
lawaaierige tbc-lijders. De kleine Gob, die er ondanks een
miniem snorretje als een vijftienjarige uitzag, had hem in de
hal als een kind opgeraapt en naar het bed gedragen. 'Het is
een van god gegeven kwaal, die je hebt,' zei hij.

'Nee,' zei Will. Hij kon nauwelijks iets zien en hij had het
koud, hoewel het in de zaal warm was. Nee, het had niets
goddelijks, wat hij had. Ze waren afkomstig uit het glazen
huis, deze aanvallen van medeleven die in trillende en
schuimbekkende insulten uitmondden. De medische oplei-

ding was eigenlijk de laatste plaats waar hij zich gezien zijn toestand moest bevinden, omdat de treurige verhalen over ziekten voor hem iets persoonlijks kregen. Zijn geest sloeg dan los van zijn ankers en dreef weg op een getij van turbulente fantasieën; hij ontdekte dan dat hij zelf de patiënt was, of iemand die van de patiënt hield, en dan dacht hij over hun getroubleerde, mislukte leven na tot de aanval onvermijdelijk begon en een einde aan zijn overpeinzingen maakte. Hij was in de hal in elkaar gezakt naar aanleiding van een verhaal over een jonge Duitse moeder die kort daarvoor was bevallen en nu was getroffen door een gekmakende fistel, waardoor ze zo verschrikkelijk stonk dat haar familie haar de deur uit had gezet. Hij had zich in het verleden nooit zoveel aan de problemen van anderen gelegen laten liggen. Zelfs het lijden van zijn moeder had zich op grote afstand van zijn hart afgespeeld, maar daar was door het huis verandering in gekomen.

In het amfitheater zei Will tegen Gob: 'Het gaat heel goed met me, dank je.' Maar het ging niet zo goed. Dokter Gouley praatte over de Harlekijnfoetus, een zeldzame maar bijzonder afgrijselijke erfelijke misvorming, en Will was bang dat het hem over niet al te lange tijd te veel zou worden.

'De ogen leken klonters gestold bloed, ter grootte van ongeveer een pruim, vreselijk om te zien. Deze foetus had geen uitwendige oren, alleen gaten waar de oren behoorden te zitten. De handen en voeten leken gezwollen, waren naar binnen gegroeid en voelden hard aan. De achterkant van het hoofd lag bijna volledig open. Het kind maakte een heel vreemd geluid, heel laag; ik zal nu proberen het na te doen.' Dokter Gouley schraapte zijn keel, boog zijn hoofd en stootte een rommelende bastoon uit, als de jammerklacht van een zieke koe.

'Fascinerend,' zei Gob. 'Ik had dat graag onderzocht.' Een andere student maande hem tot zwijgen. Will sloot zijn ogen en zag een weerzinwekkende, basthuidige Harlekijnfoetus, die uit de duisternis van zijn geest kwam kruipen. De foetus hield zijn vergroeide handjes naar hem op en uit de geschokte O van zijn mond kwam een woord: 'Pappa.'

'Je staat op het punt onderuit te gaan, hè?' vroeg Gob. 'Moet ik je naar buiten brengen?'

'Nee,' fluisterde Will. Hij stelde zich de arme moeder voor die een dergelijk kind had gebaard. Hoe haar geluk in afgrijzen zou omslaan als ze het ding zag dat uit haar tevoorschijn was gekomen. Hij wilde niets meer horen.

'Het heeft weinig zin naar een college te gaan,' zei Gob, 'als je je vingers in je oren stopt.' Ditmaal ontketende hij een heel koor van sissende geluiden.

'Het heeft ongeveer achtenveertig uur geleefd,' zei dokter Gouley, 'en het leefde nog toen ik het zag.'

Slopend mededogen, aanvallen, geesten — dat waren de geschenken van het huis. Er moest iets gebeurd zijn toen Will daar zat, met de zon die helder maar niet warm door de fotopanelen scheen, hoewel het er aanvankelijk naar had uitgezien dat er niets was gebeurd. Hij keek om zich heen naar de chaos van beelden op de vloer en op zichzelf, maar hij voelde zich niet anders. Geesten maakten zich niet los van het beeld, de ziel van Jolly druppelde niet op hem neer. Hij viel in slaap en deed een volkomen normaal dutje.

De hele eerste dag nadat hij het huis had voltooid besteedde hij aan banale bezigheden — schoonmaken, eten, het opstellen van een advertentie waarin hij meldde dat mensen zich bij hem konden laten portretteren — hij was een bedrijfje begonnen en bracht het er heel aardig af — en ging met een teleurgesteld en opgelucht gevoel naar bed omdat er niets was gebeurd. Vroeg in de ochtend werd hij echter gewekt door het lawaai van artillerie: harde, dreunende schoten, die klonken alsof ze vlak onder zijn raam in Fulton Street werden afgevuurd. Toen ze nog klein waren had Sam geprobeerd hem te leren hoe hij zichzelf moest wekken als hij sliep, hoe hij kon weten dat hij droomde terwijl hij droomde. 'Dan ben je meester van de hele wereld,' had Sam hem toevertrouwd.

Dan kon je vliegen, of roomijs uit een steen persen, of dieren in chocola veranderen door ze alleen maar aan te raken. Will had dit nooit geleerd. Maar toen hij die nacht wakker werd, omringd door mensen die op hem neerstaarden, bedacht hij dat hij waarschijnlijk middenin een droom wakker was geworden.

Hij stak zijn arm uit om Jolly aan te raken, hopend hem in chocola te veranderen. Jolly's mond bewoog, maar Will kon hem niet verstaan — hij dacht dat zijn oren verdoofd waren door de kanonnen. Jolly was tastbaar en erg koud. Hij wilde niet in chocola veranderen of zijn lippen stil houden. De anderen praatten ook. Frenchy en Lewy Greeley en zelfs Sam, die een eindje van het bed stond en naar Will keek alsof deze een vreemde was. Er stonden veel jongens van het Derde Onondaga, van wie hij er sommigen nauwelijks gekend had, en er stonden jongens die Will nooit eerder had gezien. Ze babbelden allemaal geluidloos tegen hem, behalve één, een jongen die eruitzag als een haveloze Gabriël, omdat hij in armelijke kleren was gehuld en maar één vleugel had, terwijl een welvarender engel er ongetwijfeld twee zou hebben bezeten. De jongen bewoog zijn mond niet, staarde alleen maar naar hem en zette een bugel — blinkend en mooi, allerminst armoedig — aan zijn mond en blies er geluidloos op. Will sloot zijn ogen toen de artillerie weer klonk en probeerde wakker te worden. Maar hij was al wakker, en toen hij zijn ogen opendeed stonden al zijn gasten nog om hem heen.

'Ik wil een pelgrimstocht maken,' zei Will tegen Gob, 'naar het dal van Asklepios, waar ik de halsslagader van een haan wil afbinden en hem wil offeren. Ga je mee?' Soms dacht Will dat zijn zwijgzame bezoekers hem niet achterna zouden kunnen komen als hij het land verliet. Luidde het verhaal niet dat ze geen water konden oversteken? Toch volgden ze hem moeiteloos heen en terug over de rivier van en naar Brooklyn.

'Ik heb werk te doen in deze stad,' zei Gob, terwijl hij

steeds maar een vinger door de vlam van de enige kaars op hun tafel haalde. 'Ik zal hier nog jaren zitten, denk ik.' Ze zaten met een fles whiskey tussen zich in in een vuil café in Hester Street. Het was 5 november 1867, Wills verjaardag. Hij was nu drieëntwintig. Gob, die door Will aanvankelijk als onmetelijk rijk was beschouwd, had hem naar Delmonico's meegenomen om eens goed te eten, waarna Will Gob had meegenomen naar dit café, een van zijn pleisterplaatsen sinds hij door het huis in een ranzige sensualist was veranderd. Mededogen en geesten en aanvallen – soms leken deze gemakkelijk te verdragen vergeleken met het laatste geschenk van het huis, het andere, dat een combinatie van begeerte en wellust en whiskey drinken was, waaraan Will net zo'n hekel had als altijd, maar waaraan hij nu behoefte had, hoewel hij er nooit dronken van leek te worden.

Jolly en de engeljongen waren ook naar het café meegegaan. Jolly zat voortdurend naar Gob te wijzen, op dezelfde manier als waarop hij Will een jaar geleden naar het Bellevue had geleid en ernaar had gewezen, en hem, nog steeds wijzend, naar het kantoor van de secretaris, dokter Macready, was voorgegaan. Sinds zijn verschijning had Jolly hem woordloos door het leven gegidst, hem het pad wijzend dat hij moest nemen. Will ging waar Jolly wees, omdat het de enige manier was om Jolly te kalmeren en omdat het aanvoelde alsof het juist was het te doen. Will had zijn leven nog nooit aan de hand van geloof of ambitie georganiseerd tot hij het huis had gebouwd – dat werk had hem juist en waar en noodzakelijk geleken. Hij had het gebouwd in de hoop dat het na voltooiing een soort magische werking zou krijgen, waardoor hij kalm zou worden. Maar nu veranderde het hem in een ongelukkig, ontevreden wezen, en toch scheen ook dit weer juist en waar en noodzakelijk.

'Jaren en jaren,' zei Gob op neerslachtige toon.

'Je bedoelt een artsenpraktijk?'

'Gedeeltelijk,' zei Gob. Hij was een briljant student en niet geliefd, behalve bij zijn faculteitsbestuur, dat gek op hem was. Hij was hooghartig en vertoonde de neiging zijn medestudenten bij iedere gelegenheid die zich voordeed op hun nummer te zetten, waarbij hij zijn immense kennis als botte bijl gebruikte. In het leger zouden ze hem in een Leprozenhuis hebben gestopt. Will had, voor Gobs komst, in het Bellevue geen vrienden gehad, hoewel hij er toen al twee semesters zat. Hij had geen enkele behoefte gehad aan vrienden—zijn kameraadschappelijke houding uit de oorlog was verdwenen zodra het weer vrede was—en hij wilde ook geen vrienden zijn met Gob, maar deze had hem sinds hun kennismaking in de hal onvermoeibaar op zijn huid gezeten en algauw waren ze dikke vrienden geworden.

'Wat dan?' vroeg Will.

'Ah, ik denk dat ik het je wel zal vertellen, maar niet vanavond. Het is geen onderwerp voor een verjaardag, en bovendien heb ik slaap. En jij moet maar je eigen boontjes doppen.' Er was een dame op rode laarzen achter Will komen staan, die zich nu over hem heen boog om hem een tikje op zijn borst te geven.

'Zullen we dansen?' vroeg ze hem.

'Ik ga,' zei Gob. 'Nog hartelijk gefeliciteerd, Will.'

'Bent u jarig, meneer de president?' vroeg de dame.

'Misschien,' zei Will tegen haar en vroeg Gob of hij ditmaal niet wilde blijven voor de privé-can-can. Gob schudde zijn hoofd en pakte zijn jas. De in lompen geklede Gabriël wierp nog een blik op de muzikanten van het café, drie dronken lieden die op het podium een kakofonie op piano, viool en kornet ten beste gaven. Toen liep hij achter Gob aan, beiden nauwelijks zichtbaar in het donker tussen de tafels. De engeljongen keek voordat ze het café verlieten achterom en zwaaide. Jolly zwaaide terug.

'Kom, meneer de president,' zei de dame. Will was haar naam vergeten, hoewel ze al eerder voor hem gedanst had. Hij volgde haar naar de trap, de whiskeyfles in zijn ene hand, de hare in de andere. Jolly liep achter hen aan.

'Je weet dat ik nergens president van ben.'

'Zelfs niet van de Bond van Welgeschapen Heren?'

'Nee,' zei Will. Ze nam hem mee de trap op naar een krakende houten gang, waarlangs de privé-vertrekjes lagen. Wills danseres hield een gordijn voor hem open en hij ging naar binnen. Jolly kwam vlak achter hem aan. Het vertrek lag pal boven het trio, dus de muziek klonk er erg luid. De danseres duwde Will naar de muur tegenover de ingang, waar een foto hing van twee dames die uitsluitend een hoed droegen en hun vier borsten tegen elkaar drukten. Will nam in een vuile gele stoel plaats terwijl de danseres het gordijn dichttrok en Jolly zich klein maakte tegen de muur. De vrouw begon te dansen, wierp haar benen omhoog in die beperkte ruimte. Een paar keer gaf ze Will bijna een schop tegen zijn hoofd met haar laars, maar nadat ze hem een paar keer rakelings had gemist kreeg Will er handigheid in haar te ontwijken, zelfs toen hij keek hoe ze haar rok in haar handen pakte en hem heen en weer zwaaide. Er zaten in de zoom kleine belletjes gestikt, die zacht rinkelden, wat lieflijk klonk vergeleken met de herrie beneden. Ze droeg geen ondergoed. Ze draaide zich om, boog zich voorover, gooide haar rok over haar hoofd en schudde toen haar pukkelige achterste voor Wills gezicht.

'Waarom geef je er geen klap op?' vroeg ze, maar dat deed hij niet. Ze had daar al een paar blauwe plekken, en een ervan leek heel erg op de schoppende laars van Italië. Ze draaide zich weer om, waarbij ze haar rok omhooghield zodat haar gezicht niet te zien was, maar haar kruis helemaal. Het was niet jong meer, wat ze daar had. Het zag er oud en geteisterd uit, maar toch vond hij het fascinerend. Ze kwam langzaam, met kleine pasjes op hem af. Will had de indruk dat het een eeuw duurde voordat ze de minuscule afstand van het gordijn naar de stoel had afgelegd, en toen ze tenslotte voor hem stond en zich in zijn gezicht drukte dacht hij dat hij dood zou gaan, of in ieder geval in een aanval zou bezwijmen. Haar geur deed hem kokhalzen, maar was toch een streling voor al zijn lage instincten. Jolly keek ook naar haar, hoewel hij probeerde te doen alsof hij niet keek.

Ze deed een stap achteruit, stak een hand omlaag om zijn gezicht, zijn nek, zijn schouder te strelen. Terwijl ze nog steeds haar rok vasthield maakte ze haar blouse los en bevrijdde een van haar borsten. Deze hing zwaar omlaag en was bedekt met littekens, totaal niet-mooi. Het deed Will denken aan de borst van mevrouw Hanbury, een patiënte op zaal 23 in het Bellevue. Het was een heel oude negervrouw, altijd zo diep in slaap dat ze dood zou lijken als ze niet warm was geweest als je haar aanraakte. Eens had Will haar borst moeten verleggen om naar haar zwakke hartslag te kunnen luisteren. De borst had wel een meter lang geleken. Hij was onhandelbaar, een met zand gevulde sok, en probeerde hem dwars te zitten; de gerimpelde tepel was een spottend oog. De borst van de danseres bood een even onaangename aanblik, maar eiste toch zijn aandacht op. Ze duwde hem in de richting van zijn mond, maar hij staarde er alleen maar naar. Ze pakte de fles uit zijn hand, deed er iets onzegbaars mee en zette hem toen aan Wills lippen. Hij dronk gretig en stoorde er zich niet aan dat de drank over zijn kin liep. 'O, Jolly,' zei Will. 'Wat doe ik nu?'

'O,' zei de dame, wier hand nu op zijn broek rustte, 'je doet het heel aardig.'

Soms verzamelden Jolly en Sam, en Lewy Greeley en Frenchy en een tiental anderen zich rond een weelderige divan — de grofstbesnaarde dames wilden er altijd op liggen als hun portret werd gemaakt — waarop de engeljongen met zijn benen onder zich gekruist zat terwijl zijn ene vleugel loom op de bries uit een open raam deinde. Will vroeg op dergelijke momenten op gebiedende toon: 'Waar kijken jullie naar? Naar wat?' Hen uitfoeteren diende nooit ergens toe. Hij had met Sam eens in een heldere bron gezwommen toen ze nog jongens waren geweest. Hij had toen omlaag gekeken en in het heldere water vissen gezien, die rondzweefden en hun mond openden en sloten, net als deze geesten, open en dicht en open, maar er kwam nooit een geluid uit. 'Hou op met dat gekijk!' zei hij dan, maar ze hielden niet op, en de enige manier om aan hen te ontsnappen was zijn handen voor zijn ogen slaan.

De vriendschappelijke omgang met Gob was goed voor Wills opleiding. Hoewel hij strikt gesproken jonger was dan Will was Gob verder gevorderd in de studie; hij was drie jaar bij een gerespecteerd Duits arts, dokter Oetker, in de leer geweest voordat hij in het Bellevue was aangekomen. Zijn optreden tijdens het toelatingsexamen had op Macready zoveel indruk gemaakt dat de secretaris Gob als jongste assistent op Afdeling Chirurgie Twee had aangesteld.

Onder Gobs beschermende vleugels had Will toestemming gekregen bij een operatie van de grote dokter Wood in eigen persoon te assisteren. Het was een gewaagde operatie, een opwindende darmreparatie. Op de tafel lag de dikste man die Will ooit had gezien. Na een feestmaal had hij met aspirant-moordenaars te maken gekregen, en hun toestotende messen hadden drie gaten in zijn omvangrijke buik geprikt. Will en Gob trokken kronkelende darmen te voorschijn en hielden ze vast terwijl dokter Wood, een keurige man met een corsage van viooltjes op zijn zwarte jas, de wonden dichtnaaide. Will dacht aan de jongen die hij over het veld bij Gettysburg had gedragen en wiens darmen ook zo uit zijn buik hadden gehangen.

'Nu ziet u, meneer Woodhull,' zei dokter Wood op dat moment, 'hoe u het draad door het vezelige weefsel van de darm moet halen.' Hij was klaar met hechten en inspecteerde zijn werk nu vanuit verschillende gezichtshoeken. Hij pakte een kannetje aan van een andere assistent en begon een flinke hoeveelheid olie over de wond te gieten. Hij glimlachte en zei: 'Met een beetje olijfolie wordt het makkelijker de darmen in de buikholte terug te plaatsen.'

Door de chirurgie ontwikkelde Will een voorliefde voor ether. Als assistent van dokter Wood kreeg hij vaak de rol van anesthesist toegewezen. Hij diende de patiënt Squibb's-ether toe met behulp van een van een krant gerolde kegel, een handdoek en een watje. Hij drukte kleine hoeveelheden van het spul achterover en nam ze mee naar huis, naar Fulton Street, om collodium te maken en te snuiven. Hij vond het prettig met alle lampen uit maar met de gordijnen open te zitten en kleine snuifjes ether te nemen tot hij in een droomloze zwarte slaap wegzakte.

Het was beter dan slagaderen of darmen aan de oppervlakte brengen, deze etherwacht. Will werd nooit slaperig als hij de ether toediende, maar soms ging hij zich in de loop van een operatie nonchalant gedragen. De ether maakte hem bijna overmoedig.

'Dokter,' zei hij tijdens een multipele amputatie eens tegen een seniorassistent, 'blijft u alstublieft uit de buurt van het hoofd van de patiënte. Dadelijk vliegt ze nog in brand.' De assistent hield een brandende sigaar tussen zijn tanden geklemd.

'Ze zegt dat haar moeder toen deze zwanger was van een olifant is geschrokken,' zei dokter Wood. Het blonde meisje op de tafel was met een vinger en zeven tenen te veel geboren. Dokter Wood snoeide het meisje in, zodat ze een beter leven zou krijgen. Als iemand haar vinger zag had ze altijd aanvallen van hysterische blindheid en de sint-vitusdans gekregen. 'Wat vindt u daarvan, meneer Woodhull?'

'Ik vind olifanten angstaanjagende wezens, meneer,' zei Gob. 'Het is naar mijn mening heel verstandig bang voor ze te zijn.' Dokter Wood lachte te lang en te hard. Gobs handen, die in weerwil van het erfelijke gemis van een vinger heel behendig waren, werden opgeleid terwijl Will toekeek en zich afvroeg of zijn vriend de extravinger van het meisje niet als vervanging voor de zijne kon gebruiken. Het leek hem denkbaar dat Gob het nog zou doen ook. Onder het toeziend oog van dokter Wood bond Gob slagaderen af en hechtte wonden en opende zelfs eens een schedel met een Hey's-zaag. Will wilde dolgraag zelf ook eens snijden, maar het leek niet waarschijnlijk dat dokter Wood hem ooit zijn gang zou laten gaan. Hij keek vaak erg afkeurend naar Wills grote klauwen en zei: '*Dat* zijn niet de handen van een chirurg.'

Tal van nachten waakten Gob en Will bij verse amputatiegevallen, controleerden de wonden of ze symptomen van nabloedingen zagen. De patiënten lagen in bed in een kring om de beide studenten heen, de stompen naar het middelpunt van de kring gekeerd. Gob en Will zaten met de ruggen naar elkaar toe en hielden de stompen in de gaten.

'Ik vind bloed prachtig,' zei Gob tijdens een van deze wachten.

'Dat zou je niet vinden,' zei Will, 'als je er ooit eens drie dagen achter elkaar onder had gezeten. Dan raakt het zijn charme kwijt.'

'Ik houd ervan omdat het volmaakt is, omdat het zijn werk volmaakt doet. Volmaakte brandstof voor een volmaakte machine.' Jolly ijsbeerde door de zaal; hij zwaaide of sprak niet, draaide alleen zijn hoofd naar links en naar rechts, bekeek alles met treurige en verlangende ogen. Will wendde zijn blik van hem af omdat zijn aandacht werd opgeëist door een stomp die even trok, en toen hij weer opkeek was Jolly verdwenen. De geesten kwamen en gingen nu eenmaal op deze manier.

'Ik haat de geur ervan,' zei Will. 'En bovendien, als ik minder moe was en me beter kon uitdrukken zou ik zeggen dat we niet volmaakt zijn, noch wat lichaam noch wat ziel betreft.' De stomp waarin de trekking was opgetreden begon weer te bloeden, dus boog Will zich voorover om de elastieken band eromheen strakker aan te trekken, maar dit was niet voldoende. Hij moest zijn vingers tussen de hechtingen door steken en blind onder de wondranden tasten en zo proberen de bloedende slagader met zijn vingers te pakken te krijgen. De patiënt schreeuwde en de lakens raakten doorweekt.

Gob stak ook zijn kleine hand naar binnen en een moment later had hij het vat te pakken en kneep het dicht. 'Ah,' zei hij over het geschreeuw van de patiënt heen. 'Moet je toch eens voelen!' Will liet zijn vinger langs die van Gob gaan en voelde het bloed kloppen. De kracht en het ritme van het kloppen leken op dat moment inderdaad een wonder. 'Volmaakt,' zei Gob. 'O, wat zou ik graag *zo* kunnen bouwen.'

Soms voelde hij de druk van blikken op zich als hij op straat liep, en als hij dan achteromkeek zag hij ze. Jolly liep altijd voorop, met afgemeten, gelijkmatige passen. Will liep op zulke momenten door, denkend dat ze wel zouden verdwijnen als hij ze gewoon negeerde, maar dat kon hij nooit. Hij keek steeds weer achterom, en iedere keer was er iemand bijgekomen, tot hij door een lange stoet werd gevolgd, over Broadway of de Bowery of Fulton Street. Ze liepen vloeiend tussen de levenden door, ze raakten hen nooit aan, zelfs niet in de drukste straten, terwijl Will, die voortdurend over zijn schouder keek, pakjes uit de armen van dames stootte en verward raakte in hun parasols. 'Loop niet zo achter me aan!' riep hij, maar hij wist dat dit hen niet zou afschrikken, en dat deed het ook niet.

Op de kraamafdeling hielden de vrouwen die op hun bevalling wachtten zich bezig met het maken van lijkwaden. Terwijl Will er de ronde deed vroeg hij zich af hoeveel mensen er in hun werk begraven zouden liggen. Het Bellevue had een reputatie als broeinest van kraamvrouwenkoorts. Gob was na het einde van het eerste semester naar Geneeskunde Twee overgestapt. Dokter Wood bood hem een baan als seniorassistent aan, maar Gob zei dat hij zich tot geneeskunde, tot cholera en tbc en longontsteking aangetrokken voelde. Will volgde hem er als een schaduw heen en zag dat zijn patiënten het beter deden dan andere. Gob schreef nooit kalomel of tartarbraakmiddel voor. Hij behandelde hartzwakten met vingerhoedskruid. Hij gaf gecalcineerde magnesium voor excessieve winderigheid, sodacarbonaat voor dyspepsie, een mengsel van terpentijn en gin voor wormen. Patiënten met onbehandelbare droge hoest die geen baat vonden bij zeelooksiroop genazen met behulp van een krankzinnig elixer. 'Geperst mos, vleermuisbloed en dodenengel,' zei Gob, en Will dacht dat hij een grapje maakte.

Ze vonden het prettig 's nachts de ronde over de afdelingen te doen. De verpleegsters waren niet opgeleid en incompetent, tot het Bellevue veroordeeld om een vonnis van tien dagen vanwege openbare dronkenschap uit te dienen. Ze vonden hen altijd snurkend in een hoek, de resten van de vismaaltijd van vrijdag uitgesmeerd over hun schorten, terwijl de patiënten om hulp of genade of de dood lagen te roepen. Af en toe draaiden Gob en Will een bepaalde patiënt, een veteraan met een kogel in zijn blaas die als klep werkte, op zijn zij, zodat hij kon urineren, of gingen even op de rand van het bed van cholerapatiënten zitten terwijl ze in een kopje warm water greinen morfine afpasten. De cholerapatiënten hadden rimpelige vingers. Hun lippen waren blauw en hun klamme gezichten ingevallen.

Tegen januari '68 was Will assistent op Geneeskunde Een geworden. Het grootste deel van zijn tijd bracht hij tussen de alcoholici en de krankzinnigen in de kelder door. 'Ze zijn daar allemaal erg onhandelbaar,' klaagde hij als hij 's nachts naar boven kwam om Gob op te zoeken. 'Je hebt hier een luizenleventje op de eerste verdieping, geloof me maar.' Hij ging op een bed zitten en gooide een prop verbandgaas naar een in dromenland verkerende verpleegster, waarbij hij zei: 'Wakker worden, Sairey Gamp!' Of anders hielp hij Gob met het opnemen van polsen en het luisteren naar harten en longen. Als de patiënten allemaal sliepen zaten ze op een vensterbank, over East River uitstarend en zachtjes pratend. Ze behoorden beiden bij een niet erg exclusieve club van overlevende broers.

'Sam en ik waren altijd samen in onze jeugd,' zei Will op een nacht. 'Maar we zijn van elkaar vervreemd geraakt.'

'Ik heb hem in de steek gelaten,' zei Gob, zijn hand opheffend alsof hij de volle maan in de omlijsting van het raam wilde aanraken. Op de rivier joeg een koude wind blauw schuim op.

'Hoe gebeurt zoiets? Hij was de enige andere in de wereld, en toen was er opeens niemand.'

'Als ik bij hem was geweest zou hij nog geleefd hebben,' zei Gob zachtjes.

'Hij was een vreemde voor me toen hij stierf,' zei Will. 'Vind je dat een misdaad?' Hij keek om zich heen, op zoek naar Sam; hij dacht dat deze opgeroepen zou worden doordat er over hem gepraat werd. Hij was er niet, maar Jolly beende de zaal op en neer, onder het lopen naar zijn voeten kijkend.

'Help!' zei een cholerapatiënt, die opeens overeind kwam in zijn bed. Will was te laat met de emmer.

's Morgens maakten ze een wandeling over het ziekenhuis-terrein, dat vroeger vol had gestaan met perzik-, appel- en pruimenbomen, maar nu door kleine en grote gebouwen van gneisrots en baksteen werd gevuld. Ze liepen een tijdje rond in de kou, beiden uitgeput maar geen van beiden in de stem-ming om te slapen. Gob, zo ontdekte Will, had een ziekelijke fantasie. Het leek Will dat Gob om de verkeerde reden arts werd, niet omdat hij van het leven hield maar omdat hij ge-obsedeerd werd door de dood. Overigens was het feit dat je er van een geest opdracht toe had gekregen evenmin een goede reden om arts te worden.

Na hun wandeling gingen ze soms bij dokter Gouley langs, om hem te helpen bij een lijkschouwing, waarbij Gob levers of nieren of hersenen woog terwijl Will de dikte van een hart mat. Dokter Gouley, een eenzaam man, was blij met hun gezelschap. 'Jullie werken goed samen,' zei hij hun bij meer dan één gelegenheid. Soms nodigde hij hen uit een loupe op te zetten en een gedetailleerde dissectie te verrichten. Gob hield ervan aan de pezen van een gedissecteerde hand te trekken en haar uitnodigend naar de andere lijken te laten gebaren. Als de organen alle verwijderd waren en er in de overledene niets restte dan waterig bloed dat in de goten langs de ruggengraat stond, wierp dokter Gouley een liefde-

volle blik in het lichaam en stak zijn handen in de roze vloeistof, die hij opschepte en in zijn handpalmen hield tot hij er
door zijn vingers weer uitliep. 'Mijn jongens,' zei hij dan.
'Zien jullie dat we vaten zijn?'

De geesten volgden Will naar een plek die de Pearl heette,
een café dat door een vrouw met dezelfde naam werd gedreven. Het was een afzichtelijk hol. Een witgeschilderde glazen
bol ter grootte van een hoofd hing boven de deur. Als je binnen was zag het er op het eerste gezicht als een gewoon café
uit – schemerig en rokerig, zaagsel op de vloer. Achterin het
café zat echter een deur, en als je die doorging bleek je niet
buiten in een steeg te staan, maar bovenaan een trap, en als
je die trap omlaag nam betrad je een bagno, een doolhof met
geheime zijvertrekjes waar prostituees afwachtend achterover lagen.

Will ging naar beneden zonder achterom te kijken hoeveel
er achter hem aankwamen. Onderaan de trap opende hij de
deur naar de doolhof. Daarbeneden rook het bedompt, en het
stonk er naar vis. Wat er ooit opgeslagen was geweest wist hij
niet, maar het leek een plek waar vroeger botten hadden gelegen. Langs de kronkelende en draaiende gang lagen ruimten die door dunne gordijnen aan het oog werden onttrokken
en waar sofa's stonden. Sommige gordijnen stonden open, en
als er binnen licht scheen wierp dit copulerende schaduwen
op het omlaag hangende textiel. Grommende kreten weer-
kaatsten tegen het lage plafond.

Deze groezelige vertrekjes met gordijnen hadden iets wat
hem beviel. Hij hield aan zijn portretfotografie genoeg geld
over om naar een prettig huis te gaan, ergens aan West
Twentyfifth Street, waar de meisjes mooi waren en de wellust zich afspeelde in een decor dat zuiverheid ademde. Hij
zou elk van de huizen van de Zeven Zusters kunnen bezoeken, of zijn fraaiste kleren aantrekken om bij Josie Wood
langs te gaan. Hij had van die plekken gehoord – witte lakens
en zachte bedden, meisjes met schoon haar en glanzende ge-

zichten die zich in ouderwetse hoepelrokken uitdosten en heel verfijnde taal gebruikten—maar hij had er nooit een bezocht. Door het glazen huis was hij eerlijk geworden in zijn uitspattingen; als hij zich wentelde, wentelde hij zich als een varken in de modder.

Hij ging bij het eerste open gordijn dat hij zag naar binnen. Er zat een meisje op een groene sofa, waarop ook een stapel dekens lag. Ze las een boek bij het licht van een lantaren aan de muur. Een kapotte bril balanceerde op de punt van haar neus.

'Doe het gordijn even dicht, liefje,' zei ze zonder op te kijken. 'Ik houd er niet van voor iedereen te koop te liggen.' Een wolk van getuigen drong al naar binnen, tegen hem aan botsend met hun koele vlees. De gezichten van Jolly en Sam kende hij, maar ze hadden nog een stuk of tien anderen bij zich. Hij kon Sam niet in de ogen kijken, maar hij kon daar ook niet weg, hij kon niet naar huis gaan en gaan lezen, hij kon zich zelfs niet tevredenstellen door op een omnibus op Second Avenue tegen een knappe, nietsvermoedende dame aan te rijden, zoals een matiger verslaafde zou doen.

Hij had whiskey bij zich, en ze vroeg of ze een slokje uit zijn mond mocht, dus nam hij een slok en kuste haar. Ze wilde haar bril niet afzetten, zodat deze tegen zijn gezicht bonkte. Ze trok haar jurk op, die eigenlijk een oude en vlekkerige zijden lap was, legde haar boek zachtjes op de sofa en ging achterover liggen, waarbij ze een arm achter haar hoofd hield. Ze zette haar bril hoog op haar neus en zei tegen Will dat hij zijn broek moest laten zakken. Hij knoopte zijn jasje en zijn overhemd los, zodat hij zijn huid tegen de hare kon persen. Ze was klam en koud, en haar borsten zaten onder de pukkels, maar hij kuste ze alsof hij van ze hield.

Na een tijdje giechelde het meisje even. Will dacht dat ze dit deed omdat hij onbevredigend en lachwekkend te werk ging, maar ze lachte om een humoristische passage in haar boek, dat ze weer had opgepakt en nu over zijn schouder heen las. Hij richtte zich op zijn ellebogen op en keek op haar neer.

'Wat, liefje?' vroeg ze. 'Wat er is? Meneer Dickens. Ik kan het nauwelijks neerleggen. Voor geen goud. Ga dus maar door. Ga maar gewoon door.' De geesten, die eromheen dromden, knikten begerig, en hun monden bewogen, alsof ze wilden zeggen: *Ja, ga door.*

'Stilzitten,' zei Will, omdat Gob onrustig bleef draaien. 'Of er komt niets van de foto terecht.'

'Sorry,' zei Gob, maar hij bleef zijn ogen en hoofd bewegen om naar de foto's in de studio te kunnen kijken. Will had hem naar Brooklyn meegenomen voor een portret voor visitekaartjes; hij was ertoe bereid geweest vanwege hun vriendschap en er bovendien door Jolly toe aangezet. Will was opgewonden dat hij Gob het fotografische procedé kon uitleggen, omdat hij van Gob evenveel over geneeskunde had geleerd als van hun hoogleraren. Toen ze op zekere dag in South Street liepen had Jolly herhaaldelijk op Gob gewezen en daarna op Brooklyn, waarmee hij heel duidelijk had gemaakt dat hij wilde dat Will Gob daarheen meenam.

'Ik bind je hoofd nog vast aan de standaard,' zei Will.

'Wat stelt die voor?' vroeg Gob, die nu ook zijn arm bewoog om op een plaatnegatief te wijzen dat bij Bull Run was gemaakt. Het was geen foto van Frenchy. Will had ook een verzameling van andere fotografen aangelegd.

'Nu is hij bedorven,' zei Will, met een gemelijk gezicht onder het doek uit komend.

'Is die uit Chickamauga?' vroeg Gob, die naar de plaat liep om hem beter te bekijken.

'Nee,' zei Will. 'Van die slag heb ik er geen een. Je hebt nu drie platen verknoeid. Waarom kun je niet even stilzitten?'

'Waar zijn de foto's van Chickamauga?' vroeg Gob. Hij begon in de bergen foto's en platen te rommelen die overal in de kamer op tafels lagen. Will kon hem uiteindelijk aan het verstand brengen dat er geen foto's van Chickamauga waren, maar Gob werd door alle foto's gefascineerd. Hij hield de negatiefplaten tegen het licht, sloot zijn ogen en zei: 'O!' Met opgerolde mouwen en losgeknoopte boord bekeken ze iedere foto die Will bezat. Gob genoot vooral van de stereoscopische beelden. Hij zat in kleermakerszit op de vloer naar de afgrijselijke foto's van de heer Gardner te kijken en stak herhaaldelijk zijn hand uit als hij probeerde de slachtingen aan te raken die voor hem zweefden.

Toen er geen foto's meer te bekijken waren leerde Will Gob hoe hij een foto moest nemen en ontwikkelen. Gob had het procedé onmiddellijk onder de knie. Er bestonden mensen die iets niet tweemaal hoefden te zien om het te leren, maar Gob hoefde je het nauwelijks éénmaal te laten zien. Toen Will hem vroeg hoe hij wist dat het negatief voor een ambrotype dun en licht moest zijn, zei Gob alleen maar: 'Nou, dat spreekt toch vanzelf?' Hij wilde met alle geweld een foto van Will maken, en Will ging op zijn verzoek in, hoewel hij het niet leuk vond. Hij ging in een formele pose staan, naast een stuk van een gipsen pilaar en een urn. Hij werd omringd door geesten—Jolly en Lewy Greeley en zelfs Sam, die een eindje van hem af stond maar wel in het kader van de foto viel. Gob ontwikkelde de foto eigenhandig, drukte hem af als ambrotype en gaf hem toen aan Will.

'Ah, je bent al meteen beroeps,' zei Will. Het was een goede foto. Hij zag er, met zijn slaperige, stompzinnige starende blik en zijn slappe, zwakzinnige mond, als een grote, massieve gek uit. Gob had hem raak getroffen. Er stonden geen geesten op de foto, maar ze verdrongen zich om Will heen om ernaar te kijken, alsof ze verwachtten zichzelf op het glas te zien.

Net toen de dag ten einde liep gingen ze naar het dak. Will had nog nooit iemand het glazen huis laten zien, omdat hij geen vrienden had met wie hij geheimen kon delen, en al helemaal niet dat van een merkwaardig monument voor de dood, een broeikas waarin dikke witte begrafenisbloemen gekweekt konden worden. Hij dacht echter dat het Gob zou interesseren omdat foto's hem fascineerden en omdat de dood hem fascineerde. En Jolly wees gespannen naar Gob, naar de trap en weer naar Gob en maakte vegende gebaren met zijn handen, alsof hij hen beiden naar het dak wilde dwingen.

'Jij bent ook een bouwer,' zei Gob, toen hij het zag. Het was een warme zondag in februari. De sneeuw van de vorige nacht was gesmolten en de hele dag lang van het glazen huis gedropen, zodat het er nu schoon en fris en nat uitzag. Gob stak zijn hand uit en liet zijn vinger over de ene plaat na de andere glijden. In een oogwenk had zich een menigte geesten gevormd die naar hem keek. 'Mag ik naar binnen?' vroeg Gob.

'Natuurlijk,' zei Will. Toen bedacht hij dat Gob erdoor zou kunnen veranderen zoals hij er zelf door veranderd was. 'Wacht,' zei Will. 'Het zou je wel eens kwaad kunnen doen.'

'Ik weet zeker van niet,' zei Gob, en ging het huis binnen. Volgens Will kwam het door een eigenaardige eigenschap van de ondergaande zon, zoals het gele licht binnen flitste. Ze werden helemaal omringd door geesten. De geesten gaven elkaar een hand, zodat ze een kring om het huis vormden en maakten er een rondedans omheen, eerst de ene kant op en daarna de andere. Will had ze nooit zo gelukkig gezien. Zelfs de altijd boze Frenchy was gelukkig, zelfs Sam glimlachte en danste. Alleen de engeljongen danste niet. Hij zat bovenop het huis en richtte zijn bugel al spelend op de zon.

Volgde, zo vroeg Will zich af, uit het feit dat je ze kon zien dat je ze ook zou moeten kunnen horen? Door welke logica werd een dergelijk contact beheerst? Hij hoorde de kanonnen nog steeds bulderen, nog steeds oorverdovend, hem nog steeds om de haverklap uit zijn slaap wekkend. Dikwijls stond alleen Frenchy bij zijn bed te kijken. Soms had hij een plaat in zijn handen, een plaat waarop afbeeldingen voorbijflitsten als plaatjes voor een toverlantaren. Will zag de gezichten van vreemden, landschappen bij nacht, taferelen uit de oorlog, een hut op een heuvel met een stervende boomgaard erachter, een donker, dicht bos in de schemering. Frenchy wees op de beelden en praatte, met dezelfde gelaatsuitdrukking als toen hij Wills levende leraar was geweest; een boze, ongeduldige blik die heel dikwijls tot een woedend mombakkes vertrok als hij schreeuwde en schreeuwde.

'Ik kan je niet horen,' zei Will dan altijd, als Frenchy zich tot een staat van razernij opwerkte. 'Maar het staat je uitstekend, meneer, deze stilte. Volgens mij word je er een stuk aardiger door, beste Frenchy.' Hierdoor werd de ander dan nog bozer, maar Will, die toch al uit zijn humeur was omdat hij was gewekt, voelde zich gedwongen hem een beetje te plagen. 'Beste, gedweeë Frenchy. Stil als een muisje!'

Will stond in Fifth Avenue en keek omhoog naar East Fifty-third Street nummer 1, zich afvragend of zijn vriend echt in dit enorme huis kon wonen. Gob had hem voor het diner uitgenodigd, als dank, veronderstelde Will, voor de uitnodiging in Brooklyn. 'We gaan eten,' had Gob gezegd, 'en dan zal ik je iets laten zien.'

Het was nog maar een dag nadat Gob huilend uit het glazen huis was gestrompeld. Will had hem bij de schouders gepakt en gezegd: 'Ik wist het! Het heeft je kwaad gedaan dat je naar binnen bent gegaan.' Maar Gob had gezegd dat hij van blijdschap huilde en had zich toen weggehaast, waarbij hij alleen had gezegd dat hij werk te doen had.

Gob deed open; hij zag er uitgeput maar heel gelukkig uit. 'Mijn vriend!' zei hij. 'Daar ben je dan!' Hij gaf Will een klap op zijn rug en trok hem naar binnen. Het was het mooiste huis dat Will ooit had gezien, hoewel het erg vuil was. Er waren drie ontvangstruimten en twee salons, en aan alle hoge muren hingen spiegels, bij elkaar wel vijfhonderd. In de eetkamer stond een tafel die vier keer zo lang was als Will zelf. Er was al opgediend: soep, maïs, doperwten, kool, bieten, pasteien, een salade van paardebloemscheuten, varkensvlees met gestoofde appels, rundvlees met perzik, gezouten vis met uien, koffie en wijn en koude wortelgazeuse. Gob speelde met zijn eten, maakte er op zijn bord figuurtjes van, maar at niet veel. 'Ik heb nooit honger als ik heb gewerkt,' legde hij uit. Will wachtte tot Gob iets over het glazen huis zou zeggen, hem zou vertellen wat er daarbinnen was gebeurd, maar hij zei er niets over. Will had, toen Gob weer naar buiten was gekomen, klaargestaan om hem iets op te biechten: *Ik zie geesten* of *ik ben bang dat ik krankzinnig ben*, en hij had gehoopt, wist hij nu, dat Gob zou zeggen: *O ja, die verduivelde geesten. Ze zitten overal!* Het zou zo prettig, zo opluchtend zijn die ziekte met iemand te delen. Er was echter nergens uit gebleken dat Gob de geesten ook had gezien. Toen Will op de veerboot Manhattan was genaderd hadden de geesten als kinderen heen en weer gerend, gevaarlijk over de reling gehangen, opgewonden naar het kolkende water gewezen. Toen Gob had opengedaan waren ze zijn huis ingezwermd, als boerenkinkels die elkaar verdrongen voor een circustent. Nu rommelden ze overal in de kamer rond. Sam stond bij de tafel, op nog geen halve meter van Gobs elleboog treurig naar de pastei te kijken.

Will zuchtte. Aangezien Gob zo weinig toeschietelijk was moest Will dan maar met de deur in huis vallen. Gob vertelde hoe hij langgeleden onder toezicht van dokter Wood een tumor uit de kaak van Emily McNee, de erfgename van Sozodont-tandpasta, had verwijderd. Hij liet zich net vol lof over haar gebit uit toen Will hem in de rede viel.

'Wat heb je gezien, daar in mijn huisje?'

'Ah,' zei Gob, glimlachend en een hand over zijn ogen halend. 'Wat heb ik gezien?'

'Ja,' zei Will. 'Dat vroeg ik.'

'Wat heb *jij* gezien?'

'Ik heb niets gezien,' zei Will, 'maar nu zie ik... geesten. Goed. Nu heb ik het gezegd. Meneer, ik denk dat het me mijn geestelijke gezondheid kost als ik daar nog vaker kom.'

'Geesten!' zei Gob, en Will dacht even dat hij boos was. Hij drukte zijn handen tegen zijn gezicht en zijn stem klonk klagend. 'Ik zou willen dat ik ze ook zag! Ik zou ze zo graag willen zien. Maar die troost wordt me onthouden.'

'Troost? Je denkt toch niet,' zei Will, 'dat dergelijke visioenen het product van een zieke geest zijn?'

Gob richtte zijn hoofd op en keek Will bestraffend aan. 'Je beledigt mijn moeder,' zei hij. Will wist niet of hij zijn excuses moest aanbieden, want Gob lachte nu, steeds harder, en sloeg zo hard met zijn vuist op tafel dat de borden opsprongen en de glazen omvielen.

'Kom mee,' zei Gob, toen hij iets was gekalmeerd. 'Laten we nu de rest van de rondleiding doen.' Hij pakte Will bij de arm en trok hem mee. In de salons stonden tafels met marmeren bladen, fauteuils en sofa's van zwart gelakt, met parelmoer ingelegd hout. De tapijten lagen twee en drie dik op de vloer, in de hoeken gevlekt maar voor de rest helder gekleurd en fraai. En overal stonden boeken in stapels op tafels of andere meubelstukken of tegen de muren. Will pakte er lukraak een op. Het was stoffig en rook naar schimmel, maar de band was van weelderig leer en de titel pronkte in goud op de rug: *De duif van Archytas.*

'Natuurlijk,' zei Gob. 'Je wilt de bibliotheek natuurlijk ook zien?'

Dit vertrek besloeg het grootste deel van de eerste en tweede verdieping. Ze beklommen een wenteltrap naar de ijzeren mezzanine en keken neer op de vloer, waar een tiental staande horloges, alle afgewonden en stil, lukraak in de kamer stond, tussen armillaria en stoffige, te hard gevulde stoelen.

'Mijn meester hield van klokken,' zei Gob.

'Bedoel je wijlen je oom?' vroeg Will. 'Dokter Oetker?' In het Bellevue had dokter Oetker de reputatie een briljant man te zijn. Will had gehoord dat hij met de behandeling van de kwalen van de beau monde en de minder beau monde een fortuin had verdiend.

'Hij was mijn oom niet. Maar hij wist een goede klok te waarderen. Hij vroeg me soms: "Wie is de god van de toekomst?"'

'Professor Morse?' vroeg Will. Gob lachte.

'Dat antwoord zou je een oorvijg hebben opgeleverd.'

'Wat was het antwoord dan?'

Gob zweeg even, en toen zei hij: 'Ik houd niet van klokken. Het was mijn taak ervoor te zorgen, maar sinds hij is overleden heb ik, zoals je kunt zien, vrij genomen. En nu naar boven, steeds hoger.'

Hij nam Will mee de bibliotheek uit en ze liepen door gangen die, naarmate ze hoger kwamen, steeds meer bezaaid waren met kleine machineonderdelen. Tandwielen en balken en assen en cilinders, ze lagen in de gangen of opgestapeld op het fraaie meubilair in de logeerkamers en salons. In één kamer, die niet gemeubileerd was, afgezien van een schitterend bed met mahoniehouten stijlen waarin laurier- en acanthusbladeren waren uitgehakt, werd Gob met een vriend herenigd. 'Mijn aeolipyle!' zei hij over een grote bronzen bol, versierd met een zinnebeeld van de wind—een opgewekt gezicht met getuite lippen en bolle wangen. Hij was duidelijk kapot, er zat een scheur in de bodem en hij zag eruit alsof er onderdelen aan ontbraken. 'Die heb ik als kind gemaakt,' zei hij tegen Will, terwijl hij zijn armen eromheen legde en het apparaat tegen zich aan drukte. 'Ik heb hem in geen jaren gezien.'

Gobs slaapkamer bevond zich op de vierde verdieping. 'Veel trappen,' zei Will, 'iedere avond.'

Gob haalde zijn schouders op. Helemaal bovenin het huis kwamen er twee deuren uit op de gang. De ene was van hout, de andere van ijzer. De ijzeren deur stond open. De scharnieren waren geroest, zodat de deur een verschrikkelijk gekerm liet horen toen Will er tegenaan struikelde. Hij wierp een blik naar binnen en zag de grijze contouren van dode bomen, oplichtend in een zwak maanschijnsel dat door een vuil glazen dak naar binnen viel. 'Niet daar naar binnen,' zei Gob, terwijl hij Will wegtrok en de houten deur opende. Dit was de netste plek in het huis. Er zat een blauw bovenlicht in het plafond en een tweede ijzeren deur in de tegenoverliggende muur.

'Blijf daar niet staan,' zei Gob. Will was in een kring stenen gaan staan die vreemd in de houten vloer was ingelaten.

'Sorry,' zei Will, omdat er een uitdrukking van uiterst misnoegen op het gezicht van zijn vriend was verschenen. Hij stapte uit de cirkel en Gob glimlachte weer.

'Nu zal ik je mijn huis laten zien,' zei hij.

'Volgens mij heb je dat net gedaan,' zei Will, niet-begrijpend. Gob opende de tweede ijzeren deur aan de overkant van de kamer en ze betraden een vertrek dat vol stond met geesten en machinerie. Het zag eruit als het voorraadhol van een ijverige eekhoorn, een eekhoorn die fabrieken plunderde in plaats van bomen. Er lagen tandwielen in allerlei maten, grote kluwens kabel, stapels balken en stalen platen, en onder een druk versierde gaskroon stond een apparaat waarvan Will wist dat het een soort machine moest zijn, hoewel hij nooit iets dergelijks had gezien. Sommige geesten aaiden het apparaat, andere liepen blij rond in het vertrek, als gefascineerde galeriebezoekers naar de onderdelen starend.

'Wat is dat?' vroeg Will, op de machine wijzend.

'Een combinatie,' zei Gob, 'van resistente lichamen die zo zijn gekoppeld dat via hen de mechanische krachten van de natuur gedwongen kunnen worden arbeid te verrichten onder begeleiding van bepaalde vastgestelde bewegingen. Het is een machine. *Mijn* huis, zie je wel, is precies zoals *jouw* huis.'

Will keek ernaar, zijn handen tot vuisten gebald op zijn heupen. Het maakte een overbekende en mooie indruk, en ook een afgrijselijke, in dezelfde zin als waarin zijn glazen huis afgrijselijk was. 'Voelde je je gedwongen hem te bouwen?' vroeg Will. Gob greep hem ruw bij de schouders en Will dacht dat hij hem de kamer uit zou zetten, maar Gob omhelsde hem, verpletterde hem bijna met zijn kleine armen, nogmaals huilend van vreugde en zei: 'O, Will, o, mijn goede vriend, je begrijpt me. Jij bent ook een bouwer.'

Er was nog een geest, aanvankelijk even verlegen als de andere brutaal waren, en de enige vrouwelijke. Ze fladderde buiten voor Wills raam of ze verborg zich 's nachts in de schaduwen in een steeg, en hij ving alleen in het voorbijgaan een glimp van haar op. Ze was anders omdat ze bedeesd was en omdat ze er als een complete engel uitzag. Hij had gekreund toen hij haar voor het eerst had gezien. Om een of andere reden was het nog draaglijk een halve engel te zien. Een halve engel maakte niet zoveel inbreuk op je geest of je gelijkmoedigheid. Zij was echter compleet. Je moest haar vreemde vleugels, haar grote lengte en haar fraaie groene gewaad, dat eruitzag alsof het uit malachiet was gehouwen, wel zien, of de vlekken groen licht die als een kroon van smaragd om haar hoofd zweefden. Ze had vreemde vleugels en vreemde ogen. Het waren de donkerste ogen die Will ooit had gezien, vlak en zwart, alsof iemand ze uit haar hoofd had gehaald en de oogkassen met inkt had gevuld. Haar vleugels waren wit en niet van veren gemaakt maar van kleine voorwerpen, zoals vingers of de graat van een inktvis.

Op een nacht werd hij niet van het geluid van kanonnen wakker, maar omdat er op zijn dak een kat zat te schreeuwen. Hij lag met gesloten ogen in zijn bed en bedacht dat het dier misschien in het glazen huis zat opgesloten. Toen hij zijn ogen opendeed was de geest er, knielend naast zijn bed en over hem heen gebogen, zo dichtbij dat hij dacht dat ze hem wilde kussen. Ze opende haar mond en toen vluchtte ze. Nog geen tel later kwam de engeljongen binnen en begon met woedende blik in de kamer rond te lopen. Hij draaide zich naar Will om en stak waarschuwend zijn vinger op.

Het was wel de laatste vraag die Will had willen stellen, waartoe de machine diende. Hij was het misschien nooit aan de weet gekomen als Gob het niet uit eigen beweging had verteld. Hij had nooit geweten waarvoor het glazen huis bedoeld was—hij had het gewoon gebouwd. Hij veronderstelde dat ook Gob aan het bouwen was zonder enig idee van de uiteindelijke functie te hebben. Maar Gob vertelde hem, staande in zijn werkplaats, over het doel dat deze machine zou moeten verwezenlijken, en het leek helemaal niet zo waanzinnig. Of misschien was het wel waanzin, een machine te bouwen om de dood af te schaffen. Alleen de meest rationele waanzinnige kon zijn leven aan zoiets verstandigs en waardevols wijden, al het andere werk terzijde schuiven en zich geheel in dienst stellen van zijn opperste doel. 'Zul je me helpen, Will?' had Gob gevraagd. 'Ik wil de dood te vlug af zijn, maar kan het niet alleen. Zul je me helpen winnen?' Jolly en Sam stonden aan weerszijden van Will en hun lippen leken op dezelfde manier te bewegen als die van Gob, dezelfde vraag te stellen.

'Wat kan ik doen?' had Will gevraagd, omdat het hem leek dat hij niets kon doen. Hij biechtte op dat hij het glazen huis onder blinde, onwetende dwang had gebouwd. Hij was geen architect, noch monteur. Hij begreep niets van stoomkracht of aeolipyles, en evenmin om welke redenen staal iets anders was dan ijzer. Maar Jolly sprong op en neer, op zichzelf en Sam wijzend, alsof hij wilde suggereren dat zij hem zouden helpen.

Will gebaarde naar alle onderdelen in het vertrek, naar de machine onder de gaskroon. 'Ik begrijp daar allemaal niets van. Ik weet niet hoe ik het moet gebruiken, of hoe ik het moet maken.'

Toen Will dit zei werd de glimlach van Gob breder. 'Ik zal het je leren, mijn vriend,' zei hij. 'En dan zullen we samen bouwen.'

'Sam,' zei Will, 'waarom kom je niet hier naast me zitten?' Heel regelmatig zette hij twee stoelen bij het grote raam dat op Fulton Street uitzag, ging in de ene zitten en klopte uitnodigend op de ander. 'Lekker op een koude dag,' zei hij tegen zijn broer, 'om in de zon te zitten en over de sneeuw en de stevig ingepakte mensen uit te kijken en te bedenken dat je het zelf lekker warm hebt. Kom even zitten. Gewoon even stil bij elkaar zitten.' Hij klopte weer, gebaarde met beide handen, maar Sam bleef achterdochtig kijkend aan de andere kant van de kamer staan. Hij schudde zijn hoofd, als om Will eraan te herinneren dat hij een geest was, dat hij genoegens zoals warm zonlicht niet kon voelen, dat hij het glas niet kon aanraken om zich te verwonderen hoe koud het was. Of hij schudde alleen maar zijn hoofd om te zeggen ik kom niet bij je zitten, om te zeggen ik ken je niet, om te zeggen je bent niet méér mijn vriend dan toen ik nog leefde.

'Ik had vroeger een hekel aan sterke drank,' zei Will, terwijl hij een slokje nam uit de grote heupfles cognac die hij en Gob in de ziekenwagen bij zich hadden. Op een koude lentedag in 1868 reed Gob hen gehaast door een lichte sneeuwbui naar East Thirtysecond Street nummer 344, waar een dame door haar gestoorde zuster was neergeschoten. Gob had zijn twee semesters college achter de rug. Deze, en zijn lange leertijd bij dokter Oetker, waren voldoende voor een diploma van het Bellevue. Hij had huisarts kunnen worden, maar had besloten zich bij de nieuwe ambulancedienst te melden. Will had zijn diploma nog niet, en zou het ook niet krijgen voordat hij nog een semester had gedaan. Toch ging hij met Gob mee in de ziekenwagen, op de zijkanten waarvan lampen waren aangebracht en die op het dak een reflector had. Het woord 'ambulance' stond in grote letters op alle zijden, maar dit weerhield Gob er niet van tegen iedereen die in de weg stond te roepen: 'Ziet u niet dat dit een ambulance is?'

De oproepen kwamen per telegraaf binnen uit het hoofdbureau van de politie. Het was altijd opwindend werk, vooral 's nachts. Als ze dienst hadden sliepen Gob en Will in een kamer boven de stallen, met een bel boven hun bed. Als deze ging viel er tegelijk een gewichtje omlaag, waardoor het licht aanging. Ze stommelden dan rond, met hun ogen knipperend in het licht, grepen haastig hun jas en renden naar de ambulance. Het tuig, het zadel en het halster hingen aan het plafond en vielen automatisch op hun plaats als het alarm klonk. Er verstreken nooit meer dan twee minuten tussen het moment dat de bel ging en het moment dat ze de stallen uit raceden.

Will overhandigde Gob de fles, die hem afsloeg met het argument dat ze dan niet genoeg zouden hebben als ze bij hun patiënt waren. In een kist onder de bank zaten dekens en spalken, tourniquets en verband. Ze hadden een dwangbuis en een maagpomp en een exemplaar van *Hints on the Emergencies of Field, Camp, and Hospital Practice* van Gross bij zich. Verder was er een medicijnkist met braakmiddelen en tegengif en morfine. Er bleek echter altijd wel iets te ontbreken als ze op de plek des onheils aankwamen.

Terwijl ze zich door Broadway spoedden stak Will zijn hand uit om de dwarrelende sneeuw op te vangen. Het was hun derde oproep van die dag. Eerder was er aan de voet van Roosevelt Street een uitdraagster door haar eigen kar verpletterd toen deze was omgeslagen en op haar terecht was gekomen. Daarvoor was er een vrouw die van het achterbalkon van een omnibus op Third Avenue was gestapt door een slee overreden. Deze beide patiënten hadden het overleefd.

De vrouw met de kogelwond stierf terwijl ze haar zuster vervloekte; toch hadden ze naar beste kunnen de wond verzorgd, hem ingepakt in pluksel dat in Perubalsem was gedrenkt en de uitgangswond vergroot, zodat hij goed kon afvoeren. Toen ze in het Bellevue terug waren hadden ze haar op zaal 26 in bed gelegd en het haar gemakkelijk gemaakt met cognac en morfine. Will noteerde haar laatste woorden: *De duivel moge je halen, Sally.* Hij had een hele verzameling laatste woorden. Hij schreef ze in centimetershoge letters op fijn roomwit papier: *Is het al afgelopen? Horen jullie die mooie muziek? Ik zou liever leven. Nee. Wat heb ik nou aan jullie? Zeg tegen mijn paard dat ik van haar houd.*

Als ze niet in het ambulancehuis zaten, zaten ze bij Gob thuis. Tot dusverre had Will in zijn eigen ogen alleen maar versieringen aan de machine bijgedragen. Hij bond laatste woorden aan touwtjes en hing ze aan de eigenlijke machine, of hij bevestigde er dodenmaskers aan, en Gob gaf hoog op van Wills werkzaamheden, als een verzotte ouder die zijn kind te veel prees. Will voelde zich onwetend en nutteloos, maar zijn opleiding was nu serieus begonnen. Hij was er al van overtuigd dat Gob over een superieure medische kennis beschikte, maar nu begon hij te geloven dat de ander een superieure kennis van alles had.

Op een dag in april gaf hij Will opdracht hem met een kruiwagen door het hele huis te volgen. Hij pakte boeken op en gooide ze in de wagen. 'O ja,' zei hij dan, een boek oppakkend, 'dit zou je ook moeten kennen willen we een stap vooruit kunnen doen.' Iedere titel stemde Will neerslachtiger dan de voorgaande: *Optics, Acoustics, Thermotics, Stability of Structures, Intellectual and Ethical Philosophy, Higher Geodesy, Analytical Geometry of Three Dimensions, Calculus of Variations.* En dan was er nog de hele Aristoteles: acht boeken over natuurkunde, vier over meteoren, dertien over metafysica, twee over voortplanting en vernietiging. 'Wat vergeet ik nu?' vroeg Gob, terwijl ze met een al overvolle kruiwagen in de bibliotheek stonden. Hij keek even nadenkend en zei toen: 'O natuurlijk, de Magiërs uit de Renaissance!' Hij scharrelde in de kamer rond, boeken van de planken plukkend. Will keek naar de namen van de schrijvers, mannen van wie hij nooit had gehoord, boeken die honderd jaar oud of nog ouder leken. Paracelsus en Nettesheim en Della Porta, Albertus Magnus en Mirandola en dokter Gee, Gob gooide ermee, zonder enige eerbied voor hun oude banden en broze bladzijden.

'Je zult leren!' bleef Gob maar zeggen, maar dagenlang lezen over Determinerende Mineralogie of de Zeven Namen van God gaven Will het vermoeden in dat Gobs geloof misplaatst was. Hij boog zijn hoofd tussen zijn knieën en maakte zich een tijdje ernstige zorgen. 'Het is te moeilijk, Jolly,' zei hij dan, want Jolly hing altijd over zijn schouder gebogen als hij zat te lezen. Jolly schudde dan zijn hoofd en glimlachte en zwaaide met zijn vinger, alsof hij hem een uitbrander gaf vanwege zijn wanhoop. Will maakte zich de gewoonte eigen in het glazen huis te lezen. In de lente was het er aangenaam en warm, maar hij bleef er zelfs na het invallen van de zomer nog heen gaan, en het zweet liep van zijn neus en kwam tikkend op de bladzijden van Della Porta's *Celestial Physiognomy* neer. Het leek hem dat zijn geest in dat huis behendiger was, en dit herstelde iets van zijn zelfvertrouwen, omdat het een bewijs was dat hij welbeschouwd toch wel iets kon bouwen.

In dit glazen huis kreeg Will iets wat hij als zijn eerste goede inval beschouwde. Hij zat, vanwege de warmte alleen in een broek gekleed, met een eenvoudig boek over algebra te worstelen. Soms, als hij gefrustreerd raakte, vervloekte hij de kostbare boeken van Gob. Gewoonlijk bedacht hij een gezicht voor ze, een spottend gezicht in goud op het leren omslag, met een sarcastische mond die hij stompte en stompte tot zijn vuist pijn deed. Hij deed dat dan een tijdje, waarbij zijn zwetende hand vlekken achterliet op het leer en smeet het tenslotte tegen een wand van het huis, waar het dan een negatiefplaat uit de wand sloeg, die op het dak viel maar wonderlijk genoeg niet brak. Hij pakte het boek dan zachtjes weer op (hij was altijd vriendelijk en liefdevol tegen ze nadat hij ze mishandeld had) en ging naar buiten. Hij raapte de plaat op en keek ernaar, en terwijl hij daar stond met het boek in zijn ene hand en de plaat in zijn andere kreeg hij zijn idee. Jolly kwam achter hem aan het dak op, trillend van opwinding. Hij scheen te weten wat Will dacht. Will sloot zijn ogen en stelde zich een groot schild van negatiefplaten voor, dat over de machine geplaatst kon worden, met een helder licht erboven, zodat er een regen van beelden op de machine terecht zou komen en deze met verloren gegane levens zou worden gevuld.

Will dacht dat er een insect over zijn wang liep. Ze kwamen in de zomer uit de muren: dikke, zwarte, vochtig ogende dingen die hij met zuur overgoot om ze te doden. Soms kropen ze over hem heen als hij lag te slapen, maar toen hij eens wakker werd zag hij dat de kietelende druk op zijn gezicht niet door kleine pootjes maar door een vleugel werd veroorzaakt. Ze bewoog ze precies als vingers, die niet-veren. De engel keek hem met eerlijke blik aan, sloot haar ogen en huiverde alsof ze snikte. Haar vleugels maakten een geluid als van gebroken glas dat in een zak heen en weer werd geschud. Ze deed haar mond weer open en tot Wills verbazing kwamen er woorden uit.

'Schepsel,' zei ze, 'waarom doe je mee aan die gruwel?'

In augustus kreeg Will weer een uitnodiging voor een diner, ditmaal van Gobs moeder, mevrouw Woodhull, die kort daarvoor in New York was aangekomen. Ze had haar intrek genomen in Great Jones Street, en niet bij haar zoon. 'Ik zou haar niet bij me laten wonen,' zei Gob, toen Will vroeg waarom ze niet aan Fifth Avenue verbleef. 'In geen tienduizend jaar.'

'Is ze lastig?' vroeg Will, denkend aan zijn eigen lastige moeder.

'Ja. En ze wordt altijd omringd door lastige mensen. Maar vanavond kun je je zelf een oordeel over haar vormen. O ja, dat vind ik mooi. Mijn vriend, je bent een genie op het gebied van bouwen!' Ze waren bezig de platen om de machine heen te monteren. Gob had op en neer gesprongen en zichzelf omhelsd toen Will met een gehuurde kar vol platen bij het huis van zijn vriend was komen opdagen.

'Ik ook,' zei Will. Ze waren verhit en vuil van hun werk. Nu zou de machine onder een reusachtige bloem van fotonegatieven schuilgaan. Het was laat op de dag, maar het was nog licht buiten en de platen die ze hadden gemonteerd gloeiden flauw op.

'We moeten feller licht hebben,' zei Gob. 'Misschien het felste licht dat er ooit bestaan heeft.'

Ze bleven aan het werk tot het bijna tijd was voor het diner. Will had eindeloos door kunnen gaan—hij had hetzelfde gevoel als toen hij het glazen huis had gebouwd—een combinatie van schroom en zekerheid omdat hij wist dat hij moest bouwen maar bang was voor wat hij bouwde—hij zag echter hoe laat het was en verontschuldigde zich om naar huis te gaan en zich te verkleden. Hij was een uur te laat toen hij in

Great Jones Street 17 aankwam. Een man die zeker even groot was als Will maar dikker en behaarder, deed open.

'Wat wilt u?' vroeg hij.

'Ik ben uitgenodigd voor het diner,' zei Will, overwegend dat de man waarschijnlijk bij het personeel hoorde, omdat hij naar de stal rook.

'Niet door mij,' zei de man. Hij maakte aanstalten de deur voor Wills neus dicht te slaan, maar op dat moment dook er een prachtige roodharige vrouw achter hem op die hem de mantel uitveegde en hem kneep. De man jankte als een hond en deed een stap opzij.

'Ik weet dat u dokter Fie bent,' zei de dame. 'Komt u alstublieft binnen en neemt u mijn onbeleefde broer zijn gedrag niet kwalijk.'

'Nog geen dokter, mevrouw. Bent u mevrouw Woodhull?' vroeg Will, hoewel deze vrouw er te jong uitzag om Gobs moeder te kunnen zijn.

'Haar zuster.' Ze zei dat ze Tennie C. Claflin heette, en spelde het voor hem. Ze nam de bloemen die hij voor de gastvrouw had meegenomen, een zomerboeket van margrieten en viooltjes, zelf aan. Ze stak van elk van beide soorten een bloem in haar haar en gaf Will een zoen op zijn wang. Hiervan moest hij blozen en hij voelde razendsnel een insult opkomen, hoewel het gevoel dat ze bij hem wekte er niet een van sympathie was.

'Duw haar nu weg, anders blijft ze je de hele avond aflikken,' zei de broer, en schuifelde toen van hen vandaan, de gang in.

'Kom mee,' zei juffrouw Claflin. 'Iedereen zit te wachten om de goede vriend van Gob te leren kennen. Onze Gob! We zijn hem zo lang kwijt geweest, maar nu hebben we elkaar weer gevonden. Hij heeft me verteld dat je geesten ziet.'

Will deed zijn mond open, maar zei niets. Hij voelde zich zwakker en warmer worden. Hij struikelde over een herenlaars die achteloos in de hal was achtergelaten. Juffrouw Claflin voorkwam dat hij viel.

'Was het een geheim? Neem hem niet kwalijk dat hij het verteld heeft. In deze familie hebben we geen geheimen. En maak je geen zorgen: je bent niet in onze achting gedaald. Ik zie ze ook, weet je, net als mijn zus. Je bent net als wij, meneer. Hé iedereen, hier is dokter Fie dan!'

Ze stonden in de eetkamer, waar een menigte mensen om een gesleten eikenhouten tafel zat. Gob zat bij nog zo'n prachtige vrouw, die, naar Will veronderstelde, zijn moeder was. Ze had donker haar en droeg een mooie paarse jurk, en Gob was haar evenbeeld. Er zat nog een tante, minder vriendelijk dan juffrouw Tennie C. Claflin, die Utica heette. Haar ogen — ze hadden allen dezelfde ogen, een tint blauw die zo donker was dat het bijna paars leek — waren omfloerst, van te veel laudanum, wist Will. Verder zat er een gerimpelde oude vrouw die er uitzag alsof ze een product van Gob was, een beeld van notendoppen en bast, maar met dezelfde gulzige blauwe ogen. Dit was zijn grootmoeder, en net als bij Gob ontbrak bij haar de pink van haar linkerhand. Er waren drie mannen — een oude kerel met één oog die er als de Duivel uitzag, de grote harige die had opengedaan en tenslotte nog een man met een weelderige snor en bruine ogen. Ze werden voorgesteld als Buck Claflin, oom Malden en kolonel Blood, Gobs stiefvader.

Kolonel Blood schudde Will de hand, maar de andere mannen negeerden hem. Juffrouw Claflin gaf hem een plaats tussen haarzelf en de dronken Utica. Toen stortte de familie zich op het eten. Oma Anna zette schalen vol erwten en aardappelen en borden met stapels lamskoteletten op tafel. Ze aten op erg verschillende manieren. Juffrouw Claflin en mevrouw Woodhull en Gob en kolonel Blood aten met ingehouden gebaren en praatten op zachte toon, maar de anderen aten met een hand en een mes en schreeuwden. Buck en Malden maakten ruzie om een kotelet.

'We zijn in alle westelijke staten geweest,' zei juffrouw Claflin tegen hem, het gesprek op haarzelf en haar familie brengend nadat ze Will tal van indiscrete vragen had gesteld.

'Overal waar we kwamen haalden we goud en gouden meningen binnen. En natuurlijk ook de kolonel. Hij komt uit St. Louis, waar hij Vicky raadpleegde voor zijn vrouw, die verschrikkelijk last had van een kwaal waar ik me niet over mag uitlaten. Vicky is een helderziende genezeres, snap je? In dat opzicht ben ikzelf trouwens ook niet helemaal onbegaafd. Maar toen ze de kolonel zag raakte Vicky in een trance en spraken de luchtgeesten via haar mond, en verloofden ze zich ter plekke. Toen is hij met ons meegegaan.'

'Een doortastend man,' zei Will.

'Hij is een held. Hij heeft zes kogels in zijn lichaam. En vind je het doortastend als de ene magneet de andere ontmoet, zoals de natuur het gedecreteerd heeft? Is het doortastend van de zee naar de maan te hunkeren? Hij heeft alleen maar gedaan wat hij moest doen. Denk je nou nog steeds dat hij doortastend is?'

Voordat Will iets kon zeggen klonk de stem van Gobs moeder opeens boven alle andere uit. Ze had opgewonden met Gob zitten praten, af en toe pauzerend om hem te omhelzen. Hij onderging haar liefkozingen volstrekt onbewogen.

'Al die jaren van zwerven en vragen. Mijn prachtige Griek heeft tenslotte toch zijn naam prijsgegeven. Het is Demosthenes. Weet je wat dat betekent?'

'Dat is Vicky's leidgeest,' fluisterde juffrouw Claflin. 'Hij is haar mentor en blijft voortdurend bij haar.'

'Ik weet het niet,' zei Gob.

'Het betekent dat het wachten achter de rug is!' zei mevrouw Woodhull. 'Nu, nu kan het beginnen! Doe je ogen dicht, liefje.' Mevrouw Woodhull ging bij haar zoon op schoot zitten en legde haar handen over zijn ogen. 'Zo, zie je ze nu niet? Zie je de grote dingen niet die er staan te gebeuren?' Will sloot zijn ogen omdat alle anderen het ook deden en zag de engel voor zijn geestesoog, en bedacht dat haar haar even rood was als dat van juffrouw Claflin en dat hij, ook al had ze hem weer gevraagd waarom hij meedeed aan gruwelen, wellustige gedachten over haar koesterde.

'Het is een teken temeer,' zei mevrouw Woodhull, 'dat je bij je familie bent teruggekeerd. Is het niet heerlijk dat we weer allemaal bij elkaar zijn? Nu zullen we allemaal eeuwig samen zijn. Kom, iedereen! Kom ons lieve afgedwaalde schaap omhelzen!'

Juffrouw Claflin haastte zich naar het andere einde van de tafel en sloeg haar armen om Gob heen. 'Ik kan je wel omhelzen tot je ontploft!' verklaarde ze. Blood sloeg zijn heldenarmen om hem heen en Anna liet haar weggekwijnde stokjesarmen om zijn buik glijden. Utica knielde en klemde zich, plotseling overweldigd door emotie en dronkenschap, aan zijn been vast. Ze huilde tegen zijn broek. De grote Malden legde zijn armen om hen allen heen en perste hen tegen zich aan. Buck slenterde naar de liefdevolle kluwen toe en deed alsof hij erlangs wilde lopen. Hij bleef er even naar staan kijken. Will dacht een moment dat hij aan de algemene omhelzing mee zou doen, maar Buck draaide zich om en keerde de hoop lichamen zijn achterste toe.

Gob was volledig uit het zicht verdwenen, en Will wist niet of hij mee moest doen of discreet moest verdwijnen. Ze babbelden en omhelsden en kronkelden en huilden en begonnen ruzie te maken: 'Je knijpt te hard' of 'laat mij hem ook eens vasthouden, stuk verdriet!' Buck was gemeen tegen Utica: hij noemde haar een hoer en zei dat het enige aan haar dat ook maar een cent waard was geweest haar maagdelijkheid was geweest, en was het geen schande dat ze die op haar elfde zelf met een wortel had geruïneerd? Toen verhief de heldere sterke stem van mevrouw Woodhull zich: kon je een stuk groente je eigen hongerige zonde kwalijk nemen?

'Kom mee, Will,' zei Gob, die opeens naast hem stond. Hoe hij aan zijn familie was ontsnapt kon Will niet zeggen. Ze glipten van de hoop mensen weg terwijl deze in ruziënde individuen uiteenviel. De grootmoeder noemde kolonel Blood een corrumpeerder en een Schweinhund en gooide hem een aardappel naar het hoofd.

'Het spijt me,' zei Gob, toen ze in de schemering in Great Jones Street stonden. 'Het is een rauw stelletje.'

Er was een geest, een jonge kerel in het flatteuze uniform van een Zouave, die er een gewoonte van maakte Will aan te staren en dan iets neer te krabbelen op een vel papier met dezelfde afmetingen als de plaat die Frenchy altijd bij zich had. Will dacht dat de soldaat aantekeningen maakte over zijn gedrag, om te kunnen klikken bij welke onaardse macht die er ook mocht bestaan die van dergelijke overtredingen nota diende te nemen. Will ontdekte pas dat de geest geen aantekeningen maakte maar een tekening toen hij het voltooide product eindelijk te zien kreeg. 'Wie ben je trouwens?' vroeg Will, omdat hij het portret niet op prijs stelde, waarop hij naakt en met een gênant, stijf en druipend voortplantingsorgaan stond afgebeeld. Het stak als de pen van een stekelvarken uit hem naar voren. In twintig armen hield hij een hele verzameling flessen vast en elk bevatte, dat wist hij zeker, een of ander gemeen sterk drankje. 'Heb ik om zo'n belediging gevraagd?' vroeg Will, en wendde zijn blik van de tekening af. Hij had er het liefst nooit meer naar gekeken, maar de geest zette haar voortdurend in de weg, zodat hij haar wel moest zien als ze op een podium hing, of in de zalen in het ziekenhuis, of aan een straatlantaren op Broadway, waar duizenden mensen er per dag langskwamen zonder te weten dat ze er hing.

'Het is hier erg warm,' zei juffrouw Claflin. 'Is het hier altijd zo warm?' Ze was onverwachts langsgekomen en zat nu in Wills studio voor een visitekaartje. Hij had in zijn hemdsmouwen opengedaan omdat hij dacht dat het Gob was, die een volgende lading negatiefplaten kwam ophalen. 'Ik ben hier om een portret te laten maken,' had ze gezegd, alsof hij haar had uitgenodigd. Hij had zich haastig fatsoenlijk gekleed terwijl ze in de studio rondneusde en een decor voor haar portret uitzocht, een gewone stoel waarop ze in amazonezit plaatsnam.

'U mag niet praten, juffrouw Claflin.'

'Zeg maar Tennie,' zei ze. 'Daar sta ik op, en ik zeg het niet nog eens.' Ze droeg een zwaar ogende gele jurk, met om haar schouders een donkerrode zijden omslagdoek die haar armen en handen verborg, en haar haar zat in een torenhoog kapsel bovenop haar hoofd, als een geweldig stel ramshorens. Haar ovale gezicht blonk van de transpiratie.

'Houd uw hoofd stil, juffrouw Tennie, anders wordt uw gezicht helemaal vaag.' Will dacht aan de blonde ziekenhuisjongen van Frenchy met zijn vage, vloekende mond. Tennie zat stil en keek Will zonder met haar ogen te knipperen aan, zodat hij zich achter de lens en onder het laken erg zichtbaar voelde. Ze had echter geen idee van de geesten om haar heen. Dat wat betrof haar bewering dat zij ze ook zag, dacht Will. Sam en Lewy Greeley en Jolly liepen om haar heen, allemaal loerend en haar aangapend alsof ze nooit eerder een knappe dame hadden gezien. Frenchy stond foeterend vlak bij de camera. Will belichtte het negatief, telde vijftien seconden uit en trok het doek van zijn hoofd. 'Ik ben zo terug,' zei hij, en liep weg om de plaat te ontwikkelen. Hij ontdekte dat hij buiten adem was, wachtte de paar seconden terwijl hij de ontwikkelaar over de plaat goot. En daarna haar beeld, spookachtig en in negatief. Hij liep naar het dak om in de zon de afdruk te maken, ging daarna weer naar de donkere kamer om hem te tinten en te fixeren. Er verstreek een half-uur voordat ze tot zijn tevredenheid was afgebeeld, even knap en vrijpostig als ze in het echte leven was.

'Volgens mij zult u hem wel mooi vinden,' zei hij, toen hij de donkere kamer uitkwam. 'Ik denk,' ging hij door, maar was toen helemaal vergeten wat hij had willen zeggen. Tennie Claflin had haar kleren uitgetrokken en zat daar alleen gekleed in haar kapsel, in precies dezelfde pose als daarvoor, met haar hoofd nog steeds stevig in de standaard. Haar kleren leken van haar lichaam te zijn gesmolten als gesponnen suiker in een warme regenbui. Alle geesten waren op de vlucht geslagen behalve Jolly, die zich tegen een muur had teruggetrokken, waar hij zijn gezicht naar het plafond, maar zijn blik op de dame gericht hield.

'Het is warm, dokter Fie,' zei juffrouw Claflin. 'Het is zo vreselijk warm.'

'Herinner jij je je eerste keer nog?' vroeg ze.

'Nee,' zei Will, en draaide zich om in bed, zodat ze zijn gezicht niet kon zien. 'Niet echt.' Maar hij wist het nog goed. Het was drie dagen na de voltooiing van het glazen huis geweest. Hij had, gevolgd door geesten, op Broadway gelopen. Het was vroeg in de avond, maar er liepen al zwermen prostituees op straat. Het was altijd zijn gewoonte geweest hen te negeren als ze naar hem gebaarden of iets grofs over zijn lichaamslengte riepen. Ditmaal was hij, toen er een hem ergens in Grand Street wenkte achter haar aan te lopen, echter meegegaan. 'Ben je verdwaald?' had ze gevraagd toen hij haar had ingehaald. Ze stond vlak buiten de lichtkring van een straatlantaren, dus viel er wat licht op haar jurk en haar hals en haar haar, maar niet op haar gezicht.

'Waarschijnlijk,' had Will gezegd. Zijn maag zat volledig in de knoop, zoals vroeger altijd bij een verhitte vechtpartij, en net als toen had hij het gevoel dat hij niets in te brengen had in wat hij deed. Zijn voeten liepen achter deze kwalijke vrouw aan zoals zijn oog en zijn hand hadden samengezworen om zijn vijand neer te schieten, en toen hij haar tegen een klamme muur in een steeg bezat was het verschrikkelijk en onvermijdelijk, alsof hij het leven van een Rebel nam. Hij trok haar jurk over haar hoofd, en het tere maar vuile materiaal bleef aan haar gebroken tanden haken terwijl ze naar hem glimlachte.

'Ik was zeven,' zei Tennie opgewonden.

'Vroeg begonnen,' zei Will, die blij was dat ze de ontzetting op zijn gezicht niet kon zien.

'Vicky is nog eerder begonnen. Ik zat in Pennsylvania. Mamma en pappa hadden me bij familie in huis gedaan omdat we zo arm waren. Het fruit van tante Sally praatte tegen

me vanuit de kast. 'We zijn voor jou!' zei het. 'Kom ons opeten!' Er lagen een paar wormstekige appels op tafel, dus
vroeg ik: 'Tante, waarom hebt u al het goede fruit verstopt?'
Ze noemde me haar liefje en zei dat de appels het beste waren wat ze had, maar ik liep naar de kast en liet het haar zien.
Het was mijn zusje Thankful, nog steeds klein, zoals ze was
toen ze stierf, die met de stem van een perzik tegen me praatte en me vanuit die kast riep. Daarna hoorde en zag ik haar
voortdurend. Is het met jou ook niet zo gegaan? Een geest die
van je hield pikte je eruit en toen zag je ook andere?'

'Nee,' zei Will, 'ik zag ze allemaal tegelijk.'

'Tja,' zei ze. 'Waarom zou het ook bij iedereen hetzelfde
moeten gaan? O, daar is ze! Daar is mijn Thankful!'

'Ik zie haar niet,' zei Will.

'Dat kan ook niet. Alleen Vicky en ik kunnen haar zien.'

'Zegt ze iets?'

'Vaag. Ze zegt: "Ik heb je over me horen praten." '

Tennie begon een eenzijdig gesprek, praatte over een
plaats die Homer heette en beaamde dat de boomgaard daar
de zoetste appels gaf die er bestonden. Terwijl ze praatte leek
ze Will te vergeten, hoewel ze hem stevig in haar armen
hield. Het gesprek werd een slaperig gemompel, tot ze uiteindelijk zweeg. Will voelde een paar keer haar spieren trekken.
Hij lag wakker toen de geesten op bezoek kwamen, een hele
stoet, als herders en dieren die langs de heilige kribbe trokken, met een glimlach op hem en zijn vrouwelijke kennis
neerstarend. Hij dacht dat de engel wel weer zou komen om
hem de mantel uit te vegen. Ze kwam niet, maar lange tijd
nadat alle andere geesten waren verdwenen bleef de jongen
met de trompet nog zitten, ineengedoken in een hoek van het
plafond.

'Ga weg!' zei Will, zonder enig effect.

De jongen schudde zijn hoofd en knipoogde traag, en Will
viel in slaap terwijl hij nog daarboven zat, omlaag starend.

3

'Duizend van de beste mannen van de stad,' zei Gob, 'en tweeduizend van de slechtste vrouwen.' Hij en Will stonden op het punt naar het Bal d'Opéra in de Academy of Music te gaan, een jaarlijkse gebeurtenis die berucht was vanwege haar losbandigheid. Het was januari 1870, een warme avond in wat tot dusverre een heel zachte winter was geweest. Will was bang dat Gobs machine een verandering in het weer veroorzaakte, waardoor het niet meer bij het jaargetijde paste. Weermaken was net iets voor dat ding—het was iets dramatisch en groots als de machine zelf. De machine leek zeker *iets* te doen. En toch was het Will duidelijk dat de machine helemaal niets deed.

'Bereid je maar voor op een leuke avond,' zei Gob terwijl ze Fourteenth Street overstaken en zich bij de menigte bij de ingang van de Academy of Music aansloten. Er stonden gekostumeerde mensen te wachten om naar binnen te gaan en er was een menigte toegestroomd die hen aangaapte. Will en Gob werden aangeklampt door een oude man, een smerige priester. 'Ga maar lekker naar die heerlijke hoeren kijken!' gilde de man. Will begreep niet of hij en Gob werden veroordeeld of gefeliciteerd.

Gob zwaaide zijn toverstaf voor het gezicht van de man heen en weer en zei: 'Inderdaad.' Hij en Will waren als narren gekleed, met belletjes op hun kap, toverstokjes en schoenen, en met halve maskers waaruit een obscene lange neus stak.

In het gebouw van de Academie waren allerlei kostuums te zien, waarvan sommige een heel eind van het thema—

Frankrijk – waren afgedwaald. Will en Gob waren niet de enige narren, hoewel ze wel als enigen een obscene neus hadden. Will kon alle Zonnekoningen en Marie-Antoinettes, van wie er een haar hoofd onder haar arm droeg, niet tellen. Een mantel met een hoge kraag gaf de kijker de illusie dat ze zonder hoofd rondliep. Toen ze naderbij kwam zag hij haar loerende ogen op de plek waar een hals had moeten zitten.

'Ga die vrouw eens zeggen dat haar moraal is losgeschoten,' zei Will, lukraak op een vrouw wijzend die naast een geweldige champagnefontein op het podium bij een man op schoot zat. Ze was uitgedost als een halfnaakte ballerina, in een tutu die haar benen helemaal bloot liet. Jolly, de enige aanwezige geest, stond naar haar te staren.

'Vertel het haar zelf maar,' zei Gob, en ze liepen naar de fontein. Deze had de vorm van de Notre Dame. Will keek er bewonderend naar, zoals de champagne van de hoge torens liep en in een heel erg ingekorte Seine druppelde.

'Op een losse moraal,' toastte Gob, terwijl hij en Will hun eerste glas champagne namen.

'Op Parijs feestgedruis,' zei Will. 'Was het niet meneer Jefferson die zei dat een klein beetje losbandigheid nu en dan goed is voor een mens?'

'Volgens mij was dat mijn tante,' zei Gob. Hij draaide zijn hoofd om en wees met zijn lange neus naar een loge boven het podium, waar een als herderin verklede vrouw stond, met nog twee balletmeisjes met blote benen en twee mannen in volledig avondtenue. 'Daar is mijn moeder,' zei hij glimlachend. Gewoonlijk behandelde hij haar minachtend, maar vanavond, wist Will, was hij in een erg gelukkige stemming. Hij vond dat het erg goed ging met het bouwen en hij scheen het niet erg te vinden dat de machine geen duidelijk werk verrichtte.

Boven, in haar loge, zwaaide mevrouw Woodhull met haar staf naar hen. Gob maakte een buiging. Will hief zijn glas naar haar. 'Zullen we naar boven gaan?' vroeg Gob. Will zei dat hij dadelijk achter hem aan zou komen. Hij keek om zich heen, zoekend naar Tennie. Hij maakte zich een moment zonder enige reden bezorgd dat ze misschien boos op hem zou zijn omdat hij alle loslopende vrouwen aanstaarde. Ze was echter geen jaloers type. Het idee dat ze elkaar trouw zouden zijn was in haar ogen lachwekkend. Will zou graag met haar getrouwd zijn, in de geest of in het dagelijks leven, zo niet formeel, maar daar wilde zij niets van horen, en hoe dan ook: iedere keer dat hij probeerde haar trouw te zijn mislukte het. Gob hield er een simpele visie op de toestand op na. 'Ze is te veel voor je, mijn vriend,' zei hij altijd. 'Je moet haar opgeven.'

Will liep op de ballerina af, die door haar aanbidder van dat moment in de steek was gelaten en verloren naar de Notre Dame stond te kijken.

'Mademoiselle,' zei hij. 'Bent u soms actrice? Heb ik u niet in *Mazeppa* gezien?'

'Nee,' zei ze, en liep haastig weg. 'Volgens mij niet.' Will schepte weer wat champagne op en ging aan de rand van het vijvertje zitten. Hij keek omlaag naar de belletjes die aan de wand van zijn glas bleven kleven en het scheen hem toe dat de manier waarop ze loslieten en zich naar de oppervlakte spoedden dezelfde moest zijn als de beweging van zielen die van de aarde wegvlogen. Jolly zat naast hem, zijn hoofd met rukkerige bewegingen nu eens naar links en dan weer naar rechts draaiend.

'Niet iedereen heeft genoeg gezond verstand om een dwaas te waarderen.' Will keek op en zag Tennie; ze worstelde onder een geweldige pruik van zeker een meter twintig hoog, bezaaid met boten en dolfijnen en hoog boven dat alles, een boos gouden zonnegezicht. 'Hoe vind je mijn pruik?'

'Heel groot,' zei Will. Ze glimlachte, waardoor er barsten in haar dikke laag make-up trokken. Ze droeg een zwart zijden masker over haar ogen. Ze lichtte het even op om tegen hem te knipogen en fluisterde: 'Ik ben het, Tennie C.'

'Ik dacht dat je mevrouw Astor was.'

'Ik breek dadelijk mijn nek nog onder deze pruik en dan is

het afgelopen met de pret. Maar ja, ik ben hier ook niet om me te vermaken.'

'Echt niet?'

'Nee,' zei ze. 'Ik ben hier om te observeren. Vicky gaat een artikel voor meneer Bennett schrijven en ik ga haar helpen. We zullen al die loopse hoogwaardigheidsbekleders die denken dat een masker een veilige schuilplaats voor hypocrisie is, eens fijn te grazen nemen.'

'Zijn er hier dan beroemde mensen?'

'O ja.' Ze stak even haar handen op om haar pruik recht te zetten. 'Maar kom mee, ik moet mijn pruik goed zetten.' Ze liep naar een muur en leunde er met haar hoofd tegen. 'Daar,' zei ze, het glas aannemend dat Will haar aanbood. 'Dank je. Zie je die daar? Die kardinaal Richelieu is meneer Bowen, uit Brooklyn. En daar, die musketier die zo vaak zijn lippen likt, dat is meneer Fisk.'

'Is meneer Whitman hier?' vroeg Will.

Whitman was Gobs vriend. Gob had plannen met hem. Hij zou hem als accu voor zijn machine gebruiken, wat Will aanvankelijk een gruwelijk idee had gevonden, hoewel het Gob niet erg bezig leek te houden. Toen Will had geopperd dat het verkeerd zou kunnen zijn meneer Whitman zo te gebruiken had Gob voor de eerste keer sinds Will hem kende een verwarde indruk gemaakt. 'Dat begrijp ik niet,' had hij gezegd.

'Meneer Whitman is hier zeker niet,' zei ze. Het was Will duidelijk dat ze de dichter bewonderde. 'Hij zou nooit op een dergelijke gelegenheid verschijnen. Ben je een bewonderaar of een kwaadspreker?'

'Een kwaadspreker, denk ik. Hij is een dwaas die gekostumeerd rondloopt en onze literatuur alleen maar met kreten vervuilt.' Het deed Will genoegen de man te beledigen, omdat hij alleen al aan de gedachte aan hem een hekel had. Hoe kon zo'n verschrikkelijke dwaas van zo vitaal belang zijn voor de machine? Will was ervan doordrongen geraakt dat hij zelf geen genie was, maar alleen een harde werker, en hij had een hekel aan mensen als meneer Whitman, die beweerden de goddelijke functie van de schepping te benaderen terwijl ze in werkelijkheid alleen maar aantekeningen maakten over de koortsige omzwervingen van hun ongedisciplineerde geest.

'Dwazen zullen onderling wel niet solidair zijn,' zei Tennie afgemeten. Ze knikte naar een hoofdloze Marie-Antoinette, die precies op dat moment langsliep en naar hen zwaaide. 'Dat was mijn vriendin mevrouw Wabash. En daar is mevrouw Restell. Door haar aanwezigheid wordt het bal officieel een verdorven aangelegenheid.' Will keek naar de gezette kleine koningin die Tennie aanwees en vroeg zich af of het inderdaad dé mevrouw Restell was, de aborteuse van Fifth Avenue. Ze trok een wenkbrauw tegen hem op toen ze voorbijkwam.

'Maar goed,' zei Tennie. 'Ik moet weer aan het werk. Je bent charmant maar niet beroemd, en ik ben al op de hoogte van je zonden. Daar is meneer Challis, de makelaar – ik ga achter hem aan.' Wankelend onder haar pruik stapte ze weg bij de muur. 'Die antieke Franse dames, wat moeten die een nekken hebben gehad!' Ze overhandigde hem haar glas en liep achter de heer Challis aan, die zich drenkte bij de fontein. Ze raakte zijn arm aan en leunde even op hem. Ze zei iets in zijn oor, waardoor hij in lachen uitbarstte, zo hard dat Will het zelfs op die afstand kon horen.

Op de vloer waren mensen aan het dansen; ze zwierden in wilde wellust rond. Jolly danste ertussen, met gesloten ogen en zijn hoofd betoverd achterover gegooid, zonder partner, ongezien en onaangeraakt door de levenden. Sam had zich bij hem gevoegd. Hij gebaarde glimlachend naar Will – hij was vriendelijker geworden naarmate het werk aan de machine vorderde. Ze stonden elkaar weer na, of in ieder geval: Sam stond soms dichtbij hem, vaak maar een paar centimeter van hem vandaan. Will beschouwde het als een beloning voor zijn onvermoeibare werk aan de machine. Hij bekeek Sam en Jolly een tijdje. Hun gewenk was verleidelijker dan de flitsende benen van de ballerina's. 'Ze hebben je echt helemaal in hun greep, hè?' had Gob hem eens gevraagd. Will had niet meteen geantwoord, maar had gedacht: Hebben ze daar ook niet het recht toe? Hij was nog steeds arts en fotograaf, maar ook al werkte hij hard in beide vakken, het was niet meer zijn werk in eigenlijke zin.

Dagen later had hij Gobs vraag beantwoord. Ze zaten dichtbij elkaar aan de lange tafel van Gob, beiden zonder bord uit de schaal met geroosterde kip etend. Gob vroeg: 'Wat zullen we eten als we eenmaal succes hebben? Als je er te veel tegenop ziet een kip haar kop af te hakken, wat houd je dan nog over voor het avondeten? Kool?' Will legde zijn vork en mes neer en trok met een vettige vinger patronen op de tafel.

'Volgens mij hebben ze ons allemaal in hun greep,' zei hij na een tijdje.

Wiel, hefboom, katrol, wig, schroef — de hele winter leerde Will met eenvoudige machines werken. Gob liet hem er een zien, eiste dan dat hij de eigenschappen ervan in wiskundige termen beschreef, en na een paar maanden hardnekkig onderwijs van Gob was Will in staat zelf een machine te bouwen. Hij was bij lange na niet zo ingewikkeld als die van Gob, het was gewoon een nederige pletmolen.

Op een avond kwam Will in de werkplaats en vond een stapel hout op de stenen vloer, een cadeautje. Uit de stapel koos hij een paal, een slanke berkenstam met de bast er nog aan. Aan het einde van de paal bevestigde hij een ijzerhouten hamer, aan het andere uiteinde een eikenhouten watervat. Vervolgens boorde hij een gat in het midden van de paal en trok hier een zware deuvel doorheen. Wills machine oogde erg eigenaardig — het had het wapen van een of andere reusachtige god kunnen zijn, die in de wouden woonde en door dieren en bomen werd vereerd.

In Onondaga County zou Will zijn pletmolen hebben geïnstalleerd op een plek waar hij de waterstroom had kunnen opvangen die de korenmolen van zijn vader in beweging bracht. Omdat hij nu in New York City zat zette hij hem tussen twee houten blokken op het dak van Gob op en liet zelf het water uit een emmer stromen die zo groot was dat hij hem met twee handen moest optillen.

Will vulde het vat. Door het gewicht van het water werd de hamer steeds hoger opgeheven, tot de hoek zo groot was geworden dat het water uit het open vat liep. De hamer viel nu met een doffe bons op het met sneeuw bedekte dak. Het was nauwelijks een glorieus geluid te noemen, maar Will voelde een glorieus soort vreugde toen het werkte. Hij vulde het vat steeds weer en keek urenlang hoe de hamer omhoogging en omlaag kwam, tot de hemel in het oosten begon op te lichten en hij beter kon zien hoe zijn kleine molen werkte. Hij had vergeten er een vijzel onder te zetten. De hamer klopte geen graan tot meel. Hij had een gat in de sneeuw gemaakt. Will keek naar het zwarte gat en stelde zich voor dat Sam of Jolly eruit klom, en hij had het nog niet bedacht of ze stonden al naast hem, tegen hem glimlachend en vol stille lof voor zijn simpele apparaatje. Het maakte een barbaarse indruk naast het complexe en geheimzinnige ding in het vertrek onder hem, en toch maakten ze er een buiging voor. Will vulde het vat steeds opnieuw, zodat de pletmolen met zijn op- en neergaande beweging hun hoffelijke gebaren leek te beantwoorden.

Sam kwam naast hem staan en bracht zijn hoofd steeds dichter bij dat van Will tot ze elkaar aanraakten, en toen ze elkaar aanraakten dreef Will weg in de aangename herinnering aan de keer dat hij, toen ze nog kleine jongens waren geweest, naast Sam had gestaan en ze samen in de put achter hun huis omlaag hadden gekeken. De zon had die middag vol in het water geschenen, en ze zagen de slangen op de bodem, over elkaar heen draaiend en kronkelend. 'Is dat niet prachtig, Will?' had zijn broer gevraagd, en ze hadden daar staan kijken tot de schaduwen terugkeerden en weer over het water vielen.

In maart 1870 stonden Will en Gob te kijken hoe het eerste caisson voor de grote brug vanaf een scheepswerf in Brooklyn in de East River te water werd gelaten. Gob werd door de brug gefascineerd. Wijlen meneer Roebling was een van zijn helden geweest—hij bezat een kleine foto van de brug over de Ohio, die hij soms zuchtend bekeek, alsof het het portret van een mooi meisje was—en hij had gecorrespondeerd met de zoon van Roebling, die na de dood van zijn vader het werk aan de bouw van de brug had overgenomen. Gob praatte maar door over het principe van het caisson en in welke zin het met hun eigen werk te maken had. Het caisson was een gigantisch huis, dat zonk terwijl mannen de vloer weggroeven, waardoor het langzaam door slib en modder en los gesteente zakte tot het onder de bodem rustte—een lege doodskist waarop de grote brug zijn voetstukken zou zetten. Gob had het over een caisson van de geest, gebouwd van discipline en verdriet en wanhoop, waarin hij en Will zouden worden afgezonken tot ze op de lichtloze bodem van hun eigen ziel zouden rusten. Inspiratie en succes zouden uit dat diepe oord opstijgen, zei Gob. Will klonk dit vaag zinvol in de oren, en hij knikte, zoals hij altijd deed als Gob dergelijke uitspraken ten beste gaf. Will begreep zeker dat hun werk niet het werk van tevreden of gelukkige mensen was.

Het caisson was fascinerend, ongeacht welke filosofie Gob eraan vastknoopte. Het was zo geweldig groot. Will kende de maten ervan omdat Gob ze eindeloos had herhaald—honderdachtenzestig voet lang bij honderdtwintig voet breed, twintig voet hoog en drieduizend ton zwaar. Toch leek het veel groter, en de hellende wanden gaven het iets Egyptisch, alsof het de basis van een piramide of een voetstuk voor een sfinx was. Het dak stond vol luchtpompen en takels en verschillende andere stukken machinerie die Will niet herkende. 'Is het niet schitterend?' vroeg Gob. Het had iets kinderlijks, zoals hij in de menigte van duizenden mensen wachtend op de tewaterlating, die zonder een enkel probleem verliep, rusteloos van de ene voet op de andere hipte. Het ding gleed elegant in het water.

'Daar gaat hij,' zei Will, die zijn buik vasthield omdat hij hem omhoog voelde komen toen het laatste blok werd weggeslagen: toen het ding begon te glijden kreeg hij een gevoel in zijn buik alsof hij en niet het caisson omlaag gleed, door zijn eigen geweldige massa voortgestuwd, de grijze rivier in. Gob juichte mee met de rest van de menigte, schreeuwde zich schor. Will juichte ook, aanvankelijk heel onbeholpen, omdat hij zich niet herinnerde wanneer hij voor het laatst zijn stem op deze manier had gebruikt. Hij stootte een paar gebarsten, kuchende jankende klanken uit en deze schenen in zijn binnenste de weg te banen voor iets soepelers en muzikalers, een hoog, enthousiast gejodel dat een herinnering opriep aan het geweldige gebrul dat de Rebellen vroeger altijd uitstootten. Will schreeuwde steeds luider tot alleen nog hij en Gob stonden te schreeuwen in de nu stille menigte; ze schreeuwden tot hij, net als Gob, zijn stem kwijt was.

Will schreef in zijn patiëntenboek: *Hij had vijfentwintig tot dertig maal ontlasting gedurende de afgelopen vierentwintig uur.* Hij zat aan het bed van een cholerapatiënt, een vijftien jaar oude jongen die door zijn dikke wangen nog jonger leek dan hij al was. Will legde zijn potlood neer en stak zijn hand uit om de jongen het van zweet doordrenkte haar uit de ogen te strijken. Hij wist zeker dat de jongen zou sterven.

Die lente had Will onder anderen een havenarbeider met tuberculose onder zijn hoede, een sigarenmaker met steeds weer terugkerende koortsen, een klerk met longontsteking, een zeeman met syfilis, een wasvrouw met pleuritis, een winkelmeisje met loodvergiftiging van haar make-up, een aan lagerwal geraakte acteur die zelfmoord had proberen te plegen door een spijker in zijn hoofd te slaan. Al deze patiënten overleden, ondanks Wills oprecht goede bedoelingen, zijn kennis, zijn vakmanschap en zijn nauwgezette toezicht. Hij zat bij degenen die geen familie hadden om aanwezig te zijn bij hun dood, denkend dat hem, als hij keek hoe ze voor het laatst ademhaalden, een diepere kennis zou worden onthuld, iets wat hem bij de bouw van Gobs machine zou kunnen helpen. Hij leerde het patroon kennen: de ledematen koelden af en de onderkant van het lichaam werd donkerder; de patiënten werden slaperig en verward, zagen Will dikwijls aan voor iemand van wie ze hielden, staken hun verzwakkende handen uit om zijn gezicht te strelen, hun ademhaling werd oppervlakkig, dik speeksel hoopte zich op achterin hun keel, zodat iedere ademtocht die naar buiten kwam een raspend en reutelend geluid maakte. Helemaal aan het einde hield de ademhaling op en stopte het hart, en dan leegden ze hun blaas en hun darmen, een laatste blijk van gebrek aan respect voor de wereld die ze verlieten. Hij leerde het patroon kennen, maar niet het geheim. Hij leerde niets uitzonderlijks, behalve hoe onvoorstelbaar het was dat iemand het ene moment leefde en ademde en het omhulsel van een onsterfelijke ziel was en het volgende alleen nog maar een lichaam, niet meer dan afkoelend vlees.

Will was naar Geneeskunde Twee van het Bellevue verhuisd. Gob had genoeg gekregen van de ambulancedienst en was er eind '69 vertrokken. Hij had van dokter Oetker een hele troep patiënten geërfd, en als hij niet aan de machine aan het werk was hield hij zich met hen bezig. Deze rijke mannen en vrouwen waren nooit echt ziek, alleen maar geobsedeerd door hun ingewanden of de afnemende glans van hun haar. Will begreep niet waarom Gob zich al die moeite voor hen gaf.

De jongen met cholera stierf als de anderen, alleen, als Will er niet was geweest. Gobs machine was in één opzicht al een succes – het werk eraan voorkwam Wills insulten. Het stompte zijn inlevingsvermogen af, alsof het werk aan de redding van zieken en stervenden het hem gemakkelijker maakte hun lijden van zich af te schudden. Maar als het werk niet goed ging, zoals de laatste tijd gebeurde, kwamen de aanvallen terug. Hij had er een gehad vanwege de jongen met cholera. Terwijl de jongen weg was gezonken in de vergetelheid, reutelend en schreeuwend van angst in weerwil van Wills pogingen hem te kalmeren, was Will ook weggezonken. Zijn darmen krampten en hij had een gekreun laten horen, en toen de jongen stierf trilde en kwijlde Will en beet hij in zijn eigen wang.

Hij werd wakker met zijn hoofd op de schoot van een dronken verpleegster. Hij keek naar de plek waar de jongen met iets openstaande ogen en mond in zijn bed lag.

'Hier, neem een slokkie, meneer,' zei de verpleegster en bracht een flacon naar zijn lippen. 'Daar komt u weer van bij.' Hij kwam overeind en deed met van minachting vertrokken gezicht een stap achteruit. Hij pakte haar de flacon af en gaf haar opdracht het lichaam van de jongen te wassen. Will keek op zoek naar zijn geest in de zaal rond, maar deze was er niet. Als hij onmiddellijk bezocht zou worden zou dat de allereerste keer zijn. Will zag ze nooit in zo verse staat: er verstreek altijd een periode van enkele weken voordat ze hem verschenen, vroegere patiënten die hem beschuldigden en aanklaagden wegens verraad, alsof ze woedend waren dat hij ze niet had gered. 'Het duurt even,' had Tennie hem verteld, 'voordat ze geleerd hebben hoe ze terug moeten komen. Het is niet makkelijk voor ze.'

Toen Will die avond uit het Bellevue kwam moest hij naar nummer vijftien aan East Thirtyeighth Street, dat sinds iets eerder dat jaar Tennies nieuwe adres was. Mevrouw Woodhull had van een deel van het nieuwe fortuin dat ze op de aandelenmarkt had verdiend een groot huis gehuurd. Onderweg keek hij met tussenpozen over zijn schouder, bang dat de cholerajongen zou opduiken. De jongen was er nooit als hij keek, maar andere geesten volgden hem wel, Jolly en Sam en de rest liepen in ganzenpas achter hem aan. Hij liep tweemaal om een straatlantaren heen, sprong over vuilnis op de stoep, bukte zich diep om onder een paard door te duiken dat hem de weg versperde toen hij de straat overstak, en iedere geest liep, sprong, en dook precies zoals hij, alsof hij de enige route nam die ter wereld mogelijk was.

Toen hij Fifth Avenue afsloeg zag hij Tennie in haar raam

zitten alsof ze nog steeds in Great Jones Street woonde. 'Liefste!' riep ze, terwijl de geesten in een rij achter hem bleven
staan, 'ik heb op je zitten wachten!'

Wills machines waren altijd slordig gemonteerd en slecht te
besturen. Hij repareerde de aeolipyle van Gob, maar toen hij
hem een zet gaf hobbelde hij onder het draaien, en in plaats
van dat hij een zuiver fluitend geluid maakte krijste hij als
een loopse teef. Toch bleef hij leren en bouwen. Gob prees
zijn ijver meestal, maar hij kon ook hardvochtig zijn: van een
booglamp die Will van twee stukken steenkool en een sterke
voltaccu had gemaakt zei Gob geringschattend: 'Die geeft
meer warmte dan licht.'

Gobs machine begon er intussen steeds meer als een mens
uit te zien. Ze hadden het gevaarte zoals het eerder was geweest gesloopt en de aanslibbingen van jaren verwijderd tot
ze iets hadden blootgelegd wat eruitzag als een lam van glas
en ijzer, en dat hadden ze ook gesloopt, omdat Gob zei dat het
gewoon verkeerd was, een onrijpe vorm die op een lichtere
taak dan het afschaffen van de dood was afgestemd. Het ding
had nu glazen ribben en een stel koperen heupen. Het stond
op benen die dun waren als vogelpootjes, gemaakt van staal
en strak omwonden met koper- en gouddraad. Alle botten die
Gob van een reisje naar Washington had meegenomen waren
tot tandwielen versneden of tot stutten samengevoegd. Binnen de glazen ribben bevond zich een tweede stel ribben van
bot, vervaardigd van dijbeenderen en nekwervels en stukken
verbrijzeld bekken. Als ze aan het werk waren droeg Gob een
zwarte hoed, die hij op dezelfde reis naar Washington had
aangeschaft. Hij beweerde dat deze eens aan Abraham Lincoln had toebehoord, en zei dat hij zich geïnspireerd voelde
als hij hem droeg.

De verschillende oppervlakken, de kleine glazen kistjes vol
kleine gouden, platina, ijzeren en stalen asjes, de bochtige
draden en kabels die zich er als vleugels achter uitspreidden,
de paraplu van fotonegatieven die hem tegen het felle licht

van de gaskroon beschutte—door dit alles was het fascinerend om naar de machine te kijken, maar het maakte hem daarom nog niet functioneel. 'Hij is nog niet af,' zei Gob eens, toen ze eraan aan het werk waren en Will ter sprake bracht dat het wel eens een mislukking kon worden. 'Maar hij komt wel af. Mijn vriend, je bent even ongeduldig als de doden. Ik ben nooit blij dat ik ze niet kan zien of horen, maar ik weet dat ze als viswijven tekeergaan, dat ze schreeuwen dat het werk voltooid moet worden en dat de muren moeten instorten. Maar we gaan door zoals we door moeten gaan, en niet anders. Jij staat aan mijn zijde en Walt staat aan mijn zijde en we zullen niet falen.'

'De Kosmos,' zei Will, naar de machine kijkend en zich afvragend waar meneer Whitman precies zou worden ondergebracht. Zou hij een kabel in zijn hand houden en zijn levensenergie doorgeven om het ding te wekken? Zou hij het zijn lachwekkende poëzie voorlezen en het een woedeaanval bezorgen over deze corrumpering van de dichtkunst? Hij stelde zich voor hoe de machine een arm zou opheffen om de man te verpletteren.

'Ja,' zei Gob met een dromerige uitdrukking op zijn gezicht. 'De Kosmos.' Will richtte zijn aandacht op het splitsen van het draad. Dat vond hij heerlijk: het metaal weer vezel voor vezel in elkaar te weven. Van de buit uit Washington vond hij het stuk van de Atlantische Kabel het mooist. Hij vond het zowel mooi als volmaakt: de zeven koperen draden die de eigenlijke geleider vormden, de isolerende mantel van in pek en talg gedrenkte katoen, de lagen guttapercha en tenslotte de om alles heen liggende, beschermende mantel van gevlochten staaldraad. Eenmaal, voordat ze het in de machine hadden verwerkt, had hij het ene uiteinde vastgehouden terwijl Sam zijn hand om het andere had geslagen, maar Will had niets gevoeld en niets gehoord.

'Je zult falen,' was wat de engel tijdens haar zeldzame en korte bezoeken zei. En ze herhaalde haar vraag: 'Waarom doe je mee aan die gruwel?' Hij had uiteindelijk begrepen dat ze met 'gruwel' niet zijn uitspattingen aan Green Street bedoelde. Ze doelde op de machine. 'Denk je dat God tegen ons werk is?' had hij Gob na een van haar bezoeken gevraagd. 'Het kan Hem niet schelen,' had het antwoord geluid. Toen Will over de engel vertelde, dacht hij dat Gob hem misschien zou uitlachen en zou zeggen dat er weliswaar overal om ons heen op aarde geesten rondliepen, maar dat iets als een engel nooit had bestaan. Gob had echter alleen geknikt en gezegd, alsof het het gewoonste en verstandigste was dat je kon zeggen: 'O ja. De engelen—*die* zijn heel erg tegen ons.'

'Wat weet jij van engelen?' vroeg Will Tennie. Ze zaten op een warme avond in juli op haar kamer, knus in wat ze haar Turkse hoekje noemde. Ze had een bed waarin een prinses had kunnen slapen, maar soms sliep ze liever hier, waar ze een zijden tent aan het plafond had gehangen. Erin had ze zachte tapijten en kussens van brokaat op de vloer gelegd. Ze had twee kromzwaarden aan de muur gehangen, het interieur met planten en varens van rubber in een oerwoud veranderd en de ingang van de tent geflankeerd met twee gedrongen gipsen pilaren waarop twee walmende olielampen brandden.

'Ik heb ze wel gezien toen ik klein was,' zei Tennie, 'maar daarna nooit meer.' Ze had haar hand in een varen gestoken en liet loom de bladeren heen en weer deinen, waardoor een briesje ontstond. 'Vicky heeft er eens een gezien. Ik was toen nog maar een jaar, en ging bijna dood van difterie. Vicky zag een engel omlaag komen en me in haar vleugels sluiten.'

'Probeerde ze je te smoren? Was het erg, die vleugels?'

'Absoluut niet. Het was een genezende aanraking. Ik herstelde ervan. Iedereen behalve Vicky had me opgegeven.' Ze pakte een glas water en nam een slok. 'Ik heb meneer Nathan gezien,' zei ze. 'Jij ook? Hij ziet er niet gelukkig uit. Volgens mij wil hij gerechtigheid voor die moord. Weet je, ik geloof niet dat ik er veel om zou geven wat er met mijn moordenaar zou gebeuren, als het eenmaal achter de rug is. Ik denk dat ik dan minder aardse zorgen zou hebben.' Ze nam nog een slok water. Will legde zijn hand hoog op haar buik, vlak onder haar ribben, en stelde zich, zoals hij soms wel deed, voor dat hij door haar huid heen kon kijken en kon zien hoe haar organen functioneerden, en dat hij haar maag zag kronkelen van tevredenheid over de koele vloeistof. Ze vertelde hoe ze de dag had doorgebracht. Hij wist nooit helemaal zeker wat ze precies met haar tijd deed, maar wel dat ze altijd bezig was met makelaarswerk of de papierhandel. In haar kamer had ze een bureautje waaraan ze artikelen schreef voor het blad dat zij en haar zuster in mei van stapel hadden laten lopen. Eenmaal, toen ze aan het schrijven was, had hij ietwat knorrig gevraagd of ze meneer Challis aan de schandpaal zat te nagelen.

'Meneer wie?' had ze geantwoord.

Hij liet zijn handen overal over haar heen glijden, betastte haar lever, die onder zijn hand wegglipte toen ze diep inademde, en iedere keer dat hij iets aanraakte riep hij: 'Longen, nieren, milt.'

Tennie lachte en zei dat haar milt *hier* zat en niet *daar*, waarbij ze zijn hand verschoof. Ze beweerde erg goed op de hoogte te zijn van haar inwendige werking. Het was een aspect van haar talent als medisch helderziende en magnetisch genezeres haar eigen lichaam zo goed te kennen. 'Ja, ja,' zei ze, 'leg je handen op me, dan leg ik de mijne op jou.' Ze stak haar hand uit naar zijn borst en rug, alsof ze probeerde zijn hart tussen haar handen te vangen.

'Ook de telegraaf heeft een lichaam en een ziel,' zei Gob. Will was Daniell-accu's aan het maken, waartoe hij een verzuurde oplossing van kopersulfaat in een koperen cel goot en er een poreus vaatje in zette. In het vaatje zette hij een cilinder van zink in een bad van zwak zuur. Daarna belandde dit geheel in een glazen bak. Het was een labiele en moeizame opstelling, en hij had in de helft van zijn overhemden gaten gebrand omdat hij slordig met het zuur omsprong. Will vond het echter prettig werk. Hij vond de accu's elegant, die vaatjes in vaatjes in vaatjes. Hij kon er hele dagen mee bezig zijn en was er ook vaak hele dagen mee bezig, zodat ze er aan het einde van de zomer honderden hadden.

'Je ziet het vitale principe niet waardoor ze worden bezield,' zei Gob, kijkend naar een beurstikker die in de machine had gezeten voordat ze hem hadden herbouwd. Hij had de tikker helemaal uit elkaar gehaald en half weer in elkaar gezet. Hij was humeurig, betreurde het feit dat hij in het algemeen geen geesten kon zien en in het bijzonder niet zijn broer, terwijl hij toch zijn leven aan hen wijdde en iemand als zijn moeder ze kon zien en ze kon horen en, scheen het, zelfs thee met ze kon drinken. Will dacht aan de jammerklachten van zijn eigen moeder.

'Daarmee komen ze niet terug,' zei Will, 'als je alleen maar klaagt.'

'Maar dat gebeurt juist wel,' zei Gob. 'Snap je het dan niet? Wat is rouw anders dan een diepe klacht? Dat zal de machine ook doen: hij zal klagen. Hij zal klagen, met mechanische efficiëncy en mechanische kracht. Hij zal rouwen om mijn broer en om jouw broer en om de zeshonderdduizend doden uit de oorlog. Hij zal rouwen om alle doden uit de geschiedenis en om alle doden van de toekomst. De rouw van de mens helpt niet om ze terug te brengen, maar net zoals de hand van de mens geen bergen kan verzetten maar de machines van de mens wel, zo zal onze machine de grenzen tussen deze wereld en de volgende wegrouwen. En dan zal de weg open liggen, even zeker als er rails naar Californië lopen.'

Will werkte door, hield zijn blik op de accu en zijn aandacht op zijn werk gericht: het vullen van het kleine poreuze vat met zuur. Hoewel hij Gob niet aankeek wist hij dat diens gezicht door trots en boosheid en verdriet werd bezield—het was de blik die hij kreeg als hij weidse uitspraken over hun werk deed. Het was een verschil tussen hen dat Gob graag zo veel praatte waar Will gewoon liever werkte. En die spraakzaamheid was een deel van de reden waarom, zo dacht Will,

Gob zo aan meneer Whitman was gehecht.

Later zette Gob de tikker weer helemaal in elkaar en monteerde hem weer in de machine—hij zat op de plek waar bij een mens de navel zou zitten. Toen ging hij naar beneden om te lezen. Will zat nog steeds geduldig accu's in elkaar te zetten, vijftien uur nadat hij ermee was begonnen. Op dat moment bracht de engel hem weer een bezoek. Ze bleef ditmaal een tijdje, vijf volle minuten. Will negeerde haar, zoals zijn gewoonte was geworden. Maar voor ze vertrok had Will opgekeken en gezien dat ze met vingers en vleugels naar de machine wees. '*Dit* heeft God niet geschapen,' zei ze.

Will bekeek een fresco op het plafond in de salon bij mevrouw Woodhull: het behelsde een afbeelding van Afrodite, omringd door haar sterfelijke en onsterfelijke liefdes. Zij waren gekleed, maar de godin was volledig naakt, en iedere gast die de moeite nam zijn nek te strekken kon haar naaktheid op zijn gemak bekijken. Tennie praatte maar door over meneer Whitman. Ze raakte iedere keer veel te opgewonden als hij in de buurt was. Gob had hem meegenomen naar een feest dat in september 1870 door mevrouw Woodhull ter ere van Stephen Pearl Andrews en zijn geweldige brein werd gegeven. Meneer Whitman liep, nadat hij godzijgeloofd Will en Tennie alleen had gelaten, met zijn gastvrouw in het vertrek rond, en toch praatte ze maar over hem door.

'Ik heb een visioen gehad,' zei ze, 'waarin hij als een heilzaam kruid uit de grond tevoorschijn kwam. Hij was een groene man, met margrieten en sialia's in zijn haar. Er kwamen kleine dieren uit het bos tevoorschijn om rond zijn voeten te spelen.'

Will wreef zich over zijn borst op de plek waar Tennie hem een kleine schok had toegediend. Het had geen pijn gedaan, maar het was altijd een verrassing als ze het deed. Hij wilde dat ze het weer deed.

'Laten we naar boven gaan,' zei hij. 'Ik heb genoeg van dit feest.'

'Nu al? Meneer Andrews is er nog niet eens.'

'Laten we weggaan,' zei hij. 'Laten we vanavond vertrekken, een reis gaan maken. Ben je wel eens in Canada geweest? Dat is het buitenland, hoor.'

'Dat wist ik al,' zei ze, en zond hem een blik toe die hij maar al te goed kende. De blik zei: *Ik heb genoeg van je.*

'Zie je hoe hij loopt?' vroeg ze, terwijl ze Whitman nastaarde. 'Net als een beer, zwaar en deinend en achteloos.'

'Hij is een schitterend wezen,' zei Will met een grafstem. 'Hij is een kosmos.' Hij dacht aan Gob. Ze hadden eerder op de dag ruzie gehad omdat Will neerbuigende opmerkingen over Whitman had gemaakt. Will had gezegd dat al dat gedoe over de kosmos hem een onzinnig eerbewijs en een onverdiende onderscheiding leek. 'Wie heeft hem trouwens Kosmos genoemd?' had Will gevraagd. 'Zijn kat soms? Is hij ook de markies van Carrabas?' En nu was Gob nergens te bekennen.

'Ik weet dat je een hekel hebt aan meneer Whitman,' zei Tennie, en liep weg om een glas punch te halen. Hij keek naar haar terwijl ze wegliep en zich hier en daar even bukte om in het voorbijgaan verschillende mannen iets in het oor te fluisteren. Meneer Challis, de wellustige makelaar, was niet op dit feest aanwezig, en toch voelde Will dat zijn gedachten naar de man werden toegetrokken en bloosde hij van jaloezie. Als hij bij haar was, als hij 's nachts half wakker werd en ze helemaal om hem heen geslagen lag, als haar haar zwaar op zijn gezicht lag en zelfs de lucht die hij inademde haar geur droeg, dan kreeg hij het gevoel dat ze hem volledig omringde, en dit idee troostte hem en wond hem op. Hij zag haar als een prachtig huis, heel anders dan het huis van Gob, een plek zonder geheime kelders waar botten aan kettingen aan het plafond hingen en heen en weer zwaaiden en kletterden op een bries die nergens vandaan kwam. In zijn geest liep hij van de ene kamer naar de andere, waarvan elke was volgestouwd met blinkende prullaria, en vond helemaal bovenin een machine die ten doel had verrukking te produceren. Het was goed er rond te zwerven, naar haar machine te kijken en te luisteren naar de geluiden die ze maakte, het geluid van haar snurkende, reutelende ademhaling. Toch ontmoette hij ook onvermijdelijk andere mannen terwijl hij in die kamers ronddwaalde, er waren altijd anderen die haar machine onderhielden, mannen die hem vreemd waren, die, als hij een deur opende en hen verraste als ze lui in het uiterst comfortabele meubilair lagen, naar hem loerden en vroegen: 'Wie bent u?'

'Slaapt u, dokter Fie?' vroeg een dame die geruisloos naast hem was opgedoken. Will dacht dat het mevrouw Woodhull was, maar toen hij zijn ogen opendeed zag hij dat het juffrouw Trufant was, haar secretaresse en manusje van alles in haar hervormingsoorlog. Ze was net als haar bazin in een rok en een herenjasje gekleed.

'Nee, ik ben klaarwakker,' zei hij.

'Meneer Andrews zal u zeker wakker schudden als u slaap hebt. Ik vind hem de intelligentste man ter wereld.'

'Dat is volgens mij dokter Woodhull,' zei Will, omdat hij Gob had beloofd dat hij, als zij erbij was, vleiende dingen over hem zou zeggen. Gob koesterde een besmuikte, schoolmeisjesachtige affectie voor dit kleine, donkere persoontje. 'Wat vind je van haar?' vroeg Gob keer op keer. 'Vind je haar knap?'

'Volgens mij bent u verzot op die man,' zei ze. 'Vertelt u me eens, dokter Fie, heeft dokter Woodhull soms sterren in zijn zak? Kan hij de maan omlaaghalen en u cadeau geven om u goedenavond te wensen?' Ze glimlachte.

'Bewondert u hem ook niet?'

'Och, ik sta onverschillig tegenover hem. Maar ik denk dat twee mensen die elkaar zo zijn toegewijd met elkaar moeten trouwen zodra de gelegenheid zich voordoet.' Ze vouwde haar handen voor zich. Will wierp er een blik op en zag dat ze bijzonder lieflijk waren – hij bedacht hoe moeilijk het zou zijn iets zo volmaakts en kleins te scheppen. Ze verplaatste haar handen naar achter haar rug. 'Ik bedoelde dat als grapje, dokter Fie. Maar nu denk ik dat ik u beledigd heb.'

'Helemaal niet,' zei hij, maar ze bloosde en bracht het gesprek op het Veertiende Amendement en de invloed ervan op het vrouwenkiesrecht, iets waarvan Will helemaal niets wist. Al heel gauw verontschuldigde ze zich en zei dat ze op zoek moest naar meneer Butler. 'Ja,' zou hij later tegen Gob zeggen, zoals hij altijd deed, 'ze is erg knap.'

Meneer Whitman werd ziek toen hij in de regen naar de begrafenisstoet van admiraal Farragut stond te kijken. Will diagnosticeerde, toen Gob hem voor een consult meenam, longontsteking, omdat Whitmans longen nat waren als een stel sponzen. De patiënt hield vol dat het een oude ziekte was, die hij had opgelopen in zijn tijd in de ziekenhuizen in Washington, en dat de regen hem had verzwakt en hem vatbaar had gemaakt. Hij vroeg om een aderlating, omdat dat altijd hielp als hij last van deze kwaal had. Gob gaf hem een elixer en legde hem in een van de geweldige bedden in East Fiftythird Street 1, in een kamer die in jaren niet was geopend. Whitman werd onder hun hoede zieker, kreeg koorts en deliria, riep klagend om David Farragut, en daarna om een hele reeks anderen. Hij mompelde namen: John, Stephen, Elijah, Hank, Hank. 'Dokter Woodhull,' kreunde hij. 'Hoe is het met mijn koortsjongen?' Zelfs Will trachtte het hem gemakkelijk te maken, legde zijn grote hand op Whitmans hete, zwetende hoofd en zei: 'Ssst, meneer.'

Ondanks Wills bezwaren gaf Gob hem een aderlating. Will was hier verbaasd over, omdat Gob altijd had beweerd dat het geven van een aderlating ongeveer evenveel hielp als een patiënt bijten. 'Hij wil het,' zei Gob, wat hem nogmaals verraste, omdat het een fundamentele artsenregel was dat de wensen van de patiënt in het algemeen niet terzake deden waar het zijn behandeling betrof. Gob hanteerde het kopmes als een getrainde bloedzuiger en liet het bloed van zijn patiënt weglopen in een witte porseleinen kom. Will verwachtte half en half dat de man licht of geparfumeerde lucht zou afgeven, maar uit zijn aderen liep gewoon rood bloed. Toen hij klaar was liet Gob Will het verband aanleggen terwijl hij het bloed in een groene glazen flacon overgoot en er een poeder bij strooide waarvan hij zei dat het het stollen zou voorkomen. 'Ja,' zei hij, terwijl hij het bloed in de flacon liet rondwalsen, 'dit zal zeker nuttig zijn.'

Toen de winter inviel zei Gob steeds dat ze bijna klaar waren met bouwen, maar Will geloofde hem nooit als hij dit zei. Het leek niet groots genoeg, dat ding dat ze de afgelopen twee jaar hadden gebouwd. Het was niet veel groter dan Will zelf, en hoewel het ingewikkeld was en er onbeschrijflijk vreemd uitzag leek het toch niet ingewikkeld of vreemd genoeg. Dus bleef hij tegenwerpen: 'Het is niet genoeg.'

'Genoeg wat?' vroeg Gob dan altijd.

'Nou, wat het is.'

Gob lachte dan en knutselde door. Het ding zag er nu uit als een stijlvolle engel, omdat de massa's kabel als vleugels aandeden en omdat het lichaam van het ding zich achterin het vertrek chaotisch in de hoogte verhief. De armen hielden een grote lege zilveren schaal op, vlak onder het baldakijn van negatiefplaten. Gob had zijn gaskroon zo aangepast dat er acetyleen in gebrand kon worden. Het gas, dat ze zelf van water en calciumcarbide maakten, gaf een scherpe, knoflookachtige geur af. Als hij brandde bracht de gaskroon een pijnlijk schel licht voort dat door de platen viel. De beelden werden belicht en op de schaal gericht door middel van lenzen aan draden die zo dun waren dat ze als belletjes onder de negatieven leken te zweven. 'Wat gaat er in die schaal?' vroeg Will herhaaldelijk, maar Gob zei dat hij dat nog niet wist. Hij zei dat hij van de schaal had gedroomd, maar niet van de inhoud.

Gob vond het antwoord in december. Hoewel er al honderden accu's kriskras door de kamer stonden, maakte Will er nog meer en hij was hier net de hele nacht mee bezig geweest toen Gob vroeg in de ochtend het atelier binnenstormde, zijn gezicht nog gezwollen en gekreukt van de slaap, en meldde dat hij er eindelijk achter was wat er in de schaal gelegd moest worden.

Die avond gingen ze naar een diner bij madame Restell. 'Ze vraagt al jaren of ik eens kom eten,' zei Gob, vlak voordat ze aan het wandelingetje langs de twee huizenblokken aan Fifth Avenue begonnen dat hen naar het huis van zijn buurvrouw zou brengen, 'maar ik heb de uitnodiging altijd afgeslagen. Ze was een goede vriendin van mijn meester en voor mijzelf net een tante, snap je, maar toch heb ik haar verwaarloosd. Ik heb er geen spijt van—ik heb al zoveel tantes, en die bezorgen me al genoeg ellende, dankjewel. Hoe dan ook: ik heb haar vanmorgen bericht gestuurd en onmiddellijk antwoord gekregen. Dus misschien heeft ze me vergeven.'

Madame Restell was opgetogen Gob te zien. 'Wat ben je groot geworden!' zei ze. Aan tafel negeerde ze Will en vroeg Gob naar het leven dat hij had geleid. Hij vertelde haar over zijn werk in het Bellevue, maar zei niets over zijn moeder of, natuurlijk, de machine. Hij zei dat hij en zijn vriend, dokter Fie, een handboek over anatomie schreven, dat hun specimina ongelukkigerwijs in een brand waren vernietigd, dat de inleverdatum dichterbij kwam en dat ze alleen maar blanco pagina's hadden waar illustraties van anatomieën van foetussen hadden moeten staan. Het was een gewaagd verzoek, gaf hij toe, maar kon zij hem misschien van dienst zijn?

'Zo'n jonge man,' zei ze, 'en dan al aan een boek bezig! O, je wordt vast even beroemd als je oom. Wat zou hij trots zijn!' Natuurlijk zou ze helpen, zei ze. Ze bediende zich stevig van de zoete wijn die op tafel stond en werd sentimenteel toen ze over de oude leermeester van Gob praatte. 'Soms kom ik langs het huis, en dan merk ik dat ik de trap oploop en pas als ik voor de deur sta en wil aanbellen herinner ik me dat hij overleden is. O, die is ons wel in de bloei van zijn leven ontrukt!'

'Maar tantetje,' zei Gob, 'dan moet je zeker aanbellen. Dan moet je zeker aanbellen.' Toen ze hem omhelsde keek hij

Will over haar schouder aan en rolde met zijn ogen.

Na het eten nam ze hen mee naar beneden, naar haar praktijkruimte in de kelder. Ze bleven niet rondhangen in de fraai gemeubileerde vertrekken waar ze cliëntes ontving of ingrepen verrichtte, maar gingen snel naar een niet-afgewerkt achtervertrek en liepen langs het ene rek met stoffige wijnflessen na het andere naar een groep vaten die in een kleine afrastering stonden opgesteld. Een enkele gasvlam brandde laag aan de vochtige muur.

'Nou,' zei ze. 'Hoeveel heb je er nodig?'

'Eén maar,' zei Gob. Ze had de mouwen van haar jurk opgetrokken en een tang gepakt die aan de muur hing. Ze tilde het deksel op van een vat waar *Varkensvlees* op stond—dit om de posterijen te misleiden als ze specimina naar medische opleidingen overal in het land stuurde, waarvoor ze uitzinnige bedragen eiste.

'Eentje maar? Ik heb er meer dan genoeg. Laat me je er twee of drie geven. Of laat me je er vier geven. Het is echt geen probleem, liefje.'

'Eén maar, dank u. De meest verse.'

'O, dat zou dan de jonge heer Tilton worden. Of nee, de kleine meneer Beecher.' Ze legde het deksel weer op het vat en liep naar een ander, en terwijl ze de geaborteerde foetus uit de pekel viste vertelde ze iets over zijn geschiedenis. Het was niet haar gewoonte vertrouwelijkheid te schenden, maar ze was nu dronken en overweldigd door weemoed over haar oude vriend en zijn beschermeling, dus praatte ze onbekommerd over hoe ze mevrouw Tilton en meneer Beecher had geholpen het gevolg van hun liefde uit de wereld te laten verdwijnen. Toen ze de jongen in een effen grijze hoedendoos stopte ving Will een glimp van glinsterend roze vlees op. Ze keek er even in voordat ze de deksel erop zette. 'Een prachtig specimen,' zei ze. 'Bijna ongeschonden. En ik weet dat je er een mooie tekening van zult maken. Zo zal hij in ieder geval voortleven. Kom maar mee naar boven. Ik pak hem voor je in.'

Terwijl ze met de keurig in wit papier ingepakte hoedendoos naar huis liepen, alsof ze bij Stewart boodschappen hadden gedaan, vertelde Gob Will hoe zijn moeder hem in zijn droom naar haar huis aan Thirtyeighth Street had laten komen. Ze had hem ontvangen in de kas, waar ze onder een boompje had gezeten dat zijn herfstkleuren nog droeg, hoewel het in de droom winter was geweest net zoals het in de echte wereld winter was. Ze zat daar een tijdje zwijgend op een bankje en Gob zat zwijgend naast haar terwijl het boompje zijn kleurige bladeren tussen hen in liet vallen.

'Dit is een droom,' zei ze, opeens en terloops. Toen stak ze haar arm onder de bank en haalde iets tevoorschijn waarvan Gob aanvankelijk dacht dat het een pot jam van zijn grootmoeder was—het was rood en geel, precies dezelfde kleuren als die van de bladeren die van de boom dwarrelden, en het was precies het soort pot dat Anna voor haar conserven had gebruikt. Toen hij er beter naar keek zag hij echter dat het een kleine foetus was, en hij wist dat hij vers uit de baarmoeder van zijn moeder was geconserveerd. 'Hier,' zei ze, 'is je broer. Dit is je broer, tenslotte toch bij ons teruggekeerd.' Hij had zijn hand uitgestoken om de pot van haar aan te nemen omdat hij werd overweldigd door het gevoel dat hij hem moest aanpakken en tot in de eeuwigheid moest koesteren, maar in zijn haast liet hij de pot vallen. Deze viel op de bank kapot en het onvoltooide kind viel er in een golf oranje en rode vloeistof uit. Het viel tussen de bladeren, waar het lag te trappelen en te krijsen.

Toen Gob uit die droom was ontwaakt had hij begrepen wat ze al die maanden hadden gemist. De machine had vlees nodig en had bloed nodig. Het bloed zou als katalysator voor de terugkeer functioneren en Gob wist dat het het doel van de machine was de energie van verlies en rouw te gebruiken en op de zilveren schaal te deponeren, om een geest—die van zijn broer—terug te roepen en weer in vlees onder te brengen. En hij wist dat zodra dit verwezenlijkt was de muren tussen de doden en de levenden zwak en week zouden worden omdat de wet die verklaarde dat er geen terugkeer uit de dood mogelijk was op dat moment zou worden doorbroken, en deze wet was de fundering van de muren die de doden buiten de wereld hielden. De machine zou door de verzwakte muur heen reiken en ze een voor een oppikken en weer in het leven terugbrengen.

'Het is zo simpel,' zei hij. 'Vind je ook niet?'

Will zei niets. Hij hield alleen de doos vast en liep door, pogend de stank van bloed en conserveermiddel te negeren die eruit opsteeg.

Gob zat iedere dag over zware boeken uit de bibliotheek gebogen — boeken die honderden jaren oud leken en niet geschreven waren in een taal die Will herkende, laat staan dat hij haar kon lezen. Onder het lezen slaakte Gob nu en dan een uitroep terwijl Will met de machine in de weer was: hij testte het licht of veranderde iets aan de negatieven, herschikte ze volgens thema — buikwonden, amputaties, ver voortgeschreden ontbinding. Hij legde de foetus volgens aanwijzingen van Gob in een glazen pot vol pekel en zat er soms naar te kijken, half en half verwachtend dat de foetus een arm zou bewegen of zijn hoofd zou schudden en hem aankijken.

Ze begonnen op een avond eind december, een paar weken na hun bezoek aan mevrouw Restell. Gob zette de hoed van meneer Lincoln op en omringde de machine met symbolen en woorden die hij met gekleurd zand op de stenen vloer tussen de accu's goot. Sommige nam hij over van de oude meesters die hij had bestudeerd, andere waren zijn eigen schepping. Om middernacht bracht hij het kind van de pot in de schaal over. Daarna liep hij om de machine heen, waarbij hij over de kabels en de glasdraad heen stapte die naar de externe elementen leidden — dozen en accu's en stukken spiegel. Hij liep voor ieder jaar van het leven van zijn broer op aarde een rondje en daarna een rondje in tegengestelde richting voor ieder jaar dat hij dood was. Hij goot het bloed uit de

groene fles in de schaal, en onmiddellijk begon deze te draai-
en en te zingen. Op een teken van Gob haalde Will een scha-
kelaar over om een booglamp aan te steken – ze hadden ook
afgezien van acetyleen omdat het niet helder genoeg was, dus
hadden ze nu onder de fraai bewerkte gaskroon een elektrische lamp geïnstalleerd. Deze vonkte op en scheen fel boven
de negatieven, waardoor er beelden in de schaal en op Gob
werden geworpen.

Will rende door het hele vertrek, dook onder draden door
en sprong over accu's heen, stookte ketels op, zette kleppen
open en haalde hendels over. Een stoommachine brulde en
pufte en de zuigers bewogen, en deze beweging werd van het
ene tandwiel op het andere overgebracht. Will had gedacht
dat hij in ieder geval de natuurkundige werking van het ding
begreep, hoe de stoom in beweging veranderde, hoe ieder
tandwiel het volgende aandreef, hoe de kracht van de beweging werd vergroot of van richting veranderd. Nu hij alle
schakelaars had omgezet en alle kleppen geopend stond hij
echter hijgend tegen de muur bij de deur, met het gevoel dat
hij niets begreep. De machine had nog nooit zo gehuiverd en
gezoemd, hoewel ze hem al eerder op de accu's en de stoommachine hadden aangesloten. Het huis had er nog nooit van
getrild en het had hem nog nooit duizelig gemaakt met al dat
stationaire getol. Het leek of elk deel van de machine bewoog. De glazen tandwielen en de tandwielen van bot en de
ijzeren tandwielen draaiden rond, de glazen en koperen ribben tolden in hun voetstukjes, de vleugels van kabel leken
traag te golven. Hij wist niet hoe hij de schaal aan het draai-
en en zingen bracht of hoe hij geesten opriep. Ze dromden
het vertrek in, kwamen iedere keer dat Will tegen het schelle
licht van de lamp knipoogde bij tientallen en twintigtallen
tegelijk naar binnen. Het licht was zo fel dat hij dacht dat het
dwars door de geesten heen moest schijnen, maar toen hij
beter keek zagen ze er werkelijker uit, zwaarder en bleker. Ze
zagen er werkelijker uit, maar niet levender. Ze oogden was-
achtiger, als schitterend geconserveerde lijken. Toch glim-

lachten ze als levende mensen. Hun monden bewogen en hun gezichten werden bezield door wat alleen maar extase of verschrikkelijke pijn kon zijn. Alle doden van Will waren er, samen met tientallen vreemden en de kleine haveloze engel, die in een hoek zweefde en met een ernstig gezicht toekeek.

Gob viel voor de machine op zijn knieën, stak zijn armen omhoog en staarde in het licht; hij schreeuwde de enige magische woorden die Will geëigend leken. 'Kom terug!' riep hij, steeds weer, tot hij er schor van was. 'Kom terug, Tomo. Kom terug en leef.' Will dacht dat hij iets uit de schaal zag opstijgen, een schaduw die groeide in al het licht. Hij werd groter en groter—het was duidelijk de gedaante van een jongen, die zijn handen hief om tegen een negatief te duwen en het hiermee kapot drukte. Plotseling ging het licht uit, versplinterde als de explosie van een raket in kleine vonken die wegstierven en verdwenen. Kabels vielen uit hun contacten en zwaaiden als cobra's heen en weer, vonkten en sisten tot ze dood op de vloer vielen. Toen was het volslagen donker in het vertrek.

Het geluid van de schaal bleef iets langer in de lucht hangen en ebde toen ook weg. Tenslotte viel de schaal van de machine en kwam er iets met een plof vlak voor Gob op de vloer terecht. De schaal rolde in het donker weg en galmde een keer toen hij een accu raakte. Will hield zijn adem in en hoorde het geluid van een andere persoon—het was zeker Gob niet—die in het donker ademhaalde. Hij tastte voor zich uit maar voelde niets, behalve de glazen bakken van de accu's. Ze waren zo koud dat ze brandden tegen zijn huid.

'Hallo?' zei Will aarzelend.

'Gefeliciteerd met je verjaardag,' klonk de stem, slepend en lispelend, de stem van een kind.

Will baande zich een weg terug naar de muur en stak de gaskroon aan. Voor Gob stond een jongen op de vloer. Hij leek ongeveer vijf jaar oud, had lang, krullend bruin haar en blinkende zwarte ogen en was overdekt met bloed—grote vegen bloed op heel bleek vlees, waardoor hij gestreept was als een barbierspaal. Met zijn hand voor zijn ogen tegen het licht stond de jongen op. Hij staarde Gob uitdagend aan, die ongelovig terugstaarde, en zei: 'Jij bent mijn broer niet.'

'Ik heet Pickie Beecher,' zei de jongen. 'Ik de eerste.'

Will kreeg de taak de jongen te kleden en eten te geven. Gob had zich de eerste dagen na de geboorte in zijn kamer teruggetrokken, waar hij op zijn hurken in de steenkring zat en neuriënd heen en weer deinde. Hij zei geen woord tegen Will of de jongen. Er klonterden altijd bezorgd kijkende geesten samen rond hem en de jongen, die ze stil aanbaden. Pickie Beecher negeerde hen meestal, hoewel hij er soms een met zijn blikken leek te volgen.

Will wist niet wat hij met de jongen aanmoest, die naakt en bebloed in de werkplaats rondrende, naar de machine kijkend en Gobs woorden nazeggend. 'Het is mijn broer niet,' zei hij steeds weer. Will nam hem mee naar de keuken, omdat het zinnig leek hem eten te geven. Pickie Beecher was niet geïnteresseerd in groenten, en zelfs niet in taart of pastei. Hij hield van rood vlees. Gobs provisiekast was goed gevuld, hoewel hij zelf in het algemeen niet veel of vaak at. Er zaten biefstukken in de ijskast. Toen Pickie Beecher deze zag griste hij ze weg en wreef ze als jonge katjes tegen zijn wang. Toen dook hij onder een tafel en at ze met gulzige happen op. 'Vind je dat lekker?' vroeg Will.

'Ik heet Pickie Beecher,' luidde het antwoord. 'Ik de eerste.'

Pickie wilde edelstenen. 'Voor mijn broer,' zei hij. Will nam hem mee naar Stewart om hem in de kleren te laten steken. De peervormige bediende probeerde behulpzaam te zijn, maar scheen maar met moeite te kunnen onthouden dat Pickie Beecher erbij was. 'Ik wil kleren voor de jongen kopen,' zei Will hem.

'Heel goed,' zei de bediende. 'Voor welke jongen?'

'Voor deze,' zei Will, recht op Pickie Beecher wijzend.

'O, natuurlijk!' De bediende deed een stapje achteruit en

huiverde een beetje, alsof hij met moeite de aanvechting onderdrukte ervandoor te gaan. Will bedacht een theorie: de mensen voelden in Pickie Beecher iets zo onnatuurlijks en afgrijselijks dat ze de neiging vertoonden te doen of hij er helemaal niet was, en zodra ze hem huns ondanks hadden opgemerkt maakte hij een vluchtinstinct bij hen wakker. Will ontdekte dat Pickie Beecher deze afstotelijke eigenschap kon maskeren, maar hij liet hem doorschemeren als hij geïrriteerd was.

De bediende was erg hoffelijk. Hij bood omstandig zijn verontschuldigingen aan als hij de jongen, die vlak naast hem stond, niet kon vinden, en hij haalde allerlei schitterende kostuums tevoorschijn—Zouavenjasjes en Garibaldi's en knickerbockers—elk uitbundiger met pompons of frou-frou versierd dan het voorgaande, alsof hij dacht dat de onschuld van de opschik het ongemakkelijke gevoel kon smoren dat door de drager werd veroorzaakt.

Pickie Beecher was geduldig. Hij begon niet tegen te spartelen toen hij werd opgemeten, hij huilde niet van verveling, zoals een ander kind wellicht had gedaan. Hij herhaalde alleen zijn rustige verzoek om edelstenen, voor zijn broer.

'Je hebt geen broer,' zei Will hem. 'Je bent enig kind.'

'Ik de eerste,' zei Pickie Beecher. 'Mijn broer later. Maar hij moet edelstenen hebben, om te dragen.' Hij sprak erg zacht, en keek gespannen naar de alomtegenwoordige geldlopertjes, die geld van de bedienden naar de kassiers brachten.

'Zou je met die jongens willen spelen?' vroeg Will.

'Nee,' zei Pickie Beecher. De bediende keerde terug met een volgende dwaze confectieuitdossing, een pilotenpak met een bijpassende pet.

'Die is goed,' zei Will, omdat hij eraan wanhoopte iets te vinden wat de jongen naast het pak van Gob kon dragen, dat hij heel grof had ingenomen, zodat het hem zou passen. Het pilotenpak was van donkerblauwe wol en had blinkende zwarte knopen, die erg op de ogen van Pickie Beecher leken. Will zei hem dat hij er mooi uitzag. Pickie Beecher hield zijn pet ondersteboven in zijn handen en keek er strak in, maar zei niets. Will draaide zich om om bij de bediende een hele garderobe te bestellen, een dozijn pakken van het soort dat hij en Gob droegen, niet-getailleerde jasjes en broeken van zwarte wol met grijze vesten, gesteven witkatoenen overhemden en drie dozijn boorden, omdat hij er zeker van was dat de nek van iedere jongen, ook van een jongen die uit een zilveren schaal was geboren, voortdurend vuil zou zijn. Hij zou massa's boorden nodig hebben. Pickie Beecher hield niet erg van water. Toen Will had geprobeerd hem in bad te doen was hij uit het water gesprongen en op de vloer gaan zitten, waar hij zich met zijn tong had schoongelikt. Toen Will had geprobeerd zijn haar te knippen was de jongen met een schreeuw weggesprongen en was er bloed uit de afgeknipte haren gevloeid.

Sokken en ondergoed, drie paar zwarte schoenen, vijftien kleine zakdoeken en een reeks hoeden van uiteenlopende hoogten, van kachelpijp tot plat, rondden de bestelling af. Het was allemaal van uitstekende kwaliteit, beter dan de kleren die Will zelf droeg. Het was immers Gobs geld dat hij daar uitgaf. De bediende zwoer het allemaal binnen een week aan huis te laten bezorgen.

'Hoor je dat, Pickie?' zei Will. 'Dit hier hoef je niet zolang meer te dragen.' Hij draaide zich om naar de plek waar de jongen zo-even nog in zijn pet had staan turen, maar hij was er niet. 'Pickie?' zei hij. De gedachte kwam bij hem op dat hij nu de winkel uit kon vluchten en mogelijkerwijs voor altijd aan de jongen kon ontkomen. Het was zinloos te ontkennen dat hij weerzin voelde tegen het kereltje, dat hij hem niet begreep, dat hij bang voor hem was. Maar ook voelde hij nu al een vreemde affectie voor hem.

Stewart was een erg grote winkel. Will zocht een halfuur, allerlei mensen vragend of ze een bleke jongen in een pilotenpak hadden gezien. Natuurlijk had niemand hem gezien. Tenslotte vond Pickie Will. Will was even onder de kleine witte koepel gaan zitten en keek omhoog. Hij stelde zich net op het lege witte oppervlak een apotheose van A. T. Stewart voor toen Pickie aan zijn mouw trok en zei: 'Nu ben ik klaar om te gaan.'

'Je mag niet zo weglopen!' zei Will. 'Waar ben je geweest? Waarom ben je weggelopen? Ik heb je overal gezocht.'

'Het was noodzakelijk,' luidde het antwoord van de jongen.

Buiten was het bitter koud. Will hulde de jongen in zijn nieuwe overjas—nog zo'n confectieartikel—en hield zijn hete kleine hand vast terwijl ze over het trottoir liepen. Will bedacht dat hij koud zou moeten aanvoelen, die jongen, als een lijk. Maar hij was overal heet, en hij werd nog heter als hij rood vlees had gegeten. Pickie Beecher bleef even staan om naar de schilderijen in de etalage van Gronpil te kijken.

'Zou je een schilderij willen hebben? Iets moois om naar te kijken?' vroeg Will.

'Nee,' zei Pickie Beecher. 'Een schilderij is niet noodzakelijk.'

Toen ze weer in het huis aan Fifth Avenue waren rende Pickie naar boven en bonsde op de deur van Gobs kamer, eisend dat hij werd binnengelaten.

'Ik heb ze!' zei hij. 'Ik heb de edelstenen!' Hij had twee handenvol uit zijn zakken tevoorschijn gehaald—robijnen en diamanten en parels in ringen en halskettingen.

'Pickie Beecher!' zei Will, die achter hem aan was gekomen. De jongen keek op, zonder enige uitdrukking op zijn bleke gezicht of in zijn zwarte ogen. Hij richtte zijn aandacht op zijn buit en peuterde met zijn behendige kleine vingers de stenen van hun draad. 'Het is verkeerd om dingen te stelen,' zei Will.

'Het is niet verkeerd. Niet als het voor mijn broer is.'

Gob deed zijn deur open. 'Daar is hij!' zei hij. Hij zag er uitgeput maar bij zijn volle verstand uit. De hoed van Lincoln stond nog op zijn hoofd, maar nu zette hij hem af en op Pickie Beechers hoofd. Hij rustte op de oren van de jongen en viel over zijn ogen. 'Hier is hij dan!' zei Gob tegen Will. 'Onze kleine hulp.'

Will ging langzamerhand zijn vriendschap met Gob in twee perioden onderverdelen – er was de tijd geweest voor de komst van Pickie Beecher en er was de tijd erna. Vóór Pickie kwam hem nu even langgeleden voor als de tijd voor Christus, een oeroude tijd, waarin de mensen ingenieus maar nooit met kracht hadden gebouwd, toen genieën als de bouwers van Alexandrië slimme stukken speelgoed of koude, functieloze monumenten hadden voortgebracht. De machine waaruit Pickie Beecher was geboren was een ding uit het verste verleden en leek langzaamaan op zijn manier zo simpel als een aeolipyle.

De komst van Pickie Beecher kondigde een nieuw tijdvak in het bouwen aan. Hij was hun kleine hulp, maar hij deed werk dat in geen verhouding stond tot zijn postuur. Hij haalde allerlei dingen, waarbij hij altijd zei dat ze voor zijn broer waren, en na enige tijd ging Will begrijpen wat hij hiermee bedoelde. Zijn broer was de machine, een volmaakte versie ervan, die ze nog moesten bouwen. In februari 1871 las Will in de *Tribune* een bericht over de verdwijning van de tandwielen waarop de pneumatische spoorweg onder Broadway werd aangedreven. Ze waren gestolen. De *Tribune* vroeg zich af of het het werk was van de omnibusmaatschappijen, maar Pickie Beecher was de dader. Will wist niet hoe hij het voor elkaar had gekregen. Hij had geen idee hoe Pickie Beecher zijn fantastische taken uitvoerde.

Niet het werk, niet de stille, elektrische bewegingen van de machine, noch de felle booglamp waardoor Wills botten warm gingen aanvoelen als hij eronder stond, niets van dit alles had voor de komst van de jongen onwerkelijk geleken. Pickie Beecher maakte echter alles tastbaar vreemd, en Will verkeerde in de greep van de gedachte dat hij misschien wel droomde, of dat hij deel was van de droom van een ander – van Gob, of van Jolly's beer of zelfs van Pickie Beecher. Soms dacht hij, als hij aan de machine werkte of als hij keek hoe Pickie Beecher met zijn tanden draden doorknipte, dat iemand die dit droomde wel wakker moest worden van het gewicht van al die vreemdheid.

Pickie Beechers eerste werk bestond uit demonteren. Gob was eerst boos geweest, maar toen was hij aan het zorgvuldige sloopwerk gaan meedoen. 'Ook deze vorm heeft zijn doel gediend,' zei Gob tegen Will.

'Je laat je door dat kind de wet voorschrijven,' zei Will, omdat hij zo dol was op zijn accu's en Pickie Beecher er absoluut geen respect voor had.

'Maar ik begrijp het nu,' zei Gob. Dit zei hij steeds maar weer tijdens de eerste weken en maanden van de nieuwe tijd. 'Hij zal ons helpen, begrijp je dat dan niet? Hij is een gids en een helper. Hij is een werktuig, een kleine machine in dienst van een grotere.'

Misschien, dacht Will, is hij een slimme trol, vijandig, maar wel helemaal een deel van deze wereld. Misschien heeft hij ons door het bovenlicht bekeken en gedacht: Nu laat ik me vallen en houd ik ze voor de gek, en dan heb ik tot in alle eeuwigheid warm eten en een koel bed. Maar hij kon geen drie minuten achtereen naar de jongen kijken zonder dat deze gedachte lachwekkend begon te lijken. Dat was de gedaanteverandering die hun machine teweeg had gebracht —het lachwekkende redelijk te maken en het redelijke lachwekkend.

De negatiefplaten werden uit hun lijsten gehaald, de accu's werden van hun kabels losgekoppeld en de machine viel in zijn samenstellende delen uiteen: koper en glas en ijzer en bot. Pickie Beecher rangschikte de onderdelen zoals het hem goeddunkte en begon toen zwaardere te halen. Als Will het huis betrad zag hij de gigantische tandwielen tegen de muren in het atelier staan. Hun tanden raakten bijna het plafond. De werkplaats vulde zich met een lukrake verzameling spullen, alle dicht opeengepakt, tot er geen plaats meer was om iets op te bergen.

'Mijn broer,' zei Pickie Beecher, 'hij wil een grotere kamer.'

'Hallo?' zei Tennie. 'Versta je me?' Will haalde het blikje van zijn oor en zei er iets in.

'Ja,' zei hij. Ze praatten via de geliefdentelegraaf, twee blikjes die door een touw met elkaar waren verbonden. Tennie zat in haar Turkse hoek, waar ze haar zijden tent voor zijn neus had dichtgedaan omdat ze per se met haar speelgoed wilde spelen, een ding dat Gob in de keuken beneden in elkaar had geknutseld.

'Hoor je ze?' vroeg ze. 'Al die onschuldige Ieren?'

'Nee,' zei hij. Het was juli, vlak na het grote bloedbad op Eighth Avenue. Boze katholieken hadden de triomfantelijke optocht van Orangisten verstoord en waren door de politie op kogels onthaald. Er waren vijfenveertig mensen omgekomen. Will had in het Bellevue, wat ook de plaats was waar de lichamen van de omgekomenen waren heengebracht, enkele van de gewonden gezien. Hij had die middag achter een raam op de eerste verdieping gestaan en omlaag gekeken, waar twintigduizend rouwenden bij het lijkenhuis bijeendromden.

'Ze zijn nog kwaad,' zei ze. Toen stak ze haar hoofd uit de tent en riep: 'Je mag binnenkomen als je fruit meeneemt.' Hij ging ernaar op zoek. Toen hij langs een raam op de gang kwam, hoorde hij gelach, dat van het dak kwam. Daar zat mevrouw Woodhull met haar nieuwe vriend, meneer Tilton. Hij was in mei voor het eerst bij haar langsgekomen. Pickie Beecher leek een hekel aan hem te hebben. Iedere keer dat ze toevallig in dezelfde kamer zaten attaqueerde Pickie Beecher hem met de woorden: 'U bent niet mijn vader.' Meneer Tilton lachte dan altijd tegen hem en antwoordde dat hij dat inderdaad niet was.

Tilton was verliefd. Hij was oorspronkelijk langsgekomen als vertegenwoordiger van Henry Beecher toen Gobs moeder in verhulde bewoordingen had gedreigd Beechers affaire met mevrouw Tilton aan de grote klok te hangen. Hij had haar moeten kalmeren, maar zij had hem beter gekalmeerd. Ze waren hartsvrienden geworden.

Gobs vader zat in de keuken, alleen en in het donker. 'Mijn jongen,' zei hij tegen Will, 'ik hang tegen het plafond. Zou jij me omlaag kunnen helpen?' Hij had zijn medicijnvoorraad, een donkere houten kist, voor zich staan. De meeste artsen rustten deze met uiteenlopende medicijnen uit, maar in die van Canning Woodhull zat alleen morfine. 'Ik heb ontdekt dat het overal goed voor is, behalve voor constipatie,' zei hij er altijd over. Will knipte het licht aan om het fruit beter te kunnen bekijken en de mooiste vruchten eruit te kiezen. De ogen van Canning Woodhull zagen er eng uit—wijd, rond en bijna helemaal blauw, met pupillen die tot inktspatjes waren gekrompen. Hij stak zijn arm naar Will uit en zei: 'Geef me je hand, mijn vriend, voordat ik wegzweef.' Will stak zijn hand uit. Woodhull pakte hem, schudde hem alsof hij Will begroette, maar trok er ook aan, langzaam en vasthoudend. 'Zo,' zei hij. 'Dat is beter. Hoe gaat het vanavond met je?'

'Heel goed,' zei Will.

'Met mij niet! Mijn vriend kolonel Blood zegt dat je nooit de vleugels van je vlinder moet uittrekken, maar hij lijkt me een man die niet weet of zijn eigen druiven zoet of zuur zijn. Kolonel Blood zit *in* het bloed, snap je. We zitten er allemaal in, maar soms zweef ik erboven. Bloed dient in lichamen bewaard te worden. Ken je Sydenham? Vroeger aanbad ik hem. Maar wie kan de circulatie van bloed iets schelen als het er toch uit komt? We laten het op de grond lopen tot we erin verdrinken. Vicky! Dat is nou een vrouw die een natuurlijk en bestendig drijvend vermogen bezit. Zeg eens, denk je dat ze ooit weer van me zal gaan houden?'

'Laat mijn hand los,' zei Will.

'Als je me loslaat, zul je verdrinken. Het feit dat ik drijf is het enige dat jou aan de oppervlakte houdt.' Will trok ruw zijn hand terug.

'Goedenavond,' zei Will, nadat hij wat fruit had weggegrist.

'Ik heb het geprobeerd,' zei Canning Woodhull. 'Ik heb echt geprobeerd je te redden.'

Gob en Pickie Beecher pleegden overleg met een snelheid die Will niet kon volgen, en in een taal die hij dikwijls niet begreep. Pickie Beecher zei in hoog tempo dat zijn broer vijftig tenen had of een rups in zijn keel, en bij iedere onthulling begon Gob extatisch te tekenen en te rekenen. De machine begon weer vorm te krijgen; ditmaal echter niet de gedaante van een persoon maar van een gebouw, dat tot in de muren en door de vloer doorgroeide. Toen Will op een ochtend in de werkplaats aankwam zag hij dat er gaten in de vloer waren geboord—ze zaten overal in de vloer, minstens honderd, met ruwe randen, alsof de steen en het hout waren weggeknaagd. Gob en Pickie Beecher waren bezig kabels door de gaten te trekken. Ze hingen uit het plafond in de slaapkamers onder de werkplaats en waren nergens mee verbonden. 'Mijn broertje groeit,' zei Pickie Beecher.

Will bestudeerde dynamo's, omdat Pickie Beecher er drie had aangeschaft en in een salon had neergezet. Al het meubilair was tegen de muur geschoven om er ruimte voor te maken. Ze stonden in een kring, zodat ze zwijgend leken te converseren, waarbij elk werd gechaperonneerd door de machine die hem voedde. Will was dol op het principe dat eraan ten grondslag lag, hoe de elekrische spanning die in het draaiende deel werd opgewekt werd teruggestuurd door de spoel van de elektromagneet, waardoor het vermogen werd vergroot, waardoor op haar beurt de hoeveelheid elektriciteit toenam. Het was een proces van opbouw van wederzijdse en reciproke opwinding, en het deed hem aan Tennie denken omdat hij aan dit principe werd herinnerd als hij haar kuste. Terwijl Gob en Pickie Beecher boven beraadslaagden deed Will bij toeval een ontdekking: als hij een dynamo verbond met een andere die al werkte begon de tweede te draaien in een richting die tegengesteld was aan die van de eerste.

'Je bent een genie!' riep Gob uit toen Will het hem liet zien.

Pickie Beecher scharrelde bij de twee met elkaar verbonden dynamo's rond en zei: 'Mijn broer, hij heeft twee oren!'

Hij strekte zijn kleine hand naar de koolborstels van de ene dynamo uit. Will sprong op hem af om hem tegen te houden, maar het was te laat. Hij wist zeker dat het kereltje levend gekookt zou worden, maar van de dikke vonk en de schok moest Pickie alleen maar giechelen. 'Het is mijn broer,' zei hij, toen Will hem op zijn kop gaf. 'Hij zou me nooit kwaad doen. Nooit.'

Af en toe gedroeg Pickie Beecher zich als een gewoon kind. Soms wilde hij geen bloed op zijn ijsje, en soms eiste hij een verhaaltje voor het slapengaan of een reep chocola. Hij hield van dieren. Hij ging graag naar de dierentuin in Central Park en liep dan naar het nijlpaard, waarvoor hij liefde had opgevat. Will nam hem halverwege augustus een dag mee.

Pickie wist precies waar de kooi met het nijlpaard zich bevond. Hij rende erheen en greep de tralies vast. 'Murphy!' zei hij. 'Dag, meneer.' Will kwam achter hem staan en keek de kooi in. Murphy zag er dik en slaperig uit, en niet helemaal gezond, maar beter dan zijn meeste soortgenoten. Pickie liet een stuk chocola in zijn richting rollen. Het beest liet het in zijn bek verdwijnen zonder ook maar te kijken wat het was.

Ze kuierden langs de andere kooien. Bij een magere tijger bleef Pickie staan.

'Die zou me opeten als hij uit zijn kooi zou kunnen,' zei hij.

'Hij zou het in ieder geval wel proberen, denk ik,' zei Will. 'Die reputatie hebben ze in elk geval. Maar ik zou je beschermen.' Toch leek het onwaarschijnlijk dat de jongen behoefte zou hebben aan zijn bescherming.

Ze brachten een bezoek aan een kalende leeuw en kooi na kooi vol blazende en spugende apen. Pickie zei dat hij er een als huisdier wilde. Will zei dat het vieze, gemene dieren waren, en dat hij met zijn nijlpaard veel gelukkiger zou zijn.

'Ik zou ze voor me laten werken,' zei Pickie. 'Dan zouden ze nuttig zijn.'

Will ging even zitten terwijl Pickie van de ene kooi naar de andere rende, kwekkend tegen de apen, brullend tegen de

monsterlijke katten en zijn kleine handjes door de tralies van
een kooi stekend om in de neuzen van herten te knijpen.

Van al dit rennen kreeg Pickie honger, dus nam Will hem
mee naar de Boerderij, die iets naar het oosten lag, waar ze
samen een schaaltje ijs aten. Pickie toonde geen belangstelling voor de speeltuin ernaast, of voor de kinderen die er
speelden. Het enige dat hij wilde was in een geitenwagentje
rijden. Will gaf hem tien cent en hij rende weg en klom in
het wagentje, dat door twee geiten werd getrokken en door
een zwartharige zigeunerjongen werd bestuurd. Niet lang
nadat het ritje begonnen was eindigde het in een ruzie: de
zigeunerjongen beschuldigde Pickie ervan dat deze zijn geit
had gebeten.

Will nam Pickie mee naar het meer omdat hij had bedacht
dat ze daar hun schoenen konden uittrekken en even konden
pootjebaden, maar daar wilde Pickie niets van weten. Ze zaten dus naar de lome beweging van de bootjes te kijken, en
de jongen zei meermalen hoe graag hij een zwaan zou hebben om van te houden, te aaien en op te eten. Will sloeg er
geen acht op omdat zijn aandacht werd getrokken door een
jong stel in een van de bootjes die hij abusievelijk voor Gob
en juffrouw Trufant aanzag, maar toen ze dichter naar hen
toe dreven zag hij dat ze het niet waren. Will had hen hier
echter wel eerder gezien, als gezelschap van mevrouw Woodhull als deze opvallend ronddobberde met haar aanbidder,
meneer Tilton. Gob was die zomer achter juffrouw Trufant
aan gaan lopen; hij ging waar zij ging, en toen Will hem had
gevraagd waarom hij dat deed had hij alleen gezegd: 'Ik kan
niet anders.' Nu had Gob dat heimelijk volgen opgegeven en
liepen hij en juffrouw Trufant openlijk in de hele stad rond,
een oogje op mevrouw Woodhull houdend en, nam Will aan,
over het Veertiende Amendement pratend.

'Kom je niet binnen?' vroeg Pickie, toen Will hem bij de
deur van Gobs huis had gebracht. 'Wil je niet met mijn broer
spelen?'

'Ik kom later nog wel,' zei Will. Hij liep naar het huis van de Woodhulls aan East Thirtyeighth Street. Onderweg keek hij voortdurend naar de grond, omdat er hier nooit geesten zaten. Nadat hij langs de onvoltooide kathedraal was gekomen voelde hij dat er iemand te dicht naast hem liep. Hij hield zijn hoofd gebogen, ook nadat ze was gaan spreken.

'Schepsel,' zei de engel. 'Je moet dat afgrijselijke kind vernietigen.'

Will zei niets.

'Je zult falen,' zei ze. 'Je moet falen.'

'Volgens mij was jij de engel die Maria het *slechte* nieuws heeft gebracht,' zei Will terwijl hij eindelijk opkeek, maar de engel was verdwenen. Ze kwam hem steeds vaker opzoeken naarmate het werk aan de machine vorderde, en iedere keer vertelde ze hem dat hij en Gob zouden falen in hun onderneming. Ze koesterde een speciale haat jegens Pickie Beecher en liet nooit de gelegenheid voorbijgaan op zijn vernietiging aan te dringen. Will begon te leren haar te negeren.

Hij hoorde de muziek enkele blokken voor hij bij het huis aankwam – geschetter, gehoempa, Duitse blaasmuziek. Er stond een kleine groep Duitsers onder Tennies raam; zijzelf hing er in een aantrekkelijke pose uit, glimlachend en bloemen omlaag gooiend uit een krans die naast haar op de vensterbank stond. Ze deed haar zuster na, die voor het grotendeels Duitse achtste district kandidaat stond bij de verkiezingen voor het staatscongres. Will had Tennie in Irving Hall voor een menigte van honderden mensen een toespraak zien houden. Ze had hun alles beloofd wat mevrouw Woodhull in haar toespraken beloofde – vrijheid en vooruitgang en gelijkheid – maar Tennie had er nog aan toegevoegd dat ze zich zou inzetten voor hun recht op zondag bier te drinken.

Will stond beneden tussen de muzikanten en zangers naar Tennie te kijken, en de gedachte kwam bij hem op dat ze erg mooi was en dat wat hij voor haar voelde de hoogste, beste en meest oprechte liefde was. Ze zag Will in de menigte staan en knikte naar hem. Ze liep even weg van het raam, en toen ze terugkeerde gooide ze een briefje naar hem omlaag, zo nauwkeurig dat het precies voor zijn voeten belandde. Ze schreef graag briefjes en leek aan het schrijven dezelfde vreugde en trots te ontlenen als een vijfjarige voor wie het iets volkomen nieuws was. Soms gaf ze Will er een als ze in bed lagen, een briefje dat ze uren daarvoor geschreven had en had bewaard om hem na het geworstel en gehijg te geven. Soms stond er iets voor de hand liggends: *Je bent een grote kerel* of: *We zijn samen, jij en ik.* Soms pochte ze op haar voorspellend vermogen. Eenmaal, nadat hij in het donker over zijn eigen voeten was gestruikeld en een theepot van een tafeltje bij haar bed had gestoten, overhandigde ze hem een briefje dat de dag ervoor was dichtgeplakt en gedateerd, waarin ze hem vertelde dat hij precies dat zou doen. 'Ik kan niet erg ver vooruit zien,' zei ze iedere keer als hij haar vroeg of hij en Gob hun werk tot een goed einde zouden brengen, of of haar zus werkelijk president van de Verenigde Staten zou worden, 'maar ik zie altijd de waarheid.'

Hij vouwde het briefje open; hij keek naar haar op en kuste het briefje alvorens het te lezen: *Zelfs een blinde ziet hoe druk ik het heb. Ga weg en kom later terug.*

De allerheetste dag van de zomer van 1871 kwam in augustus. Will ging naar het huis aan Fifth Avenue met de gedachte er zijn toevlucht in de koele donkere bibliotheek te zoeken. Nadat hij zelf de deur had geopend struikelde hij over iets in de hal. Hij onderzocht het voorwerp op de vloer waarover hij was gestruikeld—een glanzende, nieuwe koperen pijp met het stempel van de fabrikant, *Advent Pipeworks.* De pijpen staken in keurige rijen over de hele begane grond uit de vloer. Will stapte eroverheen, zich afvragend hoe die zo snel waren gegroeid. Bij zijn laatste bezoek, drie dagen daarvoor, was er nog niets te zien geweest. Hij vond Gob, die pijpen legde in de eetkamer.

'Waar dienen die toe?' vroeg hij Gob. Zou de machine zo groot kunnen worden dat hij het hele huis van de begane grond tot de vierde verdieping zou vullen? Bij de gedachte werd Will weer rood en verhit.

'Om ijs te maken,' zei Gob. Hij legde uit dat hij aqua ammonia in een stookketel zou koken en het zuivere gas door een condenseerder zou voeren om het vloeibaar te maken, het daarna door de pijpen zou leiden, waar het zou uitzetten en verdampen en warmte zou onttrekken aan het water tegen de pijpen, waardoor dit zou bevriezen.

'Maar dan zet je,' zei Will, 'het hele huis onder water.'

'Help me,' zei Gob. 'Het is nodig voor de machine.'

'Uitstekend,' zei Will, en ging aan het werk met de pijp die daar lag, onderwijl denkend aan wat Pickie Beecher zou zeggen: 'Mijn broer, hij houdt van kou.'

'Denk je dat ze het mooi zal vinden?' vroeg Gob, toen ze klaar waren; ze hadden het vertrek vijftien centimeter onder water gezet en de hele begane grond in een ijsvlakte veranderd.

'Wie?'

'Je weet wel,' zei Gob. '*Zij*.' Will begreep dat hij juffrouw Trufant bedoelde.

'Maakt het iets uit of ze het mooi vindt of niet?'

'Dat maakt heel veel uit.' Gob wierp Will een verwarde blik toe. 'Heel, heel veel,' zei hij.

Gob had onlangs gezegd dat juffrouw Trufant nodig was voor de machine. Dit was iets wat Will niet begreep. Ze was immers een meisje, en niet eens tot wetenschap geneigd. Gob hield vol dat ze belangrijk was voor het bouwen, maar Will dacht dat dit een symptoom van zijn steeds heviger verliefdheid op haar was.

'Is dit allemaal voor haar?' vroeg Will. Hij had, terwijl ze aan het werk waren, zitten denken aan zeldzame chemische processen die uitsluitend bij heel lage temperaturen konden plaatsvinden, van het voortstuwen van een gasvormige ziel, het tegengestelde van sublimatie, waardoor een vluchtig, niet-bestaand iets vast en reëel gemaakt kon worden. 'Je zei dat het nodig was voor de machine.'

'In eerste instantie is het voor haar, maar in laatste instantie is het voor de machine. Zie je dan niet hoe belangrijk ze is, Will?' Gob liet zich op zijn knieën zakken en begon het ijs met een staalborstel te poetsen. Will dacht terwijl hij zich afwendde: wat voelt hij toch voor haar dat het niet genoeg is om een wonder voor haar te verrichten maar dat hij het ook nog moet oppoetsen?

'Kerel,' zei Will zachtjes, 'je moet haar krijgen.' Hij liep langzaam en behoedzaam de eetkamer uit en de hal door. Toen hij de deur opendeed was de nachtlucht zo warm en klam dat hij naar adem snakte.

Gob maakte hem aan het schrikken toen hij hem een klap op zijn rug gaf — Will had hem niet glijdend over het ijs horen aankomen. Hij sloeg nog een paar keer op de plek tussen Wills schouders, gaf er een paar zachte klopjes en trok Will achteruit om hem te omhelzen. 'O, mijn vriend,' zei Gob, terwijl hij de deur dichtschopte. 'Volgens mij word je verlegen van haar. Maar weet je dan niet dat niemand me kan helpen zoals jij me helpt? Er zijn nog meer mensen nodig voor het bouwen, maar niemand is zo nodig als jij. Je bent de vitaalste, moedigste en slimste van mijn medewerkers. Jij, en niet zij of iemand anders is de belangrijkste.'

'Nu zijn we allemaal bij elkaar,' kondigde Gob aan. Op een avond in december 1871 had hij Maci Trufant naar de werkplaats meegenomen. Will, die aan de machine aan het werk was, had zenuwachtig rondgescharreld en geprobeerd verschillende dingen te verstoppen — accu's, botten, een hoopje onbewerkte edelstenen die door Pickie Beecher waren verzameld. Hij voelde zich alsof er iemand onverwachts de badkamer was komen binnenlopen terwijl hij net in bad zat, maar de waarheid luidde dat ze sinds het einde van de zomer al regelmatig in het huis langskwam en zelfs al bijdragen leverde aan het bouwen. Will had haar kleine blijken van activiteit opgemerkt — blauwe verf op een koperen pijp, stukken glas waarvan patronen, zoals bogen, waren gevormd — en hij was er heel weinig van onder de indruk.

Pickie Beecher stormde onder een tafel vandaan, sloeg zijn armen om de benen van juffrouw Trufant heen en zei: 'Welkom!'

Ze gaf hem een klopje op zijn rug en zei: 'Kindje toch.' Hij pakte haar hand en bracht haar naar het midden van de kamer, waar een aantal gaten in de vloer tot één groot gat waren samengevoegd, dat nu door de drie vloeren van het huis heen liep zodat ze, als ze daar stond, helemaal omlaag kon kijken, de bibliotheek in.

'Dokter Fie,' zei ze, tegen hem knikkend. 'Ik heb u altijd willen zeggen dat uw werk echt lachwekkend is.' Toen *lachte* ze tegen hem. Ze was helemaal in het zwart gekleed, droeg een rode sjerp die diagonaal over haar borst en buik liep, en op haar hoed was een rode anjer gespeld. Ze had die dag meegelopen in een door mevrouw Woodhull georganiseerde demonstratie ter ere van de martelaren van de Commune van Parijs.

'Misschien is uw blik bevooroordeeld,' zei Will. 'Misschien ziet u niet helder.'

Ze staarde en staarde. 'Jullie twee,' zei ze. 'Vergeleken met jullie was mijn vader een weekendknutselaar.'

Gob kwam erbij staan en legde hun handen in elkaar, de linker in de rechter, en toen pakte hij zelf hun vrije hand. Pickie dook onder hun armen door, zodat hij middenin de kring stond en Gob zei: 'Nu zijn we allemaal bij elkaar.'

Will maakte zich van hen los. Gob pakte de arm van juffrouw Trufant en leidde haar rond door de kamer. Ze bogen zich regelmatig samen voorover om een fascinerend stuk machinerie te bekijken, alsof hun heupen door middel van een balkje met elkaar waren verbonden. Will ging naar beneden, naar de bibliotheek, waar hij een heel stuk van het gat in het plafond in een stoel ging zitten, met een boek over stoommachines op zijn schoot, opengeslagen bij een hoofdstuk over de Giffard-injector. Pickie was hem naar beneden achternagelopen en rommelde bij Wills stoel in een doos met stereografieën.

'Hij heeft het toch niet gevraagd? Mag ze binnenkomen? Vind je niet dat hij het had moeten vragen?'

'Ze is heel mooi,' zei Pickie. 'Ze is de moeder van mijn broer.'

'Ze is gewoon binnen komen lopen.'

Pickie liep naar hem toe en klom bij Will op schoot, zodat hij op het boek zat dat Will niet las. Hij hield een stereopticon in zijn kleine handen geklemd. 'Zie je?' zei hij, terwijl hij het voor Wills ogen hield. 'Dat is mijn broer.'

Will keek niet naar de stereografieën—hij kreeg er hoofdpijn van. Pickie duwde de kijker echter stevig tegen zijn gezicht, dus hij had geen keus. Het beeld kreeg langzaam diepte en er werden details zichtbaar. Het was een jongen die door een granaat was vernield. Hij was in twee delen gehakt en er groeiden grassprieten recht en stevig tussen de twee helften van zijn lichaam. Will zag dat er kleine kluitjes aarde aan de uitpuilende ingewanden zaten gekleefd. 'Ja, ja,' zei hij. 'Ik heb het gezien, Pickie.'

'Hij is mijn broer,' zei Pickie Beecher. Hij zat bij Will op schoot en schoof het ene beeld na het andere in de kijker en zei tegen ieder beeld hetzelfde: 'Hallo, broer.'

'Ik heb het zien aankomen, hoor,' zei Tennie. 'Vandaag. En je zou je kunnen afvragen hoe iemand zo kan leven, met de wetenschap hoe alle vreselijke dingen zullen gebeuren. Het leek altijd duizend jaar in de toekomst te zijn, en dat was een troost. Maar nu is het echt gebeurd, vandaag. Probeer er niet tegen te vechten, liefje. Dat is iets wat ik heb geleerd, dat ik het altijd kan zien aankomen, maar het nooit kan voorkomen.' Ze had hem net slecht nieuws verteld: ze hield niet meer van hem en wilde hem niet meer zien. Ze had hem meegenomen naar haar Turkse hoekje, alsof ze de liefde met hem wilde bedrijven, maar in plaats hiervan had ze hem deze verwoestende mededeling gedaan. Zodra hij begreep wat ze zei kreeg hij een insult. Toen hij weer was bijgekomen zag hij wat een rommeltje hij van haar hoek had gemaakt. Ze hield

zijn hoofd in haar schoot. Was dat niet een blijk dat haar liefde doorging, vroeg hij zich af, zoals ze, zonder acht te slaan op
de bloedvlekken, met de manchet van haar blouse zijn kapot-
gebeten lip depte? Toen hij haar probeerde te bepraten legde
ze haar vinger op zijn lippen. Voelde hij het dan niet? vroeg
ze. Voelde hij dan niet dat er geen vreugde meer in school,
voor geen van hen beiden?

'Voor mij nog wel,' zei hij zwak, langs haar vinger.

'Ja,' zei ze. 'Ik wist wel dat je het met me eens zou zijn. Zie
je hoe gemakkelijk het gaat, omdat we vrienden zijn?' Hij
stak zijn handen op om haar borsten aan te raken, maar ze
hield hem tegen. 'Ik zou,' zei ze, 'ik zou je aan kunnen raken
en toch niet van je houden. Maar ik weet dat je dat niet zou
willen.'

'U denkt dat u bijzonder bent,' zei Will tegen meneer Whitman toen ze na het huwelijk van Gob terugliepen, 'en toch
bent u het niet. Echt, meneer, u bent helemaal niemand. U
bent echt de minst belangrijke persoon in de hele wereld.'
Hij voelde zich beter nu hij het gezegd had. Bij de aanblik
van Whitman op het voordek van de boot, zo zorgeloos en
gelukkig ogend in zijn eenzaamheid, had Will een drukkend
gevoel in zijn keel gekregen dat als braaksel aanvoelde, maar
in werkelijkheid was het een reeks harde woorden geweest,
die erg nodig naar buiten hadden gemoeten. Hij liet Whitman staan en nam Pickie Beecher mee naar het achterschip,
waar de mensen zich om Gob en zijn jonge vrouw hadden
verzameld. Will stond er ver vandaan en keek hoe Tennie
praatte en lachte, terwijl hij deed alsof hij het verkeer op de
rivier bewonderde: de hooischepen en zandschepen en de ko-
lossale zeilschepen met stoommotoren. Zij van haar kant
wierp niet één keer een blik op hem. Will ontdekte dat hij
iedere dag sinds ze hem had verstoten meer van haar hield,
en tijdens de huwelijksvoltrekking had hij alleen maar zitten
denken dat hij met haar wilde trouwen. Het was dom, wist
hij, te denken dat iemand anders een einde aan je ongeluk

kon maken, maar welke genezing was er voor de afwezigheid van Tennie, behalve Tennie zelf?

Gob was voorkomend, maar leek geen moment te begrijpen hoe iemand treurig kon zijn om de simpele reden dat zijn tante genoeg had van zijn gezelschap. Canning Woodhull leefde echter zeer mee. Hij en Will werden de dagen na het huwelijk vrienden. Ze gingen samen aan de boemel in zowel ongure als chique gelegenheden, in kroegen in Water Street en de bar van het Hoffman House. Will nam hem mee naar de Pearl en hij nam Will mee naar de Zeven Zusters, waar ze in evenzovele avonden vijf van de zeven huizen aandeden. Iedere nacht keerden ze echter naar het huis van mevrouw Woodhull aan Thirtyeighth Street terug, waar ze in de keuken gingen zitten drinken tot het bijna dag was. De oude dokter Woodhull kon heel goed luisteren en het was voor Will een opluchting dat hij nooit probeerde hem hoop te geven, dat hij nooit probeerde Will te overtuigen dat er verbetering zou komen in zijn situatie. 'Het zal erger worden,' zei hij. 'Je zult steeds meer van haar gaan houden en haar steeds meer willen. Iedere dag zal er iets verdwijnen tot er niets meer over is dan zij. En langzamerhand zul je gaan beseffen dat al het goede in het leven haar was en al het slechte haar afwezigheid.'

'Waarom?' vroeg Will. 'Waarom is ze bij me weggegaan?' Het kon hem op dat moment niet schelen hoe hij op zijn moeder leek, zoals ze in een verduisterde kamer had zitten klagen.

Canning Woodhull had in de regel geen antwoord op deze vraag. Hij haalde zijn schouders op of antwoordde met een tegenvraag—'Waarom is *zij* bij *mij* weggegaan?'

Op een nacht, toen ze behoorlijk lang hadden zitten drinken, keek dokter Woodhull op en vond Wills blik—iets wat hij zelden deed; gewoonlijk keek hij alleen maar naar zijn glas als ze praatten. Hij zei: 'Zie je niet in dat al die vragen hetzelfde antwoord hebben? Waarom is ze bij me weggegaan? Waarom is ze doodgegaan? Waarom is de wereld de plek die ze is, vol smerige pijn?'

'Maar wat is het antwoord?' vroeg Will. Hij greep over de tafel heen de benige pols van Canning Woodhull vast.

'Mijn jongen, dat zal ik je vertellen. Wacht hier op me, en bereid je voor, want ik ga je iets laten zien.'

Dokter Woodhull trok zijn pols los en liep het vertrek uit. Will bleef alleen achter, naar de langzaam dovende kaars starend. Aanvankelijk voelde hij een angstige spanning. Hij wilde het antwoord op zijn vraag weten en dacht dat dokter Woodhull naar boven was gegaan om een heel dik boek te raadplegen. Maar hij had zoveel gedronken dat hij met zijn kin op zijn handen in slaap viel, hoewel hij niet erg lang sliep. Het was nog donker toen hij wakker werd van geschreeuw. Hij ging naar boven en ontdekte waar het vandaan kwam. Op de gang zag hij mevrouw Woodhull, die niet erg gekleed was en wier haar nat was van het bloed. Ze werd getroost door haar kolonel, die even bebloed was als zij. Will liep hun kamer binnen, waar hij dokter Woodhull zag, en hoe deze in het bed van zijn vrouw was gekropen om zijn keel door te snijden terwijl zij en haar echtgenoot lagen te slapen. Hij had zichzelf een enorme snee toegebracht. Het mes was helemaal tot zijn nekwervels naar binnen gegaan. Hij moest heel behoedzaam in hun bed zijn gekropen, omdat hij hen niet door de druk van zijn lichaam, maar alleen door de vloeiende warmte van zijn bloed had gewekt. Pickie Beecher was er ook. Hij sprong op en neer op de doordrenkte matras, en Tennie lag naast haar moeder bij het bed geknield, die haar wang op de borst van Canning Woodhull liet rusten.

'O, dok,' zei Tennie.

Geesten foeterden hem uit, schudden hun koude, bleke vingers tegen hem en vertrokken hun gezichten. Zelfs Jolly keek hem fronsend aan als hij alleen zat te drinken. De engel was evenmin erg vriendelijk. Haar stem klonk bij ieder bezoek schriller. 'Het leven van een arts is afschuwelijk,' zei Will haar een paar nachten na de begrafenis van Canning Wood-

268

hull. Hij was in weken niet in het Bellevue geweest omdat hij niet bij de patiënten in de buurt kon komen zonder een aanval te krijgen. Hij had verlof genomen, maar was eigenlijk pas van plan terug te komen als de machine af zou zijn; eigenlijk hoopte hij dat hij er tegen die tijd helemaal niet meer zou hoeven werken.

'Denk je nu echt, schepsel, dat het allemaal vanzelf zal verdwijnen als die gruwel voltooid is?' vroeg de engel.

'Je bent mooi,' zei hij haar.

'Denk je dat je het voor niets zult krijgen? Denk je dat je zonder te betalen de natuurlijke orde kunt vernietigen? De Kosmos zal sterven, en erger. Zijn ziel zal volkomen worden verwoest. Er zal niets van hem overblijven, zelfs geen herinnering. En jij hoopt dat door zo'n moord je vreugde geboren zal worden.'

Er kwamen geesten, die haar verjoegen, en toen dromden ze om hem heen — Jolly, Sam, Lewy, Frenchy, allemaal even razend. Hij zag wat ze zeiden: 'Aan het werk!'

Dat was nu precies wat Will graag had gedaan, maar het ging de laatste tijd slecht met het bouwen. Gob scheen niet meer te begrijpen wat hij aanmoest met de chaos van onderdelen die ze hadden gecreëerd, en de dromen die hem vroeger hadden geleid brachten hem nu alleen maar in verwarring. Zelfs Will kon, als hij naar de machine keek, zeggen dat er iets verkeerd aan was, dat de elementen niet tot een soort harmonisch geheel samenvloeiden. Voor de eerste maal leek de machine in zijn ogen nergens op, niet op een engel, niet op een mens, niet op een lam. Het was niet meer dan een lukrake samenvoeging van componenten. Pickie Beecher veegde hun beiden de mantel uit vanwege deze mislukking, maar ook hij leek hen niet te kunnen helpen. Hij kon hun alleen meer onderdelen aanbieden.

Niettemin ging Will die julinacht naar het huis van Gob om aan de machine te werken en de uren tot de dageraad met een nostalgisch stemmend werkje te vullen — accu's maken. Het maken van accu's deed hem aan gelukkiger tijden denken, toen Tennie nog bij hem was en de machine zichzelf bijna leek te bouwen. Hij had verwacht dat het in het huis aan Fifth Avenue stil en donker zou zijn, en dat Gob en zijn bruid in bed zouden liggen in het Fifth Avenue Hotel, waar ze kamers hadden genomen omdat de nieuwe mevrouw Woodhull weigerde onder het dak te wonen waar zich dat 'deerniswekkende verzinsel' bevond, zoals zij het noemde. Maar hoewel het twee uur 's morgens was toen Will er aankwam was het huis fel verlicht.

'Daar ben je!' zei Gob toen Will binnenkwam. 'Kom eens kijken!' Hij pakte Wills arm en sleepte hem alle trappen op naar de werkplaats. Gob was zo opgewonden dat Will dacht dat er bovenop het huis iets heel spectaculairs wachtte. Misschien had de machine een tweede vreemd kind uitgespuwd, een slimmere jongen dan Pickie Beecher, die een betere gids voor hen kon zijn. Aan de andere kant van de ijzeren deur zat echter slechts de jonge mevrouw Woodhull, aan een klein bureau op een schiereiland van vloer. Ze werd door een menigte geesten omgeven, zoals ook het geval was geweest op de begrafenis van Canning Woodhull, toen zij en Will samen waren opgelopen en hadden gepraat in de schaduw van een boom die over verse graven viel. Ze had zich tegen de machine uitgesproken, ook toen de geesten zich flemend over haar heen hadden gebogen en Will hadden aangekeken met gezichten die zowel boos als smekend hadden gestaan.

Gob rende, Will nog steeds voortsleurend, naar het bureau en graaide de tekening weg waaraan de dame zat te werken.

'Kijk, Will,' zei Gob. 'Zie je?' Hij hield het vel papier nauwelijks een paar centimeter van Wills gezicht en Will zag een reusachtig stel vleugels, dat geheel van glazen negatiefplaten was vervaardigd. 'De dorre periode is achter de rug, mijn vriend. De lieve Maci zal ons de weg wijzen.'

'Gelooft u het maar niet, dokter Fie,' zei de jonge mevrouw Woodhull, wier hand al bezig was met een schets voor een ander deel van de machine. 'Geen moment!'

'Wat zal er met hem gebeuren?' vroeg Will Gob. 'Zou meneer Whitman... gewond kunnen raken?' Will hoopte dat dat zou gebeuren. Hij hoopte dat er sprake zou zijn van een heel klein beetje pijn, genoeg om de gelukzalige buitenkant van de dichter een knauw te geven. Als hij in een erg slechte bui was dacht Will dat hij meneer Whitman wel eens zou willen zien huilen.

'Natuurlijk niet!' zei Gob, maar de engel hield vol dat hij loog.

Op een nacht, toen Will net de Pearl verliet, viel ze vanuit de hemel bovenop hem. Ze sloeg hem tegen de grond en vouwde haar groteske vleugels om hem heen. 'Kijk eens even, schepsel,' zei ze, 'en zie de waarheid.' Will voelde pijn, schel en wit, zoals jaren eerder, toen hij met een geweer in zijn gezicht was geslagen. Het was een ongeluk geweest. Een collega van de D-compagnie had zich met uitgestoken geweer in het donker omgedraaid en de loop had Will net boven zijn oog geraakt en buiten westen geslagen. Will zat nu vast in het moment dat hij had beseft dat hij pijn had en het moment duurde maar en duurde maar. Door het schelle licht zag hij meneer Whitman, die als een vrouw gilde, hoog en bang en hysterisch, met erbarmelijke, kermende gillen, en hij begreep zonder een spoor van twijfel dat die man iets zou overkomen wat waarlijk afgrijselijk was.

Het visioen leek eindeloos door te gaan, maar in werkelijkheid duurde het maar een paar tellen voordat de geesten kwamen en de engel wegjoegen. Ze rende weg, vloog op en streek neer op een lantarenpaal. Ze sprongen als honden naar haar op, maar ze sloeg ze weg met haar vuisten.

'Zie je het nu?' vroeg ze.

'Vertrouw nooit een engel,' zei Gob, toen Will hem over het bezoek vertelde. 'Dat zijn de beruchtste leugenaars.'

Ze voltooiden hun werk in de winter van 1872. Gob verklaarde dat hun schepping precies de machine was waarvan hij sinds de dood van zijn broer had gedroomd. Hij was door de vruchtbare hand van Maci Woodhull behoorlijk veranderd. Sinds de zomer was Will in het huis aan Fifth Avenue gaan slapen en had hij zijn werk als arts volledig opgegeven, en zelfs de fotografie, behalve om foto's te maken van de machine terwijl ze hem zijn uiteindelijke gedaante gaven. Wills dagen en nachten liepen in elkaar over tot hij niet meer zeker wist welke dag het was. Het enige dat hij wist was dat het winter was en dat de werkelijke geschiedenis zich buiten het huis bleef voltrekken. Er was zelfs sprake van iets opwindends met Gobs moeder, maar Will wist niet precies wat. Wat het ook mocht zijn, Will voelde zich er in het huis, waar hij overdag dikwijls alleen met Pickie Beecher zat, tegen beschermd.

Op dergelijke momenten werd Will weer verzot op bouwen en stelde hij zich voor dat de machine van hem alleen was—het idee van zijn leven en het werk van zijn leven. Hij stelde zich dan voor dat het onderkruipertje Pickie Beecher zijn eigen onnatuurlijke kind was, en soms stelde hij zich voor dat Tennie een tragische dood was gestorven en de machine bedoeld was om alleen haar terug te brengen. 'Ze stierf een *tragische* dood,' zei hij op een nacht tegen Pickie Beecher. 'Opgegeten door bijen. En waarom zeggen we er eigenlijk tragisch bij? Bestaat er dan nog een ander soort dood?'

'Het is allemaal heel erg,' beaamde de jongen. De afgelopen maanden was hij voortdurend in Wills gezelschap geweest. Hij was nog iemand die goed kon luisteren, ook al was zijn conversatie beperkt, en natuurlijk was hij de beste hulp die je je kon wensen. Will hoefde maar een stuk gereedschap nodig te hebben of Pickie Beecher kwam ermee aanrennen, terwijl hij het stevig in zijn kleine handen klemde.

'Ik ga een kleine wijziging aanbrengen,' zei Will, 'om ervoor te zorgen dat de machine ook een verloren liefde terugbrengt. Dan zal Canning Woodhull, als hij weer tussen de levenden rondloopt, weer zijn vrouw hebben, om hem vast te houden. Tenzij ze natuurlijk nooit van hem gehouden heeft, in welk geval ik niet in staat zal zijn hem te helpen.' Hij werkte en hij sliep en soms at hij, als Pickie Beecher hem eten bracht.

Naarmate er meer weken verstreken wist hij soms steeds minder of hij waakte of sliep, omdat hij in zijn dromen even constant doorbouwde als wanneer hij wakker was. Zijn slaap raakte versnipperd, dus sliep hij in perioden van een uur of twee, en als hij wakker werd zag hij Pickie Beecher op een fantastisch nieuw stuk materiaal zitten dat deze ergens—alleen Pickie wist waar—had gestolen. Dan zag hij de vrouw van Gob, die achter haar bureau schetsen maakte, zag hij Gob, die worstelde om een stut in een nieuwe positie te plaatsen. Will stond op zo'n moment op en werkte mee. De laatste weken zag hij, als hij wakker werd, Pickie op een kleine rode imitatiebrandspuit, de schoorsteen van een locomotief of een lens met een doorsnede van twee meter zitten. Toen Will en Gob de lens op zijn plaats hesen werd de booglamp die het licht van negenduizend kaarsen afgaf—en die door de negatieven moest schijnen—zo versterkt dat hij het licht van negentigduizend kaarsen afgaf. Het zou, dat wist Will zeker, het schelste licht worden dat ooit te zien was geweest.

'Denk je nou echt dat hij meer zal doen dan gorgelen en roken?' vroeg de jonge mevrouw Woodhull Will op gezette tijden.

Hij had altijd hetzelfde antwoord voor haar klaar. 'Natuurlijk.' Will dacht dat haar twijfels langzamerhand wel moe zouden zijn geworden, maar ze noemde de machine nog steeds lachwekkend en dreef er genadeloos de spot mee, ook al hielp ze mee met bouwen. Ze beweerde helemaal niets te maken te hebben met de hand die hen met haar schetsen leidde, en snoof geringschattend als Will erop wees dat haar hand toch aan haar pols vastzat.

De geesten werden blijer naarmate de machine groeide. Toen hij tot rijpheid was gekomen—zodat hij het hele huis vulde en er voor Will geen plaats meer was om te slapen behalve gewiegd in zijn alom aanwezige armen en benen, zijn honderdduizend onderdelen en zijn kristallen en ijzeren poort en poorthuis—liepen ze niet meer rond maar dansten ze en deden, zo leek het tenminste, alleen nog hun mond open om te zingen.

'Ben ik wakker?' vroeg hij Pickie Beecher dan, terugdenkend aan de nacht dat Jolly hem een soortgelijke vraag had gesteld. Pickie Beecher reageerde dan gewoonlijk door hem te knijpen, maar dat was dikwijls niet genoeg om hem te overtuigen. Wat als Will de hele zaak tot en met de glorieuze finale uitdroomde? Wat als de machine zijn werk deed en de dood inderdaad werd afgeschaft en Will alle doden zag herrijzen en hun stramme ledematen zag strekken en zag glimlachen? Wat als hij Sam en Jolly kon omhelzen en een tel later wakker zou worden in een wereld waar zijn werk nog steeds niet voltooid was, waar mensen nog steeds doodgingen? Hij twijfelde aan het bestaan van de engel als ze nu en dan kwam om hem schepsel te noemen en te zeggen dat hij die gruwel moest vernietigen voor het te laat was. Hij betwijfelde dat meneer Whitman inderdaad, mak als een lammetje, naar hen toe zou komen om hun accu te zijn.

Maar Walt Whitman kwam wel. 'U hier?' vroeg Will hem, terwijl hij de man met zijn vinger in zijn heldhaftige buik porde. Het leek allemaal onwerkelijk: alle tandwielen, ter grootte van het huis, draaiden, de vleugels klapperden, meneer Whitman leunde achterover in zijn stoel in het poorthuis, en licht vlamde op in Gobs hand. De reactie hierop was een licht uit de booglamp, vergroot en versterkt door de lens en zo fel door het glas omlaag schijnend dat Will dacht dat de beelden erdoor in de huid van de dichter zouden worden gebrand. Zelfs dat licht leek onwerkelijk, en ook al was Will aan geesten gewend geraakt, degene die het huis overstroomden, die in de rij op hun beurt stonden te wachten om door de poorten van de machine te kunnen, het leek allemaal vreemd en onecht. 'Nu word ik wakker,' zei hij tegen Pickie Beecher, 'en moeten we helemaal opnieuw beginnen!'

'Het is mijn broer!' riep Pickie Beecher boven het lawaai uit. 'Hij is hier!' Meneer Whitman begon te schreeuwen en

274

de geesten, met de kleine engel met één vleugel aan het hoofd, dromden naar voren in de richting van de poort. Toen leek het tenslotte toch reëel, en pas toen wenste Will dat het het niet was. Hij zou het allemaal graag weer hebben gedaan: van Sams dood hebben gehoord, naar de oorlog zijn vertrokken, de moeizame leertijd bij Frenchy opnieuw hebben doorgemaakt. Hij zou graag al die vreselijke insulten tijdens zijn medische opleiding opnieuw hebben meegemaakt. Hij zou graag weer van Tennie hebben gehouden, zelfs in de wetenschap dat hij haar kwijt zou raken. Hij zou graag zichzelf zijn kwijtgeraakt in al die seizoenen dat hij in zijn dromen aan het bouwen was geweest. Hij zou het allemaal zelfs graag twee- of driemaal hebben overgedaan. Hij zou het allemaal graag eeuwig hebben overgedaan als hij maar wakker had kunnen worden en dat afgrijselijke geschreeuw niet meer had hoeven horen, dat zoveel erger was dan het voorproefje dat de engel hem had gegeven, als dat maar had gekund, alleen dat maar, als het maar niet reëel was geweest.

'Wie is de god van de toekomst?' vroeg de Urfeist Gob. Het was een van de twee vragen die hij tijdens hun tocht naar New York steeds weer stelde. Gobs eerste antwoord luidde: 'De tijd.' Dat was verkeerd, en hij kreeg er een verschrikkelijk pak slaag voor. Terwijl ze de eerste nacht in het huis aan Fifth Avenue in een bibliotheek vol klokken stonden stelde de Urfeist de vraag weer. Ditmaal zei Gob: 'De dood.'

'Ja,' zei de Urfeist, 'de dood wacht aan het einde van iedere toekomst.' Iedere keer dat hij deze vraag stelde keek hij treurig of bang of geconstipeerd. Hij had een gulzige hoeveelheid jaren geleefd en wilde nog steeds niet sterven. Er klonk een bijna vriendelijke toon in zijn stem als hij zei dat als Gob maar hard genoeg werkte de god van de toekomst door zijn toedoen zou sneuvelen.

Ze maakten de reis naar New York per paard en wagen, per postkoets, stoomboot en trein, en ieder nieuw vervoermiddel was fraaier dan het voorgaande, zodat ze tegen de tijd dat ze Manhattan naderden in een luxueuze Pullmanwagon zaten. Tijdens de hele reis praatte de Urfeist over machines en hoe hij Gob zou leren ze te bouwen. 'Het is de enige zekere methode om je broer terug te halen, lelijke jongen,' zei hij. 'Via mechanische weg.'

Tijdens hun reis had de Urfeist Gob iedere ochtend gewekt door zijn hete adem in zijn oor te blazen, en soms was dit gesuis zijn dromen binnengedrongen, zodat hij het geluid van de oceaan hoorde als hij van zijn broer droomde. Het geluid kwam uit Tomo's mond als hij probeerde iets te zeggen, en voordat hij wakker werd ving Gob soms een

glimp van koper en ijzer en glas op als Tomo erop wees.
'Het is het geluid,' zei de Urfeist, 'van je machine. De
machine die je moet leren bouwen als je je broer van de
dood wilt redden.'

De Urfeist was een zeer bedreven bouwer. Gob ontdekte
dit al de eerste dag in het schitterende huis van het ding.
De bewijzen van het vakmanschap van zijn nieuwe meester
lagen overal, grote en kleine apparaten, weggeborgen achter deuren of in speciale alkoven in de lange gangen ondergebracht: een windmaker, rattenvallen die groot genoeg
waren om kinderen mee te vangen, zingende kaarsen, door
de lucht schietende ijzeren insecten en boeken die hun eigen bladzijden omsloegen als je ze las. Gob doolde rond tussen de kleine machines, en hij voelde bewondering en
naijver terwijl hij ze bekeek. Ze zouden hem inspireren zich
naar de bibliotheek te haasten en op goed geluk een boek
van de planken te pakken, daarna op een stoel tussen de
klokken te gaan zitten of onder een groot gouden armillari-
um op de vloer te gaan liggen. Hij zou lezen tot de Urfeist
binnenkwam en hem vond en een volgende vraag stelde.
'Wat is een machine?'

'Een machine,' antwoordde Gob dan, terwijl zijn eigen
stem hem mechanisch voorkwam als hij de definitie op-
dreunde die hem op de reis vanuit Homer was geleerd, 'is
een combinatie van resistente lichamen die zo zijn gekoppeld dat via hen de mechanische krachten van de natuur
gedwongen kunnen worden arbeid te verrichten onder begeleiding van bepaalde vastgestelde bewegingen.'

'Precies,' zei de Urfeist dan.

'Zie je hoe klein je geest is?' vroeg de Urfeist Gob. 'Zie je
hoe onhandig en machteloos je bent? Wil je je broer terug?
Je krijgt hem niet terug door in het wilde om je heen te
slaan. Smijt blinde woede tegen de muren—ze zullen niet
breken. De machines die jij zou bouwen—de dood zou erom
lachen! De dood zou om jou lachen! De dood lacht nu om je

en zegt: "Denk aan alles wat je broer was, aan alles wat hij wilde, aan alles wat hij misschien heeft gezien of gehoord of gevoeld. Iedere ochtend die hij zag als hij wakker werd, iedere nacht als hij zijn hoofd op zijn kussen legde, iedere droom die hij heeft gehad als hij sliep—al die dingen zijn nu van mij. Ik heb duizenden dagen opgeborgen in mijn zak waar hij ze nooit zal meemaken maar ik schenk ze jou—je mag je ze voorstellen, je mag naar hem kijken terwijl hij zijn blote voeten in de koude modder bij de molenvijver zet (is die koele modder op een hete dag geen bron van vreugde?) en dan mag je bedenken hoe hij in mijn donkere zak zit, waar hij nooit uit zal ontsnappen. Je bent een klein stuk werk, jongen, lui en grof en voor mij geen bedreiging omdat je machine ook hier in mijn zak zit, waar hij ooit geboren zal worden omdat jij te lui en te dom bent om hem eruit te halen. Je zult niets bereiken, en dan zal ik ook jou hebben. Ik zal hier op je wachten aan het einde van je spanne vreugdeloze en zinloze dagen."'

Gob zat op zijn geweldige bed en bestudeerde een boek dat de Urfeist hem had gegeven—een boek dat hij had gekozen omdat het geschikt was om de fantasie van een onwetende te prikkelen. Hij had het Gob in de bibliotheek gegeven en vervolgens in een andere stapel gezocht. Twee minuten later was hij van gedachten veranderd en had hij gezegd dat Gob nog niet klaar was voor dat boek: het was te fraai voor hem, het kon hem niet worden toevertrouwd, hij zou er niet goed voor zorgen. Maar Gob rende al naar boven, naar zijn kamer.

Het was een van de aantekenboeken van Leonardo. 'Wil je als hij zijn?' vroeg de Urfeist Gob de volgende dag, nadat Gob zich de hele nacht in de fantastische tekeningen had verdiept. Gob knikte en werd hiervoor met een pak slaag met de peddel beloond. 'Wil dat niet!' zei de Urfeist. 'Hij heeft alles gedroomd en *niets* gebouwd. Wil je een dwaze dromer worden of wil je je broer terughalen?' Gob wilde zijn broer terughalen, en toch raakte hij niets van zijn affectie voor het aantekenboek kwijt. Zijn ogen vermeiden zich urenlang in de afbeeldingen van tandraderen en wielen en vleugels. Hij dacht dat het het bevredigendst zou zijn als hij een dergelijk vakmanschap zou kunnen opzamelen en de machine tekenen waarvan hij droomde, maar toen hij het probeerde trok hij alleen een lijn die rees en daalde naarmate het geluid van de machine rees en daalde, een lijn als van terugtrekkend water bij eb, die op zichzelf terugviel en uiteindelijk opging in een warboel van soortgelijke lijnen.

Hoewel hij niet in staat was zijn eigen machine te tekenen ontdekte Gob dat hij er geen moeite mee had de tekeningen uit het aantekenboek te kopiëren. Hij tekende op de vloer van de werkplaats met een stuk houtskool, hij kopieerde afbeeldingen van projectielen met vinnen en verticale boormachines, kettingaandrijvingen en kamraderen, Archimedesschroeven en waterwielen en pompen. Hij wist niet wat hij zat te tekenen, maar de vormen waren mooi en waren hem vertrouwd. Hij zag ze in zijn dromen, tussen rondtollende tandwielen en puffende stoom. In het midden van het vertrek dat de Urfeist hem als werkplaats had toegewezen kopieerde Gob een tekening van een ornithopter. Er was genoeg ruimte om hem ongeveer zo groot te maken als hij op ware grootte moest zijn. Hij draaide het gaslicht laag en ging bovenop het ding liggen, zich voorstellend dat hij erop door de lucht reed, op zoek naar zijn broer.

In New York leidde de Urfeist niet het solitaire leven dat hij in Homer had geleid. Hij had veel vrienden, die hem dokter Oetker noemden en dachten dat hij een Duitse radicaal was die met zijn fortuin de oproeren van '48 was ontvlucht. Het accent dat de Urfeist cultiveerde als zijn vrienden in de buurt waren deed Gob aan zijn grootmoeder denken en herinnerde hem aan thuis. Hij vroeg zich af of zijn moeder hem miste en of ze dacht dat hij dood was. Toen hij probeerde zich haar gezicht voor te stellen kon hij alleen het beeld van een witte theeroos oproepen, het soort dat ze op haar keel had gedragen als ze er gedistingeerd uit had willen zien.

De vrienden van de Urfeist kwamen dineren en verdrongen zich met tientallen tegelijk aan zijn tafel, waar ze werden bediend door personeel dat in fantasielivrei was gekleed en belachelijke witte pruiken droeg. Gob hielp hen met het dekken van de tafel, waarbij hij zich de taak toeeigende de naamkaartjes boven de borden te zetten: de heer en mevrouw Lohmann, de heer Vanderbilt, de heer Burns. Gob werd niet aan tafel uitgenodigd maar keek van vlak achter de keukendeur en luisterde naar de gesprekken.

Hij had misschien eenzaam geweest kunnen zijn, als hij niet zijn studies had gehad die hem bezighielden—er viel altijd een volgend boek te lezen. En nu en dan waren er andere kinderen in het huis. Ze kwamen en gingen toen de Urfeist zich oud en melancholiek begon te voelen. Hij vertelde Gob dat hij ze meenam om zijn ziel op te vrolijken, maar Gob wist zeker dat hij ze opat en hun beenderen in de kelder te drogen hing. Ze kwamen, weggeplukt uit een van de liefdadigheidsinstellingen van de stad, en de meesten van hen waren heel blij de stap van een treurig weeshuis naar een herenhuis te hebben gemaakt. Een paar dagen vraten ze zich vol aan de grote tafel van de Urfeist en deden samen met Gob radslagen door de lange gangen van het huis. Gob liet hun zijn werkplaats, zijn boeken en tekeningen zien, maar deze wekten maar zelden hun belangstelling. 'Wat zit daarachter?' vroegen ze, op de ijzeren deur voor Gobs kamer wijzend.

'De groene kamer,' zei Gob, en meer wilde hij er niet over loslaten, omdat de Urfeist zich daar terugtrok als hij zijn kilt en zijn hoed en zijn vachthemd wilde aantrekken. De kamer stond vol planten en was met gras bekleed. Het plafond was helemaal van glas. 's Nachts scheen de maan op de bekwaam gepotte varens en rozen en palmen neer, en er was niet veel verbeeldingskracht voor nodig om te denken dat je in de wildernis was verdwaald. Er was in een muur zelfs een kleine grot gebouwd, waar de Urfeist soms op een hoop bladeren sliep. Gob liet niets over de kamer los, maar de Urfeist vertelde er de kinderen over en zei dat hij ze, als ze braaf waren, mee naar binnen zou nemen en hun die prachtige plek zou laten zien, waar vogels zongen onder het glazen dak en waar snoepbomen bloeiden, verlangend naar kinderhanden die haar zware vruchten zouden plukken. De kinderen gingen er allemaal naar binnen, na een paar dagen veel eten en spelen en slapen tussen kraakheldere witte lakens in grote bedden. Ze liepen hand in hand met de Urfeist door de ijzeren deur, en dan zag Gob ze niet meer terug, maar als ze eenmaal verdwenen waren verklaarde de Urfeist altijd dat hij vervuld was van een jeugdige energie, en een tijdlang was al zijn melancholie dan verdwenen.

'Ongeluk is het lot van geesten. Lichamelijk genot wordt hun ontzegd, maar ze zijn producten van verlangen. Verlangen is het enige dat hun rest. Ze willen weer leven! Ze willen bij je zijn, al die desolate miljoenen van je. Hoe moet je zonder hen leven? Hoe moeten ze doorgaan zonder jou? Wat voor hemel kan er bestaan als broers van elkaar gescheiden zijn? Mijn domkop, mijn kleine jongen, mijn lelijke poedel, je hoeft alleen maar een gat in de muur te prikken en het verlangen van geesten stroomt erdoor en scheurt de muur aan stukken. Zie je hoe weinig je hoeft te doen? Alleen maar een klein gaatje, waar je je broer doorheen kunt trekken. Een klein gaatje, maar het kan evengoed zo groot zijn als de hele wereld, als je lui en dom blijft, als ik je basis niet kan hervormen, onwillige ziel. Je kunt evengoed de maan omlaaghalen zodat ze de zeeën raakt, je kunt evengoed het kristallijnen firmament aan stukken slaan en een regen van sterren laten neerkomen. Waarom ben je me komen lastigvallen? Waarom probeer je het zelfs maar?'

'Als ik je sla maak ik je slimmer,' zei de Urfeist tegen Gob.
'Als ik van je houd maak ik je tederder.'

Gob voelde zich niet tederder dan toen hij zijn eerste bezoek aan de Urfeist had gebracht. Hij wist niet eens zeker
wat zijn leermeester met dat woord bedoelde, en hij had
niet de neiging het te vragen. Hij associeerde tederheid met
meisjesachtigheid. Meisjes waren teder tegen hun poppen
en hun moeder. Meisjes hadden teder wit vlees dat meegaf
als je er met je vinger in porde. Als hij al iets voelde, voelde
Gob zich zwaarder en compacter dan vroeger. Als zijn
grootmoeder in Homer herinneringen aan haar 'vreselijke
meester' ophaalde, had ze altijd gezegd: 'Ach, die heeft de
worm in me gestoken!' En dan zei ze dat die worm nog in
haar zat en streek ze met haar hand over de voorkant van
haar lichaam en verklaarde: 'Daar zit hij, om mijn ruggengraat gekronkeld. O, hij laat me nooit met rust!' Gob had
geen idee of dat goed of slecht was. Hij dacht na over zijn
zwaarte en vroeg zich af of wat hij voelde niet het extra
gewicht van Anna's worm was.

Wel voelde Gob zich slimmer. Hij voelde zich veel slimmer dan vroeger. De peddel was aan de ene kant met tafels
van vermenigvuldiging en aan de andere met het alfabet
versierd. Hij kende zijn tafels van vermenigvuldiging natuurlijk al, maar nu leerde de Urfeist hem een beter soort
wiskunde, krachtige geometrie. Maandenlang zag Gob
overal driehoeken. Huizen hadden daken die uit driehoeken bestonden. Pijnbomen in het park waren eenvoudige
driehoekige vormen. Als hij vreemden op straat aankeek
kon hij hun gelaatstrekken in een fraaie constellatie van
driehoeken uiteen laten vallen.

Gob begon de tijd af te meten aan de hand van het aantal
boeken dat hij las. De winter van 1864 bestond geheel uit
Griekse en Latijnse inleidingen. De lente was Aristoteles.
De Urfeist kende zijn Aristoteles grondig en hij controleer-
de of Gob onthield wat hij gelezen had, met de peddel in
zijn hand. Hij kende zijn Aristoteles zo goed dat Gob nu en

dan dacht dat hij Aristoteles *was*, door de eeuwen heen tot een krankzinnige met een vingerkilt en een bloedpet verzuurd. Plato en Euclides, Archimedes, Ctesibius, Archytas van Tarentum — soms konden Gobs ogen het nauwelijks aan, maar wat hij las vond hij heerlijk. Hij had liever een boek dan de Urfeist als gezelschap. Wat hij het liefst deed was in zijn kamer zitten met een reusachtig stoffig boek op schoot, een glas whiskey in zijn ene hand en een reep chocola in de andere, beurtelings van whiskey, kennis en chocola genietend. De whiskey stal hij uit de voorraadkast, en als de Urfeist deze in zijn adem rook sloeg hij hem gewoonlijk, maar soms beloonde hij inzicht met een of andere heel sterke drank.

Dikwijls kreeg Gob een schok van herkenning bij wat hij las. Bij het zien van een afbeelding van de aeolipyle van Hero ging zijn nekhaar overeind staan. Dat moest zeker een onderdeel van zijn eigen machine worden. 'De aeolipyle,' zei de Urfeist. 'Is dat een geanimeerde of een zelfaandrijvende machine?' Het was een geanimeerde, zei Gob, en hij begon zelf een aeolipyle te bouwen, van stukken metaal uit een vertrek in de kelder dat vol lag met dergelijke stukken. Hij was niet mooi toen hij hem af had, maar hij werkte. Gob vulde hem met water en stak er een vuurtje onder aan. Door de steunbuizen kwam stoom omhoog en de bol begon te draaien. Hij draaide net zolang als er water en vuur waren om stoom te maken. Dit was dus een geanimeerde machine, een die bewoog door de kracht van lucht of stoom, terwijl een zelfaandrijvende machine bewoog door middel van wielen en katrollen en gewichten. Toen de aeolipyle geen pak slaag opleverde bouwde hij andere machines na — het wonderbaarlijke altaar en de magische amfoor en de vuurpomp.

'Speelgoed!' zei de Urfeist. De wetenschap die de Alexandrijnse technici hadden bezeten scheen hem te ergeren. Hij verbood Gob nog meer dingen van Hero na te bouwen en zei dat hij klaar was voor vreemdere en machtiger kennis.

Gob dacht dat dit wilde zeggen dat hij nu toch eindelijk met zijn kleine handen aan de *Principia* zou mogen komen, die in de bibliotheek lag, in een glazen vitrine waarvan Gob zich niet kon voorstellen hoe hij geopend zou moeten worden. De Urfeist bracht hem echter in kennis met de Magiërs van de Renaissance: Paracelsus en Nettesheim en Della Porta, Albertus Magnus en Mirandola en dokter Dee. Gob wilde proberen een mensachtige te scheppen, maar in het recept stond dat je daar zaad voor nodig had, iets wat hij nog niet kon maken. 'Alles op zijn tijd,' zei de Urfeist, op een toon die uit een andere mond vriendelijk en oomachtig zou hebben geklonken. Hij leerde Gob over kruiden. Assafetida heeft een afgrijselijke geur en is nuttig voor exorcisme. Leliën houden onwelkome bezoekers op een afstand. De geur van alruin brengt iemand in slaap. Olm beschermt tegen het weerlicht. Als dat waar was wilde Gob weten waarom er nog geen vijftig meter van het huis een olm stond die door de bliksem was getroffen. Het antwoord was een pak slaag.

'Maar ik heb op je gewacht. Geesten smeken om een meester. Ze willen overheerst worden, en de geesten die mijn slaven zijn hebben het over je gehad, hebben beloofd dat er op een dag een jongen zou komen die alles zou leren wat ik kon onderwijzen. Ben jij die jongen? Ben jij de jongen die een meester der geesten zal worden, een magiër, een bouwer? Zo'n kleine geest. Zo'n hunkering naar vadsigheid. Volgens mij ben je van het restmateriaal van je broer gemaakt — er moet iets zijn overgebleven, maar niet genoeg om een complete jongen van te maken. God heeft je geschapen, iets halfs, een goedbedoeld maar slecht uitgevoerd gebaar. Misschien was het de bedoeling dat ik je broer onderricht zou geven. Maar je bent op jouw manier een lieve jongen. We zullen het ermee moeten doen.'

Gob was geen gevangene in dat huis. Hij had weg kunnen gaan, maar hij probeerde nooit een trein naar het westen, naar Ohio, terug naar zijn moeder en zijn rumoerige familieleden te nemen. Hij was er om te leren, en hij leerde, en naarmate hij meer leerde besefte hij beter dat hij onder een wereldgewicht van onwetendheid gebukt ging. En hoe dan ook: meestal als hij aan zijn moeder terugdacht hoorde hij haar lachen bij Tomo's dood, en dan voelde hij weer verse woede tegen haar opwellen.

Gobs leven bestond grotendeels uit werken, maar het was niet alleen maar werken. Soms nam de Urfeist hem mee naar een restaurant of een oesterbar. Ze maakten ritjes door Central Park, waar ze wedstrijden hielden tegen het slanke rijtuig van de vriend van de Urfeist, meneer Vanderbilt. Ze gingen naar toneelstukken. De Urfeist was een groot bewonderaar van Edwin Booth en Charlotte Cushman, en sloeg geen enkel stuk over waarin een van deze beide acteurs optrad. Verder was de Urfeist dol op opera. Hij had een van de felbegeerde loges in de Academy of Music. Tijdens de pauzes kwamen smaakvol geklede mensen de Urfeist in zijn loge opzoeken, en deze stelde Gob dan als zijn pleegkind voor, het kind van een neef die een jaar daarvoor aan cholera was overleden, zijn laatste overlevende verwant. 'Wat is er met zijn hand gebeurd?' vroegen ze de Urfeist dan fluisterend.

'Een erfelijke misvorming,' luidde het antwoord.

'Ik ben helemaal ondersteboven van de laatste ontwikkelingen,' zei Madame Restell. Ze zat naast de Urfeist bij een van zijn ontvangsten. Iedere keer dat er nieuws over een belangrijke veldslag in New York bekend werd gaf hij een groot diner. Ogenschijnlijk vierde hij de steeds vaker voorkomende overwinningen van de Unie die in de lente van 1865 plaatsvonden, maar Gob had het vermoeden dat zijn meester alleen maar de bloedbaden vierde. 'Lange bakkebaarden, ringbaardjes, tochtlatten, korte bakkebaarden, lange baarden. Er is te veel variëteit in gezichtsbeharing—er zouden regels voor moeten komen. Sommige mensen gaan zover over de schreef dat ik huiver bij de gedachte alleen al. Ik geef als voorbeeld het type man dat wordt vertegenwoordigd door meneer Greeley en die onzegbare *dingen* die uit zijn boord tevoorschijn komen. Ik krijg er gewoon rillingen van!'

'Volgens mij kan meneer Greeley niet als vertegenwoordiger van een type worden beschouwd, behalve dan van het zijne, Annie,' zei de Urfeist. Aan de hele tafel werd om deze reactie gelachen. De schandaalverwekkende rijke vrienden van de Urfeist rekten de tijd met port en sigaren. Ze schonden de conventie door aan tafel te blijven zitten, en de dames hielden de heren gezelschap. Gob stond de gesprekken gewoonlijk af te luisteren in de keuken, waar een van de bedienden hem steevast een sigaar van hemzelf gaf. Vanavond stond hij echter in de eetkamer, schuin achter en dichtbij de Urfeist, die hem erbij had gehaald om de gasten te vermaken. Gob had voorgelezen uit een bericht over de slag bij Spotsylvania. Een van de gasten was hem in de rede gevallen met de opmerking dat generaal Grant een baard zou moeten laten staan omdat dit zijn gezicht zou verhullen, dat immers duidelijk het gezicht van een drankzuchtige was. 'Hij loopt ermee te koop, met dat blote gezicht,' zei de gast. Dit bracht Madame Restell op haar opmerking over de chaos van gezichtshaar die de samenleving dreigde te ontwrichten.

'Die Grant!' zei een andere gast. 'Een doelmatig generaal, maar men zegt dat hij erg wreed is. Ik ril bij de gedachte aan die man.'

'Die Grant!' zei de Urfeist, opstaand en een dronk op hem uitbrengend. 'Dat is nou een man die niet bang is voor de dood.' Zijn gasten dronken allemaal op hem, maar de Urfeist niet. 'En wat voor soort man,' vroeg hij hun, 'is dat dan?'

'Een held,' antwoordde iemand, en: 'Een leider,' en: 'Een

286

vernietiger,' dit laatste van een man die rijkelijk zijn brood verdiende met de verkoop van tweederangs wol aan het leger van de Unie.

'Nee!' zei de Urfeist, op zo'n heftige toon dat enkele gsten ineenkrompen. Hij kneep zo hard in zijn glas dat het brak, en Madame Restell gaf een gilletje. 'Wat voor man?' schreeuwde de Urfeist. 'Wat voor man?'

'Een dwaas,' zei Gob, terwijl hij zich afvroeg of de Urfeist hem ten overstaan van zijn gasten zou durven slaan, maar zijn leermeester lachte en keek verbaasd hoe hij zijn glas had gebroken en zich in zijn hand had gesneden.

Zijn gasten lachten ook, tamelijk nerveus, en de Urfeist zei: 'Vergeef me, vrienden. De oorlog windt me op, begrijpen jullie. Hij windt me op.'

'Chicago is de afvoerput van de prairie. Ga er niet heen. Cleveland is beter. Daar vind je elegante villa's, omgeven door boomgaarden en tuinen. Cincinnati is porkopolis: een prettige plaats om te wonen als je een varken bent. New York is eigenlijk de enige stad waar je kunt wonen, behalve in de zomer, als je je echt op het platteland moet terugtrekken. Maak knoedels van 2 koppen bloem, 1 theelepel zout, 1 eetlepel spek, een kop melk, 4 theelepels bakpoeder en een snuifje kinderbloed. Je krijgt dan lichte, luchtige knoedels— alsof je lucht eet. Maar dwaal van het recept af en je eet lood. De heilige namen van God zijn: Dah, Gian, Soter, Jehovah, Emmanuel, Tetragrammaton, Adonay, Sabtay, Seraphin. Een vrouw heeft een stukje kip tussen haar benen, waarmee je haar kunt domineren.'

De zaterdag voor Pasen liep Gob over Broadway op weg naar Barnums museum, zo volledig in gedachten dat hij de stilte op straat niet opmerkte en niet zag dat verschillende vlaggen een zwarte wimpel droegen of dat de rood-witblauwe rozetten door zwarte waren vervangen. Het was laat in de middag. Hij was tot diep in de nacht opgebleven, lezend in Della Porta's *Celestial Physiognomy*. Het was al bijna dag toen hij naar bed was gegaan, waar hij rusteloos had gedroomd, niet van de machine maar van zijn tante Tennie. Ze huilde en hij kon haar niet troosten.

Terwijl hij over Broadway liep dacht hij na over de machine met de dubbele werking van de heer Watt, dat het zo'n verbetering was vergeleken met vorige modellen, omdat de stoom aan weerszijden van de zuiger naar binnen werd geleid. Dit bracht Gob op de overweging dat alles wat hij zelf tot dusverre had gebouwd slechts van één kant leek te functioneren. Het was, dat wist hij zeker, niet zoals het hoorde en bovendien een verspilling, omdat hij opeens zag dat zijn eigen machine ook volgens dit tweezijdige principe moest werken. Hij wist echter niet hoe een dergelijk principe eruit zou zien, tenzij het was dat Tomo dood was en hij het nog niet mocht zijn.

Barnum was gesloten. Er hing zwart crèpe om de deur en alle affiches droegen een zwarte rand. Bij de deur die het opschrift *Dulce est pro patria mori* droeg stond een grote gipsen urn op een voetstuk.

'Die arme meneer Booth,' zei Madame Restell ettelijke dagen later, doelend op Edwin. 'Ik heb hem in *Macbeth* gezien. Ik denk dat die rol door de schok wel extra bezieling zal krijgen, als hij hem ooit nog zal spelen.'

'Ik zou me geloof ik de rest van mijn leven schuilhouden als mijn broer zoiets had gedaan,' zei een andere gast. 'Ik zou een dergelijke schanddaad nooit kunnen vergeven.' De Urfeist hield de avond voordat het lichaam van de overleden president in New York zou aankomen een begrafenismaal. Gob, die weer was komen opdraven om de vrienden van de Urfeist te vermaken, wilde zeggen dat een broer een broer iedere wandaad moest vergeven, wat hij ook had gedaan. Hij vroeg zich af of Tomo nog steeds boos op hem zou zijn.

Gob voelde zich beroerd. Hij had te veel gegeten, en de gasten maakten hem duizelig door alle eisen die ze aan zijn geheugen stelden. De Urfeist had hem het verslag van dokter Abbott, de arts die bij de dood van meneer Lincoln aanwezig was geweest, uit het hoofd laten leren.

'Half twaalf n.m.,' zei Madame Restell, die doorging met het spelletje.

'Pols achtenveertig,' zei Gob. 'Adem zevenentwintig.'

'Eén uur veertig v.m.,' zei een andere gast.

'Pols zesentachtig. Patiënt is heel rustig. Ademhaling onregelmatig. Mevrouw Lincoln is aanwezig.'

'Zes uur!' zei een opgewonden dame. 'Is hij al dood?'

'Pols daalt,' zei Gob. 'Ademhaling achtentwintig.'

'Zeven uur,' zei dezelfde dame.

'Symptomen van het einde,' zei Gob.

'Gaat hij dan nooit dood?' vroeg de dame.

'Geduld, lieve mevrouw,' zei de Urfeist. 'Zeven uur twee-entwintig.'

Gob zei: 'Dood.'

'Haat de dood. Het is het enige verstandige dat je kunt doen. Wat een bleke, dunne schilden houden de levenden toch tegen hem op! Nooit meer geladen met angst! Verrukkelijke rust! Laten we de rivier oversteken en rusten in de schaduw van de bomen! Laten we ons in het bedompte graf leggen. Laten we kringelende kwaaddoende wezens worden. Laten we naar vlees verlangen, naar zonlicht, naar een wang tegen de onze, laten we zelfs naar de steek van een bij verlangen. Geesten doen alles om vlees te proeven – dit is de wijsheid van de necromans, die niet van de dood houdt maar hem haat, die hem haat omdat hij onder alles op de loer ligt, onder iedere wortel en onder ieder blad, onder de huid van ieder wezen. Ieder dom, gelukkig kindergezicht is een masker waarmee de dood zijn glimlachende facie voor de wereld verbergt. Weet je hoe de dood de spot met ons drijft? Niet eerlijk is een wereld die zegt: "Neem deel aan deze dagen terwijl ik ze verniel," want welke vreugde kun je hebben als letterlijk alles bestaat om op zekere dag van je te worden afgenomen? Verlangen we niet eeuwig? Hebben we niet eeuwig lief? Haten we niet eeuwig? Waarom is de dood dan zo inhalig? Waarom berooft hij ons van ons toegewezen deel van eeuwigheden? Waarom likt hij me iedere dag met zijn natte, hongerige blik en zegt: "Je leeft en ademt nog wel, maar zie je niet dat je al dood bent?" Zie je hoe je een heel leven lang om jezelf kunt rouwen? Haat je hem niet, mijn lelijkerd? Was je maar niet zo lelijk en dom, kon je maar een vastbesloten beweging maken om die zelfingenomen dood te verwonden. Was je maar niet voorbestemd voor luiheid en mislukkingen, voor dromen in plaats van werken.'

'Ze zeggen dat ze een vrouwelijke Wendell Phillips is,' zei de Urfeist over mevrouw Burleigh uit Brooklyn. Hij had Gob meegenomen naar haar lezing over de maatschappelijke toestand van kinderen. Het was allemaal deel van zijn voortdurende vorming, verzekerde de Urfeist Gob, die zich bedrogen voelde. Hij had de indruk gehad dat hij werd meegenomen om de knappe, inspirerende Anna Dickinson te zien en niet een minder groot licht, een niemand van de overkant van de rivier.

Mevrouw Burleigh gaf een lezing in Association Hall onder de vleugels van de Sorosis Club, wat Gob als een patiëntenvereniging in de oren klonk. Terwijl de toehoorders hun plaatsen opzochten werd er op een orgel gespeeld, en Gob keek naar mevrouw Burleigh: een blozend gezicht, een vitaal uiterlijk en zwanger. Ze zat kalm bij het podium. Doordat ze met haar voet zat te tikken bewoog haar rok mee op het ritme van de muziek, tot een magere, vogelachtige vrouw uit het publiek opstond om haar te introduceren als 'de allerbeste vriendin van de kinderen van onze natie'. Deze woorden brachten een golf van applaus teweeg, en een kreet 'Hoezee voor juffrouw Phillips!' van achteruit de zaal.

'Mijn naam is Burleigh, dank u, meneer!' zei mevrouw

Burleigh. Ze boog haar hoofd even, alsof ze bad, en zei: 'Het algemene principe waarnaar in de wereld wordt gehandeld is dat kinderen geen rechten hebben die we dienen te respecteren!'

Terwijl ze deze gedurfde stelling uitwerkte zat Gob in zijn stoel te schuiven, te onrustig om zich er zorgen over te maken of de Urfeist hem later zou straffen omdat hij niet stil kon zitten. 'Wat heeft zij met de machine te maken?' vroeg hij.

'Ssst,' zei de Urfeist, en gaf hem een stevige por in zijn zij. 'Je zult wel zien.'

'Rust en zorg zijn van wezenlijk belang voor het welzijn van een kind,' zei mevrouw Burleigh. 'Sigaren rokende vaders en gin drinkende kindermeisjes dienen gemeden te worden. In korsetten ingesnoerde moeders geven een slecht voorbeeld. De oom die zijn handen niet thuis kan houden is uit den boze in ieder gezin dat niet uit is op de ondergang van zijn kinderen.'

De Urfeist fronste zijn voorhoofd en stak zijn hand in zijn zak. Hij haalde er een zilveren doosje ter grootte van zijn handpalm uit. Toen hij het opende zag Gob dat het vol zat met een fijn geel poeder, waarvan hij dacht dat het zwavel was. Hij stak zijn hoofd opzij om het op te snuiven, maar de Urfeist duwde zijn hoofd ruw weg. 'Nee,' zei hij. 'Niet snuiven.' Hij strooide een beetje op zijn handpalm uit en hief deze naar zijn lippen, waarna hij het poeder in de richting van mevrouw Burleigh blies.

'Wat is het?' vroeg Gob.

'Kijk maar,' zei zijn leraar. Hun buurvrouw in de zaal, een dame met een roze hoed en een wijnrode fluwelen jurk, siste tegen hen. De Urfeist drukte een zakdoek tegen zijn gezicht en ademde erdoor, en gebaarde Gob hetzelfde te doen. Overal om hen heen begonnen mensen te sniffelen en in hun ogen te wrijven, terwijl mevrouw Burleigh inging op het zware bestaan van Amerikaanse kinderen, die ze als weerloze, misbruikte onschuldigen voorstelde. De mensen begonnen nu openlijk te huilen. De dame in de wijnrode jurk keek opeens niet meer minachtend, haalde diep adem en liet een reeks snelle snikjes horen.

'Ja, huil!' zei mevrouw Burleigh. 'Huil, zoals het schoorsteenvegertje "Huil, huil" roept vanwege het leven dat hij leidt en de ellende waaraan hij blootstaat! We zijn allen hun kwelgeesten, zonder uitzondering!' Ook zij huilde nu, veegde met ruwe handgebaren de tranen van haar gezicht.

'Wat heeft u gedaan?' vroeg Gob.

'Het komt door dat afschuwelijke gezicht van je,' zei de Urfeist glimlachend. 'Daardoor barsten wildvreemden opeens in tranen uit.' De situatie verergerde. Het hele bovenlichaam van mevrouw Burleigh schokte nu, zelfs terwijl ze waarschuwde hoe gevaarlijk het was kinderen te veel te kussen. Ze veroordeelde dat als een inbreuk op lichamelijke privacy.

'Het zijn niet uw kuspoppen, Israël. O, zeker niet!'

Gob lette niet goed op zijn zakdoek. Hij ademde de besmette lucht in en voelde zich overmeesterd door droefheid. Hij begon te huilen, niet als blijk van respect voor de treurnis van de kindertijd, maar omdat het hem op dat moment toescheen dat letterlijk alles in de wereld ondraaglijk triest was.

'Wat heeft u gedaan?' vroeg hij op weg naar huis weer. 'Wat is dat voor geel poeder?'

'Een simpel brouwseltje,' zei de Urfeist. 'Ik zal je laten zien hoe je het maakt.'

'Maakt het mensen treurig?'

'Nee. Het doet niets. Het maakt verdriet los. Ieder wezen is treurig, zonder uitzondering. Weet je waarom?'

'Ze missen hun doden.'

'Nee!' zei hij. Hij keek zoekend naar de peddel om zich heen, en toen hij hem niet vond gaf hij Gob met zijn blote hand een oorvijg. 'Nee, het punt is niet dat ze hun doden missen. Niet dat ze rouwen om hun geliefden. Ze rouwen om zichzelf. Ze zijn bedroefd omdat ze weten dat ze zullen sterven.'

In mei 1865 hield Gob aan een droom over dode soldaten een idee over. Een grote groep lag klappertandend in een open graf. Wat hebben ze het koud! zei Gob tegen zichzelf, en hij vroeg zich af hoe hij hen kon verwarmen. Hij kon geen oplossing vinden, maar de gedachte kwam bij hem op dat het geluid dat hun tanden maakten erg veel van dat van een telegraaf weghad. Hij kende de code, en toen hij heel goed luisterde ving hij een boodschap op: *Haal ons terug*. Gob ontwaakte uit de droom, rende naar zijn werkplaats en begon aan een spirituele telegraaf te werken.

Net zoals zijn meeste ondernemingen was het een mislukking. Hij werkte er echter maanden aan. De Urfeist verkoos het zich die zomer uit de stad terug te trekken. 'Het wordt een goed jaar voor cholera,' zei hij. Hij pakte zijn kilt en zijn hoed en zijn overhemd en maande Gob tijdens zijn afwezigheid iedere dag een boek te lezen. Hij had een selectie voor hem gemaakt en deze in een stapel in de bibliotheek gelegd.

'Gaat u naar Homer?' vroeg Gob, vlak voordat de Urfeist de deur zou uitlopen.

'Ik heb nog nooit van een dergelijke plaats gehoord,' zei de Urfeist, en gaf Gob een lichte kus op zijn wang met de woorden: 'Pas op voor mevrouw Lohmann.' Madame Restell had verklaard dat ze Gob gezelschap zou houden. 'We zullen een heerlijke zomer hebben!' had ze laten weten.

Nu zijn leermeester weg was las Gob niet zijn boek per dag, ging hij niet naar toneelstukken of het museum van Barnum, at soms niet; hij was betoverd door de werking van het halve dozijn beurstikkers die hij uit elkaar had gehaald. Hij begreep gemakkelijk hoe de telegrafen functioneerden —de professoren Henry en Morse waren deze maanden zijn helden. Toen juli aanbrak had hij een eigen beurstikker in elkaar gezet van onderdelen die hij uit de gewone tikkers had gesloopt en van mystieke onderdelen die hij zelf had vervaardigd—stukken draad die met rituelen waren gezegend, gouden tandwieltjes, magneten die hij bij volle maan met een beitel had gespleten, accu's die hij van chemicaliën en kruiden had gemaakt. Hij piekerde nog een maand lang over de vraag welk soort draad een bericht aan de doden zou kunnen doorgeven. En als hij eenmaal het juiste metaal had, waarop moest hij het dan aansluiten? Moest hij stiekem naar Homer terugkeren en het draad tot in het graf van Tomo laten doorlopen? Kon hij het aansluiten op de vele kilometers draad die kriskras over Manhattan liepen en hopen dat de geesten van de doden via dat medium zouden kunnen horen en spreken? Uiteindelijk besloot hij helemaal geen draad te gebruiken. Hij bedacht een systeem van telegraferen door middel van inductie.

Eén blik op zijn spirituele telegraaf had Gob duidelijk moeten maken dat deze niet zou werken. Het was zijn machine niet, hoewel hij niet wist hoe zijn machine er dan wel uitzag; hij wist zeker dat hij hem zou herkennen als hij hem zag, en hij herkende niets in het apparaat op zijn vloer, dat even groot was als een hond. Hij stond op vier poten van guttapercha en de zilveren en glazen onderdelen schitterden in het licht van de gaskroon. Gob haalde alle noodzakelijke schakelaars over. Hij had een bijzonder gevoel voor elektriciteit en andere vitale krachten ontwikkeld—hij wist dat het ding zoemde van de energie. Hij bleef er de hele nacht bij zitten, wachtend of het een bericht van Tomo zou uitspuwen: *Ik leef, ik kom naar je terug.*

Maar het bleef stil.

Toen de Urfeist in de herfst terugkeerde verwachtte Gob een pak slaag omdat hij zijn studie had verwaarloosd en zijn tijd aan een nutteloze machine had verdaan. Hij was dus verbaasd toen de Urfeist zijn vergeefse inspanning prees. 'Nu kunnen we beginnen,' zei de Urfeist, bedoelend dat ze nu serieus konden gaan bouwen. Ze werkten samen aan machines. De ektoplasmische booglamp, de turbine van Swedenborg—ook dat waren mislukkingen geweest.

Deze mislukkingen stemden de Urfeist echter vrolijk. 'Natuurlijk zal het moeilijk zijn,' zei hij, met een klank in zijn stem die bijna vriendelijk aandeed. 'Misschien,' zei hij, 'word je wel deskundig in je wetenschap maar nalatig in je kunst.' Hij sloot de deur naar Gobs werkplaats af, verstopte de sleutel en ging Gob voor naar de bibliotheek, naar de vele planken die aan de esoterische kunsten waren gewijd. Gob studeerde braaf, wensend dat hij terug kon naar zijn werkplaats en weer kon knutselen. Na een paar weken vond hij echter een boek dat hem eindeloos intrigeerde, een kleine inleiding in de necromantie, gebonden in zwart leer en in het Duits geschreven. Het stond vol eenvoudige toverformules die ten doel hadden de levenden met de doden te laten communiceren. Schrijf een boodschap op een stuk leisteen en stop het in een graf; verbrand je boodschap met turf en het vet van een zwangere haas; de doden zullen je horen. Gob voerde de rituelen uit, stuurde Tomo berichten, zoals: *Ik zal je terughalen*, en ze waren een troost voor hem, hoewel hij niet helemaal geloofde dat ze werkten.

Gob begon de Urfeist te vergezellen als deze de huizen van zieken bezocht. De Urfeist wilde dat Gob arts werd, om een evenwicht aan te brengen tussen Gobs studies in de necromantie en de bestudering van het leven. Het scheen Gob echter toe dat de geneeskunde een kunst was die evenzeer aan de dood was gewijd als de necromantie het was. Wat stond er in een boek over geneeskunde immers anders dan liefdevolle, intieme beschrijvingen van verwondingen, ziekten en uiteindelijk de dood? In de kleine *Necromantie* van McGuffey stond een motto dat hem dierbaar was geworden: *Mijn geliefde heeft duizend gezichten*. Het was de bezweringsformule van de tovenaar, maar hij leek Gob ook van toepassing op het beroep van medicus. 'Ja,' zei de Urfeist. 'Dat is waar. Die haaien met hun wortels en kruiden. Die kankerkwakzalvers. Zelfs de meest vooraanstaande.

Dokter Mott, dokter Gross, al mijn geachte collega's zijn dienaren van hoop en wanhoop—en ze haten de dood niet genoeg.'

Ieder jaar, in de weken voor Kerstmis, maakte de Urfeist een uitgebreide ronde langs de weeshuizen. Er moesten er erg veel worden bezocht. Hij ging er niet langs om kinderen weg te halen, maar om cadeaus te brengen. Hij stak een twijg hulst in zijn hoed, de bedienden laadden een wagen vol geschenken en de Urfeist ging op weg naar de nabij gelegen katholieke wezeninrichting, of naar het weeshuis van Leake en Watt. Gob ging met hem mee naar Het Beschuttende Wapen, een huis verder naar het noorden, in Manhattanville, waar men de kinderen opnam die elders waren geweigerd. De kinderen—sommige dodelijk ziek, andere half verweesd, niet door de dood maar door sterke drank—verzamelden zich onder een met kaarsen overladen kerstboom en namen de gulle gaven van de Urfeist in ontvangst. Gob vroeg zich af of de hobbelpaarden 's nachts niet zouden gaan leven en op de weke schedel van een kind zouden stampen, of de porseleinen gezichten van de poppen op middernacht niet in de woedende witte mombakkesen van demonen zouden veranderen, of de speelgoedgeweertjes geen echte kogels zouden afschieten, waardoor onschuldigen moordenaars zouden worden. Het waren echter heilzame cadeaus. De puzzels waren gewoon puzzels, de katten van bedrukt katoen en de honden van gingang hadden geen tanden of klauwen. Het speelgoed was alleen opmerkelijk omdat het zo fraai was. Er waren houten soldaatjes die marcheerden en het geweer presenteerden, glazen vlinders die als ze werden opgewonden met hun vleugels sloegen en met hun voelsprieten wuifden, een kleine beer die gromde als je erin kneep.

'En hoe heet jij, liefje?' vroeg de Urfeist. Hij zat bij de kerstboom en er was een kind bij hem op schoot geklommen.

'Maude,' zei het meisje.

'Wat hebben we voor de lieve kleine Maude?' vroeg de Urfeist Gob, en Gob zocht in de zak tot hij een pop voor haar vond.

'Dank u,' zei ze plichtsgetrouw toen ze hem in ontvangst nam. Ze boog zich voorover en gaf de Urfeist een kus op zijn droge wang, klom toen van zijn schoot en rende naar een hoek, waar ze haar nieuwe pop tegen zich aandrukte en traag op haar knieën wiegde.

Na hun bezoek aan Het Beschuttende Wapen gingen ze naar huis. De Urfeist vierde deze feestdagen met veel enthousiasme. Hij wilde verschillende bomen in het hele huis, elke boom verlicht met kaarsen en met gouden kralen en kristal opgetuigd. Het huis was zo dicht met dennentakken versierd dat je niet van de ene verdieping naar de andere kon lopen zonder onder de hars te komen. De Urfeist strooide walnoten in de hoeken, zette pudding en punch op elke tafel en wilde in de paar dagen direct na Kerstmis met alle geweld langdurige kerstliederensessies houden. Met een kaars in de hand liepen hij en Gob naast elkaar door het huis, terwijl ze 'De Goede Koning Wenceslaus' en 'Adeste Fidelis' zongen. Ze liepen zingend alle trappen op en af, door de salons en de keuken, door de eetkamer en de balzaal, door iedere kamer behalve de groene. Ook op kerstavond 1865 hielden ze een kerstliederensessie, en toen ze de bovenverdiepingen van het huis hadden bereikt en door de slaapkamer van Gob liepen bleef de Urfeist staan.

'Tijd voor je kerstcadeau,' zei de Urfeist tegen Gob. Gob dacht dat het betekende dat hij naar de stenen hoek moest en op zijn buik moest gaan liggen. Hij maakte hier net aanstalten toe toen de Urfeist zei: 'Nee, dat niet. Niet nu. Kom hier.' Hij haalde de sleutel van Gobs werkplaats tevoorschijn en opende de grote ijzeren deur. Daar stond de spirituele telegraaf, op de plek middenin het vertrek waar Gob hem had achtergelaten. 'Dit is je cadeau,' zei de Urfeist op warme toon. 'Je mag terug naar de machines. Weet je welke tijd het is?'

'Kersttijd,' zei Gob.

'Ja,' zei de Urfeist. 'Maar het is ook tijd dat je met je werk begint, je echte werk. Volgens mij ben je nu klaar. Ik denk dat de afschaffing van de dood niet lang op zich zal laten wachten.'

Gob liet zijn hoofd hangen en begon te huilen, niet wetend waarom hij opeens zo treurig werd. Hij hunkerde er immers al maanden naar naar zijn werkplaats terug te keren. Hij keek naar de roerloze, nutteloze telegraaf en zei: 'Ik zal falen.'

Toen kreeg hij een pak slaag, kerstklappen, helemaal niet hard, net genoeg als remedie tegen pessimisme. Toen hij uitgeslagen was legde de Urfeist de peddel neer en nam Gob in zijn armen. 'Wanhoop niet, mijn jongen,' zei hij, met zijn mond tegen Gobs wang. Zoals vaak bedacht Gob dat de adem van een gier of een hyena waarschijnlijk sterke overeenkomst zou vertonen met de bedorven stank die uit de mond van de Urfeist kwam. 'Je bent niet briljant. Je bent dom. En wat dan nog? Dacht je dat ik je niet zou helpen bij je werk? Dacht je dat we niet samen zouden slagen? Is dat niet de fundamentele wijsheid die je in je leven moet opdoen, dat je hulp nodig zult hebben bij deze poging?'

Gob ging op zoek naar professor Morse, uitgaande van de heel redelijke veronderstelling dat als hij zijn blik op die grote man liet rusten dit hem wellicht tot succes zou inspireren. Gob kuierde Broadway af, scherp uitkijkend naar een man van ongeveer tachtig jaar die er duidelijk als een genie uitzag. Hij beschikte over een afbeelding van hem, een gravure die hij uit een geïllustreerd weekblad had geknipt, waarop hij onder het lopen nu en dan een blik wierp. Hij zag professor Morse geen enkele keer op Broadway, terwijl toch alom bekend was dat hij er dagelijks een wandelingetje maakte. En dus hield Gob zich schuil voor het huis van Morse aan Twentysecond Street bij Fifth Avenue en zag hem op een regenachtige middag in maart 1866 tenslotte naar buiten komen. Morse was bij nadere beschouwing geen opvallende verschijning. Gob rende de straat over en haalde hem net in toen hij in een koetsje wilde stappen. 'Professor!' zei hij. 'Professor, zou ik u even kunnen spreken?'

Professor Morse draaide zich naar Gob om en bekeek hem onderzoekend door een met regen bespatte bril. 'Ja, meneer?' zei hij. Hij keek iets beter en zei: 'Kan ik u helpen?'

Kon hij dat? Gob had het idee dat meneer Morse hem inderdaad kon helpen, als hij de juiste vraag wist te formuleren. Gob wist echter niet welke vraag hij moest stellen. Hij stond daar zwijgend in de regen en keek met knipperende ogen naar die eminente man. Professor Morse glimlachte tegen hem en drukte hem een stuiver in de hand. 'Goedendag, jongeman!' zei hij opgewekt en reed weg. Gob nam de stuiver mee naar huis en monteerde hem in de telegraaf.

Aangezien de stuiver de eerste van talrijke aangroeisels was kwam Gob nooit op het idee dat zijn zoektocht naar professor Morse vruchteloos was geweest. In een opwelling had hij de stuiver aan de telegraaf bevestigd, maar toen deze er eenmaal zat ging hij de telegraaf als het hart van de machine beschouwen, en nadat dit inzicht bij hem was opgekomen kwam er een volgend inzicht op—even vanzelfsprekend en simpel als dat de ene dag op de andere volgde—iets wat hij zich vaag uit zijn dromen herinnerde, een overtuiging dat de machine een hart moest hebben, dat hij vorm moest krijgen om een middelpunt heen. De telegraaf zou het hart van de machine worden. De Urfeist betoonde zich kinderlijk opgewonden toen Gob hem over zijn openbaring vertelde. Ze hingen samen onvermoeibaar allerlei voorwerpen aan de telegraaf. Glazen pijpen, miniatuurarmillaria, koper- en zilverdraad—de telegraaf groeide tot hij een bol van voorwerpen was geworden.

De Urfeist hield vol dat Gob zijn inspiratie grotendeels in

dromen zou vinden. Gob kreeg een pak slaag, alleen maar omdat hij opperde dat ze een tochtje naar de Smithsonian Institution zouden maken om professor Henry te raadplegen. 's Ochtends hing de Urfeist altijd bij Gobs bed rond, kijkend hoe Gob sliep en wachtend tot hij wakker zou worden. Het was buitengewoon onaangenaam om zo aan de dag te beginnen—wakker worden met de aanblik van het onsmakelijke gezicht van de Urfeist. 'Heb je gedroomd?' vroeg deze onveranderlijk. 'Heb je iets gezien?' Als Gob zijn hoofd schudde liet de Urfeist hem een slokje uit een grote blauwe fles met opiumtinctuur nemen en zei: 'Blijf slapen. Blijf dromen.' Hij had een potlood en een notitieboekje naast Gobs bed gelegd, zodat Gob, als hij wakker werd en de Urfeist er toevallig niet was, zelf aantekeningen kon maken over wat hij in zijn dromen zag. En hij dacht dat hij in zijn dromen inderdaad dingen zag. Iedere nacht zag hij, dat wist hij zeker, de voltooide wondermachine. Hij ademde en werkte. Maar als hij wakker werd was hij vergeten hoe hij eruitzag en hoe hij werkte.

Knopen, botten, touwtjes en draad, knikkers en centen en rietjes—Gob bouwde de machine van alles wat hij in het huis kon vinden, en de Urfeist bezat kelders vol met alle denkbare voorwerpen. 'Ik ben een verzamelaar,' zei hij soms, alsof hij hierdoor een gedistingeerd man werd, en het was waar dat de Urfeist schatten verzamelde, kleine figuurtjes van gesmeed goud, opgerolde en onder bedden gestoken schilderijen, beelden die als gevangenen in de kelder waren opgesloten. Voor het grootste deel verzamelde de Urfeist echter rommel. Hij had een kamer die propvol stond met kapot meubilair, een kamer waar een laag van vijftien centimeter glasscherven op de vloer lag en in het plafond was gezet, waar ze schitterden als een sterrenhemel. Verder stond er een kamer vol met wat volgens Gob een gedemonteerde stoommachine moest zijn en daarnaast bevond zich een kamer vol stapels rails.

Gob liep kiezend en selecterend de kamers af, wachtend tot sommige dingen noodzakelijk voor zijn werk zouden lijken. Dit gebeurde soms—het ene moment was een glazen bol slechts een glazen bol, maar het volgende was hij dan het oog van zijn machine, en sleepte hij hem mee naar zijn werkplaats en monteerde hem erin. De Urfeist kwam regelmatig de machine inspecteren en beledigen; hij zei dat hij nonchalant in elkaar zat en slecht was gepland, het kind van een ongedisciplineerde en onkritische geest. Hij hief zijn hand als om hem kapot te slaan, maar dan zei hij weer dat het niet eens de moeite was hem te slopen. 'Wat is het?' vroeg hij steeds. 'Is het een glazen schaap? Is het een huisdier om je tegen eenzaamheid te beschermen?'

Het klopte dat de machine er nu als een schaap uitzag. Hij had een fustvormig lichaam en iets als een kop die tussen zijn poten hing, alsof het van de vloer graasde. Maar waar een schaap misschien een hart zou hebben droeg dit ding de beurstikker, die met alle verschillende aangroeisels nu tweemaal zijn oorspronkelijke afmetingen had gekregen. De machine was elektrisch en spiritueel, met een navelstreng die uit zijn buik kwam en zich vertakte en naar twintig accu's liep, en met poten die in zilveren kommen met een mystieke vloeistof stonden die Gob volgens een recept uit zijn *Necromantie* van McGuffey had samengesteld. Als hij hem aanzette braakte de tikker kronkelende stromen blanco papier uit: ze kwamen als een steeds aangroeiende staart uit de machine. Het was een mislukking omdat er geen bericht van zijn broer op stond, en dit probeerde hij te verbeteren. De methode, dat wist hij zeker, was om er dingen aan toe te blijven voegen.

Ook al dreef de Urfeist de spot met het apparaat, Gob wist dat hij het heimelijk bewonderde, want hij had door het sleutelgat in zijn werkplaats naar binnen gekeken en gezien hoe zijn leraar naar alle gladde delen staarde of er zijn lange nagels overheen haalde. De bezoeken aan de machine slokten steeds meer van de tijd van de Urfeist op en hij begon eraan mee te bouwen. Ze werkten er met zijn tweeën om beurten aan, waarbij Gob te bang was om te zeggen hoe rancuneus hij was over de bijdragen van zijn meester en hoe hij ze bewonderde, de Urfeist te trots om te erkennen dat hij nu met zijn student samenwerkte. Op een avond echter, toen Gob de rattenworst van zijn meester opdiende, maakte de Urfeist een opmerking. 'Wat eraan ontbreekt is het wezenlijke element van begeerte. Hoe kan hij hem terugbrengen als hij niet naar hem verlangt?' Daarna begonnen ze samen te werken, en altijd aan dit probleem—hoe moest je het niet-voelende ding laten voelen?

Het antwoord, zo besloten ze, was dat er een gevoel in gestopt moest worden. 'We zullen je vast moeten binden,' stelde de Urfeist Gob op de hoogte; hij klonk bijna bedroefd. Met garendun draad bond hij Gob vast onder het ding en monteerde een draad van de tikker van Gobs hart naar de bek van het schaap. 'Het doet natuurlijk een beetje pijn, dat is onvermijdelijk,' zei de Urfeist, terwijl hij het scherpe draad door de huid van Gobs borst drukte. Hij duwde het slechts een centimeter naar binnen, maar Gob wist zeker dat hij het in zijn hart voelde dringen. 'Je bent geen kosmos,' zei de Urfeist, 'maar misschien lukt het toch met je. Misschien ben je voldoende voor een kort bericht.' Hij schakelde de stroom van de accu's in, roerde met een glazen staafje de mystieke vloeistof om, blies in de vier hoeken van het vertrek op een harmonica. De telegraaf deed wat hij altijd deed; hij danste en zoemde en braakte papier uit. 'Je moet dieper,' zei de Urfeist, en pakte het draad voorzichtig tussen zijn duim en wijsvinger en draaide het zo rond dat het dieper in zijn student verdween. 'Denk aan je broer,' zei de Urfeist, maar dat hoefde hij Gob niet te zeggen. Het was makkelijk om weg te zinken naar een plek waar niets was dan de afwezigheid van Tomo en het verlangen naar Tomo en de liefde voor Tomo.

'Ja,' zei de Urfeist. 'Ja! Zink weg! Er *is* een bericht!' Gob hoorde het geluid van de beurstikker niet, maar voelde het

als een getik in zijn botten. Hij voelde zijn levenskracht als
een enkele ademtocht uit zich wegvloeien. Als hij niet met
draad vastgebonden was geweest was hij gevallen. Hij liet
zijn hoofd hangen en kreunde, want hij had overal pijn.
Ook de Urfeist kreunde, maar van genot. De spirituele telegraaf had een bericht afgescheiden. 'Wat staat er?' vroeg
Gob met zwakke stem, nadat de Urfeist het bericht had af-
gescheurd en bekeken.

'Niets,' zei de Urfeist, maar Gob zag zelfs uit de verte dat
er inkt op het papier zat. De Urfeist borg het bericht in zijn
vest weg en zei: 'Die machine van je is een mislukking. Je
bent zelf een mislukking. Waarom verknoei ik al die tijd
om je iets te leren? Ik kan je evengoed een schop geven als
proberen je kennis te schenken.' Hij gaf Gob inderdaad een
schop en liep toen weg, het strookje papier uit zijn zak halend om het nogmaals te lezen.

'Wat staat er!' riep Gob, maar de Urfeist liet hem alleen
en gaf geen antwoord. Het duurde een dag en een nacht
voordat Gob zich uit de draden had bevrijd en bloedend en
woedend op zoek ging naar zijn meester. De Urfeist bevond
zich niet in de eetkamer of de bibliotheek en zelfs niet tussen de grote planten in de groene kamer. Gob ging al zoekend steeds sneller lopen, en iedere keer dat hij weer in een
kamer stond waar de Urfeist niet was verhaastte hij zijn
tred. De Urfeist bevond zich niet in een van de salons. Hij
zat niet in de bibliotheek. Gob rende door het huis, tot hij
tenslotte zijn meester vond, tot een bal opgerold in een
slaapkamer. 'Waar is het?' zei hij, en: 'Leugenaar!' Hij was
niet bang om te schreeuwen en te eisen, en zelfs niet om
met zijn vuisten tegen de rug van de Urfeist te bonken.
'Geef hier!' zei hij, maar hij ontdekte dat hij het strookje
zelf kon pakken, omdat zijn meester koud, roerloos en dood
was. Het lelijke gezicht van de Urfeist werd door een uitdrukking van boze ontkenning vervormd. Hij had zijn
hemd van zijn lichaam gescheurd en Gob zag de bleke
handafdruk, de afmetingen en vorm van zijn eigen hand,

op het hart van zijn meester. Het bericht was erg eenvoudig: *Je bent dood.*

Gob liet het stukje papier vallen zodra hij het gelezen had, omdat hij dacht dat het hem ook zou vermoorden, dit krachtige bericht van zijn broer, waarvan hij zeker wist dat het voor hem was bedoeld. Je bent dood, stond er, omdat hij samen met zijn broer dood behoorde te zijn, en omdat hij dood behoorde te zijn omdat hij zijn broer had verraden. 'Hij heeft inderdaad gewerkt,' zei hij tegen het rauwe gezicht van de Urfeist. Omdat hij zeker wist dat hij zelf ieder moment kon doodgaan ging Gob naast zijn leermeester liggen, tilde een van diens koude handen op en legde haar op zijn eigen hals.

DEEL DRIE

Het wonderbaarlijke kind

Tegen het einde van het bezoek, want dat was het werkelijk, kreeg ik iets te zien waarvan ik nu weet dat het een panoramisch beeld van de toekomst was. De bergen en dalen verwisselden van plaats met de zeeën, de gehele aanblik van de natie veranderde ingrijpend. Steden zonken weg en mensen vluchtten ontzet voor afgrijselijke rampen. Toen daalde een wonderbaarlijke rust over alles neer. Verwarring, anarchie en verwoesting maakten plaats voor een tafereel van schoonheid en glorie dat niet in woorden te vatten is. De aarde was veranderd in het gemeenschappelijke onderkomen van mensen uit beide sferen. De geesten zeiden dat dit alles nog tijdens mijn leven werkelijkheid zou worden en dat ik een vooraanstaande rol zou spelen in het ontstaan ervan.

VICTORIA C. WOODHULL
Uit de biografie door de heer Tilton

1

Tegen mei 1862 had Maci Trufant de indruk dat krankzinnigheid het nationale tijdverdrijf was geworden en dat haar ouders zich alleen maar van hun burgerplicht hadden gekweten door het spoor bijster te raken. Haar moeder werd als eerste gek, tijdens de eerste maanden van haar neergang langzaam en heel subtiel; ze vatte een steeds grotere fascinatie voor bonen op. Aanvankelijk prees ze ze omdat ze fraai gevormd en voedzaam waren—vreemde opmerkingen, maar Maci dacht dat ze wellicht een artikel over bonen in een van haar weekbladen had gelezen. Toen ze steeds vaker begon te eisen dat haar kokkin ze op tafel zette, veronderstelde Maci dat haar moeder weer in het smakeloze dieet van dokter Graham zat te grasduinen. De bonen begonnen het leven van haar moeder echter steeds meer te beheersen. Ze verheerlijkte ze en verwaarloosde haar man en kinderen. Ze probeerde zichzelf zuiver te maken door uitsluitend bonen te eten, en dus stierf ze.

Maci had wanhopig een van de medische boeken van haar oom doorgebladerd, omdat ze hem niet had vertrouwd toen hij had gezegd dat hij geen remedie wist tegen de bonenwaanzin van zijn zuster. Maci haatte bonen nu. Maandenlang had ze ze van haar bord geveegd als een grof en gevoelloos persoon ze haar had opgediend. Onlangs had ze ze weer gegeten. Ze smaakten als as in haar mond, maar meer konden zij en haar vader zich niet veroorloven. Zijn eigen waanzin had hen in een uitzichtloze financiële noodsituatie gebracht en deze was niet fijnzinnig te werk gegaan.

Ze was als een omlaag scherende vogel op hem neergedaald. Zo had Maci zich haar voorgesteld: een krijsende vogelgedaante die op zijn hoofd neerplofte en zijn haar toetakelde tot het het tijdloze kapsel van een krankzinnige was. Niet lang na de begrafenis van zijn vrouw zat hij in zijn werkkamer allerlei mensen brieven te schrijven waarin hij hen voor hun vriendelijke medeleven bedankte; toen zijn hand opeens geheel vanzelf een brief van zijn dode vrouw aan hem begon te schrijven: *Liefste, ik was nooit niet en zal het ook nooit zijn. We reizen van ooit naar ooit en tijd is niet meer dan een afstand tussen eeuwigheden. Men zal een beroep op je doen een groot werk te verrichten. Ik bezie je met liefde.*

De ene dag was hij een diepbedroefde Universalistische predikant die vanwege zijn standpunten tegen slavernij en zijn liefdadigheidswerk in gevangenissen (de mensen noemden hem de 'Vriend der Gevangenen') werd bewonderd, de volgende dag was hij een spiritistische profeet in de dop. Binnen enkele maanden noemde hij zich Apostel der Precisie, de afgevaardigde op aarde van een Vereniging van Weldoeners die tot hem spraken van een plek die niet helemaal de Hemel was. Ben Franklin, Thomas Jefferson en John Murray spraken allen via zijn hand. Met een groeiend gevoel van onbehagen en tenslotte van angst werd Maci in contact gebracht met de sterfelijke Apostelen der Devotie, Harmonie, Vrijheid, Onderwijs, Rijkdom en Accumulatie. Sommige waren vrouwen, andere mannen. Ze hadden allen een blik in hun ogen die Maci alleen maar gestoord kon noemen.

Ze keek toe hoe ze in de salon van hun huis aan Mount Vernon Street rondliepen en voelde een ziedende woede. Ettelijke malen gooide Maci er zoveel mogelijk het huis uit, tot haar vader ontdekte wat ze deed en haar ongemanierd noemde. Ze smeekte hem met die onzin op te houden, maar dan nam hij haar in zijn armen en legde haar uit dat uitgerekend de Voorzitter van de Algemene Vergadering van Weldoeners een beroep op hem had gedaan om het grootste werk te ondernemen dat ooit door de mens was beproefd. Hij zou een levende machine bouwen, een apparaat waarvan het product niet energie maar vrede zou zijn. Hij zou hem het Wonder-baarlijke Kind noemen.

Haar broer, Rob, was verdwenen. Hij was er aan het begin van de ondergang van hun vader na tal van ruzies vandoor gegaan; tijdens de laatste had hij hun vader een klap op zijn hoofd gegeven, zodat deze buiten westen was geraakt. 'Ik hoopte dat hij zijn gezonde verstand terug zou hebben toen hij bijkwam,' zei hij tegen zijn zuster, 'maar zodra hij weer een woord kon uitbrengen begon hij over elektriteerders en elementeerders te raaskallen.' Rob ging bij de familie van hun moeder wonen en daarna stortte hij zich in de oorlog. Maci negeerde hun dringende verzoek bij hen te komen wonen.

'Je hebt zo'n vreemd leven,' zei haar tante Amy, een kleur-loze vrouw die dol was op drukke jurken.

'Ik moet bij mijn vader blijven,' zei Maci. Ze had het toen zo zeker geweten, toen ze tegenover het bleke, dikke gezicht van haar tante had gestaan. Ze kwam er op een of andere manier van tot rust deze verplichting op haar schouders te nemen. Haar vader was haar eerste vriend geweest, de man die haar geest en haar hart had gevormd. Maar nu twijfelde ze, en haar trouw jegens hem was eerder een bron van geagi-teerdheid dan van troost. Met zijn uitgaven aan materiaal voor zijn machine en zijn bijdragen aan de Panfederatie der Apostelen had hij hen financieel geruïneerd. Ze raakten hun huis in Boston kwijt en Maci ontdekte dat er dingen zoek-raakten waaraan ze erg gehecht was, niet alleen jurken en juwelen, maar ook dromen. Haar vader had altijd gezegd dat hij haar als ze eenmaal zestien was naar college zou sturen. Ze werd echter van de School voor Jongedames van juffrouw Polk afgehaald om haar moeder te helpen verzorgen, haar zestiende verjaardag kwam en ging, en toen Maci uit Boston vertrok was het niet om naar college te gaan. Ze verhuisden naar de wildernis van Rhode Island, waar elektrische en spi-rituele krachten gunstig waren voor de bouw van het Kind. Maci had niet gedacht dat er op Rhode Island nog wildernis over zou zijn. Ze had gedacht dat het vol zou zitten met mensen die om de een of andere reden Boston waren ontvlucht. Ze stelde zich allemaal dissidenten en buitenbeentjes voor, die van Providence tot de kust op elkaar zaten gepakt. Deze plek was echter leeg, afgezien van hun kleine huisje en de schuur op de klif. De naaste buurman woonde bijna anderhalve kilometer verderop, aan de overkant van een zoutwatervijver aan de voet van een heuvel achter het huis. Er kwamen verschillende Apostelen op bezoek, die soms onderdelen voor de machine bij zich hadden.

De veranda voor het huis hing erg scheef en de trap was kromgetrokken. Als Maci van de ene kant van de veranda naar de andere liep maakte ze zich zorgen dat ze voorover over de rand van de klif en op de rotsen eronder zou vallen. Terwijl ze behoedzaam op de veranda stond luisterde ze naar het lawaai van de zee en het lawaai van haar vader die in de schuur aan het timmeren was, twee soorten lawaai die in elkaar overliepen en haar een sluipend gevoel van ondergang bezorgden. Als ze haar handen over haar oren legde hoorde ze het kloppen van haar angstige hart, wat haar soms aandeed als de snelle voetstappen van een gulzige waanzin die zich haastte om haar op te eisen. Haar moeder en vader waren krankzinnig geworden. Rob was gevlucht en had zich bij een regiment Zouaven gevoegd, met een gretigheid en snelheid die spraken van een zwak ontwikkeld gezond verstand, zo niet van een totale afwezigheid ervan. Maci verwachtte de volgende te zijn die gek zou worden. Het zou in ieder geval hier gebeuren, waar niemand het zou zien en ze minder zou opvallen dan in Boston, waar de ontering van haar familie compleet zou zijn als ook haar faculteiten het zouden laten afweten. Zou ze ook alleen maar bonen gaan eten? Rond juli hadden ze alle bonen op, maar Maci had nog een mand vossebessen in de keuken en ze had in hun kleine vormen, zoals ze daar bij elkaar op die hoop lagen, een schoonheid ontdekt die ze niet eerder had opgemerkt, heel mooi, zo in de ochtendzon die door het tochtige raam naar binnen viel. Zouden deze vossebessen haar fantasieën gaan domineren? Of zou ze iets onmogelijks gaan bouwen, misschien een vliegmachine om over de klif te vliegen en dan in Block Island Sound neer te storten? Een spinnewiel dat emoties van elkaar scheidt als je in verwarring bent? Iets wat wolken zou laten ontploffen?

Maci kwam behoedzaam de trap af, liep vervolgens om het huis heen en de heuvel af naar de rottende steiger die in de vijver uitstak. Ze stapte in een bootje en pakte de roeiriemen. 'Pappie!' riep ze in de richting van de schuur. 'Ik ben even weg!' Er viel een korte stilte in het gehamer, maar er kwam geen antwoord. Ze zette koers naar het huis van de buurman, waar ze om meel zou gaan bedelen. Ze wist wat ze met haar prachtige vossebessen zou doen.

Een paar dagen later knaagde Maci op een van haar platte, vette vossebessenkoekjes terwijl ze een brief van haar broer zat te lezen.

Onze route van Roanoke Island naar Norfolk voerde ons via Croatan Sound en North River naar de Elizabeth River door Great Dismal Swamp. Sleepboten trokken ons in kleine bootjes door de vaargeul in het moeras—ik moest aan je denken, zoals je altijd overal op de vijver achter het Hotel de Trufant rondzwierf—klopt het dat je me hebt geschreven dat het nu Potter's heet? Het was daar nieuw en vreemd en stil. Je zou eens zo'n woud van cipressen moeten zien, met die knoestige wortels die boven het water uitsteken en dat veen en die guirlandes Spaans mos aan de takken. Er zitten merkwaardige gaten in de wortels—net ronde, openstaande monden. Ik zweer dat ik er een mijn naam hoorde roepen. Zuster, moet ik voor mijn geestelijke gezondheid vrezen? Het was geen geest die daar sprak, de wortel beweerde niet dat hij de oude oom Philip was met zijn toeter en zijn groene tanden. Tupelo en magnolia, een merkwaardige jeneverbes en hulst, pollen bamboeriet: je zult zien: ik heb er schetsen van voor je gemaakt. Ik heb

oom Phil ergens in de tekening verstopt—kun je hem vin-
den? En wat een rare vogels hier! We zijn hier allemaal
vreemd en niemand kan me vertellen hoe ze heten. Toen we
langs een Neger kwamen die geheimzinnig op de oever
stond vroeg ik hem naar de naam van een klein felgekleurd
beestje dat boven onze hoofden heen en weer schoot. Hij zei:
'Dat is een Jezusvogel!' En dat is, dat weet ik zeker, niet de
echte naam voor het dier.

Je moet naar Boston en tante A. terug.

Rob eindigde al zijn brieven, in de stijl van Cato, met deze
vermaning. Er zat geld in de envelop, twee maanden van zijn
salaris als tweede luitenant, en bovendien een dik pak illustraties. Daar waren de rechte pilaren van de cipressen en de
verstopte oom Phil, verraden door zijn gehoorhoorn, die uit
een bamboestruik stak. Daar waren de Jezusvogel en de geheimzinnige neger; daar was een boot vol Zouaven die een
mistbank binnenvoeren. Ze dacht even dat haar broer er ook
een tekening van zichzelf bij had gedaan—er zat een tekening bij van een jongen met dezelfde zware wenkbrauwen en
vierkante kin—tot ze het bijschrift om zijn hals zag. *Soldaat*
G. W. Vanderbilt—hij is de zoon van de Commodore en wil ab-
soluut gewoon soldaat zijn! Hij had een brede, dikke nek, het
tegendeel van het stuk zoethout waar het hoofd van haar
broer op balanceerde. Maci keek op van de tekeningen en zag
een blauw rijtuigje het weggetje opkomen. De huif was weggetrokken vanwege de warme julizon. Aan de teugels zat een
vrouw in een gele jurk. Toen het rijtuigje dichterbij kwam
zag Maci dat ze zwanger was.

'Meisje,' zei de vrouw, een woord waarmee ze meteen en
intens Maci's afkeer wekte, 'ga je meester halen.'

Die avond schreef Maci, ineengedoken aan een bureau dat
net tussen haar bed en het open raam paste, haar broer een
brief. Een briesje speelde met haar haar en dreigde de kaars
uit te blazen.

Lieve Zu-Zu,

We hebben hier een nieuwe gast in Hotel Fou-Fou. Ze heet juffrouw Arabella Suter. Ze is vanmorgen komen aanrijden in een mooi rijtuigje en ze had evengoed op een plezierritje kunnen zijn geweest als ze niet honderden kilometers had gereisd om onze lieve gekke pappie op te zoeken. Ze is ongetrouwd maar behoorlijk zwanger—minstens zes maanden. Het is geen schandaal omdat wat er in haar buik zit geen baby van vlees en bloed is, maar het levende principe van Pappies machine. Volgens mij draagt ze een blaas onder haar blouse, of anders is ze op de vlucht voor een schandaal. Het eerste is het waarschijnlijkst. Een 'ongelukje', een prik met een naald zal haar laten leeglopen, en dan sturen we haar terug naar Philadelphia. Ik vraag me af of ze geen Quaker is. Ze kleedt zich in ieder geval niet zo. Ze heeft evenveel kleur als een Jezusvogel. Ik noem haar de Apostel der Schande, of de Gezwollen Apostel. Ik heb nu al een hekel aan haar, maar ik denk dat ze mij ervoor zal behoeden de Apostel der Verveling te worden.

Ik ga niet terug naar Boston en blijf je liefhebbende, Zuster.

Terwijl ze zat te schrijven hoorde Maci haar vader en juffrouw Suter in de voorkamer van het huisje lachen. Hij had de vrouw letterlijk met gespreide armen welkom geheten toen Maci haar naar de werkplaats had gebracht.

'Daar ben je dan eindelijk!' had hij gezegd, en was op haar afgerend om haar te omhelzen. Maci had hem nooit eerder zo vertrouwelijk met een dame zien omspringen, behalve met haarzelf en haar moeder. Vreemd dat iets dergelijks haar nog steeds een schok kon geven, een wringend gevoel langs haar hele ruggengraat, zelfs na de vele maanden dat ze getuige was geweest van zijn krankzinnigheid. 'Maci,' zei hij, 'dit is die prachtige dame over wie ik het heb gehad.'

'Ja, pappie,' zei Maci, hoewel hij nog nooit iets over haar had gezegd. Maci liep de schuur uit, vermeed met haar blik de glazen en koperen gelaatstrekken van het Kind en ging weer naar buiten om over de klif uit te staren. Op een heldere dag als deze kon ze Block Island helemaal zien. Ze maakte haar haar los en liet het opwaaien op de wind, bedenkend hoe dramatisch en wild ze eruit moest zien: het toonbeeld van een vrouw die krankzinnig begon te worden. Ze sloot haar ogen en vroeg zich af of iemand het zou merken als haar verstand het zou laten afweten. Nu er niemand in de buurt was die zijn hersens nog bij elkaar had, zou ze het dan weten als de waanzin op haar neerdaalde?

Toen ze klaar was met de brief aan Rob kroop ze onder haar sprei en staarde naar de tekeningen van haar broer. Ze besloegen de hele muur tegenover het voeteneinde van haar bed en nu kropen ze ook langzaam over de muur links van haar. Ze stapte uit bed om de kaars op de vloer te zetten, zodat ze beter werden verlicht. Weer onder de sprei bekeek ze de tekeningen nauwkeurig. Het was een geschiedenis van Robs tijd bij de A-compagnie van het Negende Vrijwilligers van New York. Helemaal links hing een schets in inkt van het regiment, dat in Central Park aan het exerceren was — Rob had hun jassen met blauw ingekleurd; hun broeken en kepi's waren rood. Maci had nachtmerries over die rode hoofddeksels. Toen ze nog klein was had haar vader haar verhalen verteld over een monster dat zo'n hoofddeksel droeg en met het bloed van zijn slachtoffers kleurde. In die dromen veranderde haar broer van haar zachtmoedige vriend in een man die met zijn pet het bloed van zijn vijanden opnam en het dan in zijn mond uitwrong.

Ze had de laatste tekening, de schets van soldaat Vanderbilt, ongeveer een meter van de hoek gehangen. Ze ging anders in bed liggen, met haar hoofd op de plaats waar gewoonlijk haar voeten lagen. Nu kon ze uit het raam kijken, naar de sterren die boven de donkere zee blonken, en als ze haar hoofd omdraaide stond soldaat Vanderbilt pal tegenover haar. Ze keek hem recht in de ogen en verbaasde zich dat de zoon van een man die zo grof en rijk was als Cornelius Vanderbilt niet minstens een rang van kapitein voor zichzelf had willen kopen. Haar slaperige ogen bleven op zijn dikke nek rusten; ze stelde zich voor dat haar handen er niet omheen zouden passen. Ze sloot haar ogen, maar zijn beeld bleef achter haar oogleden hangen. Toen opende ze ze weer en bleef naar hem kijken tot de kaars uitwaaide.

Toen Maci nog een klein meisje was, had haar vader haar een zo strenge intellectuele discipline opgelegd dat haar moeder ervan had moeten huilen. 'Je maakt dat kind nog kapot!' had ze geprotesteerd, omdat John Murray Trufant had verklaard dat hij zijn dochter zo zou trainen dat deze een groter brein zou krijgen dan dat van Margaret Fuller, een dame die zijn vriendin was geweest voordat ze naar Italië was vertrokken om nooit meer een voet in Amerika te zetten. 'Er is een hele oceaan voor nodig geweest om haar gloeiende ziel te doven,' had haar vader Maci gezegd, 'maar de jouwe zal nog feller branden.' Maci had op negenjarige leeftijd een sonnet geschreven, 'De Ondergang van de Elizabeth', waarin het stralende hoofd van gravin Ossoli de ogen van de vissen deed oplichten terwijl ze stierf en meeuwen klaagden rond het lijk van haar gezwollen dode kind dat op de kust was aangespoeld.

Maci haatte Grieks en was slecht in Latijn, maar lezen was haar hartstocht, en haar vader moedigde haar hierin aan, zelfs toen haar te zeer geprikkelde brein nachtmerries begon te produceren die haar in haar slaap kwelden. Hij begroef haar onder meer onder Smollett, Fielding, Shakespeare, Cervantes en Molière. Hij dwong haar iedere avond voor bedtijd een stuk voor te dragen en sprak haar streng toe om haar duidelijk te maken dat hij van haar verwachtte dat ze tot meer dan een product van gewoonten en affectie zou opgroeien. Toch verwachtte hij nu sinds zijn verandering en sinds hij waanzinnig was geworden alleen dat nog van haar. Maci was er zo verbitterd door dat ze wel kon spuwen.

Juffrouw Suter slaagde voor het prikexamen. Ze gaf een

gilletje—het leek heel erg op de kreet van een meeuw—en sprong in de lucht, waarbij het even leek of ze boven het kale tapijt in de voorkamer zou blijven zweven.

'Vergeeft u me!' zei Maci. Ze luisterde gespannen of ze iets hoorde sissen, maar ze hoorde niets. Zou het een kussen kunnen zijn? vroeg ze zich af.

Juffrouw Suter had haar handen over haar buik geslagen. 'Maak je geen zorgen, liefje,' zei ze. Ze was heel beleefd geworden toen ze eenmaal had beseft dat Maci geen dienstmeisje was. Ze had haar zelfs een paar jurken aangeboden, maar die had Maci afgeslagen. De smaak van die dame schoot evenzeer tekort als haar verstand.

Maci zette juffrouw Suter op de bank en haalde een kop thee voor haar. Ze had een beetje spijt van die prik, die tot iets veel groters uitgroeide terwijl ze naast haar zat en keek hoe de dame in haar kopje staarde. 'Ik wil dat we vriendinnen worden,' had juffrouw Suter een paar dagen eerder gezegd. 'Natuurlijk wilt u dat,' had Maci op ijskoude toon gereageerd. Nu wenste Maci bijna dat ze zich toeschietelijker had gedragen.

'Gaat het wel, Madame?' vroeg ze.

'Natuurlijk!' zei juffrouw Suter. 'Het was eerder een verrassing dan dat het pijn deed, hoewel die prik tamelijk diep ging. Het bloedt niet. Je hoeft niet bang te zijn, hoor, het bloedt niet.'

'En het... principe?' vroeg Maci. Heel langzaam legde ze haar hand op de buik van de vrouw. Juffrouw Suter maakte geen aanstalten zich terug te trekken. Er zat vlees onder Maci's handpalm, het gaf een beetje mee toen ze erop drukte.

'Het gaat goed met haar. Ze is wel bestand tegen dergelijke ongelukjes.'

'Vreemd,' zei Maci. 'Ik denk soms aan het kind alsof het mijn broertje is. Pappie zegt dat het een jongen is.'

'Ja,' zei juffrouw Suter. 'De vorm is mannelijk, maar het levende principe dat het zal bezielen is vrouwelijk. Een prachtige eenheid! We leven in een fascinerende tijd, liefje.'

'Sommige mensen zouden het een verschrikkelijke tijd noemen.'

'O, ze schopt!' Maci voelde niets onder haar hand, maar ze glimlachte toch.

Ze ontvlucht haar schande, schreef Maci Rob. *Wat zou tante Amy zeggen? Een in ongenade gevallen dame in ons deernis-wekkende huisje. Broer, ze deelt het bed met hem. Ik heb Pap-pie gezegd dat hij zich heel schandelijk gedraagt. Hij heeft me zijn lieve poppetje genoemd en me gezegd dat ik wel over mijn twijfels heen zal komen als het Kind de wereld vrede inblaast. 's Nachts ga ik naar binnen en bekijk het ding terwijl ze liggen te slapen. Broertje is de afgelopen maanden behoorlijk ge-groeid. Binnenkort is hij waarschijnlijk te groot voor zijn schuur. Als hij zijn intrek in het huis neemt denk ik dat ik naar Boston en tante Amy terugga.*

Rob had haar nog een brief gestuurd, en nog een paar te-keningen. Sommige vertelden het verhaal van een maand kampleven in Fort Norfolk (een exercitieterrein dat vol stronken zat, waardoor exerceren een heel corvee werd; een liefdevol portret van zijn nieuwe Springfieldgeweer), terwijl andere een beeld gaven van zijn tocht over de James in een stoomboot, de *C. S. Terry*. Er zat een portret bij van soldaat Vanderbilt met achter hem een gezicht op Fredericksburg; dit kwam naast de andere tekening. En er waren tekeningen waar ze geen wijs uit kon worden—een heel blad dat tot een centimeter van de bovenrand en de onderrand met houtskool was gevuld, een losse hand, levensgroot, met harige knokkels en littekens op de vingers. Dit blad draaide ze om, en op de achterkant las ze: *Soldaat Vanderbilt, zijn hand*. En nu be-greep ze opeens dat Rob haar een puzzel had gestuurd; een levensgrote Vanderbilt, die ze op de muur kon samenvoegen. Ze hing de stukken zo goed mogelijk naast elkaar en bouwde hem volledig op, tot zijn middel, afgezien van een ontbreken-de hand. Ze vroeg zich af of het door Robs achteloosheid kwam of dat het een afgrijselijke wond voorstelde. *Hij is af-wisselend grof en verfijnd, beleefd en onbeschoft*, schreef Rob.

Hij zegt dat hij soms bezeten is van de geest van zijn vader. Ik heb hem verteld dat mijn vader door geesten bezeten is. Ik denk dat hij mijn vriend is.

Juffrouw Suter had een goede eigenschap—ze had geld. Het Kind kon na zijn geboorte laarsjes van alpaca krijgen en een zilveren lepel om in zijn mond te steken, en er hoefde, terwijl zij er was, niet meer bij de buren om meel te worden gebedeld. Ze nam Maci mee om boodschappen te doen in Kingstown, waar de mensen geschokt waren een zwangere vrouw met haar eigen rijtuigje kruidenierswaren en gereedschap, spoelen koperdraad en glasplaten te zien inslaan. Maci wist zeker dat er op een dag een meute het weggetje zou komen opstampen om hun huis plat te branden en het Kind te vertrappen. Ik zal er dan in ieder geval behoorlijk uitzien, dacht ze. Juffrouw Suter maakte een jurk voor haar, naar het patroon van een van de jurken die Maci langgeleden had verkocht om eerste levensbehoeften te kunnen kopen. Maci had er melancholiek over gepraat en juffrouw Suter had zich in het hoofd gezet hem na te maken en haar 'lieve vriendin' cadeau te doen.

Terwijl haar vader in de schuur aan het werk was zat Maci met juffrouw Suter op de veranda, de heerlijke cakes, broodjes en taarten te eten die de vrouw zo moeiteloos bakte dat het wel tovenarij leek. Maci had gezwoegd en getobd over haar vettige broodjes en cakes waar je je tanden op brak en die ze gefrustreerd over de klif had gegooid. Terwijl ze zo op de veranda zaten, bijna een maand na haar komst, stelde juffrouw Suter voorzichtig een vraag over Maci's moeder. 'Het was zo'n genereuze vrouw,' zei Maci, die wenste dat juffrouw Suter een dergelijke vraag niet zou stellen; ze probeerde juffrouw Suter als een door een geest gezonden personeelslid te zien en vond deze wending niet meer dan rechtvaardig. De eerlijke vragen van juffrouw Suter over haar moeder maakten het echter moeilijk deze fantasie vol te houden.

'Ze hield van de gezangen van alle geloofsrichtingen,'

hoorde Maci zichzelf over haar moeder zeggen – ze had ze altijd schaamteloos verhaspeld. Ze had van week- en maandbladen gehouden en de gebeurtenissen in Frankrijk en Engeland gevolgd. Eenmaal, toen Maci zeven was, had haar moeder haar een artikel over Russische kledij voorgelezen. Omdat Maci het zo graag had gewild hadden zij en haar moeder zich als Russische vrouwen gekleed. Ze hadden witte doeken om hun hoofd geslagen, zich met bont behangen en elkaar juwelen opgespeld. Ze hadden in de kamer van haar moeder rondgedanst, onzinliedjes zingend waarvan ze hadden gedaan alsof het Russisch was. Terwijl Maci dit verhaal vertelde moest juffrouw Suter zo lachen dat haar thee over de rand van het kopje ging. Ook Maci lachte, tot ze ontdekte dat ze van haar gezelschap genoot, waarop ze ophield met lachen en met een uitdrukkingsloos gezicht over het water ging zitten staren.

We kwamen te laat in Washington aan om aan het recente debacle bij Bull Run mee te kunnen doen. We liggen nu in kamp op Meridian Hill, wachtend op bevelen. Soldaat Vanderbilt zit te popelen om Lee problemen te bezorgen. Hij heeft de inval in Maryland als een persoonlijke belediging opgevat. Ik heb onze vriendschap helaas even op het spel gezet toen ik beweerde dat Maryland geen Yankeeland was, maar nu zijn we weer vrienden. Hij heeft me zijn buikriem aangeboden tegen de cholera. Ik heb hem afgeslagen, hoewel het voortdurend regent en een geit een groot deel van mijn overjas heeft opgevreten. Washington is absoluut geen verfijnde stad.

Hier zie je de hand van de soldaat, in woede naar me gebald. Hier zijn zijn heupen. Als ik zijn benen naar tante Amy stuur, ga jij ze dan daar ophalen? Je gaat toch wel naar haar toe? Volgens mij kwijn je weg in dat ballingsoord.

Maci speldde de hamachtige vuist vast onder de lege mouw. De heupen waren aantrekkelijk – ze kon er niets aan doen dat ze het dacht—hoewel ze zich verhit en gegeneerd voelde als ze ernaar keek. Ze haalde ze van de muur en stopte ze onder haar bed, en hing ze daarna even snel terug. Ze kon zich wel enige wellust veroorloven, hier in de beslotenheid van haar kamer aan de rand van de wereld. Ze ging aan haar bureau zitten en schreef haar broer.

> *Juffrouw Suter is zo groot als een huis (niet zo groot als een huis in Boston, maar ze bouwen klein in deze streken) en ik kan niet anders denken dan dat ze een grote manne-lijke baby draagt, hoewel zij volhoudt dat het een vrouwe-lijk principe is dat daar opzwelt in haar baarmoeder. Ze heeft mijn hulp nodig om de trap op en af te komen. Som-mige dagen is ze door haar toestand te uitgeput om iets anders te doen dan in bed te liggen en romans te lezen. Pappie brengt al zijn dagen en het grootste deel van zijn nachten in de schuur door. Het zou een ramp zijn, zegt hij, als het Kind niet klaar zou zijn als de geest wordt geboren. Misschien vraag je je af wat voor arts bij de geboorte zal helpen. Ik vroeg me dat ook af, tot juffrouw Suter me uit-legde dat de goede Ben Franklin (de Commissaris der Elektriteerders, je weet wel) haar zal bijstaan. Natuurlijk!*

'Wat vind ik het vreselijk dat de zomer wegkwijnt,' zei juf-frouw Suter terwijl Maci haar over een smal pad begeleidde dat aan weerszijden door Virginia-kers en duinrozen werd omzoomd. Het was september. Er zaten nog bloemen aan de rozenstruiken, hoewel ze nu slap en verwelkt waren. Het was een warme dag, maar juffrouw Suter huiverde voortdurend. Ze bleef staan om een grote troep felgekleurde kevertjes te bewonderen die boven de groene bladeren zwermde. Juf-frouw Suter stak er haar hand in en lachte opgetogen toen ze op haar kropen.

'Zijn ze niet prachtig?' vroeg ze.

'Pappie zei vroeger altijd dat een meisje niet met insecten hoort te spelen.'

'Maar ze zijn schitterend. Toen ik klein was waren ze mijn vriendjes. Ik lag dan in de tuin van mijn moeder en dan kwamen ze naar me toe. Als ik goed luisterde kon ik ze horen praten, dan vertelden ze me wat voor heerlijke dingen er zouden gebeuren. Mijn leidgeest is ook erg op ze gesteld. Ze is een jong indiaans meisje—je doet me aan haar denken, hoewel zij natuurlijk boskennis heeft en jij niet. Volgens mij houd je je hoofd net zoals zij. Erg koninklijk.'

Maci wist niets te antwoorden. Ze wist wel vaker niets te antwoorden tijdens deze wandelingen, maar juffrouw Suter scheen zich niet beledigd te voelen door haar zwijgzaamheid. Maci vroeg zich zelfs af of juffrouw Suter wel merkte dat ze niets zei. Juffrouw Suter zat vol woorden—ze lekten voortdurend uit haar—en nam iedere gelegenheid te baat om Maci in spirituele aangelegenheden te onderrichten. 'Deze vereniging,' verkondigde ze beneden op het strand, terwijl ze voorzichtig met haar vinger de afgeworpen schaal van een degenkrab betastte, 'deze vereniging, de Grote Vereniging van Weldoeners, zal op grootse, verstandige en tijdige wijze de zieken, lijdenden en ellendigen van de wereld instrueren en zegenen.'

'Vertel me eens,' zei Maci, 'zullen ze ook opdracht geven tot invoering van het vrouwenkiesrecht?' Stemmen was iets wat Maci heel graag wilde. Toen ze klein was had ze het idee gehad dat stemmen hetzelfde was als wanneer je wensen werden verhoord—ze dacht toen dat je de deur uit kon gaan om voor jezelf een verse perziktaart of een nieuwe muts te stemmen. Het leek haar nog steeds een enorme, veelomvattende macht, een kans om verbijsterende veranderingen teweeg te brengen. 'Wat zullen we dit land veranderen, als we eenmaal aan het roer staan,' had ze tegen Rob gezegd, die haar had uitgelachen. Voordat hij krankzinnig was geworden was het vrouwenkiesrecht een van de grote levensdoelen van haar vader geweest.

'Helaas niet,' zei juffrouw Suter.

Volgens mij benijd ik haar, schreef Maci haar broer. *Het* moet een hele troost zijn dergelijke dingen te geloven. Te geloven dat de Hemel even comfortabel en bekend is als je eigen bed, en dat je hond je er gezelschap houdt. Te geloven dat de doden zich hebben georganiseerd om ons te verlossen. Te geloven dat de menselijke dwaasheid teniet kan worden gedaan door de uitwasemingen van een goede machine. Te geloven dat onze eigen moeder haar dode hand kan uitsteken om je te beschermen, broer, tegen gevaar. Waanzin is verleidelijk, mooi en dik als juffrouw Suter, maar niettemin schandelijk.

Pas goed op jezelf, mijn Zu-Zu.

In Frederick werden we ongelofelijk gastvrij verwelkomd. Een paar brave Marylanders namen me op in hun huis, waar ik een verrukkelijk bad mocht nemen. Ik stink al drie dagen naar lavendel, en de jongens noemen me allemaal Roberta. Dezelfde Marylanders gaven me limonade te drinken terwijl ik in de badkuip zat te weken, en er werd niet gerept van de laars van de tiran. Ik stuur je de badkuip en een leeg glas als bewijs van hun gastvrijheid, voor het geval je eraan zou twijfelen. Hier zijn ook de benen van de soldaat. Niet lang genoeg, denk ik, maar mijn papier begint op te raken.

Ga naar tante Amy.

Maci zette de lage delen van het lichaam van soldaat Vanderbilt in elkaar. De heupen werden in zekere zin beschaafder door de toevoeging van benen. Hij had nog geen voeten en leek dus naast haar bed te zweven. Ze drukte het glas limonade in zijn hand voor het geval hij behoefte had aan een verfrissing. De badkuip hing ze verderop aan de muur, links van hem. Rob had zichzelf erin getekend, zijn arm hing omlaag en streek over de vloer, zijn wang rustte op de porseleinen rand, een toespeling op een schilderij dat hij in Parijs had gezien, duizend jaar geleden, voordat dood en waanzin hun gezin hadden vernietigd. Rob had op de tekening zelfs een tulband om zijn hoofd gewonden, voor het geval ze zo dom zou zijn over het hoofd te zien wat zo evident was. Het was, constateerde ze, een afschuwelijke tekening, en de eerste die ze geen plaats aan de muur zou geven. Ze haalde hem weg, stak de rand in de kaarsvlam en hield hem uit het raam toen hij eenmaal brandde. Toen de vlammen in de buurt van haar vingers kwamen liet ze los en de tekening dreef weg in het donker.

M. Zu-Zu,

Ik was niet erg blij met je tekening van de badkuip. Als je me iets dergelijks verder zou willen besparen zou ik dat erg vriendelijk vinden. Arabella Suter blijft zwellen. Ik heb het idee dat ze alle oceanen leegdrinkt, zo zwelt ze op. We gaan soms naar beneden naar de zee, en dan hou ik haar in de gaten om te voorkomen dat ze de Sound leegdrinkt met haar rode mond.

Ik hoor de hoorn van Block Island loeien—een klagend geluid. Soms denk ik dat het een jammerklacht is voor gestorven zeelieden, een geluid dat zegt: 'Blijf uit de buurt van de rotsen,' en 'Ik rouw om jullie.' Als je op winderige nachten, dat zeggen ze tenminste, op de rand van de klif gaat staan hoor je de geestenstemmen roepen: 'God, spaar een verdrinkende!'

Zie je nu hoe somber je me hebt gemaakt met die badkuip? Afgezien van zijn voeten hangt soldaat Vanderbilt nu compleet aan de muur. Moge hij me behoeden voor treurigheid.

Maci's vader voltooide het Kind in de tweede week van september. 'Een grote jongen, Pappie,' zei ze, terwijl ze samen met hem en juffrouw Suter in de schuur stond. Het Kind was een grote doos. Het hout dat in hem verwerkt was geweest was nu verdwenen—het had alleen als mal gediend, zei haar vader. Nu was hij helemaal van glas en koper, zilverfiligraan en ijzer. 'Waar zit zijn mond?' vroeg ze. 'Hoe moet hij ademen?' Haar vader en juffrouw Suter lachten om haar alsof ze een kind van vijf was dat vroeg waarom de oceaan blauw was.

'Zijn werkelijke vorm bevindt zich op spiritueel niveau,' zei haar vader. 'Je moet begrijpen, liefje, dat ik op twee plaatsen tegelijk aan het bouwen ben geweest. Waarom denk je dat het zo lang heeft geduurd?'

Ze hielden een feestmaal ter ere van het Kind: ham en gebakken maïs, mosselen die Maci zelf uit de modder van Potter's Pond had uitgegraven en luchtig citroengebak. Juffrouw Suter verkondigde dat het de laatste warme avond van het jaar was, dus aten ze op de gammele veranda. Maci zat ongemakkelijk op haar stoel te schuiven terwijl ze hun merkwaardige tafelgebed uitspraken: 'We geloven in het vaderschap van God, de broederschap van de mens, een voortgaand bestaan, de gemeenschap van geesten en de zorgen van de engelen, in beloning en vergelding in het hiernamaals voor het goede en het kwade dat op aarde is gedaan, en we geloven in een pad van eindeloze vooruitgang!' Terwijl ze naar hen luisterde wenste Maci dat ze hun geloof kon delen, net zoals ze als klein meisje een slavin had willen zijn, omdat ze er toen zeker van was geweest dat haar vader haar dan zou overladen met al het makkelijke, warme enthousiasme waarmee hij zijn dierbare negervrienden overlaadde, de vreemden die op hun vlucht hun huis in Boston aandeden. Het had haar, jaloers en klein als ze was geweest, toegeschenen dat haar vader meer van hen allen hield dan van haar, omdat zij een overvloed aan affectie cadeau kregen terwijl zij alleen meer Vergilius kreeg.

Na het avondeten leerden Maci en haar vader juffrouw Suter de sterrenbeelden. Boöetes en Draco, Hercules en Cepheus, ze stonden allemaal heel helder aan de hemel boven de donkere oceaan. 'Die ster is Arcturus,' zei Maci.

'Waar?' vroeg juffrouw Suter. 'Waar?' Ze deinde naar Maci toe om langs haar wijzende vinger te kunnen kijken. 'Ah!' zei ze. De grote bolling van haar buik lag tegen Maci's schouder gevlijd. Juffrouw Suter gaf nog een kreet, en ditmaal dacht

Maci dat ze wel iets voelde, een zachte schop.

Maci verontschuldigde zich en maakte een wandelingetje over de klif. De maan kwam op, waardoor de sterren verbleekten en onzichtbaar werden. Er ijlden laaghangende wolken voorbij, kleine drijvende eilanden met zo te zien de afmetingen van een grote treinwagon. Onwillekeurig stelde ze zich voor dat ze op een ervan meereed naar het zuiden, naar Maryland. Als er op die wolk ruimte was voor nog iemand, zou ze dan Rob of soldaat Vanderbilt meenemen op het vliegtochtje? Ze wist het niet zeker. Ze vroeg zich af of dat de gedaante was die haar waanzin zou aannemen—gefascineerdheid door een vreemde. Ze was begonnen het portret van Vanderbilt te herschikken—ze verwisselde zijn handen of zijn armen, zette het glas limonade op zijn hoofd, plaatste zijn gezicht midden op zijn borst. Rob was zo vriendelijk geweest haar zoveel gezichten te sturen dat ze hem steeds een andere stemming kon geven—soms boos, dan weer treurig, maar de meeste blij en vredig. Soms legde ze zo'n vredig kijkend gezicht naast zich op het kussen en werd dan 's morgens wakker met vegen op haar gezicht en de gedachte dat hij haar 's nachts misschien had omhelsd. Staande aan de rand van de klif stelde ze zich een toekomst met hem voor. Ze zouden op Manhattan wonen en de koersen van spoorwegaandelen manipuleren.

Na een tijdje keerde ze naar het huis terug en liep de schuur in om naar het Kind te kijken. 'Broertje,' zei ze, 'ik zou meer van je moeten houden.' Ze kon niets anders bedenken, dus stond ze lange tijd naar hem te staren. Ze kon haar eigen gezicht zien dat naar haar werd weerkaatst, verwrongen door een zilveren pijp of gefragmenteerd door de facetten van een kristallen paneel. Toen zag ze het spiegelbeeld van haar vader. Hij was de schuur binnengekomen en liep op haar af, maar het was net alsof zijn spiegelbeeld uit de kristallijnen diepten van zijn machine opsteeg. Hij kwam naast haar staan en legde zijn arm om haar heen. Ze sloot haar ogen en drukte haar gezicht tegen zijn schouder.

'Wat jij wilt is onmogelijk,' zei ze.

'Moeilijk,' antwoordde haar vader, 'maar niet onmogelijk. En is het een reden om iets niet te proberen, omdat het moeilijk is? Voor een kleine geest is het beëindigen van de slavernij even moeilijk en onwaarschijnlijk als het veranderen van de kleur van de hemel. Toch wordt er op dat gebied snel vooruitgang geboekt.'

'Ik haat hem,' zei Maci op heftige toon, terwijl ze haar gezicht steviger in het overhemd van haar vader drukte. 'Ik vind dit allemaal zo vreselijk.'

'O, Maci,' zei hij, haar haar strelend. 'Wees niet jaloers op hem. Daar word je lelijk van, vanbinnen en vanbuiten. En trouwens, je weet toch dat jij mijn lieveling bent?'

Ik weet dat ik misschien je ongenoegen over me afroep als ik je deze soldaten stuur. Ik wil niet dat je ze bekijkt en treurig wordt, maar ik moest ze wegsturen. Vouw er vierkantjes van en laat ze over de klif zeilen—misschien vinden ze vrede in het koude water. Op de vijftiende kreeg ons regiment bevel de westelijke helling van South Mountain af te dalen, waar we op het terrein belandden waar de vorige dag de zwaarste gevechten hadden plaatsgevonden. Er lagen hier zoveel vijandelijke doden dat het regiment dat hier voor ons was langsgekomen ze opzij had moeten schuiven om de weg vrij te maken. Ze lagen manshoog opgestapeld aan weerszijden van het pad, net alsof we spitsroeden liepen. Soldaat Vanderbilt zag mijn ontzetting—hij kent mijn stemmingen goed—en bood aan me te leiden als ik met gesloten ogen wilde lopen. Ik wees dit vriendelijke aanbod van de hand. Het leek me een passende doortocht van het land van de levenden naar dat van de doden. Ik vrees dat het niet het gelukzalige oord is waar de verzwakte geest van onze waanzinnige Pappa verblijft. Onder het lopen dacht ik aan levende handen die de lichamen van de doden opraapten en ze als vademhout op de weg optastten. Over tien jaar zal het misschien een muur van botten zijn,

*met hier en daar een wapperende flard grijze wol die nog
aan een pols of een nek vastzit.*

*Zuster, deze muur is het werk van mensenhanden en de
hele oorlog is het werk van mensenhanden—vingers rukken
patronen open en halen trekkers over. Ik zou je nu graag de
handen van de soldaat niet hebben toegestuurd, maar hier
zijn zijn voeten. Ik zet ze pal onder deze brief, en daaron-
der de muur—alles het werk van mijn handen. Kijk niet
naar de muur.*

Ga naar Boston. Bid voor me.

Ze keek wel naar de tekening van de muur. Het was een
beeld van de Hel. Jongens lagen hoog opgestapeld, hun benen en armen in grove familiariteit verstrengeld. Dode, starende gezichten rustten tegen elkaar, voorhoofd tegen voorhoofd. Lichtflikkeringen dansten in ogen die niets zagen,
tenzij het het moment van hun dood was, voor hen bevroren.
Hoe ze het ook probeerde, ze kon zich het gezicht van haar
broer niet voorstellen toen hij daar spitsroeden had gelopen.
Ze zag echter wel soldaat Vanderbilt. Zijn gezicht stond op
een of andere manier teder en toch streng terwijl hij zijn
hand op Robs schouder legde en zijn brede rug tussen Robs
ogen en de muur probeerde te houden. Misschien had soldaat
Vanderbilt hem later als een broer vastgehouden terwijl hij
huilde en probeerde de dode gezichten uit zijn ogen te spoelen.

Ze bevestigde zijn voeten op de muur en daar stond hij dan
eindelijk compleet voor haar. Ze zat op haar bed naar hem te
kijken, luisterend naar het geluid van de branding. 'Dank je,'
zei ze tegen hem.

Ik heb wel naar de muur gekeken, schreef ze. *Wat een verschrikking! Natuurlijk zie ik liever de voeten van de soldaat dan een dergelijk afgrijselijk tafereel, maar alles wat
je moet sturen neem ik graag in ontvangst. Hoe zou het
anders kunnen? Ben jij dan niet mijn eigen Zu-Zu? Ben ik*

niet je zus? Ik bid altijd voor je. Ik denk dat Pappie en juf-
frouw Suter ook voor je bidden, op hun manier. Twee apos-
telen en een oude vrijster in de dop smeken om je behoud—
is dat geen reden voor blijdschap?

Het Kind is af. Ik ben niet dol op hem, maar ik moet
toegeven dat hij erg mooi is. Je bent niet meer de knapste
Trufant. En ik ben, vergeleken met hem evenmin mooi. Hij
heeft zilveren tanden en haar van glasdraad en een gouden
gezicht. Hij is een juweel, een broche voor een reuzin. We
wachten nu alleen nog tot juffrouw Suter een geest uit-
braakt uit haar baarmoeder. Ik ben nu al bang voor de wa-
de die over dit huis zal neerdalen als hun optimistische
hoop de bodem wordt ingeslagen, als er alleen maar een
aardse baby ter wereld komt. Hier is mijn voorspelling, ik
heb haar van mijn leidgeest, een indiaans meisje dat in de
achtergelaten schelp van een kinkhoorn woont. De baby zal
komen en juffrouw Suter zal ervoor vluchten omdat het
niet de essentie van een geest is, omdat het haar aan haar
staat van ongenade zal herinneren. Ze zal uit ons leven
verdwijnen en ik zal een baby hebben om op te voeden. Ik
zal behoorlijk moeten leren koken. We zullen het Kind in
onderdelen verkopen en het geld gebruiken om iets aan het
huis te doen, om de veranda te stutten en nieuwe stenen te
kopen. Pappie zal wel over zijn dwaasheid heenkomen als
zijn machine een mislukking blijkt. We zullen hier op je
wachten. Deze oorlog zal eens afgelopen zijn. Je zult bij
ons langskomen met de soldaat in je kielzog. Het is leuk
om naar mosselen te graven—ik laat het je wel zien. Zie je
nu ook hoe er uit het grauwe, wanhopige heden een geluk-
kige toekomst kan worden geboren?

Broer, al mijn liefde.

'Het is een luie baby, die niet geboren wil worden,' zei juffrouw Suter. Ze had opeens een boottochtje willen maken,
dus had Maci haar mee de vijver op genomen. Maci maakte
zich zorgen dat de baby daar midden op het water geboren

zou worden. Ze was met juffrouw Suter in de buurt angstig en gespannen geweest, want deze leek nu ieder moment te kunnen bevallen. 'Ik zou zo graag willen dat het kwam. De laatste veldslagen waren misschien helemaal niet nodig geweest als ze vorige week was gekomen.' Ze boog haar nek om naar haar buik te kijken. 'Waarom wacht je zo lang?' vroeg ze hem. Het was 25 september. Het nieuws over de slag in Maryland had zelfs deze uithoek bereikt. Maci had de verlieslijsten nagekeken in een krant uit Providence, en Robs naam had er niet bij gestaan.

Een zwerm ijseenden sloeg plotseling gakkend zijn vleugels uit en verdween landinwaarts. 'Ze vluchten voor de storm,' zei juffrouw Suter. Het had de afgelopen drie dagen hard gewaaid. In het dorp voorspelden doorgewinterde vissers met korsten zout op hun huid 'een machtige grote stoot'.

Haar vader was naar het dorp geweest om een bliksemafleider voor de schuur te kopen. Hij was hem net aan het installeren toen Maci en juffrouw Suter op het huis afliepen. Hij zwaaide naar ze en zei tegen Maci: 'Er is een brief voor je gekomen, liefje!' Juffrouw Suter waggelde naar hem toe om hem vanaf de grond aan te moedigen terwijl Maci naar binnen ging. Ze wist zeker dat het een brief van Rob zou zijn, maar hij was niet van Rob. Hij was van soldaat Vanderbilt.

Er waren momenten in haar leven waarover ze later zou nadenken, en dan zou ze zichzelf haten. Toen ze vijf jaar oud was had ze eens twee pond chocoladecake opgegeten, was toen naar een hoek gekropen en had als een hond gekotst. In de weken na de dood van haar moeder had Maci onder ogen gezien hoe ze was bezweken terwijl er toch niet echt sprake van spanning was geweest—haar kinderen waren gezond en ze leidde een bevoorrecht leven—en ze had haar moeder gehaat omdat ze zwak was geweest. Later zou ze leren dat je onder alles kon bezwijken, dat we allen kunnen bezwijken, en haatte ze de superieure, zwakheid hatende Maci evenzeer als ze de vijfjarige vreetzak van een Maci haatte. Op dezelfde manier zou ze de gelukzalige, zorgeloze, stompzinnige Maci haten die dacht dat soldaat Vanderbilt haar schreef om haar zijn liefde te verklaren. Ze zat tegenover zijn portret en las.

Beste vriendin,

Ik weet dat je nu wel gehoord zult hebben van de dood van je broer Rob op 17 september voor Antietam Creek. Ik vond dat ik je moest schrijven en over zijn laatste dagen vertellen. Hij was mijn vriend, hoewel hij officier was en ik gewoon vrijwillig soldaat. Het was een grote eer hem te kennen. Hij heeft mijn leven gered, nog op de dag dat hij stierf. Bij de oversteek van Antietam Creek kwam ik vast te zitten in de modder, en ik zou verdronken zijn als Rob niet onder zwaar vuur was teruggekomen om me op te halen. Hij liep een hoofdwond op toen hij me wegsleepte. Hij verbond de wond met een lap en wilde niet terugkeren. Vanaf de kreek moesten we oprukken en bij iedere stap die we zetten leden we verliezen. Onze vaandeldragers werden drie keer achter elkaar neergemaaid, maar tenslotte dreven we de Rebellen over een stenen muur en vluchtten ze naar de stad. Niet lang daarna werden we teruggecommandeerd, want we hadden al onze munitie gebruikt en er was geen aflossing voor ons—niemand kon ons in onze vooruitgeschoven positie dekking geven. De mannen van het Negende waren niet erg blij met dit bevel, en sommigen bleven de vluchtende vijand achtervolgen. Een van deze achtervolgers was je zachtmoedige broer. Ik was er ook bij. We stuitten op hun hoofdmacht. Slechts twee van de vijfentwintig mannen wisten in onze linies terug te keren. Deze twee waren ik en je broer, maar zijn verwondingen waren zo ernstig dat hij de volgende ochtend niet heeft gehaald. Ik was bij hem toen hij stierf. Hij zei geen woord—hij was aan zijn keel gewond—maar ik twijfel er niet aan dat in zijn laatste momenten zijn gedachten bij jou waren. Hij heeft het zo vaak over je gehad dat ik het gevoel heb dat ik je goed ken. Ik hoop dat je eens bij me langskomt als wij soldaten onze geweren hebben afgelegd. Ik woon op Manhat-

tan, Washington Place 10.

Het is een treurige zaak dat mensen het nodig vinden elkaar van het leven te beroven om een principe vast te leggen.

Je vriend,
George Washington Vanderbilt

Maci hield het nieuws urenlang voor zich omdat ze het niet onder woorden kon brengen. Tenslotte liep ze naar haar vader en overhandigde hem de brief. Hij las hem met een ernstig gezicht en zei: 'Mijn liefste. Hij heeft de overstap naar Zomerland gemaakt. Laten we het voor hem vieren.' Maci gaf hem een klap, sloeg zijn lieve, verbijsterde gezicht met alle kracht die ze in haar arm had en vluchtte daarna naar haar kamer, waar ze niet de deur voor hem wilde opendoen toen hij kwam aankloppen.

De volgende dag liep ze uit domme gewoonte naar het dorp. Ze bleef staan voor het postkantoor, ging op de grond zitten en staarde somber naar het gebouwtje, een klein wit huis met een dak van cederspanen. Ze wilde huilen, maar deed het niet. De baas van het postkantoor zag haar daar op straat zitten en kwam naar buiten om te vragen wat er aan de hand was. Ze zei alleen maar dat ze moe was en even moest uitrusten. Hij nam haar mee naar binnen, waar hij post voor haar had. Er was een brief van Rob, en een pakje dat hij naar het huis kon laten brengen als ze wilde. Hoewel ze er eigenlijk helemaal niet naar terug zou moeten, zei hij. Wist ze niet dat er storm op til was? Het leek Maci dat de grote stoot even lui was als het ongeboren principe van juffrouw Suter. Hij wachtte beleefd boven zee, alsof hij wachtte op een uitnodiging om binnen te komen en alles te vernielen.

Maci las de brief van Rob, die voor die van soldaat Vanderbilt was gepost, pas veel later, nadat twee mannen voor het huis hadden halt gehouden en de hutkoffer van Rob als een lijkkist van hun wagen hadden geladen. Op haar aanwijzingen zetten ze hem in haar kamer. Helemaal bovenin lagen haar brieven aan hem. De laatste die ze had gestuurd was nog niet geopend — misschien had de dierbare hand van de soldaat hem in de koffer gelegd; misschien was hij te laat aangekomen en had Rob hem niet meer kunnen lezen. In de hutkoffer zaten een uniform, twee kepi's, drie goede wollen dekens die ze hem zelf had gestuurd voordat ze arm waren geworden en zijn officierssabel. Verder zaten er veel tekeningen in, waaronder vele van haar. Hier maakte ze een boottochtje op Potter's Pond. Daar stond ze naast de klif; haar haar waaide op als dat van een krankzinnige. Daar liep ze met juffrouw Suter, die op de tekening dikker en mooier was dan in het echte leven, een door rozen omzoomd pad af.

De hutkoffer rook naar hem. Ze trok zijn uniform aan en lag een tijdje met haar gezicht op haar arm op het bed. Daarna las ze de brief.

Zuster,

Ik denk dat ik mijn waanzin heb gevonden. God behoede me voor het geluid van brekende botten. Maak ik je ongerust? Dat was niet mijn bedoeling. Geen tekeningen vandaag — we zitten middenin een veldslag. Dit is alleen maar een briefje om je te vertellen dat ik leef en het goed maak.

Ga alsjeblieft naar Boston. Volgens mij is het de enige veilige plek op aarde.

Toen juffrouw Suter van Robs dood hoorde, zei ze: 'Te laat!' en sloeg met haar vuist op haar buik. Toen werd ze heel bleek en liet zich op een sofa zakken en beweerde dat de bevalling begonnen was. Een dag en een nacht en toen weer een dag lag ze beneden op een bed te kreunen. En de hele stormnacht schreeuwde ze boven het gekraak van het huisje uit. 'Vreugde!' schreeuwde ze. 'Liefde! O, vrede!' Maci keek vanaf de trap toe terwijl haar vader voor juffrouw Suter zorgde. Nu en dan overlegde hij met de geesten die hij om de sofa zag samengegroept. Welke is meneer Franklin? vroeg Maci zich af. Nu en dan verliet ze haar post op de trap om een bemoedigend klopje op het transpirerende hoofd van juffrouw Suter te geven. Af en toe waagde ze zich naar de schuur of ging ze naar boven om haar laatste spullen in te pakken. De volgende ochtend vroeg, nadat de storm was gaan liggen en een schitterende zonsopgang had nagelaten, kwam de baby eindelijk. Maci stelde het zich tweemaal heel scherp voor: juffrouw Suter slaakte een laatste kreet en er kwam een gewoon wonder uit haar lichaam, een gewoon oud jongetje dat zijn woede uitschreeuwde over het feit dat hij de wereld in werd gesmeten. Juffrouw Suter en Maci's vader zouden elkaar dan ontgoocheld hebben aangestaard, zich af-vragend wat ze met die baby aanmoesten, die de vernietiging van hun hoop was.

Ofwel juffrouw Suter slaakte een laatste kreet—een combi-natie van verrukking en pijn—en haar dikke buik werd op-eens plat. Een geur als van pijnbomen vulde het vertrek, maar er kwam niets uit haar, afgezien van hysterie. Dan zou-den juffrouw Suter en Maci's vader de geluiden hebben ge-maakt van mensen die denken dat ze de wereld van lijden hebben bevrijd. Haar vader zou naar boven zijn gerend en Maci's deur hebben opengeduwd om haar het goede nieuws te vertellen, om haar arm te pakken en triomfantelijk naar de schuur te lopen, waar hij haar het Kind zou laten zien, dat nu zou leven en de vroeger zo getroubleerde wereld vrede zou inblazen.

Maar Maci was niet in haar kamer. Haar tekeningen wa-ren weg. Haar kleren waren weg. Alleen de lege hutkoffer van Rob stond er nog. Maci zat tegen die tijd al in Kings-town, wachtend op een trein die haar naar Boston zou bren-gen. Ze had een aan niemand geadresseerde brief geschreven die ze nog in haar hand had toen de trein binnenkwam, toen ze instapte en toen ze ging zitten. Ze hield hem bij zich, ste-vig in haar vuist geklemd, terwijl ze het landschap voorbij zag razen. Hoe zou iemand zo'n brief kunnen afleveren? Je kon hem verbranden, of aan de poot van een duif binden. Je kon hem in zee gooien of begraven. Tenslotte, na lang nadenken, schoof ze moeizaam het raam omlaag, stak haar arm naar buiten en opende haar hand.

De schok van de storm leidde de bevalling van juffrouw Suter in. Terwijl zij in het huis lag te schreeuwen ging ik tekeer in de schuur en sloeg met een moersleutel het Kind aan stukken. Glas en goud en koper vlogen de hele ruimte door, maar leken geen geluid te maken als ze op de vloer vielen, want al het geluid dat ze maakten verdronk in het gehuil van de wind. Het was heerlijk hem te vernielen. Weet je, ik stelde me voor dat ik de hele hoop obsceniteit vergruizelde die ons gezin heeft verminkt. Is het niet obsceen dat een zwangere vrouw zich als een eendenmossel aan onze vader vasthecht? Is het niet obsceen dat een vader niet om zijn zoon rouwt? Is het niet obsceen dat onze moeder door dwaze bonen te gronde is gericht en zijn bonen zelf niet de zaden van obsceniteit? Wat een troost om het nu allemaal aan stukken te laten vallen.

Pappie moet niet rouwen om zijn mechanische zoon. Hij is in dat Zomerland, stoeiend met alle andere mechanische kinderen. Is dit mijn waanzin? Nu breek ik zijn kristallen ogen. Nu trek ik zijn koperen haar uit. Nu sla ik zijn glazen ledematen kapot en maak ik hem ongedaan. Ik stelde me voor dat ik alles ongedaan maakte: jouw dood, de komst van juffrouw Suter, de waanzin van Pappie, de waanzin van Mamma. Ik maakte het allemaal ongedaan tot ik, zittend tussen de scherven en stukken, ergens was waar niets van dit alles was gebeurd, waar we allemaal nog in Boston woonden, waar juffrouw Suters buik niet door geest of vlees werd bewoond, waar geen oorlog was. Ik denk dat dat mijn waanzin was, die moorddadige woede. Rob, ik heb ons broertje vermoord. Maar je ziet, nietwaar, wat een succes hij was? Hoe hij me een soort vrede gaf.

'Het is vreselijk om niet te trouwen,' zei haar tante Amy altijd graag. Maci begreep dan dat ze bedoelde dat het eigenlijk het beroerdste was dat je kon overkomen, beroerder dan krankzinnigheid, beroerder dan oorlog, beroerder dan de dood van een broer, moeder of zelfs die van een echtgenoot. De man van tante Amy was overleden toen ze nog maar een paar maanden getrouwd waren geweest, nadat hij tijdens een reis naar Marokko een bijzonder virulente soort pokken had opgelopen. Op de terugreis was zijn huid in grote lappen afgevallen, tot hij nog slechts een grote, grauwe naakte spier was. Tante Amy vertelde het verhaal zonder een spoortje zelfmedelijden of zelfs te veel droefheid. 'We waren *getrouwd*,' zei ze dan over hem, met een gelukkige zucht. En dan keek ze Maci aan, die in de zomer van 1870 vierentwintig was, en zei: 'Het is vreselijk om niet te trouwen.'

Maar Maci dacht dat ze het wel zonder het huwelijk kon stellen. De goedgeklede, beleefde, goed opgeleide jongelieden aan wie haar tante haar voorstelde waren om een of andere reden ondraaglijk. In een gesprek met hen dwaalden haar gedachten steevast af. Ze dacht eraan hoe mager en onbehaard hun polsen waren, of anders bezorgden ze haar gruwelijke fantasieën. 'Vind je niet dat Duitsers in hun persoonlijke gewoonten een schoner volk zijn dan Ieren?' kon iemand haar vragen, en dan stelde ze zich hem dodelijk gewond voor, met kogels in zijn milt en granaatscherven in zijn oog.

Tante Amy leefde in haar weduwenstaat met gratie en met iets wat op Maci overkwam als tevredenheid. Het waren de beste echtgenoten, de dode. Ze bekleedden je met respectabiliteit, maar hun hak stond niet in je nek. Maci vond het erg makkelijk zichzelf als weduwe voor te stellen. Soldaat Vanderbilt was bij Chancellorsville gesneuveld. Ze had zijn portret nog, opgevouwen en verstopt in een grote doos van rozenhout die onder haar bed stond. Een keer per maand vouwde ze al zijn spullen open en legde ze ze uit op de vloer van haar kamer. Onvermijdelijk kwam tante Amy dan langs en klopte aan. Ze wantrouwde een dichte deur, had er een hekel aan als er een op slot zat en scheen altijd aan te voelen als Maci met iets bezig was wat privé was. 'Liefje, wat voer je daar uit?'

'Ik zit te schrijven,' zei Maci dan altijd. Dat was nu haar beroep, of haar roeping—ze voelde zich ertoe geroepen, maar het bracht eigenlijk niets op. Ze droeg af en toe een artikel bij aan een weekblad, met name en regelmatig aan *Godey's Lady's Book*, waarvan de redactrice, mevrouw Hale, vanuit Philadelphia een verre affectie voor Maci had ontwikkeld. In de ogen van tante Amy was het bijna aanvaardbaar voor *Godey's* artikelen over parfums of Franse toiletten te schrijven. 'Alles met mate,' zei ze dan, en moedigde haar nicht aan haar pen tussen twee artikelen wekenlang te laten liggen, waarbij ze haar waarschuwde dat intellectuele stimulering bij een vrouw in zure stemmingen resulteerde. Lezen was acceptabel zolang het om de bijbel ging of om iets wat door een Beecher was geschreven, bij voorkeur door Catharine. Maci las liever de *Tribune* van meneer Greeley of zelfs de *New York Times*, kranten die niet alleen maar reclamemedia waren die ten doel hadden iets aan de rimpels of de kersentaarten van hun abonnees te doen. Als tante Amy eens op smokkelwaar stuitte zei ze nooit dat ze iets had ontdekt maar nam het stilletjes in beslag en gooide het weg. Maci protesteerde nooit als haar kranten of boeken vanachter een gordijn of vanonder een vloerkleed verdwenen. Emerson, Browning, Tennyson, Lowell, Bryant—letterlijk iedere grote man werd door tante Macy's onwetende hand de vergetelheid in gesmeten. Maci beschouwde het als een onvermijdelijk bijverschijnsel van de grenzeloze generositeit van haar tante, deze zachtmoedige maar idiote tirannie. Hoe dan ook: haar tante keek nooit onder haar bed, de voor de hand liggende plek om iets te verstoppen, en de plek waar Maci haar dierbaarste schatten bewaarde.

'Wat lees je daar, liefje?' vroeg tante Amy. Ze zaten na het avondeten in een achterkamer, een comfortabel vertrek met beslist onelegant meubilair, een plek waar gasten niet welkom waren. Na het eten zat tante Amy graag zwijgend met haar handen in haar schoot, zich ingespannen op haar spijsvertering concentrerend. Ze had dit haar hele leven als volwassene een uur per dag gedaan en schreef aan deze handelwijze toe dat ze nimmer geconstipeerd was. Soms kwam Maci erbij zitten in deze bijna volmaakte stilte en luisterde naar het zachte gemurmel van het licht, maar vaker zat ze te lezen.

'Een artikel over de geschiedenis van mousseline,' antwoordde Maci, maar dat was een leugen. Ze had wel een aflevering van *Godey's* in haar handen, maar erop lag het nummer van 2 juni van *Woodhull en Claflin's Weekly*. Ze las een artikel waarin de betrokkenheid van de politie bij de prostitutie in New York City aan de kaak werd gesteld. Het scheen dat agenten gratis klant waren bij ieder meisje waar ze hun zinnen op hadden gezet. Dit blad was duidelijk geen advertentieblad. Het was een vrouwenblad en een politiek blad en een financieel blad met het motto *Opwaarts en Voorwaarts*. Maci vond het erg goed en had veel sympathie voor mevrouw Woodhull, niet in de laatste plaats omdat de dame zichzelf als kandidate voor het presidentschap had opgeworpen. Dit prikkelde de aspirant-stemster in Maci. Ze hield van het blad, ook al ondernam het bij tijd en wijle expedities naar waanzinnige gebieden. Mevrouw Woodhulls weekblad koesterde sympathie voor het spiritisme, en Maci verdroeg, omdat ze zich gedwongen voelde het hele blad te lezen, de artikelen over medische helderziendheid en dacht dan aan haar vader, die nog steeds met zijn door de hemel gezonden geliefde op de klif woonde. In alle jaren sinds ze het huis had verlaten had hij haar maar één korte brief gestuurd, niet gesigneerd en op een glad stuk hout geschreven: *Garrison is gelyncht, Birney's drukpers is in de rivier gegooid en Lovejoy is vermoord; toch is de beweging tegen slavernij in leven gebleven en zij die eens onderdrukt werden nu vrij. Zo zal het altijd gaan met waarheden die de mens zijn overgebracht. Ze zijn onsterfelijk, liefje, en kunnen niet vernietigd worden.*

Het lezen van de *Weekly* inspireerde haar steevast. Maci verontschuldigde zich dan en ging naar boven, naar haar bureau, waar ze ging zitten en dikwijls peinzend op de punt van haar pen knaagde, zodat tante Amy haar de volgende morgen op haar kop gaf omdat haar mondhoeken onder de blauwe vlekken zaten. Dit waren geen artikelen voor mevrouw Hale, waaraan ze tot diep in de nacht met een deken onder de deur gepropt werkte, zodat tante Amy geen licht naar buiten zou zien komen en zou weten dat Maci nog wakker was, zichzelf rimpels bezorgde en haar brein oververhitte. Ze waren voor de *Weekly*, voor de opmerkelijke mevrouw Woodhull, voor wie Maci tal van artikelen had geschreven en maar één opgestuurd, een geschiedenis van vrouwen in het krantenbedrijf. Het bevatte een lofzang op Maci's heldinnen: Elizabeth Timothy, de eerste uitgeefster die het land had gekend, Mary Catherine Goddard, die als uitgeefster van haar krant in Philadelphia door haar broer was vervangen, Cornelia Walter, die zo'n hekel aan de heer Poe had gehad, en natuurlijk Margaret Fuller. Maci had in haar artikel vrouwen van haar generatie gemaand vaker voor het voetlicht te treden. Ze wilde dat er in het krantenbedrijf evenveel vrouwen als mannen zouden werken.

Ze had het artikel in mei van dat jaar ingestuurd en twee weken later bericht gekregen dat het geaccepteerd was. *Mijn tijdschrift is een verzamelplaats voor ideeën als de uwe*, had mevrouw Woodhull geschreven. *U moet eens langskomen.* Ingesloten was een fotootje geweest van een prachtige dame, en op de achterzijde was het gesigneerd: *Victoria Woodhull, toekomstig presidente.* Soms, aan tafel met tante Amy, dag- droomde Maci ervan mevrouw Woodhull in New York op te gaan zoeken, maar de gedachte dat ze werkelijk iets derge- lijks zou doen leek haar even waarschijnlijk als vleugels krij- gen en rondvliegen over de Back Bay.

Ze zou dan niet weglopen naar New York, maar Maci kon natuurlijk wel bijdragen voor het blad van mevrouw Wood- hull leveren, en op het moment dat ze een volgend artikel voor *Woodhull en Claflin's Weekly* voorbereidde kwam haar hand voor de eerste keer tegen haar in opstand. Het was een heel onverwachte gebeurtenis—de ene minuut zat ze enkele kritische kanttekeningen bij *Treatise on Domestic Economy* van Catharine Beecher te schrijven, en de volgende schreef ze iets totaal anders, en totaal tegen haar wil. Haar linkerhand ontfutselde haar rechter de pen en begon te krabbelen.

Maci had, sinds ze bij de gezonde, stabiele tante Amy in- woonde, minder bij haar erfelijke krankzinnigheid stilge- staan. Lang daarvoor, tijdens de maanden en jaren vlak na haar vlucht van Rhode Island, was ze er zeker van geweest dat de waanzin haar zou treffen zodra ze maar even zelfge- noegzaam zou worden. Dus had Maci, als ze samen in de comfortabele salon zaten, lange tijd over waanzin nagedacht terwijl tante Amy haar spijsvertering bezag. Maci bedacht dan dat er misschien stemmen zouden gaan spreken in haar hoofd, en hoe beangstigend dat zou zijn, een stem te horen die je een uitbrander gaf, of je opdracht gaf de vloer af te lik- ken of vuiligheid te eten. Nog erger zou een stel stemmen zijn, het soort dat voortdurend commentaar gaf, waarbij de ene zei: 'Zie je wat ze vandaag aan heeft?' en de andere: 'Het verbaast me niets.' Of ze werd door vreemde zekerheden be- slopen. Op een ochtend vroeg ze zich bijvoorbeeld af hoe het geweest zou zijn om Maria Magdalena of Jeanne d'Arc te zijn, en het volgende moment geloofde ze echt dat ze Maria Magdalena of Jeanne d'Arc was, of beiden, handig in één enkel lichaam gecombineerd: een dame die zich aan mannen gaf, er berouw over had en hen dan met succes aanvoerde in de strijd.

De jaren verstreken echter, en haar onvermijdelijke geestelijke neergang leek steeds minder aanstaande, tot Maci er minder vaak over nadacht en toen helemaal niet meer vaak. Later zou ze bedenken dat ze, precies op het moment dat ze uiteindelijk had geloofd dat ze veilig was, opeens niet veilig bleek te zijn, en zou ze de zorgeloze, naïeve Maci vervloeken, die zo stom was geweest haar waakzaamheid te laten verslappen. Het kwam net als bij haar vader, allemaal tegelijk. Haar linkerhand schokte eenmaal, sprong toen op van het bureau, zette zich als een wegschietende vlo met zijn vingers af. Hij hing een moment in de lucht, en dook toen omlaag om de pen uit haar rechterhand te pakken, die zich niet verzette. Hij trok een geringschattende streep door de alinea over Catharine Beecher, en toen kwamen de woorden, achteloos geschreven in haar eigen handschrift, maar met een hand die niet de hare was:

Zuster, lieve zuster,
  Weet dat je niet waanzinnig bent, en vergeef me alsjeblieft dat ik niets van me heb laten horen. De tijd wordt hier niet in seconden, uren of dagen gemeten, maar in ontelbare eenheden verlangen. En het is zo moeilijk de sluier te doorsteken, die van Gods onverschilligheid en het ongeloof van de rouwenden is gemaakt—solide stof. Begrijp dat ik voortdurend heb geprobeerd tot je door te dringen, als een boodschapper die alleen maar goeds te berichten heeft.

Maci vond het redelijk en rechtvaardig dat ze werd gestraft voor de vernietiging van het Kind, voor een misdaad die erger was dan broedermoord, voor de moord op de hoop van haar vader. Haar hand—ze noemde hem geen broer omdat ze het zelf was en niet hij, het was het deel van haar dat eerder rede en geestelijke gezondheid zou opofferen dan zou aanvaarden dat hij voorgoed weg was—stelde haar gerust: *Je bent niet waanzinnig.* Maar dat was hetzelfde als tegen de regen zeggen dat je niet nat was. En nu had deze niet-Rob een nieuwe vermaning om zijn brieven mee te besluiten: *Ga naar New York. Ga naar haar toe.* 'Zeg me niet wat ik moet doen,' antwoordde ze fluisterend.

Het was heel makkelijk, bedacht Maci, zoals al haar kinderlijkste verlangens door dit onwillige aanhangsel op schrift werden gesteld. Ze wilde toch weg uit Boston? Het leven was hier vervelend. Tante Amy was koel en saai, en door bij haar te blijven wonen zou Maci in de weduwenstaat wegzakken zonder zelfs maar getrouwd te zijn geweest. Er lag in dat huis een heel leven van comfortabele, volkomen identieke dagen te wachten. Op zekere dag zou tante Amy doodgaan en zou Maci al haar fantastische jurken aantrekken, de ene na de andere, iedere dag van het jaar een nieuwe. Het was een verschrikkelijke gedachte, en dus drong haar hand erop aan dat ze ervandoor zou gaan. *Ga naar New York. Ga naar mevrouw Woodhull. Je moet gaan.* 'Ik ga niet,' zei ze, haar linkerhand voor haar gezicht houdend, precies zoals een waanzinnige zou hebben gedaan.

De hand was niet meer van haar. Ze kon hem net zo bewegen als de andere, maar hij scheen haar alleen te gehoorzamen om haar een plezier te doen, niet omdat hij vanzelfsprekend aan haar wil was onderworpen. Hij schreef brieven waarin hij lachwekkende fantasieën uitspon over een oorlog in de Hemel, uitgevochten tussen twistzieke geesten die naar de aarde wilden terugkeren aan de ene kant en conservatieve engelen aan de andere. Hij vertelde verhalen over mevrouw Woodhull, over haar zoons, twee jongens uit Ohio die door de oorlog en de dood van elkaar gescheiden waren geraakt. Haar hand maakte grove gebaren achter de rug van tante Amy. En hij maakte prachtige tekeningen: een bouwvallige schuur op een heuvel, een open plek in een boomgaard, een struik meidoorn. Hij tekende een geweldig huis in een stad waarvan ze wist dat het Manhattan was, een broeikas, een ijzeren deur. Hij tekende een opvallende vrouw van wie Maci van de foto wist dat het mevrouw Woodhull was, een zorgeloos ogend, glimlachend dik meisje, een bezorgd kijkende man met een nek die zeker zo dik was als die van soldaat Vanderbilt, een engel in een statig gewaad met een tiara van sterren die om haar hoofd dreef en een kleine agressieve engel met slechts één vleugel. En hij tekende een portret van twee jongens met het gezicht van de kleine engel – haar hand greep naar de blauwe inkt om de ogen in te kleuren. Ze hing ze niet aan haar muur, deze tekeningen. Ze had er maar heel weinig waardering voor. Ze hadden eigenlijk in het vuilnisvat gehoord, maar ze stopte ze onder haar bed, aangezet, veronderstelde ze, door liefde voor haar broer, ook al was hij maar een waanbeeld.

De hemel is koud en wit. Het is geen plek waar ik graag zou verblijven, hoewel sommige geesten erheen worden getrokken door genoegens die zo zeldzaam zijn dat ze eigenlijk leeg zijn. Ik zit in Zomerland, een plaats die even warm en groen is als de tuin bij het zomerhuis van oom Phil. Herinner je je die nog? We hebben er op konijnen gejaagd toen je twee was. Je leerde toen nog de woorden voor van alles en nog wat. Ik vertelde je hoe de verschillende dieren heetten, maar je wilde me niet geloven.

'Hoe vind je deze?' vroeg haar tante. Maci's hand rebelleerde nu al weken en ze begon de hoop op te geven dat haar kwaal tijdelijk zou blijken te zijn. Het was de derde woensdag van de maand, de dag dat de kleermaker altijd nieuwe creaties kwam afleveren. 's Avonds trok tante Amy ze dan voor haar nichtje aan.

'Heel mooi,' zei Maci.

'Niet te druk?' Tante Amy droeg een kledingstuk dat zo ingewikkeld was dat Maci het alleen in gedeelten in zich kon opnemen: een gestreepte overrok met kantjes, plooien en ruches; een kanten Chantilly-jakje, een broche en bijpassende oorhangers, een fluwelen halsbandje met een hangend kruis, een grote haarband met franje, een waaier. Elementen van de uitmonsteringen van haar tante bleven Maci altijd bij als irritante flarden van een liedje; ze wist dat ze de hele week strijd zou moeten leveren om die haarband met franje kwijt te raken.

'Helemaal niet,' zei Maci. 'Ik vind het juist heel terughoudend.'

'Gelukkig dat je hem mooi vindt, want... ik heb er ook een voor jou!' Het gold altijd als verrassing als tante Amy twee afgrijselijk ingewikkelde jurken liet maken in plaats van maar één. Maci ging naar haar kamer om ook de hare aan te trekken en kwam toen moeizaam weer naar beneden, opgetuigd voor een avondmaal dat minder plechtstatig zou zijn dan gewoonlijk. Tante Amy glimlachte als ze over de laatste mode praatte die uit Parijs kwam en Maci peinsde dan dat het een ziekte was, mode, die van de ene vrouw op de andere oversprong en hen gek maakte. Toen ze nog jong was hadden mooie jurken haar altijd een prettig gevoel gegeven, maar nu droeg ze het liefst knickerbockers. Zoveel keer was ze in haar fantasie al gekleed in een broek, een rok en een jasje voor het avondeten de trap afgekomen en was tante Amy na één blik op haar naar de keuken gevlucht om haar ogen met loog uit te spoelen.

Na het eten ging Maci naar haar kamer om te schrijven. Eerder die week had ze slecht nieuws gekregen uit Philadelphia. De oude mevrouw Hale ging met pensioen, en wie zou kunnen zeggen of de nieuwe uitgeefster van *Godey's Lady's Book* even dol op Maci's artikelen zou zijn als zij was geweest? Ze onderhield een speciale relatie met mevrouw Hale, die haar een paar weken nadat ze waren gaan samenwerken een compliment had gemaakt: 'Tjee, je gedraagt je zo natuurlijk en je maakt zo weinig drukte over je werk dat ik soms vergeet dat je een vrouw bent.' Ze had voor Maci tot leermeesteres kunnen uitgroeien als ze niet altijd van achterlijke gedachten blijk had gegeven—mevrouw Hale beweerde bijvoorbeeld dat stemrecht verwoestend zou zijn voor het geluk van vrouwen.

In de hoop deze dame nog een dikke bundel onzinnige artikelen in de maag te kunnen splitsen voordat ze met pensioen zou gaan bleef Maci druk aan het schrijven. Nacht in nacht uit zat ze aan haar bureau met haar rechterhand te schrijven, en merkte dat ze in staat was te negeren dat haar linkerhand zijn eigen pen hanteerde en schetste, schreef en vermaande. 'Ik kijk niet,' zei ze onder het werk hardop. 'Krabbel maar wat je wilt, ik werp er zelfs geen blik op.' Maar uiteindelijk keek ze altijd wel. En dan stelde ze ook vragen, als haar nieuwsgierigheid haar tenslotte te veel werd. 'Wie is dat?' vroeg ze dan, terwijl haar hand een volgende tekening van een haveloze kleine engel maakte, en dan schreef haar hand het antwoord langs de bizar ogende vleugel: *Iemands broer.*

Als ik je zei dat ik in de Hel zat en er een eeuwige straf onderging omdat de oorlog een moordenaar van me heeft gemaakt, dan weet ik dat je me zou geloven. Als ik voorspelde dat tante Amy op een vreselijke manier aan haar einde zou komen, gedood door brandend, zuur gif van een scarabee uit eieren die in haar mooiste katoenen jurk sluimeren, dan denk ik dat je dat nieuws zou verwelkomen. Maar als ik zeg dat morgen de zon zal schijnen, dan pruil je en schud je je hoofd. Als ik zeg dat we allen onsterfelijk zijn, dat liefde en rouw de onmetelijke ruimte tussen ons kunnen overbruggen, dan denk je dat het wel onwaar móét zijn omdat het goed is of omdat het je zou kunnen troosten. Laat me je dus geruststellen: ik zit in een soort Hel, net zoals iedere geest die de aarde niet is vergeten, die zich herinnert dat we allen schepselen zijn die met een nietaflatend verlangen zijn behept.

Het was de manier waarop haar vader haar als kind steeds zover had gekregen iets nieuws te eten. 'Probeer het maar,' zei hij altijd, 'en als je het toch niet lekker vindt hoef je het niet op te eten.' Op dezelfde manier zei Maci's hand haar: *Ga gewoon, en als het je niet bevalt, als je merkt dat hun werk toch niet jouw werk is, dan mag je teruggaan naar dit vreselijke bestaan en zal ik je voor altijd met rust laten.* En zo verliet ze het huis van tante Amy met het geld dat ze aan haar artikelen had overgehouden (de trouwe mevrouw Hale had inderdaad een dikke bundel gekocht) en reisde per trein naar New York, waarbij ze zich de avances van vreemde mannen moest laten welgevallen. Reizen in het gezelschap van je dode broer die in je hand woonde, was niet genoeg om respectabel te lijken.

Maci nam een kamer in het Female Christian Home aan East Fifteenth Street. Haar eerste avond daar zat ze op haar bed en dacht aan haar tante. Maci was als een lafaard het huis uit geglipt en had een briefje achtergelaten waarin eigenlijk niets werd uitgelegd. *Tante, ik heb dringende zaken in Philadelphia.* Ze had gedacht dat ze in de trein nog iets zou schrijven om het uit te leggen. Ze ontdekte echter dat ze niet geneigd was iets op papier te zetten, niet in de trein en evenmin in deze kamer, die ze deelde met een andere christelijke vrouw, een meisje zonder meningen en met een gezicht als een kolenschop dat Lavinia heette. Ik ben verdorven, dacht Maci, want ze wist zeker dat ze haar tante nooit meer wilde zien. Alleen al de gedachte dat ze uit Boston weg was maakte haar gelukkig. Maar toen bedacht ze dat ze weg was op aanwijzing van haar eigen krankzinnigheid en dat ze maar voor een of twee maanden geld had, en werd ze boos op zichzelf en dacht ze: Ik ben verdorven en dom.

De ochtend na haar aankomst in New York liep ze over Broad Street, telkens opkijkend in de afkeurende blikken van de vogels die op de telegraafdraden zaten die overal boven haar hoofd liepen. Voor nummer 434 bleef ze staan. Na enkele seconden strekte haar linkerhand zich uit om de deur open te duwen. Ze liep er achteraan, de trap op naar het kantoor van Woodhull, Claflin en Co. Binnen zag ze een man met een geweldige snor die een telegrafische beurstikker inspecteerde die in een raam op het noorden stond te babbelen. Maci hoorde eenzelfde apparaat achter een wand van glas met hout achterin het vertrek. 'Kan ik u helpen?' vroeg de man.

'Ik zou graag mevrouw Woodhull spreken,' zei ze. 'Mijn naam is Trufant.'

'Ah,' zei hij, en glimlachte. 'Ze verwacht u.' Maci verborg haar verbazing, denkend dat de man haar voor iemand anders aanzag, omdat ze niet had geschreven om haar bezoek aan te kondigen. De man, die zich als kolonel James Harvey Blood voorstelde, liep met haar mee naar achteren. Het kantoor zag er precies zo uit als het in de *Weekly* was beschreven. Het was weelderig ingericht, met dikke tapijten op de vloeren, rijke varens onder de ramen, een elegant beeldje hier en daar. Een strenge Minerva en een zinnelijke Afrodite bezetten twee hoeken van het vertrek en een derde werd ingenomen door een piano, waarop een borstbeeld van commodore Vanderbilt stond. Maci bleef ervoor staan, stak haar hand uit om de koude, snavelachtige neus van meneer Vanderbillt aan te raken en dacht aan zijn zoon. Tegen het borstbeeld stond een heel klein schilderijtje waarop drie cherubijntjes waren afgebeeld die in een rozige lucht zweefden en een kronkelend stuk perkament vasthielden waarop geschreven stond: *Alleen naar uw kruis verlang ik.*

Achterin zaten mevrouw Woodhull en een roodharige dame van Maci's leeftijd aan twee walnoothouten bureaus, ieder met een gouden pen achter het oor. Ze praatten met een journalist.

'Als ik me zou aantrekken,' zei de roodharige dame, 'wat er wordt gezegd door wat men de maatschappij noemt zou ik mijn huis niet meer uit kunnen, behalve in idiote wandeljurken of gala. Het kan me geen zier schelen wat truttige, huilerige meisjes of gepoederde winkeljongetjes over me vertellen. We krijgen adviezen van mensen die meer ervaring hebben dan wij, en we worden gesteund door de betrouwbaarste steunpilaren van de stad.'

'Bedoelt u de heer Vanderbilt?' vroeg de journalist, een jonge man met een zo dik gezicht dat Maci weerstand moest bieden tegen de aanvechting het in haar handen te pakken en als deeg te kneden.

'Dat is heel goed mogelijk,' antwoordde de dame. Van een schaal op haar bureau pakte ze een aardbei in chocolade en beet er achteloos in. Ze keek naar het plafond terwijl het sap over haar kin droop. De journalist wendde zich tot Maci.

'Bent u een klant?'

'Dit is juffrouw Trufant,' zei kolonel Blood. 'Ze komt voor u, mevrouw Woodhull.'

Maci had een toespraakje ingestudeerd. Het was kort, en misschien een tikkeltje elegant, een smeekbede om werk. Hier stond zij, een vrouw die voor kranten schreef, en daar stond mevrouw Woodhull, een vrouw die er een uitgaf. Volgde hier niet uit dat mevrouw Woodhull werk voor Maci had? Maci's hand had een andere boodschap gedicteerd, iets over dat ze een boodschapper van de geesten van de lucht was. Maci vergat echter beide teksten toen de dame haar hoofd oprichtte en haar aankeek. Ze had iets wat haar de adem benam. Het was niet alleen haar schoonheid. Ze had het soort gratie, besloot Maci precies op dat moment, dat het resultaat is van een absolute onafhankelijkheid van geest. Maci merkte dat ze geen woord kon uitbrengen, maar ze hoefde helemaal niets te zeggen.

'Daar ben je dan!' zei mevrouw Woodhull, opspringend en Maci's handen vastpakkend. 'Tennie, hier is ze! Hier is ze dan eindelijk!' Maci's rechterhand was slap als een dode vis, maar haar linker kneep enthousiast terug en trilde van nerveuze blijdschap.

De dame die Tennie heette pakte de journalist bij zijn elleboog, duwde hem langs de scheidingswand en verklaarde dat het interview was afgelopen. Toen sloeg ze haar beide armen om Maci heen en kuste haar in de hals. Maci wilde haar vragen een stap achteruit te doen, wilde schreeuwen dat ze haar natte zoenen bij zich moest houden, maar toen ze haar mond opendeed legde Tennie er haar eigen mond overheen, waarop Maci te verbijsterd was om überhaupt nog iets te kunnen zeggen.

347

'Daar is ze, zo echt als maar kan!' zei Tennie, terwijl ze haar kneep alsof ze zich ervan wilde vergewissen dat ze echt van vlees was, en kuste haar weer.

'We hebben op je gewacht,' zei mevrouw Woodhull.

Mevrouw Woodhull is een prachtige en rechtschapen vrouw, een dame die door geesten wordt vereerd. Er is hier een groot plein naar haar en haar schitterende zuster genoemd. Er zijn reusachtige beelden gemaakt—zie je ze voor je?—van kwikzilververlangen. Ze staan met de ruggen tegen elkaar, reuzinnen die met extreem scherpe blik over heel Zomerland uitkijken. Iedereen zwoegt hier onder een last van enthousiasme voor mevrouw Woodhull, maar haar levende zoon is eigenlijk belangrijker dan zijzelf, en het kleine plantsoen dat naar hem is genoemd is weliswaar erg fraai maar doet geen recht aan zijn vooraanstaande positie.

Verbaast het je dat de doden monumenten bouwen voor de levenden? Zuster, heel Zomerland is bezaaid met dergelijke monumenten. We bezoeken ze, zoals jullie die van jullie bezoeken, om ons te herinneren en te rouwen.

Het was een buitengewone ontvangst. Mevrouw Woodhull zei dat ze had geweten dat Maci naar New York zou komen, en liet doorschemeren dat haar leidgeest, Demosthenes zelf, had beloofd haar af te leveren, maar Maci geloofde liever dat mevrouw Woodhull haar had verwacht en haar zo warm verwelkomde omdat ze ervan overtuigd was dat *Woodhull en Claflin's Weekly* enthousiaste jonge vrouwen wel onvermijdelijk haar kamp in moest trekken.

Ze drong erop aan dat Maci haar gast zou zijn en nam haar mee naar een prachtig huis aan Thirtyeighth Street, waar Maci een kamer naast die van Tennie op de eerste verdieping kreeg. Tennie was bijna precies even oud als Maci; hun verjaardagen lagen slechts een week uit elkaar. 'We zijn bijna een tweeling,' zei Tennie, overtuigd dat het niet anders kon of ze zouden de beste vriendinnen worden. Tennie leek in zekere zin op juffrouw Suter, met dit verschil dat juffrouw Suter bij Maci altijd de indruk had gewekt een leugenares te zijn, terwijl Tennie goudeerlijk was. Het was ongetwijfeld een volgende bestraffing dat Maci zich aan toegewijde spiritisten had uitgeleverd. Toch misten deze dames de eigenschap van angst die Maci bij juffrouw Suter had gevoeld. Ze verscholen zich niet achter hun geloof om te ontsnappen aan de wreedheid van de wereld.

Mevrouw Woodhull daagde Maci uit haar te helpen bij de 'afschaffing van hypocrisie en de omvorming van de maatschappelijke sfeer'. Als ze naar haar luisterde ontdekte Maci dat haar waandenkbeelden gemakkelijk over het hoofd te zien waren. Mevrouw Woodhull beweerde wijsheid aan de doden te ontlenen — niet aan hun boeken, waar andere mensen haar vandaan haalden, maar aan directe persoonlijke gesprekken. Toch wilde dit niet zeggen dat ze geen boeken las. Gedurende het hele diner praatten ze over *Woman in the Nineteenth Century*. Mevrouw Woodhull had een knipselboek waarin zeventien bladzijden door artikelen van Margaret Fuller werden ingenomen. De hele avond zaten zij en Maci op een studeerkamer op de tweede verdieping onder een koepel van groen glas te praten. Maci biechtte haar plan op iets heel groots te schrijven — een verdediging van *Vindication* van Mary Wollstonecraft. 'Al die glasheldere waarheden, meer dan honderd jaar geleden geschreven,' zei Maci. 'Ik bekijk de wereld om me heen en het is alsof ze nooit ook maar een kik heeft gegeven.' Ze bracht haar kritiek op Catharine Beecher ter sprake en zei dat ze van plan was ieder argument te ontleden en weerleggen dat ze in druk kon vinden waarin ook maar iets anders werd bepleit dan dat vrouwen de absolute zeggenschap over hun eigen leven moesten hebben.

'Ja, ja,' zei mevrouw Woodhull opgewonden, en gaf een parafrase op gravin Ossoli ten beste. 'Ik wens het geboorterecht van alle vrouwen te verdedigen, hun te leren wat ze moeten eisen, en hoe ze datgene wat ze binnenhalen moeten gebruiken.' Toen geeuwde ze. Het liep tegen middernacht.

'Misschien hebben we voor één avond genoeg gepraat. Morgen hebben we werk te doen.' Tijdens het diner had ze Maci zonder verdere discussie als assistent-redactrice van haar *Weekly* aangesteld. Het was opwindend werk te hebben, maar Maci beheerste zich, huilde niet en giechelde niet van blijdschap, maar knikte alleen sereen en zei: 'Ik ga graag op uw genereuze aanbod in.'

Tennie bracht Maci naar haar kamer. Het huis van mevrouw Woodhull was zo groot dat ze dankbaar was voor een gids, omdat ze zeker wist dat ze tussen al die trappen en in die gangen vol deuren verdwaald zou zijn. Maci was moe, maar Tennie was nog niet bereid haar haar slaap te gunnen. Maci zat op een kruk in Tennies kamer, waar prominent in een hoek een zijden tent pronkte. 'Mijn Turkse hoek,' noemde Tennie het. 'Als we elkaar wat beter kennen, neem ik je daar mee naar binnen en zal ik je vertrouwelijke zaken vertellen.' Ze wilde nu het silhouet van Maci overtrekken, om bij een verzameling te voegen. Maci zat heel stil in de verduisterde kamer terwijl Tennie haar schaduw overtrok op een vel papier dat op de muur was geprikt. Op de muur ertegenover hing een tiental andere silhouetten, ingelijst en in nette rijen opgehangen. 'Daar zijn ze,' zei Tennie, toen ze zag waarnaar Maci zat te kijken, 'de rest van de familie.'

'Ik heb echt nogal slaap,' zei Maci.

'We zijn er bijna,' zei Tennie, en vloekte op de kaars toen deze begon te flakkeren. Toen ze klaar was had ze de beverige contouren van Maci's gezicht met wit krijt op zwart papier getrokken. 'Zo,' zei ze. 'Ik laat geen tijd verloren gaan om deze te krijgen. Laten we ons nu klaarmaken om naar bed te gaan.' Ze graaide naar Maci, maakte knopen en linten los, ook toen Maci probeerde haar handen af te weren.

'Dat doe ik graag zelf.'

'Onzin!' zei Tennie. 'Daar heb je een zuster voor.' Toen ze beiden in hun ondergoed stonden zag Maci dat Tennie iets droeg wat ze nooit eerder had gezien: een combinatie van hemd en broekje.

'Vind je dat leuk, dat broekhemd?' vroeg Tennie, zich omdraaiend zodat Maci het goed kon bekijken. Maci knikte omdat ze het inderdaad leuk vond, en ze kreeg er meteen een cadeau uit de kast van Tennie.

Nadat ze Maci's en haar eigen haar in lappen had opgebonden zodat de krul erin zou blijven begon Tennie aan de bereiding van haar nachtcrème, die ze, zei ze, iedere avond vers aanmaakte volgens een recept van haar moeder. De huid van een dame bleef er soepel van en bovendien verdreef het kwade geesten. Maci keek toe terwijl Tennie witte was, amandelolie en cacao in gelijke hoeveelheden in een blauw porseleinen kommetje door elkaar mengde. Tennie smeerde het met een kwastje van sabelbont op Maci's gezicht en deed hetzelfde met haar eigen gezicht.

'Nu gaan we even bonken,' zei ze. 'Daar slaap je goed van.' Ze pakte Maci's handen en sleepte Maci het bed op. Toen begon ze op en neer te springen. Toen Maci maar een beetje stond te hippen zei Tennie dat ze echt moest springen. Maci's in lappen ingesnoerde haar klapperde in haar ogen.

'Nu ben ik moe!' zei Tennie. 'Ben jij ook moe?'

'Totaal.'

'Goed, als je moeite hebt in slaap te komen, als je vannacht wakker wordt omdat je je geagiteerd voelt, mag je een ritje op mijn pony maken.' Tennie wees op een hobbelpaard dat groot genoeg was voor een volwassene, met een lap rode zijde over het zadel. 'Die kerel is voor ons samen. Sterker nog: alles in deze kamer is voor ons samen.' Ze opende de deur tussen hun kamers en duwde Maci erdoor. Iemand had haar dekens al opengeslagen en haar kussens opgeschud. 'Slaap lekker, zuster!' zei Tennie. Ze draaide het licht uit en trok zich terug in haar kamer. Ze deed de deur slechts halfdicht.

Maci lag, ruikend als een makroon, in haar nieuwe bed. Het klopte dat ze moe was, maar ze kon niet slapen. Ze lag wakker, kijkend naar de opbollende witte vormen van de gordijnen die bewogen op de wind. Haar linkerhand tintelde, bewoog zich op en neer over het bed als een rondscharrelende krab en kneep in de huid van haar buik. 'Hou op,' zei ze, maar hij wilde niet ophouden. Er stond al een bureau op haar kamer, alsof er rekening was gehouden met haar kwaal. Ze draaide het licht op en ging zitten.

Had ik je niet gezegd dat ze al op je wachtten?

'Waarom nu?' vroeg ze. 'Waarom heb je me eerst een veilig gevoel gegeven voordat je met deze kwelling begon?' Als haar hand had gerebelleerd toen rebellie nog een vaak voorkomend verschijnsel was geweest, vijf jaar of langer geleden, dan was ze er misschien beter op voorbereid geweest het de kop in te drukken, was ze misschien sterker en bekwamer geweest in deze confrontatie. Ze was verzwakt door zelfgenoegzaamheid, en toen ze nadacht over de heel prettige tijd die ze die dag met mevrouw Woodhull had doorgebracht werd ze bang dat het maar een kwestie van dagen zou zijn voordat ze zou bezwijken voor waandenkbeelden en zichzelf tot Apostel van de Linkerhand zou uitroepen.

De sluier was dik, de muren waren hoog. Binnenkort is het werk af en dan, Zuster, zullen we weer bij elkaar zijn. Wat is er toch met je aan de hand dat je alleen maar in wanhoop gelooft en hoop ziet als de enige troost die de zwakken de zwakken bieden?

Op die vraag had ze geen antwoord. Ze stond op van het bureau, hoewel ze de pen nog in haar hand had, en ging weer in bed liggen. Toen de pen op de mooie lakens van mevrouw Woodhull begon te schrijven negeerde ze hem, maar de volgende ochtend zag ze de boodschap, vlekkerig geworden door haar woelende lichaam: *Niet gek, helemaal niet.*

Benjamin Franklin is hier. Thomas Jefferson is hier. Vergilius is hier—het zit hier stampvol deugdzame heidenen. Over de Hemel en Zomerland zegt men dat iedereen hier is en iedereen hier zal zijn. Maar er is verandering op til. We willen van het hier en daar één enkele plaats maken, een huwelijk sluiten tussen Hemel en Aarde. Probeer je het eens in te denken, een wereld vrij van het onderscheid dat

door de dood wordt aangebracht, waar onsterfelijken ster-
felijk zijn en sterfelijken onsterfelijk. Wat een glorieuze
verbintenis! Moeder is hier, en ze verlangt nog steeds naar
bonen. Margaret Fuller is hier. Ze ziet je en houdt van je.

In september had Maci haar draai gevonden in het kantoor
van de *Weekly* aan Park Row. Ze ging bijna geheel schuil
achter de hoge stapels dag- en weekbladen die uit alle delen
van het land kwamen en op haar bureau belandden. Ze was
op het idee gekomen voor de lezeressen van het weekblad
stukjes over vrouwen uit te knippen en af te drukken. Ze had
al een aardige kleine verzameling: *Juffouw Hoag pionier-eer-*
stejaars aan Northwestern University; juffrouw Amy M. Brad-
ley tot Onderwijsinspectrice van New Hanover County in
North Carolina benoemd; juffrouw Louisa Stratton uit Johnson
County in Iowa daagt iedere man in de staat voor een ploeg-
wedstrijd uit en stelt voor een ploeg met twee paarden te ge-
bruiken.

'Ben je daar?' vroeg mevrouw Woodhull, over een toren
van papier heen kijkend die tot haar neus reikte.

'Ja,' zei Maci.

'Ik wil hier je mening over weten.' Mevrouw Woodhull
overhandigde haar een bundel papier en liep weg. Maci leunde achterover in haar stoel en las wat haar was overhandigd.
Het was een korte verhandeling over het Veertiende Amendement. Gesteld werd dat het duidelijk de behoefte deed ge-
voelen aan een Zestiende, waarvoor moedige dames als mevrouw Stanton en juffrouw Anthony zonder succes campagne
hadden gevoerd. Omdat vrouwen staatsburgers waren werd
hun door het Veertiende Amendement al het kiesrecht gega-
randeerd. Het enige dat ze nog hoefden te doen was dit recht
daadwerkelijk op te eisen. Het was een briljant en heel simpel betoog. 'Het klopt helemaal,' zei Maci tegen mevrouw
Woodhull toen deze bij Maci's bureau terugkeerde. 'Wat een
elegante, heldere oplossing. Geen wonder dat er zo lang niemand op dit idee is gekomen.'

'Dus je geeft het toe?' vroeg mevrouw Woodhull. 'Je geeft toe dat ik dingen zie die niemand anders ziet?' Maci lachte.

'Alleen deze keer, mevrouw Woodhull.' Maci hield vol dat Demosthenes daadwerkelijk bij hen aan tafel zou moeten komen zitten voordat ze in hem zou geloven. Mevrouw Woodhull hield altijd een plaats voor hem vrij aan tafel, met een glas wijn waaruit haar dronken zuster Utica slokjes stal. Maci hield al haar eigen onmogelijke vreemde eigenschappen geheim. Ze vertelde niet dat haar dode broer haar hand leidde. Het was niet goed om dit te vertellen, want als ze het vertelde zou dat betekenen dat ze dezelfde waandenkbeelden had als zij, dat ze haar eigen krankzinnigheid accepteerde en een respectabiliteit toekende die ze haar liever niet gaf.

Mevrouw Woodhull was geneigd in het openbaar dwaze uitspraken te doen: ze hield een erudiet betoog over de politiek van de antieke Egyptenaren en maakte zich vervolgens belachelijk door te zeggen dat ze het allemaal direct uit de etherische mond van Demosthenes had vernomen. Maci vroeg zich af hoeveel meer die vrouw nu al had kunnen bereiken als ze maar over een paar selecte onderwerpen haar mond had kunnen houden. Het was echter ook mooi hoe ze hypocrisie haatte, dat ze niet bereid was te liegen, zelfs niet door iets te verzwijgen, maar dat ze altijd de hele waarheid vertelde, zoals zij die zag. Ze was net als haar weekblad, verheven en een tikkeltje lachwekkend. Ze gaf Maci opdracht een aandelenzwendel uit te zoeken en vroeg haar de dag erop dan onder de naam Flor de Valdal een vervalste brief vol praatjes over mode en roddels uit Parijs te schrijven. Politiek gezien moest ze echter serieus worden genomen, en enkele machtige mannen namen haar ook serieus.

Op een feest in september 1870 wandelde Maci in de stortvloed van rozen in de salons van mevrouw Woodhull rond, pratend met Benjamin Butler, iemand van wie ze nooit had kunnen dromen dat ze hem ooit zou leren kennen. Ze wachtten om Stephen Pearl Andrews een eerbewijs te brengen. Hij had Maci, toen ze aan elkaar waren voorgesteld, gevraagd hem professor Pearlo te noemen en een uur gepraat over zijn overtuiging dat er nog voor de dageraad van de twintigste eeuw een trans-Saharaspoorweg zou worden aangelegd die het zware bestaan van de kamelen zou verlichten.

'Het huwelijk is volgens mij voor een intelligente jonge vrouw de ondergang,' zei meneer Butler op het feest. 'Energie die aan verbetering van de wereld had kunnen worden besteed wordt verknoeid aan de jacht op een echtgenoot.'

'Maar mevrouw Woodhull is getrouwd,' zei Maci.

'Ja, en heel wat veelomvattender dan de meesten. Maar zij is een geval apart.'

'Ik geloof dat ik het met u eens moet zijn,' zei Maci. *Je bent verliefd op haar*, had haar hand beschuldigend geschreven. 'Ik bewonder haar,' had ze gereageerd, en was dat trouwens niet redelijk? Als een vrouw met niets begon, in een bouwvallig hok in een plaatsje dat Homer heette, en in de loop van tien jaar aandelenmakelaar, uitgeefster, schrijfster en kandidate voor het presidentschap werd, mocht ze dan geen aanspraak maken op een beetje bewondering?

'Soms,' zei meneer Butler, 'denk ik dat er ten tijde van haar geboorte iets vreemds in de hemel is gebeurd en dat haar lichaam een mannelijke ziel toebedeeld heeft gekregen.' Hij was inderdaad buitengewoon lelijk.

'Ja,' zei Maci. 'Dat is toch gemakkelijker te geloven dan dat ze een vrouwelijke ziel heeft en toch een groter doel in het leven dan alleen maar de behoeften van een man te bevredigen?'

'Tja,' zei meneer Butler. Hij stak zijn hand uit naar een dienblad op een tafel en pakte een paar worteltjes, even klein en dungesneden als de vingers van een baby. Hij stak ze met handenvol tegelijk in zijn mond en keek op zijn gemak, alsof hij over een antwoord nadacht, in het vertrek rond terwijl Maci over zijn schouder naar Tennies vriend dokter Fie keek, nog een man die ze vanavond had beledigd. Haar gedachten dwaalden af naar de geslaagde jonge zoon van mevrouw Woodhull, een jongen die al zo vroeg succes had geboekt in de geneeskunde dat hij zich nu een huis kon veroorloven dat nog groter was dan dat van zijn moeder. Maci had hem een- of tweemaal gezien, klein en schuw, altijd in het gezelschap van dokter Fie.

'Ah,' zei meneer Butler toen de deurbel klonk. 'Daar is meneer Andrews.' Hij bood haar zijn arm om met haar naar de drom mensen te lopen die zich bij de deur had gevormd, maar Maci maakte hem duidelijk dat ze heel goed in staat was zonder hulp het vertrek over te steken.

Als de vrouw in staat is een moeder te zijn voor degenen die de wetten van volkeren opstellen, als ze in staat is de geest van jongeren tot op rijpe leeftijd te trainen en hun fysieke, maatschappelijke en intellectuele lot vorm te geven, dan is ze zeker in staat deel te nemen aan het politieke leven. De dood heeft ons allen gelijk gemaakt, Zuster. Coke en Blackstone (die hier ook zijn!) zeggen het ook: iedereen is gelijk in de dood, en als de doden weer zullen leven zullen ze volmaakte gelijkheid mee terugnemen, die de aarde zal overspoelen.

In januari 1871 schreef Maci een brief aan tante Amy, de verstandigste mens die ze kende.

Tante, ik weet wat ik geloof. Ik weet wat dwaas en wat verstandig is. Ik ken de symptomen van krankzinnigheid en ik weet dat ik er boordevol mee zit. Ik weet dat ik in uw ogen heel onverwachts ben weggelopen om me in een hoofdstad van het verderf bij de gemeenschap van Vrije Liefde aan te sluiten, en dat dit een vreemde beloning moet lijken voor uw generositeit. Begrijpt u echter alstublieft dat ik iedere dag opsta en aan het werk ga. Ik krijg vaak heel laat in de avond ideeën. In een bestek van drie dagen zie ik ze afgedrukt en nog eens drie dagen later zijn diezelfde woorden, die late-avondgedachten van me, in twintigduizend exemplaren over het hele land verspreid; een paar exemplaren gaan naar Groot-Brittannië en Frankrijk, en één—kunt u het geloven?—naar Sint-Petersburg. En, tante, mevrouw Woodhull zal nog komende week het Congres een memorandum aanbieden. Kunnen uw jurken u nog bevrediging schenken, kan de nagedachtenis van uw man u nog tevredenstellen als er iets dergelijks staat te gebeuren? Krankzinnig of bij mijn volle verstand, waar kan ik anders zijn dan bij haar? Ik weet dat u zich zorgen over me maakt. Ik weet dat u het een schandaal vindt dat ik me met zo'n vrouw afgeef. Ik weet dat u denkt dat de waanzin me heeft opgeslokt zoals hij uw zuster heeft opgeslokt, dat mijn familie nu dan eindelijk volledig ten onder is gegaan. Ik beloof u echter, tante, dat mijn hand kan babbelen wat hij wil, maar dat ik hem nooit zal geloven. Ik zal nooit bezwijken voor dat heerlijke geloof dat de doden niet dood zijn, want het lijkt me duidelijk dat dit geloof voor hen de meest verschrikkelijke ontering betekent; als we het feit dat ze verloren zijn gegaan tot niets reduceren reduceren we henzelf tot niets, en toegeven aan waanzin om jezelf de rouw om hen te besparen is het werk van een lafaard. Ik ga voorwaarts, tante, zo radicaal en verstandig als ik durf.

Maci verstuurde deze brief, en andere die ze schreef, nooit. Het deed haar soms genoegen zich voor te stellen hoe tante Amy tobde over de verdwijning van haar nicht, maar ze wist dat het niet waarschijnlijk was dat tante Amy over haar zou tobben. Zodra ze had beseft dat Maci verdwenen was zou tante Amy eerst boos zijn geweest, daarna opgelucht en daarna zijn teruggezakt in de troost van de dagelijkse sleur die door Maci's verdwijning even onderbroken was geweest. Maci maakte een bundeltje van de brieven en stopte ze weg in een volgend kistje van rozenhout, haar vierde, dat evenals de andere propvol zat met foto's en correspondentie.

Maci reed met mevrouw Woodhull mee om bij haar te zijn als ze haar memorandum aanbood. Het was de eerste keer dat Maci in Washington was. 'Mevrouw Woodhull,' zei ze, uit het raam van het rijtuig kijkend toen ze op weg naar hun hotel langs het huis van generaal Grant kwamen, 'als u president bent zult u in die grote witte schuur moeten wonen.'

'Niet als ik de hoofdstad naar New York verplaats, ster van me.' Dit was mevrouw Woodhulls koosnaampje voor Maci; het was geïnspireerd door het pseudoniem, Arcturus, waaronder Maci haar artikelen schreef en daarnaast door een zekere spirituele straling die, zo beweerde ze, om het lichaam van Maci hing, vooral als haar hoofd tolde van de ideeën. Soms, als ze tot diep in de nacht samen in het huis aan Thirtyeighth Street zaten te werken, schermde mevrouw Woodhull opeens haar ogen voor Maci af en zei: 'O, je schijnt te fel, te fel!'

Maar mevrouw Woodhull was degene die die januaridag het kleine vertrek in het Congres in vuur en vlam zette. Ze had het weinig omvangrijke publiek volledig in haar greep met haar lucide betoog. Gedurende de hele toespraak bewogen Maci's lippen – zij en mevrouw Woodhull hadden er zo dikwijls op geoefend dat Maci hem uit haar hoofd kende. Maci voelde grote bevrediging toen ze rondkeek in het vertrek en de betoverde, aandachtige gezichten van al die machtige mannen en reusachtige vrouwen zag. Alleen de zoon van mevrouw Woodhull, de jonge dokter Woodhull, maakte inbreuk op de totale aandacht. Hij had een kind mee naar binnen genomen, een bleek jongetje dat Pickie heette, waarvan hij beweerde dat hij het een paar weken daarvoor in de sneeuw in Madison Square Park had gevonden.

De jongen liet iedere keer dat dokter Woodhull hem iets toefluisterde een gegiechel horen. Een journalist die naast hen stond maakte sissende geluiden, maar werd genegeerd. Zelfs meneer Whitman, die, naar Maci had begrepen, een nog grotere vriend van dokter Woodhull was dan dokter Fie, lukte het niet hen stil te krijgen. Het maakte niet veel uit dat ze daar stonden te fluisteren en giechelen – niemand liet zijn aandacht van mevrouw Woodhull afleiden – maar Maci vond het een schande dat haar eigen zoon op een dergelijk hoogtepunt in haar bestaan van zo weinig respect getuigde. Het ergerde Maci dat hij zich niet als haar zoon gedroeg, dat hij geen respect voor haar toonde, dat hij geen blijk gaf van affectie. Maci's moeder was gestorven aan een veel minder verheven waanzin dan die van mevrouw Woodhull; haar vader zat nutteloos op een klif in Rhode Island weggestopt. Ze wilde het lot herschikken, ze wilde ouderruil met hem plegen, en dan zou ze nog eens zien of hij niet waardeerde mevrouw Woodhull als moeder te hebben. Ze wilde hem in ieder geval eens apart nemen om hem de mantel uit te vegen. 'Weet u niet,' zou ze zeggen, 'dat uw moeder een buitengewone vrouw is?'

Toch had hij iets wat haar afstootte. Tennie omschreef hem als ernstig geëlektriteerd en onthulde Maci, alsof het een kostbaar geheim betrof, dat hij en meneer Whitman twee polen van een liefdesmagneet waren. Maci wist niet wat dit betekende, en wilde het ook niet weten, maar ze vroeg zich soms af of er geen vreemde kracht in hem school. Iedere keer dat ze bij hem in de buurt kwam, tijdens de zeldzame gelegenheden dat hij een bezoek aan het huis van zijn moeder bracht, voelde ze zich afgestoten door iets wat op paniek leek. *Hij is de Magiër*, schreef haar hand. *Hij werkt om ons terug te halen. Wat een feest zouden we hier hebben als je alleen maar met hem wilde praten. Ik zeg je, er zou een optocht worden gehouden! Zuster, hij heeft je hulp nodig.*

'Bij het kammen van zijn haar misschien,' antwoordde Maci, want zijn haar zat altijd in de war.

Nadat zijn moeder haar memorandum had aangeboden sprak Maci, gedreven door haar woede, de jonge dokter Woodhull tenslotte aan. Ze vond hem voor het Capitool, waar hij stond te kijken hoe meneer Whitman met die jongen, Pickie, in de sneeuw speelde. Ze stond achter hem terwijl hij tegen een stenen balustrade leunde, en haalde diep adem om iets tegen hem te roepen. 'Hoe durft u!' wilde ze zeggen, waarna ze hem met een bombardement van razernij zou overvallen. Ze ontdekte echter dat ze toch niet tegen hem kon schreeuwen. Ze liet de lucht die ze had opgezogen weer ontsnappen, waardoor het geluid dat ze maakte als een zucht klonk.

Dokter Woodhull richtte zich op en draaide zich om, keek haar een moment recht aan en draaide zich toen weer om om naar zijn vriend en zijn beschermeling te kijken. Hij zei niets en deed een stap opzij om ruimte te maken, zodat ze naast hem kon komen staan. Hij begon een bal te maken van de sneeuw op de balustrade. Maci keek in de verte naar meneer Whitman en de jongen, die om het ridicule standbeeld van generaal Washington stoeiden. De jongen klom op het beeld, waarbij hij sneeuw van de schoot van Washington in het gezicht van meneer Whitman schopte. 'Jij deugniet!' zei meneer Whitman. Maci vergat haar woede en lachte naar hen.

'Toen ik een kind was,' zei ze, 'ontdekte mijn kindermeisje een exemplaar van *Leaves of Grass* in mijn bed en gaf me er een klap mee. Ze zei dat het een stout boek was en dat ik een stout kind was dat ik het las.' Dokter Woodhull deed iets met zijn gezicht—het kon een glimlach maar ook een grimas zijn geweest. Hij overhandigde haar een volmaakt gevormde sneeuwbal en legde toen zijn handen over zijn buik.

'Voelt u zich niet goed?' vroeg Maci.

'Jawel,' zei hij. 'Vertelt u Walt nooit dat u met zijn boek bent geslagen. Hij zou er verdrietig van worden.' Hij keek even naar haar schoenen, schraapte zijn keel, snoof de koude lucht op. 'Daar,' zei hij, over het terrein heen naar een gebouw aan de overkant van Second Street wijzend. 'Wist u dat ze daar mevrouw Surrat hebben opgehangen?' Voor ze antwoord kon geven rende hij weg om mee te spelen. Maci keek naar haar sneeuwbal en bedacht dat ze nog nooit in haar leven iets had gezien wat zo volmaakt rond was. Ze vond het jammer hem kapot te maken, maar toch gooide ze hem tegen de muur van het Capitool, fantaserend dat het een volmaakte bal van vuur was, niet van ijs, een bal die het gebouw in lichterlaaie zou zetten en de oude orde zou vernietigen, zodat zij en mevrouw Woodhull hem beter en rechtvaardiger weer konden opbouwen. De sneeuwbal gedroeg zich vreemd, stuiterde ongeschonden terug op de vloer van het terras, waar hij in een wolk sneeuw ontplofte.

Ze keek nog een tijdje naar de drie spelende figuren, tot meneer Whitman stil bleef staan en een strakke blik in haar richting wierp. Ze dacht even dat ze naar hem moest zwaaien, maar dat leek een al te familiaar gebaar jegens een vreemde, dus draaide ze zich om en liep weg.

Ik heb je gezien. De sluier is dik, maar maakt het zicht niet onmogelijk. We zien je allemaal. We zien alles van je. We zien hoe je je kleren verscheurt en aan je haar rukt omdat we er niet zijn. Je bent kapot omdat we niet bij je zijn, maar bedenk je ooit wel eens dat wij kapot zijn omdat jij niet bij ons bent? Denk je ooit wel eens na over ons verdriet? Zelfzuchtig, zelfzuchtig! O, Zuster, zie je nu hoe weinig er op aarde met de doden wordt meegeleefd?

Er was na de dood van Rob een periode geweest dat Maci met loshangend haar en een gescheurde jurk in het huis van haar tante had rondgedoold, waarin ze rouwrituelen had geleend en er zelf enkele had bedacht—spiegels afdekken en eten voor haar broer klaarzetten, urenlang in het halletje staan voor het geval een spirituele postbode heel zacht zou aankloppen met een brief van hem, iedere nacht voor hem bidden—de Heer zegene hem en houde hem eeuwig in het licht, en laat hem morgen alsjeblieft weer leven. Ze lag in bed tevergeefs te wachten tot de slaap kwam en dan rolden er taferelen uit hun leven aan haar ogen voorbij—ze verstopten zich onder het bed van tante Amy als deze op bezoek kwam in hun huis aan Mount Vernon Street, en pakten haar tenen vast als ze voorbereidingen trof om te gaan slapen, ze trokken de hond kleren aan; ze leerden de kat zwemmen in de badkuip. In de loop van maanden liet ze hun hele leven de revue passeren en ging terug in de tijd tot haar kleine droomboot op een allervroegste herinnering schipbreuk leed. Ze was twee jaar oud en deed een dutje onder de piano—een plek waar ze tot haar zevende dol op was—toen Rob binnenkwam en haar wakker maakte. 'Opstaan, jij,' zei hij. Hij was toen nog onaardig omdat hij enig kind had willen blijven. Hij had niet om een zusje gevraagd en aanvankelijk gehoopt dat ze zonder al te veel poespas gewoon weer zou verdwijnen. Ze wist nog dat ze zijn stem hoorde, daarna haar ogen opendeed en hem zag, en omdat het haar vroegste herinnering was leek het haar soms dat hij, en niet hun ouders, haar op de wereld had gezet, dat ze het leven had betreden op de klank van zijn stem. In de weken en maanden na zijn dood dacht ze na over dergelijke vreemde ideeën. Toen had ze geloofd dat waanzin een zegen zou zijn. Het zou beter zijn voortdurend aan bonen te denken dan aan hem in zijn laatste ogenblikken, dan te denken aan de wond in zijn keel, zuigend en fluitend, bij iedere ademtocht een fontein van bloed uitbrakend.

Maar ze was niet gefascineerd geraakt door bonen, noch door rozen of parkieten of door de patronen van de nerf in een houten vloer, hoewel ze zich erg had verdiept in al deze dingen en zich ervoor had opengesteld, ze had uitgenodigd haar te komen domineren. Ze had echter een paar maanden haar haar strak gedragen, de scheur in haar jurk genaaid en haar acute ellende voor iets verstandigers en minder uitputtends ingeruild: een wreed en hard soort wijsheid, die luidde dat mensen nu eenmaal sterven en dat je daar niets tegen kunt beginnen. Het is het grootste onopgeloste geheim—dat de dood iedereen zal nemen, dat iedereen vluchtig is als een schaduw. De erkenning van deze wetenschap was, zo ging ze langzaamaan beseffen, de manier waarop verstandige mensen hun verdriet te boven kwamen, en ze bedacht dat deze wetenschap haar heel behoorlijk van dienst was geweest zolang ze haar hersens bij elkaar had gehouden. *Ik ben het ik ben het ik ben het*, schreef haar bedriegershand die hele winter, en die hele winter antwoordde ze: 'Hoe durf je dat te zeggen?'

En de hele winter had ze afschuwelijke dromen. De jonge dokter Woodhull speelde er een rol in, iemand die expliciet niet welkom was in haar slapende geest. Ze lag dan wakker, bang voor de slaap zoals toen ze een klein meisje was geweest, toen er uit de afgronden van haar geagiteerde brein altijd nachtmerries waren opgedoken. 'Vannacht niet,' had ze dan gefluisterd, biddend om een droomloze slaap, of in ieder geval om het soort dromen waar ze altijd van genoot, waarin ze de scheuring tussen de New Yorkse en Bostonse factie van de Beweging Voor Vrouwenkiesrecht ongedaan maakte of waarin de grote handen van soldaat Vanderbilt zich steeds weer om haar middel sloten.

Ondanks haar gebeden bleek ze in de maanbeschenen boomgaard te staan, tot haar enkels in rottende afgevallen appels en peren. Ze keek dan omhoog en zag een kinderjurkje in de takken van een perenboom wapperen. Dokter Woodhull stapte uit een poel van duisternis. 'Het is een schande,' zei hij, terwijl hij zijn hand op haar schouder legde, 'hoe het moet verdwijnen. Zelfs iets wat zo mooi is als dit.' Hij hield haar borst in zijn beide handen, tilde hem op alsof hij hem wilde inspecteren en terwijl ze toekeek kreeg haar borst de kleur van as. Zijn aanraking was eerbiedig, maar liet overal paarse rottingsplekken achter in de vorm van zijn hand.

'Niet veel ruimte om je om te draaien hier, hè?' vroeg hij haar in een andere droom. Ze lagen samen in een lijkkist die, als alle lijkkisten, voor slechts één persoon was bedoeld. 'Waarom maken ze ze niet groter? Mensen sterven toch ook niet altijd één voor één?'

In een andere droom, de ergste, stond Maci samen met hem in de doodskist van haar moeder te kijken. Louisa Trufant was volledig weggeteerd. Door haar dieet van bonen verschrompeld tot botten, pezen en huid. Haar haar was echter dik en glanzend, zoals het tijdens haar leven nooit was geweest. Ook terwijl Maci stond te kijken groeide het door, vulde het de hele kist tot haar moeder er in leek te baden, en het maakte inderdaad een geluid van stromend water terwijl het uit haar hoofd kwam. 'Kijk,' zei dokter Woodhull tegen haar. 'Kijk naar haar. Blijf kijken. Als je volhoudt, zal ze je een geheim verraden.'

Maci werd dan wakker, met haar ene hand haar snikken smorend terwijl de andere haar door de kamer naar het bureau trok. *We zijn wezens, net als jij*, schreef hij, *allen gemaakt van verdriet en verlangen, alleen duizend keer meer. We delen hier verlangen als water. Zuster, weet je hoe je wordt gemist door mensen die je niet eens kent? We willen terugkeren. Alsjeblieft, we willen terugkeren.*

In april 1871 ging Maci met Tennie mee naar Washington Place 10, het huis van meneer Vanderbilt. Maci had aan een stuk voor de *Weekly* gewerkt, een artikel ter ondersteuning van de weduwe van de heer Lincoln. *Mevrouw Lincoln*, schreef ze, *is afgewezen op de rechtsgrond dat de weduwe van de vermoorde president niet van de honger dreigt om te komen. We voelen weinig voor pensioenen uit de openbare middelen. Iedere oprechte arbeider is evenzeer een dienaar van de staat en weldoener van het publiek als welke naar behoren benoemde ambtenaar dan ook. In geval van een ongeluk of een plotseling overlijden ontvangt de weduwe of het kind van de arbeider geen steun van de Staat. Maar als er een principe is in de zin van dankbaarheid van het publiek of een andere wijze om deze in de vorm van een pensioen of een andere geldelijke uitkering haar beslag te laten krijgen, dan is de weduwe van Abraham Lincoln de aangewezen vrouw om deze in ontvangst te nemen – haar echtgenoot gedood vanwege publieke plichtsbetrachting met een staat van dienst die geen enkele ruimte laat voor een vermoeden van zelfzucht – als op grond hiervan al geen aanspraken kunnen worden gemaakt op de rijkdommen van de natie, op welke gronden dan wel?*

Het was typerend voor de nieuwe richting die mevrouw Woodhull was ingeslagen. Ze maakte de arbeidersbeweging al maandenlang het hof en had Maci opdracht gegeven artikelen te schrijven waarin ze zich gunstig over deze beweging uitliet. Maci probeerde haar zo goed mogelijk van dienst te zijn, maar merkte altijd dat ze in de artikelen die ze schreef de doelstellingen van de arbeidersklasse tot de hare maakte maar deze tegelijkertijd ook verwierp. Maci vond het onverstandig dat de *Weekly* de communisten om de hals viel. Ze probeerde dit mevrouw Woodhull duidelijk te maken, maar deze hield koppig vast aan haar overtuiging dat communisten, evenals de aanhangers van vrije liefde en spiritisten, allen fatsoenlijke en rechtschapen en goede mensen waren.

Het artikel begon Maci net hoofdpijn te bezorgen toen Tennie langskwam en aanbood haar mee te nemen naar de commodore, een weldoener en heel goede vriend. Tennie had Maci al eerder aangeboden haar naar zijn huis mee te nemen, maar Maci had altijd nee gezegd omdat ze zeker had geweten dat het heel ongemakkelijk zou zijn op bezoek te gaan bij de vader van de man met wie ze in haar fantasie vrijwel getrouwd was geweest. Die aprildag ging Maci echter wel mee omdat de kleine, wonderlijke George Washington Woodhull nog steeds haar dromen binnensloop en daarbij vreemde cadeaus voor haar meenam: een klomp koud ijzer, twee handenvol as, een boeket van gebroken glazen bloemen. Ze wilde hem verdrijven en dacht dat een bezoek aan het huis van Vanderbilt hier nuttig bij zou kunnen zijn.

Haar linkerhand ontkende dat het toeval was en hield vol dat het iets betekende dat Tennie goede maatjes was met de vader van de soldaat. Maci was ervan overtuigd dat de relatie niet helemaal op toeval berustte, maar het was evenmin een magisch arrangement. Mevrouw Woodhull had verteld dat ze commodore Vanderbilt was gaan opzoeken toen ze nog maar net in de stad was aangekomen. Ze had hem adviezen gegeven, die ze beweerde van de geesten te hebben ontvangen, over het toekomstige gedrag van bepaalde aandelen. Hij had haar in natura terugbetaald en op basis van deze eerste beurstips had ze haar fortuin opgebouwd. 'We zijn verwante zielen,' beweerde mevrouw Woodhull over de commodore. Niettemin had hij haar zuster ten huwelijk gevraagd, die hem had afgewezen. 'Het huwelijk is het graf van de liefde,' had Tennie simpelweg gezegd toen Maci had gevraagd waarom ze niet op zijn aanbod was ingegaan. Op Washington Place 10 liet een knipogende bediende hen via een achterdeur binnen en ging hen voor door het huis.

In een studeerkamer vol lege boekenplanken zat meneer Vanderbilt al op Maci en Tennie te wachten. Hij begroette Maci allerhartelijkst, maar werd een stuk koeler toen tot hem doordrong dat ze niet bereid was op zijn schoot te komen zitten. Tennie deed dit wel, en ze rookten van dezelfde sigaar en dronken whiskey. Hun intimiteit was routine en Maci, die nu lachte toen ze bedacht hoe geschokt ze was geweest door het gedrag van haar vader tegenover juffrouw Suter, nam er geen aanstoot aan. Ze deed alsof ze slokjes uit een glas wijn nam terwijl ze meneer Vanderbilt opnam. Ze zocht in zijn gezicht naar dat van zijn zoon, maar vond het er niet. Ze had wel eens gehoord dat een bruid naar de vader van haar echtgenoot moest kijken om te zien met wat voor man ze haar oude dag zou doorbrengen, en terwijl ze naar Tennie en meneer Vanderbilt zat te luisteren, die over de heilzame eigenschappen van sigaren praatten, probeerde ze zich voor te stellen dat ze oud zou zijn met iemand die er zo uitzag: een man met een reusachtige grijze snor, een hard gezicht en haviksogen. Het lukte haar niet. Hij was te grof en grijperig. Het enige dat ze kon bedenken was dat haar broze oude botten en papierachtige huid nooit zijn geknijp en gepor zouden overleven.

'Ik zal je het huis laten zien, Maci,' zei Tennie opeens terwijl ze zich van de schoot van meneer Vanderbilt liet glijden. Ze gaf meneer Vanderbilt een zoen op zijn wang en zei: 'Je vindt het toch niet erg, oude bok?' Ze wachtte zijn antwoord niet af, maar pakte Maci's hand en ging haar voor, de donkere gang in.

'We moeten heel stil zijn,' zei ze. 'Als we Frank wakker maken zouden we daar veel spijt van kunnen krijgen.' Frank was de nieuwe mevrouw Vanderbilt, de dochter van de dame die de nog levende kinderen van meneer Vanderbilt na de dood van hun moeder als aanvaardbare nieuwe echtgenote

naar voren hadden geschoven. Het was de dame met wie hij
genoegen had genomen nadat Tennie hem had afgewezen.
Maci liep achter Tennie aan terwijl deze op haar tenen door
de gang naar een trap sloop, die ze met trage, voorzichtige
stappen beklom, waarbij ze regelmatig stil bleef staan, alsof
ze op onraad was gespitst.

'Waar gaan we heen?' vroeg Maci.

'Naar boven,' fluisterde Tennie. Op de eerste verdieping
liep ze voor haar uit naar een slaapkamer. Ze opende de krakende deur heel langzaam, en nadat ze het gas had opge-
draaid raakte ze Maci's hand even aan en zei: 'Ik dacht dat je
dit wel wilde zien.'

'Waar ga je heen?' vroeg Maci, toen Tennie de kamer weer
uitliep. Maci zou achter haar aan zijn gegaan, maar zodra het
licht helderder werd besefte ze dat deze kamer de kamer van
de vriend van haar broer was. Op een nacht heel laat had ze
in Tennies Turkse hoek haar stompzinnige bedrog opge-
biecht, had Robs portret van soldaat Vanderbilt opengevou-
wen en Tennie was vol lof geweest over de tekeningen en de
man zelf. 'Wat een groot, knap beest,' had ze gezegd, en ze
hadden samen sentimentele tranen vergoten om de geliefde
die Maci nooit had gehad. Maci had zich de volgende dag
diep geschaamd, en omdat Tennie er nooit op was teruggekomen behalve met de vraag of haar vriend dokter Fie niet dezelfde beestachtige afmetingen had als soldaat Vanderbilt,
had Maci gedacht dat ze het allemaal was vergeten.

Maci onderzocht de kamer rustig, na terloops voor zichzelf
te hebben erkend dat ze eigenlijk weg moest zonder iets aan
te raken. De kamer was zoals de bewoner haar jaren geleden
moest hebben achtergelaten, afgezien van zijn uniform, dat
opgevouwen op het bed lag. Er hingen een paar schilderijen
aan de muur, grote olieverfschilderijen van stoomschepen,
afbeeldingen van het bezit van zijn vader. Ze deed een kast
open om zijn kleren te bekijken, reusachtige ongetailleerde
colberts en overhemden met mouwen waar ze waarschijnlijk
met gemak haar hele been in kwijt had gekund. Toen Maci

op zijn bed ging liggen drukte er iets hards tegen haar hoofd dat onder het kussen lag: een bijbel. Ze drukte haar gezicht in het uniform, in de verwachting er zijn geheime, persoonlijke geur te zullen vinden. Hij had het echter al te langgeleden gedragen, en zijn uniform rook totaal nergens meer naar. Met haar gezicht in zijn overhemd peinsde ze dat het erg slecht was geweest wat ze gedaan had—zomaar aan te nemen dat ze vrienden hadden kunnen zijn en hem zich als haar echtgenoot in verschillende huiselijke taferelen voor te stellen. Ze geneerde zich vanwege haar eigen gedrag, zoals ze in het huis van een vreemde rondsnuffelde en aan de kleren van een onbekende rook. En ze geneerde zich omdat ze, hier dan eindelijk in het verlaten bed van soldaat Vanderbilt, dichter bij hem dan ze in dit leven ooit zou komen, maar heel weinig voelde. Ze voelde zelfs helemaal niets, geen liefde, geen verdriet, geen begeerte, alleen maar een grote, lege ruimte, waar geen geest woonde, waar niemand en niets bleek te zijn.

Herinner je je de dag nog dat onze moeder overleed? Herinner je je dat het prachtig, helder en warm was, na twee koude regendagen? Ik moest erdoor aan Pasen denken, omdat ik het nooit met Pasen had zien regenen terwijl het op Goede Vrijdag altijd regende. Er was toen iets wat ik je wilde zeggen, maar net als jij was ik stomgeslagen door verdriet. Ik wilde je vertellen dat ik zo bedroefd was dat ik me voelde alsof ik misschien wel gelukkig was, of verliefd, simpelweg omdat zulke sterke gevoelens op de naïeveling als identiek kunnen overkomen. Ik was machtig van verdriet en ik dacht dat ik erdoor vol zou stromen met kracht. Ik dacht dat mijn handen een geel licht zouden afgeven en dat ik ze uit moest steken om het hoofd van onze moeder aan te raken, ik zou haar terugroepen van de plek waar ze heen was gegaan. Ik voelde me zo machtig. Later dacht ik: Dwaas, je bent nooit machtelozer geweest in je leven. En het leek zo stom te denken dat ik moeder in het leven terug had kunnen roepen, puur door de kracht van mijn verdriet.

Maar Zuster, de lachwekkende dwaling is juist te denken
dat verdriet ons niet terug kan brengen. Je moet me gelo-
ven als ik zeg dat het wel degelijk mogelijk is. Als je maar
meer en beter verdriet had, zouden we nu allemaal bij je
terug zijn. Als je ons maar niet zou vergeten, zouden we bij
je kunnen terugkeren.

Maci had de neiging alle Claflins behalve Tennie aan de
hand van hun kwalijke gewoonten te benoemen, en inwendig duidde ze hen vaak met hun grootste zonden aan in plaats
van met hun naam. De grote, harige Malden Claflin was zo-
doende de Schrokop. De sinistere, eenogige Buck, die Maci
een nacht in haar slaapkamer was komen betasten en aan een
uithaal van haar linkerhand een blauw oog had overgehouden, was Inhaligheid, omdat zijn gierigheid een nog opval-
lender eigenschap was dan zijn geilheid. Juffrouw Utica, die
ieder uur van de dag en de nacht dronken en jaloers was op
haar zusters, was Naijver. De ergste van allen was Anna Claflin, de demonische moeder van mevrouw Woodhull, een dame die een zonde belichaamde waar Maci geen term voor
wist. Het had te maken met een eigenschap van moorddadig-
heid, zo niet in de praktijk dan toch wel wat haar bedoelingen betrof; verder was ze een verachtelijke leugenaar, iemand die onvermoeibaar haatte en die trachtte iedereen in
de omgeving voor zich op te eisen, zelfs vreemden.

'Hoe hebt u het toch zover geschopt met zo'n loden gewicht op uw schouders?' had Maci mevrouw Woodhull gevraagd, omdat ze niet begreep hoe ze dat alles had gepres-
teerd met altijd zo'n koor van beschuldigende stemmen in
haar kielzog.

'Mijn familie is mijn kracht,' had mevrouw Woodhull vol
vertrouwen geantwoord, maar ze hadden haar in mei toch
bijna vernietigd, toen Anna Claflin een aanklacht indiende
tegen kolonel Blood, die ze haatte omdat hij zich een deel van
de liefde van haar dochter had toegeëigend die, naar Anna
vond, haar exclusief toekwam. Mei was de vergadermaand,

de maand waarin je geen krant kon openslaan zonder verslagen te zien van de jaarlijkse bijeenkomsten van een tiental genootschappen en verenigingen. Genootschappen die zich de hervorming of vervorming van de natie ten doel stelden, verenigingen tot heil van straatkinderen, groepen veteranen, amateurs die zich aan de botanische wetenschappen wijdden, de Vereniging Tot Bescherming Van Wezen Van Rivierpiraten—iedereen kwam in mei bijeen. Mevrouw Woodhull hield met geweldig succes een toespraak op de bijeenkomst van de Nationale Vereniging voor Vrouwenkiesrecht in Apollo Hall, maar terwijl ze haar toespraak hield slofte haar moeder naar de politierechter aan Essex Market. Daar diende Anna haar aanklacht in, waarin ze kolonel Blood ervan beschuldigde dat hij haar sloeg en had gedreigd haar te vermoorden met een ijzeren klamp die veel gelijkenis vertoonde met die welke bijna een jaar daarvoor voor de moord op de vooraanstaande heer Nathan was gebruikt. Ze liet doorschemeren dat het naar haar oordeel heel goed mogelijk was dat kolonel Blood, en niet de zoon van de heer Nathan, de nog in vrijheid verkerende booswicht was die deze alom geachte heer vrolijk het graf in had geslagen.

'Jij afschuwelijk wezen!' riep mevrouw Woodhull tegen haar moeder, toen het proces achter de rug was en haar schitterende toespraak in iedere New Yorkse krant geheel was overschaduwd door de onjuiste mededeling dat ze met twee echtgenoten samenwoonde. 'Jij vals creatuur!' Mevrouw Woodhull legde haar gezicht tegen Maci's schouder en huilde, en Maci sloeg haar armen om haar schouders. Anna Claflin stond verwensingen te gillen, maar Maci hoorde ze nauwelijks. Ze voelde zich plotseling opgetild uit de elegante salon, opgetild uit het prachtige huis, en steeg ten hemel omdat grootheid haar armen had uitverkoren om in te huilen.

Anna en Buck werden het huis aan Thirtyeighth Street uitgezet maar keerden in juni terug, aangetrokken door een kracht binnen de familie die Maci verbijsterde. Daarna had Maci echter andere zorgen gekregen. Sinds Anna's aanklacht was het mode geworden mevrouw Woodhull te beledigen, en iedere dag was er wel ergens in het land een hoofdredacteur die zich bij het koor van lasteraars voegde en een hoofdartikel schreef waarin hij haar immoreel noemde omdat ze haar totaal ingestorte vroegere echtgenoot in haar grote huis onderdak bood. De vernederendste aanvallen kwamen van de kant van Catharine Beecher, die beweerde dat mevrouw Woodhull het culminatiepunt van vijfduizend jaar geaccumuleerd onfatsoen was, en van de zuster van Beecher, mevrouw Stowe, die op de pagina's van *The Christian Union* een karikaturaal beeld van mevrouw Woodhull gaf. In het ronduit stompzinnige feuilleton van mevrouw Stowe was Victoria Woodhull een liederlijke dame die Audacia Dangereyes heette, een krant met de naam *The Virago* bezat, vloekte en tal van echtgenoten had en in wier kielzog de Vrije Liefde de ronde deed als een stankbel.

'Dit zal die vuilbekken de mond snoeren,' zei mevrouw Woodhull terwijl zij en Maci aan een brief aan de *Times* werkten, een verhuld dreigement Henry Beecher als echtbreker aan de paal te nagelen. *Omdat ik een vrouw ben*, schreef Maci, terwijl mevrouw Woodhull haar hand op haar schouder liet rusten, *en omdat ik er in alle eer en geweten enkele meningen op nahoud die iets afwijken van de zelfuitverkoren orthodoxie die mannen met zoveel trots steunen, valt deze zelfuitverkoren orthodoxie me aan, haalt me door het slijk en tracht mijn leven onder te dompelen in bespotting en eerloosheid. Dit is in het bijzonder het geval geweest inzake bepaalde juridische procedures waarin ik onlangs door de zwakheid van iemand die me zeer na staat betrokken ben geraakt en die door andere leden van mijn familie zijn ontketend.*

Mijn standpunten en principes kunnen het onderwerp zijn van terechte kritiek. Ik treed vrijwillig publiekelijk op. Maar laat hem die zonder zonden is de eerste steen werpen. Het is niet mijn intentie als zondebok te dienen, geofferd te worden als slachtoffer van de maatschappij door diegenen die de smerigheid en drabbigheid van hun gedachten verhullen met hy-

pocriete uitspraken waarin ze fraaie principes belijden en die de aandacht van het publiek van hun eigen ongerechtigheden afleiden door met de beschuldigende vinger naar mij te wijzen. Ik bepleit de Vrije Liefde – in de meest hoogstaande en zuivere zin – als de enige remedie voor de immoraliteit waarmee mannen seksuele relaties corrumperen.

Mijn rechters, die in het openbaar tegen 'Vrije Liefde' prediken, praktiseren haar in het geheim. Ik weet bijvoorbeeld van één man, een vooraanstaand leermeester van het publiek, die in concubinaat leeft met de vrouw van een andere leermeester van het publiek die bijna even vooraanstaand is. Gedrieën hebben ze elkaar gevonden in hun aanklacht tegen inbreuken op de moraal. Het zij zo, maar ik weiger als het 'afgrijselijke voorbeeld' te dienen. Ik zal met grote aandacht enkele van deze levensgeschiedenissen analyseren en gaarne het risico nemen een proces wegens laster tegen hen aan te spannen.

Maci had van de brief genoten toen ze hem schreef. Maar later, toen hij Theodore Tilton aanleiding gaf helemaal de rivier over te steken, kreeg ze er spijt van. Hij kwam uit Brooklyn om mevrouw Woodhull met smeekbeden en beloften en dreigementen van meneer Beecher de mond te snoeren. Tilton moest haar tot zwijgen brengen of haar zo intimideren dat ze zijn en meneer Beechers geheim zou respecteren. Wat er echter gebeurde was dat hij verliefd op haar werd.

Natuurlijk, dacht Maci, was een vrijere liefde dan deze ondenkbaar. Mevrouw Woodhull vergat kolonel Blood opeens helemaal, die op zijn beurt gelukzalig haar regelmatige uitjes met meneer Tilton negeerde. Maci kon ze echter niet negeren. Ze voelde zich genoopt hen beiden te volgen als ze naar het park gingen om boottochtjes te maken, naar Coney Island om in de branding te spelen of naar de top van het Croton Distributing Reservoir om het wandelpad eromheen steeds maar weer af te lopen, met hun hoofden dicht bij elkaar en door mevrouw Woodhulls parasol wel tegen de zon maar niet tegen de blikken van het publiek beschermd.

Ze was niet de enige die hen volgde. De jonge dokter Woodhull en zijn beschermeling liepen ook achter zijn moeder en haar intieme vriend aan als dezen hun wandelingetjes maakten. Ze namen beiden hun hoed af en bogen voor Maci als ze haar in de gaten kregen. Ze zeiden echter nooit een woord tegen haar, tot de dag in juni waarop Anna en Buck Claflin naar het huis van hun dochter terugkeerden. Die dag was Maci mevrouw Woodhull en meneer Tilton tot de hoek van Fifth Avenue en Fortysecond Street, en vandaar naar het waterbekken gevolgd, waar ze achter hen liep terwijl zij rondkuierden onder een hemel die zo diepblauw was dat hij bijna paars leek. Op zo'n schitterende dag was het druk bij het bekken. Mevrouw Woodhull keek af en toe om en knikte tegen Maci. Ze vond Maci's bezorgdheid lachwekkend en aandoenlijk.

'Juffrouw Trufant,' zei dokter Woodhull. Ze schrok er hevig van terwijl ze daar aan de rand van het bekken stond en was bijna pardoes in het water gesprongen.

'Dokter Woodhull,' zei ze, op slag door het bekende, paniekerige gevoel overweldigd.

'Wist u,' vroeg hij haar opgewonden, 'dat dit reservoir zevenhonderdzevenenvijftigmiljoen liter water bevat? En wist u dat we ons hier zestig kilometer van Croton Lake bevinden? Het water legt die hele afstand af! Heeft u de brug en het aquaduct over Harlem River gezien? Het is een schitterend staaltje ingenieurswerk. Maar de grote brug naar Brooklyn wordt nog mooier.' Zijn gezicht was rood aangelopen, en hij hijgde alsof hij zich net aan zware lichamelijke inspanningen had blootgesteld. Ze staarde hem een moment in het gezicht en hij wendde zijn blik af en keek naar de lucht. Zijn ogen waren volmaakte spiegels van de donkerblauwe hemel.

'Is wetenschap uw godsdienst, dokter Woodhull?'

'Nee,' zei hij, zijn blik nu op zijn moeder richtend, die met meneer Tilton honderd meter verderop stond en haar wandeling hervatte. Dokter Woodhull bood Maci zijn arm. Ze aanvaardde deze niet, maar liep wel met hem mee. 'Maar ik geloof wel,' ging hij door, 'dat de wetenschap de wereld kan veranderen. Ik denk dat dankzij de wetenschap de wereld een betere plek wordt om te leven.'

'Dat dacht mijn vader ook,' zei Maci. 'Maar het bleek niet waar te zijn.' Ze liepen een tijdje door en bleven staan toen mevrouw Woodhull bleef staan. Maci zag de jongen, Pickie, knielen bij het water, waar andere jongens wedstrijden hielden met speelgoedzeilbootjes.

'Volgens mij is de wetenschap niet uw godsdienst, juffrouw Trufant. Maar vertelt u me eens waar u wel in gelooft.'

Maci zei niets en bedacht hoe haar hand haar altijd juist hiervan beschuldigde. *Zuster*, schreef ze, *je gelooft nergens in. Dat is de stompzinnigste zonde van allemaal.*

De krachtige lach van mevrouw Woodhull dreef hun kant op. Maci bleef zwijgen.

'Gisteren,' zei dokter Woodhull, 'beschreef een krant uit Philadelphia mijn moeder als "De Duistere Engel Der Echtscheiding"'.

'Ik geloof,' zei Maci nadrukkelijk, 'dat ieder bestaan door verdriet wordt gekruist.' Er kwam een kleine groene zeilboot met grote snelheid over het water op hen af. Alle jongens schreeuwden aanmoedigingen, behalve de kleine Pickie, die nu op de grond zat te huilen.

'Wat is er aan de hand, kereltje?' vroeg ze hem.

'Mijn broer,' klaagde Pickie. 'Hij is ongeboren!'

'Hij bedoelt dat hij zich eenzaam voelt,' zei dokter Woodhull, die achter haar stond. 'Stil, Pickie. Kijk maar naar de bootjes. Zie je hoe zorgeloos ze zijn? Zo zou jij ook moeten zijn.'

'Kalm maar,' zei Maci, met de snikkende jongen in haar armen. Ze merkte dat ze vol bewondering naar zijn lange, glanzende haar keek. Toen kwam echter opeens de droom over haar moeder weer bij haar naar boven, en ze huiverde. 'Die jongen moet eens naar de kapper,' zei ze.

Dokter Woodhull haalde zijn schouders op. Pickie hield op met huilen en beantwoordde Maci's omhelzing met zo'n kracht dat ze naar adem hapte.

'Mamma!' zei Pickie. En lachte.

'Neemt u hem maar niet kwalijk,' zei dokter Woodhull. 'Hij omhelst ook honden en noemt ze "Mamma". Met bomen doet hij het ook.'

'Niet mijn mamma,' zei Pickie, 'maar de mamma van mijn broer.' Hij maakte zich los uit haar omhelzing en ging weer naar de bootjes kijken.

'Hij heeft een grillig temperament,' zei dokter Woodhull verontschuldigend. Maci keek zoekend om zich heen naar mevrouw Woodhull, maar kon haar niet vinden.

'Ze is ontsnapt,' zei Maci.

'Ze is naar huis,' zei dokter Woodhull. 'Om het feest voor te bereiden.'

'Een feest? Waarvoor?' vroeg Maci, maar hij was al weg om Pickie te halen. Ze maakten beiden een deftige buiging voor haar en verdwenen in de menigte.

Maci had de terugkeer van de ellendige verloren familieleden liever niet gevierd, maar mevrouw Woodhull stond erop dat ze meedeed aan de feestelijkheden, waarvoor geen enkele reden was. Eigenlijk moesten we rouwen, bedacht ze, en ging aan het andere uiteinde van mevrouw Woodhulls tafel zitten, ver van het jolijt, werkend aan een artikel waarin Madame Restell aan het publiek werd voorgesteld en veroordeeld. *Ze is elke dag te zien*, schreef ze, *een bleke dame die zich snel voortbeweegt in haar prachtige koetsje. Waarom rijdt ze zo snel? Is ze op de vlucht voor zichzelf?*

'Heerlijke, heerlijke vergevensgezindheid!' riep Anna Claflin aan de andere kant van de kamer. Maci was in haar werk verdiept en merkte niet dat de oude dame haar besloop. Ze had haar lippen met honing ingesmeerd en wilde Maci een zoete kus geven. Maci keek te laat op om nog weg te kunnen duiken. De hand van de jonge dokter Woodhull kwam echter tussenbeiden voordat de lippen van Anna die van Maci konden vinden. Anna kuste vol liefde zijn hand en liep toen terug naar het andere uiteinde van de tafel. Ze pakte een mes en begon naar de schaduw van kolonel Blood te steken die door het licht op een muur werd geprojecteerd.

'Dank u,' zei Maci, terwijl ze toekeek hoe dokter Woodhull de honing van zijn handpalm veegde. Ze zag dat er iets ontbrak en keek te lang.

'Mijn tachtigprocent hand,' zei hij.

'Wat onbeleefd van me,' zei ze. 'Neemt u me alstublieft niet kwalijk.'

'Er valt niets kwalijk te nemen.'

'Heeft een dier dat gedaan? Bent u gebeten?'

'Een erfelijke misvorming,' zei hij. 'Als u even kijkt ziet u dat mijn grootmoeder het ook heeft. Maar komt u niet naar beneden om aan het feest mee te doen, juffrouw Trufant?'

'Liever niet,' zei ze. 'Ik heb slaap. Goedenacht, dokter Woodhull.' Ze raapte haar papieren bij elkaar, schudde hem de hand—de complete—en ging naar boven, naar haar kamer. Tegen de tijd dat ze daar was was ze zo moe geworden dat ze geheel gekleed op haar bed ging liggen en meteen in een droom wegzonk waarin zij en dokter Woodhull weer bij het spaarbekken zaten en hun blote voeten in het water lieten bungelen. Hij had overvloedig haar op zijn tenen.

'Gelooft u in liefde, juffrouw Trufant?' vroeg hij. 'Denkt u dat het meer is dan een bevredigende zinsbegoocheling?'

'Vrije Liefde?' vroeg ze.

'Welke liefde dan ook,' zei hij.

'Tja,' zei ze, terwijl ze opstond en snel op haar natte voeten wegliep omdat ze zich opeens had herinnerd dat ze mevrouw Woodhull moest vinden. 'Eerlijk gezegd niet,' zei ze zacht. Dokter Woodhull was haastig achter haar aan gekomen en liep met zijn gezicht erg dicht bij het hare. 'Ik geloof er helemaal niet in.' Mevrouw Woodhull kwam uit de hemel vallen en belandde geluidloos voor hen op de grond. Maci stak haar hand uit, raakte mevrouw Woodhulls gezicht aan en werd wakker van haar stem.

Mevrouw Woodhull en meneer Tilton zaten op het dak. Ze hadden daar een prieeltje, waar ze zich iedere nacht terugtrokken. Mevrouw Woodhull veegde meneer Tilton de mantel uit omdat hij steeds maar klaagde hoe zijn vrouw en meneer Beecher hem hadden gekwetst. Er ontstond een felle discussie, maar net op het moment dat het leek alsof ze als Claflins zouden gaan schelden zwegen ze plotseling, en even later hoorde Maci mevrouw Woodhull een hoog gilletje geven en riep meneer Tilton: 'Glorie, glorie!'

Maci had zich de gewoonte eigen gemaakt te luisteren in plaats van haar raam dicht te doen, net zoals ze soms aan Tennies deur luisterde als deze haar reusachtige vriend dokter Fie of een andere, groot of klein, ontving. Tennie leek ze in alle maten te nemen. Maci deed alsof ze een mysterie trachtte te doorgronden als ze zo schaamteloos luisterde. Ze schreef de woorden op die ze hoorde, de kreten die klagend, gefrustreerd, boos of opgelucht klonken en probeerde deze dan te combineren tot zinnen waar een snijdende wellust uit sprak. En soms, als ze een uur tussen haar klamme lakens naar de geliefden op het dak had liggen luisteren overwoog ze uiteindelijk een ritje op het hobbelpaard, dat Tennie gedienstig naar haar kamer had verhuisd met de opmerking dat Maci het meer nodig had dan zij. Maci had er één keer op plaatsgenomen, de kleine bobbel precies op de plek waar hij moest zitten en zich bij wijze van verkenning een paar maal op en neer bewogen. Ze was direct weer afgestapt, had de lap zijde weer over het ding gelegd en daaroverheen nog eens twee wollen dekens om het geheel aan het zicht te onttrekken. Ze was er nooit meer op gaan zitten, maar in de warmste nachten, als ze de geliefden zo heel luid op het dak hoorde, speelde ze met de gedachte op het paard naar een vreemde, nieuwe plaats te rijden, haar boek opengeslagen in haar hand en hardop lezend terwijl ze voortreed.

Komt het doordat Adam zondigde om bij Eva te kunnen blijven? Komt het doordat intelligentie alleen volmaakt kan worden door lijden, zoals de aarde alleen door middel van stormen én zonneschijn een staat van volmaaktheid

kan bereiken, en de ziel alleen een staat van volmaaktheid
door de stormen van verdriet en wanhoop? Nee, ik denk dat
er geen enkele reden te geven is, of in elk geval geen goede.
Ik geloof niet dat we door verdriet worden geheiligd. Ik
geloof niet dat het een voldoende antwoord is om te zeggen
dat we door de dood terecht worden bestraft, of te zeggen
dat we sterven omdat we sterven.

De hele zomer van 1871 was Maci bezig met het organiseren
van Victoriaclubs. Het was Maci's eigen idee geweest: verenigingen, in het hele land, die ten doel zouden hebben de gooi
van mevrouw Woodhull naar het presidentschap kracht bij te
zetten. Maci recruteerde leden op de salonfeesten van mevrouw Woodhull, uit de abonnees op het blad en uit de klanten van hun makelaardij. Bovendien schreef ze, aan een tafel
in de werkkamer op de tweede verdieping, de *Weekly* een
anonieme ingezonden brief aan mevrouw Woodhull.

Geachte mevrouw, enkele van uw medeburgers, mannen en
vrouwen, hebben een initiatiefcomité gevormd dat zijn
naam aan de uwe ontleent: het heet de Victoriaclub. Het is
ons doel een nieuwe politieke organisatie te vormen, sa-
mengesteld uit de progressieve elementen binnen de be-
staande Democratische en Republikeinse Partij, samen met
de Vrouwen van de Republiek, die tot nu toe het kiesrecht is
ontzegd, maar die op grond van het Veertiende en het Vijf-
tiende Amendement op de Grondwet, mits juist geïnterpre-
teerd, net zoals de mannen kiesrecht hebben. Deze nieuwe
Politieke organisatie zal de Partij voor Gelijke Rechten
heten en haar beginselverklaring zal uitsluitend en alleen
bestaan uit een verklaring van de gelijke burgerlijke en
politieke rechten van alle Amerikaanse staatsburgers, on-
geacht hun sekse. We zullen er bij alle vrouwen die in de
staten waarin ze wonen over de politieke kwalificaties van
de andere staatsburgers beschikken, aansporen zonder aar-
zeling of verwijl het kiesrecht op te eisen en te gaan uitoe-

*fenen. En we vragen u, geachte mevrouw, de vaandel-
draagster van dit idee voor het volk te worden en benoemen
u met dit oogmerk als onze kandidaat voor het Presidentschap van de Verenigde Staten voor de verkiezingen van
1872 door de gezamenlijke stemmen van beide seksen.*

Tegenover haar aan de tafel schreef mevrouw Woodhull een
lange, elegante en ietwat nederige brief terug, waarin ze de
kandidatuur aanvaardde.

Maci had zo langzamerhand volkomen begrepen dat er uit
het contact tussen meneer Tilton en haar werkgeefster niets
zou voortvloeien dan de stompzinnige biografie die hij had
geschreven – een kruiperig, ruggengraatloos niemendalletje
dat mevrouw Woodhull juist door zijn overmaat aan lofprij-
zingen noodlottig werd. Er werd in brede kring de spot mee
gedreven omdat er in detail verslag werd gedaan van alle
spiritistische activiteiten van mevrouw Woodhull, omdat erin
werd verteld dat Demosthenes haar mentor was, dat Joséphine haar zuster in de geest was, dat alle uitspraken van mevrouw Woodhull onder invloed van de andere wereld tot
stand kwamen.

Maci, die zich niets meer aan meneer Tilton gelegen liet
liggen, scherpte haar bezorgdheidsorgaan op het enthousiasme van mevrouw Woodhull voor het communisme. Mevrouw Woodhull had zich in de leiding van Afdeling Twaalf
van de International Workingmen's Association gestort, zonder zich eraan te storen dat ze nu op één hoop werd gegooid
met de Parijse revolutionairen, die algemeen als weerzinwekkende monsters werden beschouwd. Maci herinnerde mevrouw Woodhull er bij herhaling aan dat alleen een communist waardering heeft voor communisten. Het was echter zinloos.

In augustus, net toen ze ronddobberde op een tij van een
hoogopgelopen anticommunistische stemming, kreeg Maci
een uitnodiging van dokter Woodhull. *We moeten over de
situatie van mijn moeder praten*, schreef hij. *We lijken niet erg*

op elkaar, zij en ik, maar ik heb altijd geweten dat ze grote din-
gen zal bereiken, mits ze niet door haar meer wilde sympathie-
en te gronde wordt gericht. Komt u bij me thuis langs, Nr. 1 E.
55rd St.

Het was erg rumoerig in het huis van mevrouw Woodhull,
dus was Maci blij dat ze even weg kon. Omdat Tennie campagne voerde voor een zetel in de assemblee van de staat New
York zat het huis vol Duitse aspirant-leden van deze wetge-
vende vergadering, die Tennie de voorgaande weken aan
haar raam serenades hadden gebracht. Nu speelden ze bin-
nenshuis op hun koperinstrumenten, en er was geen enkele
plek waar je je kon onttrekken aan de spetterende muziek,
die even dwaas was als Tennie en haar luchthartige, volledig
onserieuze campagne waren. Maci stapte zonder ook maar
van iemand afscheid te nemen de afgrijselijke hitte in.

De jonge dokter Woodhull woonde een heel eind in noordelijke richting, de kant van het park op, waar in steeds gro-
teren getale enorme huizen uit de aarde oprezen. Maci's haar
hing klam en prikkend in haar ogen toen ze op de bel drukte,
maar toen de deur openging huiverde ze in de golf koele
lucht die over de marmeren trap stroomde. Dokter Woodhull
stond met een paar schaatsen in zijn hand in de deuropening.

'U bent gekomen!' zei hij. 'Ik wist niet zeker of u het wel
zou doen.'

'Uw brief klonk heel ernstig.'

'Die brief!' zei hij. 'Komt u binnen, dan kunnen we erover
praten. Past u op waar u loopt.' Maci gleed uit toen ze zijn
onnatuurlijk koele huis betrad, maar hij greep haar arm en
hield haar overeind. 'Die vergadering is bij nader inzien
verdaagd,' zei hij. 'Uitgesteld vanwege een partijtje schaatsen.'

Maci wilde hem eraan herinneren dat het augustus was,
maar ze zag al dat er een laag ijs op de vloer lag.

'Ik dacht dat u het wel leuk zou vinden,' zei hij, 'omdat het
zo warm is en omdat u uit Boston komt. In Boston is toch
iedereen gek op schaatsen? Kom, schaatst u met me mee, juf-

frouw Trufant. Het mag. Dit is een privé-ijsbaan. Niemand zal ons storen.'

'U hebt me bedrogen,' fluisterde Maci. Ze bedacht dat ze eigenlijk boos op hem zou moeten zijn, omdat hij haar met valse voorwendselen zijn huis had ingelokt, maar ze was verrukt over het ijs en aan meer kon ze niet denken. 'Hoe heeft u dat gedaan?' vroeg ze.

Hij probeerde het haar uit te leggen: van de koperen pijpen onder het ijs, en dat vloeibare ammoniak, als het tot gas uitzette, warmte aan water kon onttrekken. 'Het is eigenlijk heel eenvoudig. In fabrieken maken ze op deze manier ijs.'

De hoge gordijnen waren overal in het huis dichtgetrokken. Ze kon maar heel weinig zien, behalve grote, donkere vormen die in de hoeken tegen de muren leunden. Maci dacht dat het meubilair was. Samen met dokter Woodhull gleed ze van de ene kamer naar de andere, door open deuren een schemerige salon in waar een honderdtal spiegels haar schimmige, drijvende beeld weerkaatste, een eetkamer in waar de tafel op zijn zijkant tegen de muur was gezet en waar Maci's ene schaats achter een bevroren appel bleef haken. Ze zeiden niets, behalve als dokter Woodhull haar voor een obstakel waarschuwde. Ze botste ettelijke malen tegen hem aan. Zelfs toen ze stilhielden om even uit te rusten in een grote, lege kamer waarvan Maci geen idee had waarvoor hij had gediend voordat hij in een ijsbaan was veranderd, gleed ze naar hem toe en botste zachtjes tegen hem aan. 'Neemt u me niet kwalijk!' zei ze, terugdeinzend.

'Het komt door de vloer,' zei hij. 'De vloer helt.'

Toen ze voor de derde maal door de salon met de spiegels kwam schaatste ze dichter naar zo'n grote vorm toe om hem beter te kunnen bekijken. De vorm was gedeeltelijk in het ijs verzonken. Toen ze er vlakbij stond zag ze dat het een reusachtig tandwiel was; het had een klok met de afmetingen van een heel huis kunnen aandrijven.

'Wat is dit?' vroeg ze. 'Waarom staat dat hier?' Dokter Woodhull was niet in de kamer om haar vraag te beantwoorden, hoewel hij nog vlak daarvoor naast haar had geschaatst. Ze ging naar hem op zoek, ze dacht al dat ze het misschien had gedroomd—naar hem op zoek in een donker, koud huis, ronddrijvend als een geest—maar wetend dat ze niet had gedroomd, omdat dit vreemder en opeens afgrijselijker was dan iedere droom die ze ooit had gehad. Ze zwierf door zijn huis, onhandig wankelend toen ze met de schaatsen nog aan haar schoenen eenmaal boven was, kamer in, kamer uit. Ze ontdekte oud meubilair, hoge stapels schimmelende boeken, en overal tandwielen en staken en stukken geslepen glas, sporen van machines waarvan de aanblik haar maag deed samentrekken. Ondanks het gevoel dat ze gevaar liep als ze zo ronddoolde ging ze steeds verder naar boven, dwangmatig iedere deur openend tot ze de bovenste verdieping had bereikt. Ze stond in de verlaten kas en maakte de fout tegen een vergane boom in een pot te leunen, die wankelde en omviel en doormidden brak toen hij de vloer raakte. Ze haastte zich stuntelig het vertrek uit en nam de enige andere deur in die gang. Toen stond ze in dokter Woodhulls slaapkamer, waar ze hem rustig zittend op zijn bed aantrof.

'Waarom huilt u, juffrouw Trufant?' vroeg hij, nadat hij de ijzeren deur had opengegooid en haar mee naar binnen had genomen, zodat ze het geweldige voorwerp kon zien dat hij er bewaarde.

'Het is te, te veel, dokter Woodhull,' zei ze. 'Te, te veel.' Omdat het te veel was dat iets dergelijks één keer gebeurde en te, te veel als het tweemaal gebeurde—dat haar broer haar alweer aan een ongeschikte jongeman voorstelde en dat het leven van een ander teloorging met de bouw van een onmogelijke en nutteloze machine. Het was haar op dat moment duidelijk dat ze op het bed moest gaan zitten en rustig haar schaatsen moest afdoen en dan in paniek de kamer uit, de trap af en het huis uit moest rennen. Ze moest eigenlijk terugrennen naar Boston, omdat ze zich een ongeneeslijke dwaas zou moeten noemen als ze hier bleef en de lessen van haar ridicule leven negeerde. *Lieve tante Amy*, schreef ze in gedachten, terwijl ze daar stond, *ik kom eraan!* Maar ze ging helemaal nergens heen, behalve dieper het vertrek in, ze volgde haar linkerhand, die naar de machine hunkerde en zich als een vuist om een warm stuk pijp balde. Iets erin klopte als bloed.

'Vindt u het mooi?' vroeg hij.

'Ik vind het verschrikkelijk,' zei ze, maar haar hand wilde niet loslaten, en op dat moment was ze bang dat ze nooit meer zou loslaten.

3

De jonge dokter Woodhull nodigde Maci in september 1871 voor een industrietentoonstelling uit. Ze ging erheen, hoewel het haar duidelijk was dat ze niets minder leuk zou vinden dan een feest dat om machines draaide. Tennie ging meteen mee toen ze hoorde dat meneer Whitman er te zien en te horen zou zijn. Terwijl ze samen in de kleine menigte in het Cooper Institute stonden en luisterden terwijl meneer Whitman een gedicht voordroeg, bedacht Maci dat ze nu begreep waarom de dichter en dokter Woodhull vrienden waren. Meneer Whitman was ook dol op machines. Hij had voor hun mechanische tijd zelfs een muze bedacht, een dame der dames die de plaats van Clio en haar zusters zou innemen. Wat zal die rammelen als ze een stap verzet, dacht Maci, en dan die stank van olie en steenkoolrook.

Meneer Whitman deed haar met zijn grote grijze baard aan haar vader denken, hoewel haar vader de stem had van een man die het gewend is preken te houden en meneer Whitman zijn gedicht piepend als een muis ten beste gaf. Op het podium zwaaide de dichter met brede, warme, uitnodigende gebaren met zijn dikke armen en zei:

'Ik zeg, vrienden, ik, zoal gij niet, zie de verheven
    zoekster, ('t is waar, hoewel altijd dezelfde, sindsdien
    veel veranderd op haar reis door eeuwen en landen,)
En, bezield als ooit, streeft zij er naar ons te vinden, met
    kracht haar weg banende dwars door de warreling
    heen,
Niet afgeschrikt door het gegons der machines en de

schrille stoomfluit,
Vindt zij draineer-pijpen, gazometers en fertilisators niet
beneden haar aandacht,
Glimlachend, bekoord, blijkbaar besloten bij ons te
blijven,
Daar is zij! onze moeder, onze vrouw, onze zuster, en
bereidt ons middagmaal!'
(vert. M. Wagenvoort)

Zo ging het maar door—de arbeiders lieten hun werk aan de inrichting van de tentoonstelling liggen en kwamen erbij staan om te luisteren. Maci vond het veel minder mooi dan de gedichten die ze als meisje van hem had gelezen. Het komt door Gob Woodhull, dacht Maci, iedereen wordt er minder van als hij hem leert kennen. Hij heeft de muze van meneer Whitman vergiftigd, heeft haar zo veranderd dat er rook uit haar oren komt en dat ze natte olievlekken achterlaat als ze ergens heeft gezeten. Gob, Gob, Gob, zei ze een paar maal inwendig, en bedacht dat het klonk als het gerommel van oproerige ingewanden. Ze zou liever niet aan hem of zijn machine hebben gedacht, maar ondanks deze wens was ze vele uren verzonken in gedachten aan beide.

'Dat kan ik niet,' had ze geantwoord toen hij haar, staande voor zijn machine, had gevraagd of ze hem bij de voltooiing wilde helpen. Ze had hem in zijn gezicht uitgelachen toen hij haar had verteld welke ambities hij met het ding had, toen hij had beweerd dat de machine de dood zou afschaffen. Ze dacht dat hij in huilen zou uitbarsten en daar was ze wel blij mee tijdens die furieuze, verwarde momenten nadat ze in zijn geheim was ingewijd. Het lachen was echter tegen haar eigen leven gericht geweest, en niet tegen hem. Het was niet haar bedoeling geweest wreed te zijn. Met haar linkerhand nog steeds om de pijp overwoog ze dat ze hem misschien toch zou kunnen helpen, zij het niet op de manier die hij vermoedde. Hier was eindelijk niet alleen een straf te vinden, maar ook een boetedoening die zwaar genoeg was voor Kindermoord: ze zou dokter Woodhull verlossen uit zijn waan en hem laten zien dat het ingewikkelde samenstel dat hij aanbad alleen maar een hoop rommel was.

Maci wandelde gearmd met Tennie tussen de voorwerpen op de tentoonstelling rond terwijl dokter Woodhull en meneer Whitman voor hen liepen. 'Zie je dat hij als een beer loopt?' vroeg Tennie. 'Maar hij is zo zachtmoedig als een hert.'

'Zachtmoediger, denk ik,' zei Maci, omdat meneer Whitman haar extreem zachtmoedig en treurig leek, helemaal niet de stampende, schreeuwende kerel die naar voren kwam uit de gedichten waarvoor ze zoveel jaren geleden een pak slaag had gekregen. 'Zachtmoedig als een plant,' zei Maci, terwijl ze een stand met rubbermeubelen betraden.

'Hij veert helemaal niet,' zei Tennie, die op een harde, druk versierde stoel ging zitten. 'Maar ik vind hem wel erg leuk. Precies wat ik in mijn hoek zou willen hebben.' Ze weigerde verder te lopen. Maci liet haar daar achter, te midden van een menigte arbeiders die door haar werden aangetrokken alsof ze een lokstof was. Maci liep door en haalde meneer Whitman in, die was blijven staan en dokter Woodhull leek te bewonderen terwijl dokter Woodhull een suikerstookketel bewonderde.

'Volgens mij is wetenschap zijn godsdienst,' zei Maci.

Meneer Whitman draaide zich naar haar om en keek haar met oprechte blik aan. Het gebeurde zelden dat Maci iemand niet in de ogen kon kijken, maar ze voelde zich nu genoopt haar blik af te wenden. Ze peinsde dat het overhemd van meneer Whitman, waarvan de boord openstond, wit haar in haar richting liet kronkelen.

'Wat is *uw* godsdienst, juffrouw Trufant?'

'De godsdienst,' zei ze, 'van aardse hervormingen.'

'Volgens mij bedenkt u dat ter plekke. Dit wordt op een dag nog een heilige plaats. "Hier stichtte juffrouw Trufant de godsdienst van aardse hervormingen!"' Hij lachte, en Maci merkte dat ze met hem meelachte.

'Goed, meneer Whitman. Laat me het uitleggen. Ik hoop niet op de Hemel, tenzij we hem op aarde kunnen benaderen. Ik ben niet godsdienstig.'

'Dan zal uw leven wel één gapend gat zijn,' zei hij. Maci vond dit een ongenadige beschuldiging aan het adres van iemand die hij praktisch gesproken niet eens kende. Niettemin lachte hij weer.

Dokter Woodhull bekeek nu een dorsmachine en betastte hem liefdevol. Maci zei: 'Volgens mij is wetenschap zijn godsdienst omdat hij naar mijn idee te dol op machines is. Acht u het mogelijk dat iemand te dol op machines is?'

Meneer Whitman zweeg even. Omdat ze dacht dat hij misschien een beetje doof was stond Maci net op het punt haar vraag te herhalen toen hij zijn mond opendeed. 'Heeft hij u dat... ding laten zien?' vroeg hij.

'U bedoelt die machine? Ja. Ik geloof dat ik de laatste ter wereld was die niet van het bestaan ervan wist.' *Nu kan het gezegd worden!* had haar hand geschreven, nadat ze die augustusavond was thuisgekomen, en ze had haar verder met details van de constructie verveeld. De paar dagen hierop ontdekte Maci dat iedere Claflin weet had van de machine, hoewel niemand er veel over wilde zeggen. Tennie liet alleen maar los dat ze hem prachtig en treurig vond. Mevrouw Woodhull zei dat bouwen het werk van haar zoon was en hervormen het hare. Zelfs dokter Fie was op de hoogte. Hij hielp bij de bouw.

'Vindt u hem dan niet prachtig, juffrouw Trufant?'

'Het is een machine zonder functie. Het is, zoals u zegt, een ding, en het is onmogelijk hem mooi of niet mooi te vinden.' Maci had er opeens genoeg van over machines te praten en besloot het gesprek op een ander onderwerp te brengen. 'Maar ik vond uw gedicht wel mooi,' zei ze, hoewel dat niet echt zo was.

'Dan moet u het van me aannemen.' Hij hield haar zijn exemplaar voor, opgevouwen tot een vierkant ter grootte van de palm van zijn hand.

'O, dat zou ik nooit kunnen,' zei ze. 'Nooit. Ik knip het morgen wel uit de krant.'

'Nee, alstublieft,' zei hij met enige stemverheffing. Hij hield zijn hoofd iets scheef om haar nogmaals recht aan te kunnen kijken, met een strakke blik die onwelvoeglijk en intens was. 'Ik wil dat u dit ook aanneemt.' Hij stak haar de krant toe, drukte hem tegen haar hand en liet hem los.

De krant viel op de grond. Dokter Woodhull keerde terug van zijn nauwgezette onderzoek van de dorsmachine, raapte de krant op en overhandigde hem haar zonder een woord te zeggen. 'Walt,' zei hij, 'kom eens mee naar die naaimachines!' Hij rende, net als die jongen, Pickie, op een drafje weg. Meneer Whitman liep achter hem aan en Maci keek omlaag naar het vuile, oude vel papier dat hij haar cadeau had gedaan. Het was aan de voorkant en de achterkant helemaal volgeschreven, steeds weer gebruikt, tot iedere vierkante centimeter met inkt was bedekt. Ze vouwde het open en bracht het dichtbij haar gezicht om zijn handschrift te kunnen lezen. Op de voorzijde stond het gedicht en op de achterzijde een lijstje: *John Watson (bed 29), een paar appels halen; Llewellyn Woodin (bed 14), keelpijn, wil wat snoep; bed 14 wil een sinaasappel.*

Lieve tante Amy, schreef Maci in een volgende niet-verzonden brief. *Het gaat hier goed met me in New York, ik ga dag in dag uit verstandig te werk en leid een oppassend, oprecht leven. Ik weet, tante, dat u zich zorgen over me maakt, en dat het er voor uw oppervlakkig waarnemende, verre blik misschien naar uitziet dat ik door mijn neiging tot vrijdenkerij in een staat van werkelijke zonde ben verzonken en dat ik me schuldig maak aan dwaas, schandaleus en zelfs gevaarlijk gedrag. Laat me u verzekeren dat dit in werkelijkheid niet het geval is*

Hij is een magiër, schreef haar linkerhand, die met een extra-pen aan kwam kruipen om haar rechterhand van het papier te dringen. *En ook al is hij klein, hij heeft fraaie heu-*

pen. Ze duwde de hand weg.

Ja, ik onderhoud contact met hem. Ja, ik ben soms alleen met hem in zijn huis. Ja, we zijn heel laat op de avond nog wakker. We praten over wetenschap en sterfelijkheid en politiek. Hij koestert, in weerwil van zijn voorgewende onverschilligheid, grote belangstelling voor zijn moeder. Hij haat haar, denk ik, omdat ze niet als hij is, omdat ze niet haar hele leven op het graf van zijn dode broer ligt. Ze is actief in de wereld om deze te veranderen, terwijl hij zich isoleert in een vervallend heren-huis en zijn duidelijk aanwezige talent verspilt om in ijzer en glas en koper zijn verdriet over zijn broer vorm te geven. Dat zeg ik hem ook, en dan zegt hij: 'Ik vind het prettig dat u zo eerlijk tegen me bent, juffrouw Trufant.'

Ik kan u niet in zijn werk laten geloven, maar hij wel. U ge-looft in zijn moeder, die verandert wat niet veranderd kan wor-den, waarom kunt u hem dan niet dezelfde gunst bewijzen?

Wat een troost zou het zijn, schreef Maci haar tante Amy, *te geloven dat de hele oorlog meer om kosmische dan om politieke redenen heeft plaatsgevonden, te geloven dat alle doden van de oorlog tot leven gewekt kunnen worden, dat Rob en alle ande-ren alleen maar zijn gestorven om weer naar ons terug te kun-nen keren. Maar, tante, troost is een aanwijzing voor onwaar-heid, en iets wat makkelijk lijkt kan het juist om die reden wel eens niet zijn.*

Zuster, je hebt geen enkel geloof in het goede.

'Ik leid de aandacht af,' zei mevrouw Woodhull tegen Maci, 'terwijl jij doet wat je moet doen.' Ze hadden een plan om bij de verkiezingen van november 1871 hun stem uit te brengen. Een heel contingent vrouwen liep, in gezelschap van enkele mannelijke journalisten, van Thirtyeighth Street naar het stembureau van de drieëntwintigste afdeling van de eenen-twintigste wijk, een meubelwinkel aan Sixth Avenue. Terwijl mevrouw Woodhull met Tennie aan haar zijde de toespraak hield die als de 'Ratten- en Spinnenspeech' bekend zou wor-den, sprong Maci op de stembus af. Haar uitschietende hand voelde aan als een kogel, en ze had het idee dat iedere man die die dag tussen haar en de verkiezingen zou komen erdoor gedood zou worden. De bewaker—een huurling van corrupte politici, dat wist Maci zeker—sloeg echter haar hand omlaag waardoor haar biljetten dertig centimeter van de stembus over de vloer dwarrelden.

Later bedacht Maci dat als op het moment van haar aanval op de stembus haar beide handen hadden gefunctioneerd, ze misschien de biljetten behendig van de ene hand in de ander had kunnen overbrengen om haar tegenstander in verwarring te brengen en te vlug af te zijn. Haar linkerhand zat echter al weken onbeweeglijk in een spalk en was in dik wit verband gewikkeld. De oude dokter Woodhull had haar haar zin gegeven toen ze had beweerd dat ze hem had verrekt. 'Wat er ook is gebeurd, het is niet ernstig,' had hij gezegd terwijl hij haar hand in zijn skeletachtige klauw omdraaide. Maar hij had gedaan wat ze hem had gevraagd. 'Wilt u,' had ze gevraagd, 'het alstublieft iets strakker aantrekken? Dat verband helpt echt.' Hij had er al drie keer mee willen ophouden toen ze vond dat haar hand nog niet voldoende verbonden was, en dus had ze erop aangedrongen dat hij doorging. Ze vond het prettig haar hand op haar schrijftafel te leggen, naast het papier en de pen. De hand trilde en schokte. 'Wou je me soms iets vertellen?' vroeg ze dan.

'Volgend jaar, ster van me,' zei mevrouw Woodhull na het echec, 'lukt het, dat weet ik zeker.' Mevrouw Woodhull nam het gezelschap mee terug naar huis, waar ze iedereen eten en een borrel gaf terwijl ze op de uitslagen wachtten. Maci zat in haar eentje op een bank, door varens van de rest van het gezelschap afgescheiden. Daar werd ze door een verslaggever ontdekt.

'Wat heeft u met dit alles te maken?' wilde hij weten. Maci besloot tegen hem te liegen.

'Mijn moeder,' zei ze, 'is een leidende figuur in de beweging voor vrouwenkiesrecht. Ik mag u niet zeggen hoe ze heet—laat het voldoende zijn als ik zeg dat ze lid is van de

Boston Cove. Begrijpt u wat ik bedoel? Wat ik bedoel is dat het Lucy Stone zou kunnen zijn, maar ze zou het ook niet kunnen zijn! Hoe dan ook: Moeder is een groot en geheim bewonderaarster van mevrouw Woodhull. Ze heeft haar een apotheose en de Jeanne d'Arc van het vrouwenkiesrecht genoemd. Niettemin laakt ze mevrouw Woodhull publiekelijk vanwege haar maatschappelijke theorieën, ook al is ze er, zoals uit haar privé-gedrag blijkt, een aanhangster van. Is dat eerlijk, meneer? Naar mijn mening niet, en toch verhindert familietrouw me dit hardop te zeggen. Ik weet maar al te goed dat het bloed kruipt waar het niet gaan kan.'

'Bent u dus een bewonderaarster van mevrouw Woodhull?'

'Is de zon een ronde bal vuur?' Ze vroeg hem om een glas water in de hoop te kunnen wegglippen terwijl hij het haalde, maar in een mum van tijd was hij terug, met champagne voor haar en whiskey voor zichzelf. Hij interpreteerde Maci's wanhopige zucht als een uitnodiging naast haar te komen zitten. Het was Tennies schuld dat de mannelijke journalisten van New York van iedere dame die op nummer 15 aan East Thirtyeighth Street woonde een kus verwachtten, omdat Tennie hen altijd apart nam voor een vrijpartijtje.

'Clark staat honderd tegen vijfenzestig voor Bradley,' zei de man.

Maci dacht: Nu gaat hij me vragen of ik hem mijn enkels wil laten zien. Al twee keer hadden verslaggevers haar dat gevraagd, denkend dat ze Tennie was. Eenmaal, in een gril, was Maci hiertoe bereid geweest, maar ze kreeg de manoeuvre van Tennie maar niet onder de knie: Tennie maakte staand een sprongetje, waardoor haar enkels zo kort zichtbaar werden dat mannen zich afvroegen of ze ze eigenlijk wel had laten zien. Maci had alleen de zoom van haar jurk even opgetild. De journalisten hadden haar teleurgesteld laten staan, en, dacht ze, met enige plaatsvervangende gêne.

'Ik zal uw hoop beschamen,' zei Maci.

'Pardon?'

'Hoop voor schaamte. Misschien zal het dan eindelijk toch

afgelopen zijn met de corruptie in de politiek.'

'Hoe komt u aan die gekwetste hand?'

'Mijn hand is ten offer gevallen aan onze oorlog. Ik heb hem gekneusd toen ik tegen de muur liep die onze sekse gevangen houdt.'

'Laat me er dan een kus op geven. Om de genezing te bespoedigen.'

'Alstublieft niet,' zei Maci, maar hij boog zich al voorover naar haar grote witte mitella, die begon te trillen en hem een klap op zijn neus gaf. Met zijn hand tegen zijn gezicht gedrukt richtte de man zich weer op.

'U bent een harde, juffrouw Stone,' zei hij, staakte zijn avances en liep weg.

'Als ik je eruit laat,' vroeg Maci haar hand, 'zul je je dan gedragen?' Als de hand al reageerde merkte Maci het niet omdat ze werd afgeleid doordat er in het hele huis plotseling gejuich klonk. Uit Rochester was het bericht binnengekomen dat Susan B. Anthony erin was geslaagd haar stem uit te brengen.

Tot januari 1872 kreeg mevrouw Woodhull met nieuwjaar altijd het aantal bezoekers dat een dame toekwam die beroemd, mooi, onversaagd en voortdurend interessanter was dan ieder ander, man of vrouw, in een stad waar dagelijks afleiding te vinden was en waar zich voortdurend nieuwigheden aandienden. Het voorgaande jaar had Maci nauwelijks in het huis kunnen rondlopen, zo vol was het geweest. Nu kwam er echter niemand eten van de tafels die in schitterende stijl waren gedekt of van de cognac, de whiskey, de limonade of de punch drinken. Het leek of mevrouw Woodhull al haar vrienden en vriendinnen had weggejaagd met de lezing die ze twee maanden daarvoor in Steinway Hall had gegeven, of liever: allen met uitzondering van meneer Andrews (die nooit door iemand geshockeerd kon worden en wat radicalisme betrof nooit werd geëvenaard, zelfs niet door mevrouw Woodhull). Maci, die naast mevrouw Woodhull zat en naar de klokken luisterde die overal in het stille huis tikten, dacht terug aan die natte, onplezierige avond in november.

'Ja, ik ben een aanhangster van de Vrije Liefde!' had mevrouw Woodhull uitgeroepen. Ze had dat niet horen te zeggen. Het was een ongelukkige afwijking van de tekst die Maci had geschreven, een redelijke uiteenzetting over sociale contracten, waarvan de bedoeling was geweest aan te tonen dat vrijheid in de maatschappelijke sfeer niet minder wenselijk en niet immoreler was dan vrijheid in de politieke of godsdienstige. Mevrouw Woodhull was van haar tekst afgeweken nadat haar zuster, de dronken, weerzinwekkende Utica, haar had aangevallen vanuit een loge waar ze tegen haar begeleider geleund had gestaan, een man met een groene bril die tijdens de hele lezing als een razend katje had staan sissen. Een minderheid van het publiek had al eerder soortgelijk gesis en boegeroep laten horen. Mevrouw Woodhull had het genegeerd. Maar toen Utica opstond en wilde weten hoe mevrouw Woodhull het zou vinden om een bastaard te zijn en toen vroeg of ze ook zo'n verdomde aanhangster van de Vrije Liefde was, had ze de hartstocht van haar zuster gewekt. Mevrouw Woodhull kreeg zo'n ontzagwekkende en majesteitelijke uitdrukking op haar gezicht dat de eerste vijf rijen muisstil werden. Alleen al met haar blik leek mevrouw Woodhull Utica tegen de achterwand van haar loge te smijten. Toen sprak ze enkele woorden waar de verslaggevers van smulden, maar die Maci ontzetten.

'Ik heb,' zei mevrouw Woodhull luid en duidelijk, 'een onvervreemdbaar, grondwettelijk en natuurlijk recht te houden van iedereen van wie ik wil houden, net zo lang of kort van hem te houden als ik kan; iedere dag van liefde te veranderen als ik daar zin in heb, en noch jij noch welke wet die je ook maar kunt opstellen heeft het recht op dit recht inbreuk te maken. Verder heb ik het recht vrij en ongehinderd toegang tot dit recht op te eisen, en het is je plicht het me niet alleen toe te kennen maar het is ook uw plicht als gemeenschap erop toe te zien dat ik wat dit recht betreft beschermd word. Ik vertrouw erop dat ik volledig word begrepen, want ik bedoel precies dat en niets minder!'

Ter gelegenheid van het feest had een nieuwjaarshaarkunstenaar Maci van een enorm kapsel voorzien, dat paste bij de kapsels van Tennie en mevrouw Woodhull. Haar hoofd voelde erg groot aan en haar schaduw leek wel die van een monster. Maci staarde naar haar handen, die in haar schoot gevouwen lagen. Ze had twee weken daarvoor haar linkerhand weer de vrijheid gegeven. Deze zag er nu een tikkeltje gekrompen uit omdat hij zolang niet was gebruikt, maar ging, als hij een pen hanteerde, even krachtdadig, zij het nu wel beleefder, te werk.

'Hoorde ik de deur?' vroeg mevrouw Woodhull regelmatig.

'Nee,' zei Tennie dan. Kolonel Blood en de oude dokter Woodhull zaten te schaken. Af en toe kreunde Canning Woodhull als hij een stuk verspeelde, maar voor de rest bleef het stil. Maci wenste bijna dat ze niet had geregeld dat al die lawaaierige Claflins de hele dag het huis uit waren gewerkt. Ze liep om de haverklap naar het raam, waar ze kleine groepen mensen huis in huis uit zag gaan, sommigen al dronken van whiskey en punch en uitglijdend op het ijs. Er kwamen veel mensen langs hun huis, maar niemand bleef staan.

Maci had de hoop al helemaal opgegeven dat er nog iemand zou langskomen toen tenslotte toch de bel ging. Mevrouw Woodhull sprong op en riep naar een bediende dat hij moest opendoen. Het was echter Gob Woodhull maar, met de kleine Pickie in zijn kielzog. Dokter Fie had hij niet bij zich. Maci wist zeker dat dokter Fie in het huis aan Fifth Avenue zou zijn, waar hij aan de machine bouwde. Was het nobel om te delen in de waan van je vriend, of alleen maar dwaas? Maci wist het niet. Dokter Fie was een gemelijk en grimmig type, heel erg het tegendeel van Tennie, en toch was Maci er zeker van dat ze getrouwd zouden zijn als Tennie het huwelijk niet als een vreselijke zonde had beschouwd.

De zoon van mevrouw Woodhull was niet verbaasd dat het huis leeg was. 'Je hebt de mensen afgeschrikt,' zei hij. 'De angsthazen en hypocrieten, die niet begrijpen hoe verfijnd je opvattingen zijn, nagelen je met je eigen woorden aan de paal. Je had niet van je tekst moeten afwijken.' Hieruit bleek, dacht Maci, dat hij zich zorgen maakte over zijn moeder, dat hij haar de mantel uitveegde omdat ze te openhartig was. Maci was van plan in hem een bondgenoot voor de zaak van zijn moeder te vinden en de afstand die zich tussen hen beiden scheen uit te strekken te verkleinen. Ze had zich een scène tussen hen voorgesteld waarin ze elkaar, volledig met elkaar verzoend en in totale liefde, omhelsden en mevrouw Woodhull zei: 'Betreed de wereld. Er is hier voor ons zoveel werk te doen.'

'O, wat ben je toch een krassende vogel, met dat eeuwige gezeur!' zei mevrouw Woodhull tegen haar zoon. Maar ook Maci vertelde haar al de hele maand dat ze in Steinway Hall een fout had gemaakt. Bovendien had Maci haar gezegd dat ze niet had moeten demonstreren aan het hoofd van de decemberparade, een protest tegen de terechtstelling van de heer Rossel, een van de Parijse Communards. Mevrouw Woodhull had achter een lijkkist met een zwart laken gelopen, gevolgd door Maci en Tennie, die een spandoek hadden gedragen met de tekst: *Volledige sociale en politieke gelijkberechtiging van beide geslachten.*

Het was overduidelijk dat er bij een bondgenootschap met communisten geen winst viel te behalen. Maci wist dat, en toch had ze met mevrouw Woodhull meegedemonstreerd, omdat ze haar niets kon weigeren. Ze was voortdurend bang geweest dat ze een rel zouden ontketenen, dat er tegen de avond stapels lijken op alle straathoeken van Manhattan zouden liggen en dat de stad in vuur en vlam zou staan. De demonstratie had echter tot een heel ander soort oproer geleid— het feit dat beide zusters hadden meegelopen had hen vervreemd van commodore Vanderbilt. De Vrije Liefde wond hem op, het Spiritisme troostte hem, maar het Communisme was hem een vloek. Tennie meldde op een ochtend een paar dagen na de demonstratie dat hij haar niet meer wilde zien.

'Ik wist dat het zou gebeuren,' zei ze tegen Maci. 'Maar o, toch doet het pijn!'

Op haar gastloze feest schudde mevrouw Woodhull haar hoofd naar haar zoon en ging toen tussen haar beide echtgenoten zitten, die hun spel schaak hadden opgegeven en zich op een bank hadden teruggetrokken. 'Het wordt voor ons een hete januari, hè?' zei ze. 'Nou, ik ben geneigd er ook voor iemand anders een hete maand van te maken.' Het was een reflex van haar geworden iedere keer dat het geluk haar tegenzat een dreigement jegens Henry Beecher te uiten. Ze gaf hem langzamerhand de schuld van al haar problemen, ofschoon hij, voorzover Maci wist, eigenlijk niets had gedaan om haar te schaden. Mevrouw Stowe en Catharine Beecher waren degenen die haar wilden vernietigen. Meneer Beecher had zelfs een poging ondernomen zijn zusters in te tomen, maar dezen lieten zich, verteerd door hypocrisie en giftigheid, niet de mond snoeren.

'We hebben alles al klaarliggen om feest te vieren,' zei Gob Woodhull opgewekt terwijl hij de gordijnen sloot, zodat de stroom mensen die het huis passeerde niet meer zichtbaar was. 'En het toeval wil dat Pickie vandaag jarig is. Wat doen we?'

'Ik ben niet jarig,' zei Pickie.

'Ja zeker wel. Ik heb je vandaag een jaar geleden gevonden. Jongen, je bent vandaag een jaar oud!'

'Ik ben niet jarig, en mijn broer ook niet,' hield de jongen vol. Niettemin kreeg hij een leuk feest; hij at naar hartelust van de taart en dronk rode punch. De sfeer in huis werd even vrolijk en onbezorgd als hij daarvoor treurig en nerveus was geweest. Mevrouw Woodhull leek vergeten te zijn dat mevrouw Grundy haar die dag te lijf was gegaan. Staande op een stoel verkondigde ze dat 1872, het jaar van haar voorbeschikte verkiezing tot President van de Verenigde Staten, het grootste jaar van haar leven en het grootste jaar van hun aller leven zou worden. 'Dit is *mijn* jaar!' zei mevrouw Woodhull.

Ze nam Maci apart om haar iets toe te vertrouwen. 'Ster

van me,' zei ze. 'Ik weet dat het er nu somber uitziet, maar geef de hoop niet op. We veren weer op, hoger dan iemand verwacht. Ik heb je dit nooit verteld. Ik heb gewacht, en nu heb ik, in dit donkere uur, de inspiratie gevonden om je het nieuws te vertellen dat ik heb gekoesterd. Ik ben van plan je een post als minister te geven als ik in mijn voorbestemde hoedanigheid in Washington aankom.'

Maci was in de war. Ze bedacht helemaal niet dat het vrijwel ondenkbaar was dat mevrouw Woodhull gekozen zou worden of zelfs maar veel stemmen zou krijgen. Ze voelde zich uitsluitend vereerd, maar dit gevoel ging al snel over toen mevrouw Woodhull als de eerste de beste politicus met beloften begon te strooien. Iedereen zou minister worden. Kolonel Blood werd minister van Oorlog, haar zoon minister van Bouwen en Tennie C. Claflin zou minister worden van een nieuw te vormen departement van Plezier, waar ze iedere sombere staatsburger een budget zou toekennen om pret te maken.

Maci's hand maakte een tekening van Gob Woodhull, een levensgroot meesterwerk van perspectief—als ze er met halfdicht geknepen ogen naar keek geloofde ze bijna dat zijn hand, die tot de gespleten vingernagels aan toe in detail was weergegeven, uit het papier tevoorschijn kwam. Ze ging achterover liggen en keek naar de tekening, terwijl ze zich afvroeg of hij en soldaat Vanderbilt ruzie zouden krijgen als ze ze naast elkaar aan de muur hing. De kleine dokter Woodhull was sterker dan hij eruitzag—ze had hem een ketelplaat zien optillen alsof hij van porselein was geweest. Haar hand schreef deze kracht toe aan wat hij een semi-spirituele aard noemde, maar Maci geloofde dat de kracht van zijn obsessie een weg naar zijn spieren en botten had gevonden. Hoeveel keer had haar moeder niet haar hele bed opgetild als ze naar een verdwaalde boon op zoek was geweest?

Maci ontdekte dat ze tegen de tekening kon klagen zoals ze tegen niemand kon klagen. Mevrouw Woodhull, Tennie, haar hand—ze praatten allemaal terug. Ze probeerden haar er allen van te overtuigen dat gezond verstand onredelijk was, maar de tekening van Gob Woodhull deed dat nooit. Hij glimlachte, hij stak zijn hand uit, en dat was alles. 'Is het geen last?' vroeg ze hem. 'Is het niet oneerlijk dat ik van buitenaf en van binnenuit door waanzin word getroffen?'

Hier zijn zijn handen, schreef haar eigen hand er al tekenend op, *om je aan te raken. Hier zijn zijn ogen om je te zien. Hier is zijn mond om tegen je te praten.* Met deze getatoeëerde instructie was hij niet schoon. *Hier is zijn hart, om van je te houden.* Maci kreunde en wendde haar blik af toen haar hand dit laatste schreef, omdat ze bang was dat hij hem zou tekenen met een hart dat uit zijn borstkas sprong, zoals op die gruwelijke katholieke heiligenplaatjes. Haar hand tekende echter alleen een zwarte schaduw in zijn borst.

'Vertelt u me eens,' vroeg hij haar iedere keer dat ze hem thuis bezocht. Hij zei het op zowel speelse als klagende toon. 'Ik weet dat u het me kunt vertellen.' Hij bleef ervan overtuigd dat ze hem kon helpen bij de bouw van zijn dwaze werkstuk. Maci opperde dat een stuk ruw ijzer met blauwe of geel verf kon worden beschilderd of stelde op goed geluk een verandering voor: 'Moeten die tien centimeter draad niet van goud zijn in plaats van van zilver?' Hij scheen niet te beseffen dat ze de spot met hem dreef. Ze waren als kinderen aan het spelen, rommel opstapelend tot een hoop onzin. Het bezorgde haar een vals soort plezier te bedenken dat het allemaal verspilde moeite was en hoe tevreden ze zou zijn als het enorme apparaat niets zou blijken te kunnen, behalve een enorm apparaat zijn. Soms had Maci echter ook medelijden met hem als ze bedacht hoe hij zou falen. En maar heel zelden bedacht ze dat het prachtig zou zijn als dat ding toch de doden zou kunnen uithoesten, als er uit die schoorsteen maar één dode ziel herboren zou kunnen worden. Ze probeerde dit zelfs te geloven: ze sloot haar ogen en deed haar best te zien hoe de triomferende geest van haar broer weer in vleselijke gedaante geboren werd. Maar hoe ze het ook probeerde, ze zag alleen maar duisternis.

'Meneer,' zei ze tegen zijn getekende portret. 'U scherpt mijn gevoel voor het lachwekkende en het tragische.'

Maci ging samen met Gob naar het begin van Roosevelt Street, waar de New York-toren van de grote brug langzaam maar zeker begon te groeien. Aan de overkant van de rivier, aan de Brooklynzijde, was de toren al dertig meter hoog.

'Is hij niet prachtig?' vroeg hij. Ze waren daar omdat ze iets te doen hadden. Mevrouw Woodhull had Maci gevraagd voor het nummer van 8 maart van de *Weekly* een artikel te schrijven over de voortgang van de brug om eventuele corruptie bij de financiering te kunnen onthullen waar ondanks de val van meneer Tweed wellicht nog steeds sprake van was. Dokter Woodhull had aangeboden haar te vergezellen, want de brug fascineerde hem vanzelfsprekend. Hij had er vrienden en kon ervoor zorgen dat ze het inwendige van het bouwwerk kon bekijken. Ze klommen tussen de arbeiders met hun kruiwagens, draagbakken, houwelen en scheppen naar de top van de oprijzende toren. Dokter Woodhull stak zijn armen uit naar een geweldige stoomhijskraan die stenen van een dekschuit aan de kade hees en Maci kreeg de indruk dat hij de kraan liefdevol zou hebben omhelsd als zijn armen lang genoeg waren geweest.

'Bent u klaar om naar beneden te gaan?' vroeg hij, nadat ze aan hun gids waren voorgesteld — een man die Farrington heette en zo efficiënt was dat hij Maci en dokter Woodhull tegelijkertijd de hand schudde. Hij liet hen enkelhoge rubberlaarzen aantrekken.

'Natuurlijk,' zei ze. Dokter Woodhull had aangeboden alleen te gaan en haar verslag uit te brengen, als ze de gedachte zelf naar beneden te gaan te beangstigend vond. Ze daalde als eerste de ladder af. Ze stonden opeen gedrukt in een klein vertrek dat vanboven werd verlicht door een glazen plaat in het ijzeren plafond.

'Dit is de luchtsluis,' zei meneer Farrington. 'Zo dadelijk is

het een onplezierig gevoel,' voegde hij er onomwonden aan
toe, 'maar als u precies doet wat ik doe gaat het uitstekend.'
Buiten schroefde een arbeider het dak dicht, en toen hij hiermee klaar was legde meneer Farrington zijn handen over zijn
oren. Maci volgde zijn voorbeeld te laat om de doordringende
gil buiten te sluiten die het vertrek vulde. 'Da's alleen maar
de lucht die naar binnen komt!' riep meneer Farrington.

'Een wonderlijke ervaring!' zei Maci, omdat haar hoofd
aanvoelde alsof het onder water verdween. Het was een wonderlijke ervaring, en toen een pijnlijke—de druk voelde aan
alsof haar hoofd in elkaar geperst zou worden tot het zo groot
zou zijn als haar vuist. Dokter Woodhull liet haar zien hoe ze
de druk kon verminderen als ze haar neus dichtkneep en probeerde te niezen. Opeens kwam er een einde aan het geluid
en viel er een luik in de vloer open. Het gevoel van onaangename zwaarte in Maci's hoofd was niet helemaal over, en
toen ze nog een ladder afdaalde die het caisson in voerde was
ze duizelig en een beetje amechtig. Haar hart bonkte in haar
oren en toen ze iets zei klonk haar stem onnatuurlijk. De
stem van dokter Woodhull klonk hoog als die van een kind.
'Gaat het?' vroeg hij.

'Het gaat,' zei ze. 'Maar hoe gaat het met u? U bent toch
veel te gevoelig voor zo'n omgeving!' Ze draaide hem de rug
toe om rond te kijken in de ruimte waarin ze waren afge-
daald. Haar eerste indruk was er een van vlammen en schaduwen en een geweldig lawaai, dat op een of andere manier
heel hard en toch heel ver klonk: hamers en boren die rots
raakten. Overal in het dampende licht tussen de schaduwen
liepen halfnaakte mannen, die de rots te lijf gingen. Het zag
er heel erg uit zoals Maci verwachtte dat de Hel eruit zou
zien.

Ze begonnen aan de rondleiding, waarbij Maci voorzichtig
over planken liep die op de zuigende modder lagen; enkele
seconden later had ze iedere gedachte opgegeven dat haar
jurk het zou overleven. Meneer Farrington legde uit dat er
nog vijf kamers als deze waren. 'We zitten nu twintig meter

onder het wateroppervlak,' zei hij. 'En omdat de mannen meer modder en rots weghalen, gaan we steeds dieper.' Toen ze bij een muur kwamen wees hij op een afdekplaat die de hele binnenzijde besloeg en vertelde dat deze daar als voorzorg tegen brand was aangebracht omdat het caisson aan de overkant van de rivier al bijna eens door een brand was vernietigd.

'Fascinerend!' zei Maci, maar ze wilde weg en ze wilde dat er een eind aan de rondleiding kwam. Ze had die eerste momenten alle informatie opgedaan die ze nodig had en was ervan overtuigd dat ze de lezers van de *Weekly* volledig deelgenoot kon maken van de hete, benauwde verschrikking van deze omgeving. Meneer Farrington werd weggeroepen. Hij liet hen achter onder een oogverblindende calciumlamp.

'Hoe vindt u het hier beneden?' vroeg dokter Woodhull.

'Betoverend,' zei ze. Toen gaf ze een gil omdat ze opeens een steek van pijn in haar oren kreeg, alsof iemand er met een priem in had gestoken, en de pijnscheut leidde haar af van de enorme luchtstoot die haar bijna in de modder deed belanden. Alle lampen waren uitgegaan. De arbeiders kreunden en vloekten. Ze hoorde meneer Farrington tegen de arbeiders schreeuwen dat ze hun taalgebruik moesten matigen omdat er een journaliste bij was.

'Er ontsnapt alleen maar wat lucht,' zei dokter Woodhull, en legde uit dat de rand van het caisson, dat nog niet ver genoeg in de grond was gezonken, af en toe iets omhoogkwam als het getij omsloeg, waardoor er een grote hoeveelheid lucht in één keer de rivier in stroomde. 'Die lampen zijn maar even uit,' zei hij. 'Verder is er niets aan de hand.'

'Nee,' zei ze. 'Nee, volgens mij is er wel degelijk iets aan de hand.' Ze stonden tot hun knieën in het water, dat zo koud was dat haar botten er pijn van deden, en ze wist zeker dat het water omhoogkwam. 'Volgens mij wordt dit onze dood.'

'Onzin,' zei hij. 'U gaat nooit dood, juffrouw Trufant.' Haar ogen stonden wijdopen, wijder dan ooit in haar leven. Ze stonden zo wijdopen dat ze brandden en trokken, dus dacht ze dat ze had moeten zien dat hij naar haar toe kwam. Maar ze wist pas dat hij er stond toen hij zijn lippen al op de hare had gedrukt. Wat deed hij? Was ze soms een van die Portugese dames die, als ze met een man alleen worden gelaten, dodelijk beledigd zijn als hij niet minstens een poging waagt zich grof en familiaar tegen hen te gedragen? De gedachte flitste door haar heen dat ze moest schreeuwen en hem van zich af moest duwen. Helder als het weerlicht flitste de gedachte voor haar ogen, maar even later was het over en toen keerde het donker, dat nu vreemd genoeg heerlijk was, terug. Maci graaide met haar eigen lippen naar de zijne. Graai graai graai, dacht ze. Gob Gob Gob. Ze bonkte met een van haar tanden tegen de zijne.

We worden uitsluitend door liefde of angst gemotiveerd en het is beter de weg te volgen die de liefde je wijst dan de andere. Ik denk dat ik op die gedachte van de aarde ben weggeklommen, zoals stervende gelovigen op een gebed omhoogklimmen. Jij, met je rijke woordenschat waar het motivering betreft, vindt dit een dwaas, simpel idee. Maar zegt men niet terecht over de doden dat ze wijs zijn? Ik zal je dit advies geven, en smeek je het te aanvaarden: laat hem in je binnendringen en een obsessie voor je worden, zoals ik in je ben binnengedrongen en een obsessie voor je ben geworden.

'Spiritisten zijn allemaal zo serieus,' zei Maci tegen Gob, terwijl ze nog een rondje om het waterbekken liepen. 'Er bestaan trancesprekers, trancegenezers, trancezwevers. Maar waarom zijn er geen trancekomedianten?'

'Er zit geen humor in de dood,' zei Gob.

'O nee? Ik heb staan giechelen op de begrafenis van mijn moeder. Iedereen die erbij stond dacht dat het snikken was, maar ik weet wat het was. Afgrijselijk, pervers gegiechel, omdat mijn moeder aan haar liefde voor bonen was doodgegaan. Ik dacht aan bonen die uit haar mond kwamen terwijl ze daar in haar kist lag, en ik voelde dat ik moest lachen, want anders zou ik daar zelf zijn gestorven.'

'Wat een vreselijk verhaal, juffrouw Maci.'

'Inderdaad. Maar gelooft u niet, dokter Gob, dat je om de dood zou moeten kunnen lachen? Zo kunnen we hem overwinnen, volgens mij.'

'Is uw moeder uit haar graf opgestaan toen u om haar lachte?'

'Natuurlijk niet. U begrijpt me opzettelijk verkeerd.'

'Ik begrijp u uitstekend,' zei hij, haar een arm gevend. Een opwelling om zich los te rukken trok door haar heen en ebde weer weg, en toen leunde ze tegen hem aan.

'Wat een idiote bewering,' zei ze, hoewel ze nog diezelfde ochtend met alle gordijnen open en de lichten fel aan in haar kamer had gestaan; in de vloed van licht had ze zichzelf in de spiegel bekeken en nauwkeurig onderzocht. Ze had haar hoofd omgedraaid en haar ogen zo dicht bij het glas gebracht dat ze het bijna hadden geraakt en daarna had ze in haar eigen pupil gestaard omdat ze zeker had geweten dat als ze met haar blik in het kleine zwarte gaatje kon doordringen, ze hem daar zou zien, comfortabel in haar hoofd. 'Ga eruit,' had ze gefluisterd. Ze hadden daar in het caisson een diepe ademhaling – in en uit – gedeeld, en Maci wist zeker dat hij iets in haar had gestopt, een deel van hemzelf dat bij haar een nietaflatend verlangen wekte bij hem in de buurt te zijn. Ze dacht graag dat er die dag een andere vrouw uit de luchtsluis naar boven was gekomen, een vrouw die zich naar buiten had gehaast voordat ze gekust kon worden, een vrouw die doorging met haar leven zonder behoefte aan die vreemde man, een vrouw die een leven voortzette dat niet meer door geesten en rebellerende handen en machines geteisterd zou worden. Iedere dag sinds die kus zorgde Maci ervoor dat ze een klein beetje tijd reserveerde om gelukkig te zijn voor dat meisje.

'Er bestaat een geheime wereld, juffrouw Maci,' zei Gob Woodhull, terwijl hij haar meenam naar de rand van het water, waar ze zich over het hekje bogen. 'Verborgen in het volle zicht van deze ene, is ze onzichtbaar voor mensen die oprecht geloven dat giechelen om de dood afbreuk doet aan onze sterfelijkheid. De wereld is vol rouwende mensen en rouwende geesten. Ziet u? Daar staan twee burgers van die wereld.' Hij knikte naar hun spiegelbeeld.

Maci maakte zich van zijn arm los en deed een stap achteruit, zodat ze het water niet meer zag. 'Morbide fantasieën,' zei ze.

'Kijk, ik heb iets voor u.' Hij nam zijn hoed af en stak zijn hand erin, haalde een doodgewone bloem tevoorschijn, een nederige margriet, platgedrukt en zweterig omdat hij onder zijn hoed had gezeten. Hij hield hem voor haar op. Ze nam hem met haar rechterhand aan.

'Dank u,' zei ze, en bracht hem naar haar neus. Hij rook naar zijn haar.

Weet je nog dat we Troje speelden? Ik was Helena, vastgebonden met de sjaals van mijn moeder, hoog op hun bed, dat we naar het midden van hun kamer hadden geduwd. Jij moest Achilles zijn, schitterend in je razernij; je sleepte de kat aan een touwtje om het bed heen en noemde hem dode Hector. Wat een wreed spelletje, alleen kinderen zouden zoiets kunnen verzinnen. Je liep steeds maar om dat bed heen, doof voor de protesten van de kat. Ik moest schreeuwen, anders hoorde je me niet. Ik wilde losgemaakt worden. 'Laat me gaan,' smeekte ik. 'Het is een naar gevoel.' 'Ellendig schepsel,' riep je, zonder langzamer te gaan lopen, 'er is geen troost in deze wereld!' Jij was toen vijf. Ik was tien.

Nu zal iedere geest bevestigen dat de vertroostingen van de sterfelijkheid klein en vluchtig zijn, maar dat dat geen reden is om ze te versmaden. Zuster, ik bezweer je beslag te leggen op een deel van het geluk.

Maci vertrouwde de oude dokter Woodhull toe dat ze dacht het slachtoffer van een besmettelijke ziekte te zijn. 'Er was een proces van binnendringing,' vertelde ze hem, terwijl ze haar symptomen beschreef, 'en nu is er een proces van ontbinding gaande.' Ontbinding was eigenlijk niet het juiste woord. Wat er met de kus ook bij haar naar binnen mocht zijn gegaan, het was geëxplodeerd en had haar gefragmenteerd tot een verward, versplinterd wezen. Was dat niet de functie van de tijd — je beroven van je vermogen meer dan één persoon tegelijk te zijn? Maar Maci was tegenwoordig een hele massa van tegengestelde meningen en besluiteloosheid.

'Ik heb precies wat je nodig hebt,' zei Canning Woodhull. Hij liep de keuken uit en ging naar zijn kamer en kwam even later terug met een prachtige gele fles waarop bloemen en ogen waren geschilderd. 'Geloof me,' zei hij, 'hier vind je baat bij.' Ze werd er alleen maar dronken van.

Als Maci door haar verblijf in het huis van mevrouw Woodhull iets had geleerd was het zeker dat het huwelijk geen verheven of zelfs maar een noodzakelijke staat was. Een echtgenoot kon slechts een hoffelijk aanhangsel zijn, zoals kolonel Blood, of, zoals Canning Woodhull, iets vermorzelds dat een hele hoop naastenliefde verdiende. Dus waarom werd Maci dan op een ochtend wakker met de overtuiging dat het huwelijk de enige remedie tegen de liefde was, en waarom werd ze op een ochtend wakker en geloofde ze dat ze verliefd was op Gob Woodhull? Ze geloofde niet in deze dingen — dat was meer iets voor de anderen. Voor de opstandige andere Maci Trufants die in haar tekeergingen en haar gezonde verstand omverwierpen.

'Nu word jij ook mijn mamma,' zei de kleine Pickie tegen haar. Ze probeerde zich als moeder van dit vreemde kind voor te stellen, dat al haar moederinstincten verpestte. Hij stond aan de deur te luisteren toen Maci naar mevrouw Woodhull ging om om de hand van haar zoon te vragen. Maci wilde het heel graag met haar werkgeefster eens zijn toen deze zich uitsprak tegen het idee dat Gob en Maci zich op conventionele manier met elkaar zouden verenigen. 'Wist je dat de kolonel en ik gescheiden zijn?' vroeg ze. 'Vlak nadat we waren getrouwd hebben we echtscheiding aangevraagd en gekregen. Als protest, ster van me, tegen die zondagsschoolmentaliteit. En heb je niet net een roman besproken met de titel *Te snel getrouwd*?'

Ik zal bij je zijn, beloofde haar hand, *ik zal je weggeven*. Maci liep alleen door het gangpad in de kerk, een bruid die geen vader nodig had. Ze had hem of haar tante niet voor de bruiloft uitgenodigd, maar had zich wel genoopt gevoeld tante Amy een kort bericht te sturen, dat ze ditmaal wel had verzonden: *Tante, het is inderdaad verschrikkelijk niet te trouwen*. Maci had sowieso gewild dat de huwelijksvoltrekking zo privé was dat er niemand anders bij zou zijn dan zijzelf en Gob en een verenigend principe. Ze zouden elkaars handen vastpakken en in elkaar doordringen. Op aansporing van de ondergeschikte van meneer Beecher pakten ze elkaars handen, maar toen ze het deden hield ze er geen mystieke gevoelens van eenwording aan over. Terwijl ze zijn handen vasthield vroeg ze zich af hoe het mogelijk was dat ze trouwde met iemand die de *Vindication* als 'gebabbel' afdeed.

Het was de minst besloten gelegenheid die ze ooit had bijgewoond: er was een overvloed aan gasten, allemaal van mevrouw Woodhull, mensen die waren gekomen om te laten zien dat ze haar steunden. Haar vrienden waren sinds januari bij haar teruggekeerd—het bleek dat niemand lang bij haar kon wegblijven, hoe de vogelverschrikkers van de zogenaamde moraal ook hun pompoenkoppen schudden. Ze waren echter niet werkelijk voor de huwelijksvoltrekking gekomen. Ze hoopten op een toespraak waarin tot schitterende, opwindende hervormingen zou worden opgeroepen en tegelijkertijd haar zoon met zijn bruid een gelukkige toekomst werd gewenst. Er kwam echter geen toespraak, maar mevrouw Woodhull gaf wel een schitterend feest, dat door haar zoon werd betaald. Mevrouw Woodhull begon arm te worden.

'Je moet genieten van de eerste nacht,' zei Canning Woodhull, een van de vele mensen die Maci ongevraagd raad gaven. 'Het zal de allerbeste van je leven zijn. Alles wat erna komt is ellende, liefje.'

Kolonel Blood zei: 'Probeer niet zijn hart aan de muur van je slaapkamer te spijkeren, want dan zal het alleen maar bloeden.'

Tennie sprak haar bestraffend toe. 'Je hebt je belofte gebroken, hè?' Bijna twee jaar daarvoor hadden ze een anti-huwelijksplechtigheid gehouden. Maci had samen met Tennie gekleed in het wit in de Turkse hoek gestaan, en ze hadden een gouden beker wijn gedeeld. 'Het huwelijk is het graf van de liefde,' hadden ze samen gedeclameerd. 'Ik zal het graf van de liefde nimmer betreden.'

Maci wilde zeggen: 'Inderdaad!' En ze wilde Tennies hand pakken en samen met haar naar Parijs of Berlijn vluchten, steden die Maci zich van de reis uit haar kindertijd herinnerde, om een ongetrouwd bestaan met ingewikkeld genot te kunnen leiden. Maar een andere Maci had op dat moment bezit van haar ledematen genomen en ze kon niet vluchten. Weer een andere Maci probeerde haar hart uit haar borst te drukken, naar Gob toe, die onder een muurschildering van de liefdes van Venus—Adonis, Ares en Anchises,—met dokter Fie stond te praten. Van de overkant van het vertrek zag haar nieuwe echtgenoot er erg klein uit. Ze voelde de behoefte hem in haar hand te houden.

Maci weigerde in zijn huis met die machine te gaan wonen. Ze namen kamers een eindje verderop in het Fifth Avenue Hotel, waar hun ramen op de bomen van Madison Square Park uitzagen. Ze hadden een salon met een marmeren open haard die zo groot was dat de kleine Pickie er rechtop in kon staan, en rode gordijnen die Maci kon dichttrekken om de telegraafdraden niet te hoeven zien als ze dacht dat ze een geluid maakten alsof er tal van gesprekken tegelijk werden gevoerd. De kleine Pickie bleef onder de hoede van dokter Fie in het huis wonen, maar kwam vaak in het hotel langs. Maci en Gob hadden beiden een werkkamer; de hare werd gevuld door een groot bureau waarop ze drukproeven kon uitleggen, de zijne was volgepropt met schimmelende boeken. Ze woonden op de derde verdieping, die ze bereikten via een mechanische lift, waar Gob gek op was. Hij betaalde de liftbediende om er uren achtereen in op en neer te mogen gaan.

'Zou je willen dansen?' vroeg Gob haar op hun huwelijksnacht, toen ze beiden klaar waren om naar bed te gaan. Maci had een schoudertasje vol crèmes en parfums en watertjes die Tennie haar had gegeven, elk ervan vergezeld van een vijf minuten durende uitleg over het gebruik ervan. Ze had ze niet gebruikt en dacht dat dat de reden moest zijn waarom ze zich ongemakkelijk en banaal voelde toen ze op het bed ging zitten. Ze was dus blij dat ze kon dansen. Ze dansten zonder muziek en praatten tot Gob zei dat hij erg moe was. Hij ging in bed liggen en viel onmiddellijk in slaap. Maci ging naast hem liggen en keek hoe hij ademde en snurkte. Hij kreunde en trappelde in zijn slaap met zijn benen. Ze overwoog haar armen om hem heen te slaan maar deed het uiteindelijk toch niet. Het verbaasde haar hoe snel ze in slaap viel toen ze het probeerde.

'Maci,' zei hij een tijdje later, nadat hij haar wakker had geschud. 'Heb ik je ooit verteld over toen ik getuige was van de begrafenis van meneer Lincoln? Hij kwam door New York, weet je, op de terugweg naar Illinois. Hij verliet deze stad met een escorte van zestigduizend burgers en soldaten. Ze kwamen onder mijn raam langs en wekten me door al het lawaai dat ze maakten. Ik stak mijn hoofd uit het raam en zag ze uren- en urenlang voorbijtrekken. De allerlaatste rouwende was een snuffelende hond, een prachtige, grote, grijze hond. Hij zag eruit als een geest.' Ze zwegen beiden even, en toen gingen ze rechtop zitten, ieder aan zijn kant van het bed, en praatten hartstochtelijk, waarbij ze van het ene onderwerp op het andere sprongen—van meneer Lincoln naar mevrouw Lincoln, naar krankzinnigheid naar krankzinnigengestichten naar Margaret Fuller naar schipbreuken en zo verder.

Daarna ging het iedere nacht zo. Ze dansten, sliepen,

praatten. Het ging dagen, en toen weken, zo door. Maci verlangde naar absolute duisternis, omdat ze zeker wist dat haar man erdoor geïnspireerd zou worden haar te kussen—er kon geen andere reden zijn voor zijn verlegenheid dan het licht, want had hij zich daar beneden in het caisson niet grof en doortastend gedragen? Het licht van de straatlantarens op Madison Square drong echter hun kamer binnen, ook al waren de gordijnen dichtgetrokken, dus kon Maci Gobs gezicht zien terwijl ze praatten en ze wist dat hij het hare kon zien.

Ze vroeg Tennie niet om advies, maar schreef haar wel de gedragslijn toe die ze uiteindelijk tot de hare maakte, omdat ze het probleem oploste door te doen alsof ze Tennie was. Op een nacht legde Maci haar hand over de mond van haar echtgenoot en zei: 'Nu is het genoeg geweest.' Ze kuste hem en betastte hem overal. Toen hij wegvluchtte ging ze hem graaiend en kussend achterna, ook al riep hij luidkeels of ze alsjeblieft wilde ophouden. Hij rende een hoek in en bleef daar gebogen staan, met zijn handen over zijn hoofd geslagen en een kermend geluid makend. Ze stond over hem heen gebogen, op hem neer kijkend. Hij loerde langs zijn armen naar haar omhoog. Zo stonden ze een tijdje, totdat ze haar hand naar hem uitstrekte. Ze moest een hele tijd wachten voordat hij hem beetpakte. Ze herinnerde zich wat mevrouw Woodhull van haar dak had geschreeuwd, zodat het in de hele Thirtyeighth Street te horen was geweest. Maci schreeuwde dit allemaal ook, omdat ze dacht dat het lawaai haar echtgenoot zou aanmoedigen, en eventjes gedroeg ze zich bruut tegen hem, ze sloeg hem op zijn hoofd en borst, schudde hem door elkaar en staarde bezeten in zijn glanzende, wijdopen ogen. 'Glorie!' schreeuwde ze, in haar wanhopige opwinding zelfs meneer Tilton imiterend. Gob zei tot het einde toe niets, maar toen schreeuwde hij zo hard in haar mond dat ze dacht dat haar longen zouden barsten.

Pal bij zonsopgang werd ze wakker met een zenuwtrekking in haar hand. Ze dacht dat haar hand haar wilde gelukwensen met de consummatie van haar huwelijk, dat haar linkerhand misschien over haar borstkas wilde lopen om de rechter te schudden. De hand wilde echter een pen, zoals altijd. Er kwamen geen woorden, alleen maar tekeningen, niet van mensen of plekken, maar van het ding. Een uur lang keek ze toe terwijl haar hand een chaos van tandwielen, kamraderen, stutten en pijpen tekende. Ze bleef tot ver in de ochtend tekenen terwijl Gob achter haar lag te slapen; ze wachtte en wilde dat hij haar werk zou onderbreken, maar ze hield pas op toen een lid van het hotelpersoneel aan de deur kwam met een telegram waarin hun werd meegedeeld dat Canning Woodhull dood was.

De Magiër, die bij iedere geest geliefd is, kan ons niet zien of horen. We kunnen hem niet bereiken, en zijn broer kan hem niet bereiken. De hemel houdt van wrede ironie, maar wij hebben er hier een hekel aan. We kunnen hem niet onze wijsheid bieden, daarom bieden we u haar aan.

Maci wist dat het alleen maar ongepast kon zijn dat ze op een begrafenis aan kinderen dacht en aan hoe ze gemaakt werden. Maar tijdens de witte viering van de dood ter ere van Canning Woodhull deed ze precies dat. *Lieve tante Amy*, had ze in een volgende niet-verzonden brief geschreven, *precies op het moment dat hij bij mij binnendringt dring ik bij hem binnen en vervul hem van twijfel met het doel een einde aan zijn waan te maken. Ik denk dat hij het bouwen aan zijn machine voor het bouwen aan een gezin zal inruilen. Is dit immers niet de manier waarop getrouwde mensen zich te weer stellen tegen hun sterfelijkheid—kinderen maken?* De kinderen zouden komen, een, twee, drie, vier, ieder jaar één, zodat ze nauwelijks de tijd zou krijgen om te weten wat het was om zwanger te zijn. Toch zou het heerlijk zijn, zelfs het lijden, omdat er met iedere geboorte weer een klein beetje van de machine zou verdwijnen. Vijf, zes, zeven—het ding zou tot een omhulsel worden gereduceerd. Acht, negen, tien —het zou uitsluitend nog sloopijzer zijn. Elf, twaalf—ze zouden het huis aan Fifth Avenue verkopen aan een man die een fortuin verdiende aan pessaria.

'Een treurige dag, mevrouw Woodhull,' zei dokter Fie op de begrafenis. Ze doolden samen rond tussen de monumenten, net als alle andere witte rouwenden, die in groepjes van twee of drie over het weelderige gras wandelden.

'Ik heet nog steeds Trufant, dokter Fie.'

'Maar voor mij zult u altijd mevrouw Woodhull zijn.' Hij knikte in de richting van Gob, die nog steeds naast meneer Whitman bij het graf stond te huilen.

'Die twee onderhouden een speciale vriendschap,' zei hij.

'Benijdt u ze?'

'Nee,' zei hij. 'Maar ik denk dat ik Canning Woodhull wel benijd. Bedenkt u eens, mevrouw Woodhull, een plek waar je je glas whiskey uit de rivier kunt scheppen en waar dames zijn wier adem een gas van pepermunt en morfine is.'

'Ze zeggen ook wel dat de Hemel wit en koud is, en dat er niets te genieten valt.'

'O, maar ik denk niet dat hij in de Hemel is,' zei hij. 'Wat een vreemde bezigheid moet het geweest zijn, ex-echtgenoot. Daar gaat juffrouw Claflin.' Hij legde zijn armen als een schooljongen op zijn rug en zong:

'Ze is zoeter dan de bloemen in mei,
Ze is lieflijk en zeer te begeren,
wat de wereld er ook van zei,
Tennie zal ik eeuwig vereren!'

'Dokter Fie,' zei Maci, 'ik denk dat u gek bent van verdriet om uw vroegere collega.'

'Hij was een wijs man. Dat ben ik pas gaan begrijpen toen ik de kans niet meer had om van hem te leren. En u ziet dat uw echtgenoot er net zo over denkt.' Ze liepen een tijdje zwijgend verder. Ze kwamen bij een somber ogende boom, die gebogen stond als een treurwilg en in wier schaduw drie graven lagen. Ze hielden onder de boom halt om naar de grafstenen van een zekere mevrouw Sancer en haar kinderen te kijken. 'Nog maar pas van deze wereld vertrokken,' zei dokter Fie. 'We zien jullie binnenkort terug.'

Maci dacht aan de kinderen van de vrouw. Lagen ze samen met haar in dezelfde kist begraven, knus door de eeuwigheid reizend? Ze was vergeten, leek het wel, dat ook kinderen konden sterven. Nu ze het zich weer herinnerde kwam het als een afschuwelijke verrassing.

'Denkt u dat echt?' vroeg Maci. Hij plukte een twijgje met bladeren van de boom en gaf het haar.

'Natuurlijk,' zei hij. Hij plukte nog een blad van de boom, haalde een stuk houtskool uit zijn zak en begon een afschrift van een van de kindergrafstenen te wrijven. Maci leunde tegen de stam van de boom en keek naar hem. 'Ik begrijp niet,' zei hij al wrijvend, 'dat u een helpster maar geen gelovige bent.'

'Dat begrijp ik ook niet, dokter Fie. En wat ik ook niet begrijp is dat zulke sterke geesten zich aan zo'n makkelijk, zoetelijk geloof kunnen overgeven.'

'En als het nu eens waar is, mevrouw Woodhull? Als ze nu eens allemaal om ons heen staan? Als ze op dit moment om u heen staan?'

'In onze wereld zijn boeken onsterfelijk, dokter Fie. Mensen niet.' Maci sloot haar ogen.

'Voelt u zich wel goed, mevrouw Woodhull?' vroeg hij haar even later.

'Een beetje slaperig,' zei ze. In de stilte had ze in gedachten kinderen namen gegeven: John, Jacob, kleine Victoria, Arthur, Corwin. Ze hield ervan ze namen te geven. 'Waarom loopt u niet even door,' zei ze tegen dokter Fie. 'Ik ben zo weer bij u.' Hij keek haar met een ondoorgrondelijke uitdrukking op zijn gezicht aan, maar knikte toen en liep van de boom weg. Maci schermde haar ogen af tegen de flits zonlicht die door de afhangende bladeren brak toen dokter Fie ze opzij duwde. Kleine Tennessee, dacht ze, Polly, Christopher, Isabella, Constance, William.

Ik was verbaasd. Iedereen is verbaasd. Maar waarom zijn we verbaasd? Hebben we niet ons hele leven geweten dat dit zou gebeuren? Zo'n stil, subtiel gif. Zij die klagen hoe de dood hun dagen vergalt, worden zwak genoemd, of ziekelijk sentimenteel, maar eigenlijk zijn ze profeten, die fulmineren tegen de wanhoop die iedereen in praktijk brengt maar die niemand zal erkennen. Kun je je, Zuster, een wereld voorstellen die niet vergiftigd is? Een- of tweemaal in je leven vergeet je het misschien echt—bijvoorbeeld als je denkt dat je geen liefde kunt opbrengen en hem toch vindt, of als je baby afhankelijk aan je borst ligt en je denkt dat je kind eeuwig zal doorleven omdat het zich voedt met zuivere, sterke liefde. Maar kun je je wel een wereld voorstellen waarin onsterfelijkheid een feit is, geen fantasie of een vermoeden, een wereld waarin het ongedierte de roos heeft verlaten? Kun je dat? Kun je je dat wel voorstellen?

'Wat is gelijkheid?' vroeg mevrouw Woodhull op het meicongres van de Volkspartij. 'En wat is rechtvaardigheid? Zullen we slaven zijn om aan de revolutie te ontkomen? Weg met dergelijke zwakke stompzinnigheden! Er *zal* een revolutie over het hele land razen, om het te zuiveren van politiek bedrog, van despotische aanmatiging en van iedere onrechtvaardigheid in de industrie!'

'Word wakker, liefste,' zei Gob tegen Maci, een duwtje tegen haar hoofd gevend, dat op zijn schouder lag. 'Je mist de toespraak.'

'Ik heb hem zelf geschreven,' zei Maci. 'Ik ken hem.' Ze opende haar ogen en zag mevrouw Woodhull op het podium in Apollo Hall, met haar rode wangen, haar witte roos en haar blauwe jurk. 'Nu zul je toch moeten toegeven dat ze een prachtige vrouw is,' zei Maci slaperig.

'Wie,' zo vroeg mevrouw Woodhull, 'zal het aandurven de stralende deuren van de toekomst te openen met de roestige sleutels van het verleden?'

Inderdaad, wie? Iedereen in de zaal leek bereid een poging

te wagen. De hele zaal stond overeind en riep om haar: 'Woodhull! Woodhull, Woodhull!'

Kolonel Blood stapte gekleed in een fraai zwart pak vanuit de menigte het podium op. Hij riep mevrouw Woodhull uit tot kandidate voor het presidentschap van de Verenigde Staten van Amerika, spoorde daarna allen die de kandidatuur onderschreven aan de voordracht te steunen en de zaal daverde van de instemmende kreten. Vrouwen huilden en kusten elkaar. Mannen huilden en kusten vrouwen. Een dikke man naast Maci wipte op en neer op zijn stoel tot deze het onder hem begaf en lag lachend op de vloer. 'Woodhull!' schreeuwde hij.

Gob boog zich dicht naar Maci over en zei: 'Kijk haar eens. Ze weet niet eens meer dat er iemand is gestorven. Woodhull! Ze denken dat ze om mijn moeder roepen, maar eigenlijk roepen ze om *jou.* Zij is de mevrouw Woodhull die president wordt, maar jij bent de mevrouw Woodhull die een brug tussen Hemel en Aarde zal slaan.'

'Ik heet Trufant, meneer,' zei Maci. Ze vroeg zich af of hij soms nóg iets in haar stopte, behalve het spul waarvan een baby wordt gemaakt. Misschien was het een zuur om haar ongeloof weg te bijten, iets wat in haar ziel en haar geest doordrong en waarvan ze zwak en lichtgelovig werd. Het was een afschuwelijke gedachte, en ze bande hem altijd uit als hij bij haar opkwam, maar het was inderdaad waar dat ze zich met het verstrijken van de dagen steeds zwakker voelde, dat ze soms ziek werd van nervositeit. Het was iets anders dan waanzin, zachter, slaperiger, en moeilijker te weerstaan, deze smorende, nerveuze vermoeidheid.

'Je bent de belangrijkste ter wereld,' zei hij haar, terwijl de menigte om zijn moeder begon te schreeuwen. 'Anderen zullen me helpen, maar niemand kan me helpen zoals jij, ik heb niemand nodig zoals ik jou nodig heb. Wie is er anders in de wereld dan jij? Ik kijk elke dag om me heen en die hele enorme stad is leeg, afgezien van jou. Ik kijk boven de daken en zie je gezicht aan de hemel stralen.'

'Vleier,' zei ze.

Twee weken hierna vierde mevrouw Woodhull een volgende triomf, toen tijdens een tweede bijeenkomst van de Volkspartij, die zichzelf had omgedoopt tot Partij voor Rechtsgelijkheid, haar kandidatuur werd bevestigd. Frederick Douglass werd tot kandidaat voor het vice-presidentschap gekozen. In de greep van hun geweldige enthousiasme vergaten de leden van de Partij voor Rechtsgelijkheid meneer Douglass op de hoogte te stellen dat hij hun kandidaat was geworden, en toen hij het ontdekte liet het hem koud. Maci dacht dat zijn mannelijke trots was gekwetst omdat een vrouw het bij de verkiezingen van hem had gewonnen.

De maand, die met een begrafenis was begonnen, kreeg tegen het einde weer een sombere toon. Maci vond het een beangstigend idee dat er mensen waren die de gooi van mevrouw Woodhull naar het presidentschap serieus namen en dat al het werk aan de Victoriaclubs vrucht had gedragen. Maci dacht dat ze alleen maar bezig waren met het oplaten van een glorieuze proefballon, dat ze op een gedurfde, sterke manier blijk gaven van hun bedoelingen, en het was haar overtuiging dat zelfs maar een tiental stemmen in november een triomf zou betekenen. De grotendeels denkbeeldige Victoriaclubs waren echter volledig reëel gebleken. Voor Maci was dit een even groot wonder als het wonder dat Gob hoopte te bewerken. Ongeveer een week lang geloofde ze werkelijk dat mevrouw Woodhull een heel serieuze gooi naar het presidentschap zou doen, en enkele momenten in die week geloofde ze dat mevrouw Woodhull zelfs echt president zou worden. Toen gooide mevrouw Grundy echter roet in het eten.

Maci wist niet welke vijanden mevrouw Woodhull precies had. Er waren de duidelijke gevallen: de zusters Beecher en hun volgeling, gouverneur Hawley van Connecticut, meneer Greeley, die in de *Tribune* mevrouw Woodhull altijd door het slijk had gehaald en misschien vond dat haar kandidatuur op een of andere manier afbreuk deed aan de zijne, en verder de hele redactiestaf van *Harper's Weekly*. Dit waren de mensen die zich publiekelijk tegen mevrouw Woodhull keerden, en ook al waren het allen reuzen, ze konden verslagen worden omdat Maci hen kon bestrijden op de pagina's van haar eigen *Weekly*, omdat ze op iedere beschuldiging die ze afdrukten of uitspraken kon reageren en deze gedetailleerd kon weerleggen.

Er waren echter andere vijanden, groot, schimmig en embryonaal. Er waren onbekenden die zo'n macht hadden dat ze de huur van het huis en het kantoor van mevrouw Woodhull tot tienduizend dollar per jaar konden laten verhogen, alles bij vooruitbetaling. Alleen al in mei daalde het advertentie-aanbod voor de *Weekly* met vijfenzeventig procent, en de cliënten verlieten en masse het makelaarskantoor. Mevrouw Woodhull was gedwongen haar prachtige huis op te geven, en niemand in de stad wilde haar iets verhuren. Toen Maci op zekere dag thuiskwam trof ze in haar kamers in het Fifth Avenue Hotel een menigte Claflins aan. 'Het is maar voor even,' zei mevrouw Woodhull, maar Maci vermoedde, kijkend naar Anna Claflin, die met haar schoenen aan op haar bed lag, dat het wel eens lang zou kunnen duren. Toch was het een genoegen mevrouw Woodhull onderdak te bieden toen deze het nodig had, ook al bleven de Claflins als een hardnekkige plaag op straat achter haar aan lopen. Maci was sowieso weinig in het hotel.

Maci had zich dan wel heilig voorgenomen niet in Gobs huis te gaan wonen, ze woonde er in de praktijk wel. Haar hand deed pijn van het maken van alle tekeningen die haar echtgenoot even snel gebruikte als zij ze maakte, en ze zag hoe zijn machine aan de hand van haar waanzin gestalte begon te krijgen. *Van je broer*, corrigeerde haar hand haar. *Van een vereniging van geesten die miljoenen en eeuwen sterk is. Van het opgetaste verlangen van alle doden van de geschiedenis.*

In juli zat Maci aan een tafel in Gobs huis met haar ene hand te tekenen en met de andere te schrijven terwijl dokter

Fie en haar echtgenoot met mokers in de weer waren om muren te slopen en ruimte te maken voor het steeds dikker wordende nieuwe Kind. De kleine Pickie liep op haar af met een schort vol zakken omgebonden; in de zakken zaten verschillende stukken gereedschap, moersleutels en hamers en dingen die er heel erg als chirurgische instrumenten uitzagen. 'Mamma, wil je er iets aan veranderen?'

'Nee, dank je,' zei ze.

'Moge je dan verdoemd zijn!' riep hij. Het was zijn standaardantwoord op haar weigering met het bouwen mee te spelen. Zijn toon was meer jubelend dan veroordelend, en hij zei het altijd met een glimlach. Maci ging door met haar schrijfwerk, een ingezonden brief aan de *Times*, de *Herald* en de *Tribune*, ter verdediging van haar werkgeefster: *Mevrouw Woodhull is een grote en goede vrouw, die wordt belaagd door mannen die haar haten en vrezen omdat ze in haar de dame herkennen die hun vuur zal stelen en het haar eigen sekse zal schenken. Niemand zou ooit op het idee komen haar roomsgezind te noemen omdat ze zegt dat iedereen het recht heeft katholiek te zijn, maar als we dit vraagstuk niet in termen van godsdienst maar van seksualiteit zien wordt ze voor propagandiste van promiscuïteit uitgemaakt omdat ze op het gebied van seksualiteit dezelfde theorie aanhangt als van godsdienst.*

Maci schrok in haar stoel overeind toen er met een klap een stuk muur omlaag kwam. Ze keek naar haar hand, die doortekende zonder zich iets van het lawaai of de zwevende kalkdeeltjes die op het vel papier neerdaalden aan te trekken. De hand voltooide net een tekening: een met een kroon van glazen stekels doorboorde herenhoed, en schoof deze opzij om op een nieuw vel papier aan een nieuwe te beginnen. Soms zag ze zichzelf, voortdurend maar doortekenend terwijl haar hand verstijfde van ouderdom tot ze een oude dame was, begraven onder twintig jaar van plaatjes van machines. En dan nog, wist ze zeker, zou haar gerimpelde hand het potlood blijven voortbewegen.

Tegen het einde van de zomer was mevrouw Woodhull

volkomen blut. De publicatie van de *Weekly* werd opgeschort en de makelaardij had geen klanten meer. Maci en haar echtgenoot maakten voor het eerst ruzie toen Gob weigerde zijn moeder geld te geven. Alles wat hij had had hij voor het bouwen nodig, zei hij, maar ze konden zolang ze wilden onderdak en eten krijgen in het Fifth Avenue Hotel. Maci had als een Xantippe tegen hem kunnen gaan zeuren, maar iedere keer dat ze over dit onrecht nadacht werd ze er eerder slaperig dan boos van. En mevrouw Woodhull, die volgens Maci van iedereen geld kon aannemen, leek vervuld van afgrijzen door het vooruitzicht geld van haar zoon te accepteren.

Mevrouw Woodhull begon dus aan een uitputtende reeks lezingen—naarmate haar reputatie schandaleuzer werd wilden meer mensen in het hele land haar zelf horen. Maar zelfs tijdens de jaarlijkse conventie van het Nationaal Genootschap van Spiritisten, dat haar een jaar eerder als voorzitster had gekozen, was het publiek even vijandig als nieuwsgierig. In september ging ze naar Boston om hen toe te spreken en raakte bijna het voorzitterschap kwijt. Ze werd aangevallen vanwege haar reputatie als aanhangster van de Vrije Liefde. Ze hield voortdurend vol dat Demosthenes degene was die haar dwong zich door middel van een geïmproviseerde aanval op meneer Beecher te verdedigen. Op die zomeravond in de buitenlucht hield ze een toespraak voor de duizenden capitulanten die haar wilden afzetten en vertelde gedetailleerd over het overspel van meneer Beecher met Elizabeth Tilton. Ze pakte het publiek volledig in. De Spiritisten kozen haar voor een nieuwe periode en zouden haar tot koningin hebben gekroond als hun handvest dat mogelijk had gemaakt.

'Het enige dat we nu nog kunnen doen,' zei mevrouw Woodhull tegen Maci toen ze in New York terug was, 'is hem aanpakken.' Ze bedoelde dat ze meneer Beecher in geschrifte te lijf wilde, een zet die Maci haar aanvankelijk uit het hoofd probeerde te praten omdat ze zeker wist dat de enige reactie een verpletterende vergelding zou zijn. 'Ster van me,' zei mevrouw Woodhull bestraffend, 'je bent een bange onwetende!'

Ze trok Maci in haar armen en riep dat meneer Beecher als een reus in East River zou vallen en een golf zou veroorzaken die Manhattan van South Street tot West Street onder water zou zetten. Mevrouw Woodhull, die op dat moment net zo bonkerig was als Tennie, hield Maci stevig omklemd en sprong samen met haar op en neer, alsof ze hen beiden probeerde te lanceren.

De maanden september en oktober werkte Maci zowel met Gob als zijn moeder, en soms was ze zo moe dat ze hun projecten door elkaar haalde, zodat ze dacht dat Gob een machine bouwde die ten doel had hypocrisie bloot te leggen en te vernietigen en mevrouw Woodhull een artikel schreef dat een zo krachtig betoog tegen de dood behelsde dat de natuur, beschaamd na lezing ervan, de sterfelijkheid zou herroepen. Het was immers best denkbaar dat beide taken in elkaar overliepen, omdat beide even onmogelijk waren. Tegen de tijd dat zij en mevrouw Woodhull klaar waren met het artikel over Beecher, toen alle feiten waren binnengebracht, gesorteerd en op schrift gesteld, had Maci echter het gevoel dat wat ze had helpen maken zo sterk was dat de vernietigende kracht ervan alleen maar een doorbraak zou kunnen bewerkstelligen. Het was een bom die boven Brooklyn zou exploderen en brandende fosforhervormingen op de smekende, ongelukkige bevolking zou laten neerregenen.

Toen zij en mevrouw Woodhull klaar waren, toen ze alleen nog konden wachten tot de krant terug zou komen van de drukker ging ze naar Gobs huis om uit te rusten. Ze had het gevoel dat ze wekenlang had gerend, snelheid opbouwend die ze op haar speer zou overdragen als ze hem eenmaal gooide, en nu deze haar hand had verlaten was ze te moe om zich zorgen te maken waar hij neerkwam. 'Slaap lekker,' zei Gob bij wijze van begroeting toen ze na de laatste dag werken aan de krant van 2 november binnenkwam. Ze ging in een van haar stoffige salonstoelen zitten en viel prompt in slaap.

Hier is New York na de verandering, schreef haar hand onder een tekening van een stad die helemaal van glas leek te zijn gebouwd. Kristallen bruggen schoten weg in de richting van de horizon; Maci kon alleen maar gissen waar hun andere pylonen stonden. Andere bruggen liepen tussen gebouwen die zo hoog waren dat Maci zich afvroeg of vanaf de daken de grond nog wel zichtbaar zou zijn. Drie concentrische zonnen hingen aan de hemel.

En hier is onze familie na de verandering, schreef haar hand onder een volgende tekening, ditmaal een dichtbevolkt groepsportret. *Zie je hoe gelukkig je eruitziet? Zie je hoe gelukkig iedereen eruitziet?* Maci wilde denken dat de geportretteerden er alleen maar zelfingenomen of onnozel uitzagen, maar het klopte dat hun gezichten en ogen door een stralende vreugde gezegend leken. Daar stond ze zelf, met Gob aan haar ene zijde en Rob aan de andere. Haar moeder stond er ook, rustig en bij haar volle verstand, een boek omhooghoudend zodat mevrouw Woodhull de titel op de rug kon lezen. En daar stond soldaat Vanderbilt, die zich vooroverboog om Tennie te kussen terwijl deze de hand vasthield van een man die Maci niet herkende, een kerel met een langgerekt gezicht in het uniform van een Uniesoldaat. Dokter Fie stond met zijn hand op de schouder van een kleinere man die wat gezicht betrof op hem leek. Maci's vader, juffrouw Suter, tante Amy en de man van wie Maci wist dat hij haar echtgenoot moest zijn—dat waren alleen nog maar de mensen die vooraan stonden. Achter hen stonden ze in rijen en rijen, en zelfs degenen wier gelaatstrekken door de afstand niet meer te onderscheiden waren straalden op een of andere manier groot geluk uit. Iedereen was gelukkig behalve Gob, die met gebogen hoofd knielde, huilend aan de voeten van een heel jonge soldaat die, naar Maci wist, zijn broer was. De jongen had een bugel in zijn ene hand. De andere rustte op Gobs hoofd.

Lieve tante, schreef Maci. *Ik ben op de vlucht voor de sterke arm. Er is een man, Anthony Comstock, die vindt dat ik een*

ernstige zonde tegen hem heb begaan. Hij heeft aanstoot geno-
men aan onze Weekly, *meer nog dan meneer Beecher, die een,*
lijkt me, gegeneerde stilte in acht neemt over het feit dat hij als
amoureuze hypocriet te kijk is gezet. Ik weet hoe dol u op
Beechers bent, tante, en ik voel me verplicht te zeggen dat we
hem nooit echt kwaad hebben willen doen. Dat we onze bom
boven Brooklyn hebben laten ontploffen hebben we niet uit ran-
cune tegen meneer Beecher gedaan. Mevrouw Woodhull heeft
zelf gezegd dat ze hem niets kwalijk kan nemen in enige zin
waarin deze wereld hem zal veroordelen. De fouten en het on-
recht moeten niet bij hem of bij mevrouw Tilton worden ge-
zocht maar bij de valse maatschappelijke instellingen waarin
we nog steeds leven, terwijl de verder ontwikkelde mannen en
vrouwen van de wereld deze geestelijk zijn ontgroeid. Vrijwel
iedereen leidt een vals leven door een conformisme te belijden
dat hij of zij niet voelt en ook niet in praktijk brengt en dat ze
net zo min kunnen voelen of in praktijk brengen als de opge-
groeide jongen de kleren uit zijn vroegste kindertijd nog kan
dragen. U ziet dus dat ik geen kwaadaardige bedoelingen te-
gen meneer Beecher in de zin had, en zeker niet tegen meneer
Comstock (hoewel ik als vaststaand weet dat hij bij wijze van
sport op honden schiet). Toch is deze man vastbesloten me, als
hij me kan vinden, achter de tralies te laten zetten, waar door
zijn toedoen ook mevrouw Woodhull, haar echtgenoot en haar
zuster terecht zijn gekomen. Tante, u hoeft zich echter geen zor-
gen te maken dat ik in de Tombes zal wegrotten in afwachting
van een proces waarin rechtvaardigheid ongetwijfeld ongrijp-
baar zal blijken te zijn, of dat ik naar Boston zal vluchten om
onze relatie met onredelijke eisen te belasten of u te compro-
mitteren met de aanwezigheid van een vluchtelinge. Ik zit hier
goed verborgen.

Maci liep als man vermomd op straat rond, met haar haar
onder een hoed en een baard van echt mensenhaar die Gob
haar 's morgens opplakte. Op warme dagen zakte de baard na
een paar uur dragen een beetje af, maar op koude bleef hij
tot in de avond keurig op zijn plaats zitten. Ze meldde zich in

haar vermomming als kiezer en stemde op 5 november 1872 onder Robs naam. Ze hechtte geen enkel geloof aan verhalen die later de ronde deden, namelijk dat mevrouw Woodhull geen enkele stem had gekregen: Maci wist immers dat ze zelf op haar had gestemd en dat hetzelfde voor Gob gold.

'Hoe is het buiten?' vroeg Tennie toen Maci haar en mevrouw Woodhull in de gevangenis in Ludlow Street kwam opzoeken. Er waren problemen gerezen met de borgtocht – steeds als een aanhanger het geld had gestort om de zusters vrij te krijgen werden ze weer gearresteerd. Maci schreef iedere dag woedende brieven naar vijf verschillende kranten.

'Saai,' zei Maci, hoewel ze in werkelijkheid totaal werd opgeslokt door alle opwinding van het schrijven en bouwen. Haar dagen verliepen volgens een strak schema – 's morgens agiteren, overdag in haar vermomming de stad in, 's avonds bouwen. Ze liep op straat rond in een stemming die een combinatie van geloof en ongeloof was. Soms, als ze alleen liep, keek ze naar haar passerende spiegelbeeld in een etalageruit en geloofde niet dat zij het kon zijn in die kleren; op andere momenten leek het feit dat ze als man door de stad liep het natuurlijke gevolg van de gebeurtenissen van de afgelopen twee jaar. Op dezelfde manier zwierf ze rond door Gobs huis, niet gelovend dat het haar hand kon zijn die de machine hielp vormgeven die elke dag verder groeide tot de machine niet meer van het huis zelf te onderscheiden was. 'Waar ben je mee bezig?' vroeg ze haar spiegelbeeld, een dame in mannenkleren met lijm op haar gezicht, zonder hoed, haar haar los neerhangend, een potlood in haar linkerhand en een pen in haar rechter. Soms zat ze alleen maar te staren, zich afvragend of ze de spiegel die haar iets dergelijks liet zien niet kapot moest slaan. 'Ik geloof het niet,' fluisterde ze dan, maar het werd steeds moeilijker dit vol te houden. 'Waarom niet?' vroeg ze haar spiegelbeeld bij wijze van experiment, en dan zei een stem in haar geest – haar eigen stem, de stem die van ratachtig gezond verstand getuigde: Gewoon omdat het nooit zo is, nooit zo geweest is en nooit zo zal zijn.

'Een armzalige gelijkenis,' zei Gob. Op een dag stonden Maci en Gob na hun bezoek aan de gevangenis in een museum aan de Bowery, waar allerlei sensationele personen en zaken te zien waren: een dame van driehonderd pond, iedere centimeter van haar massieve lichaam bedekt met tatoeages —ze heette de Mystieke Bulk—, een man die de helft van zijn arm kon inslikken en weer uitspugen en een vrouw die met de romp van haar echtgenoot, een gedecoreerde veteraan die bij Sayler's Creek zijn armen en benen had verloren, op haar voeten jongleerde. Een beeld van mevrouw Woodhull maakte deel uit van een groep wassen beelden die 'Dantes Inferno' heette. Hier kon je verschillende mensen bekijken die onder eeuwige folteringen kronkelden. De afbeelding van mevrouw Woodhull was er onlangs aan toegevoegd. Het was echt een armzalige gelijkenis, kennelijk nagemaakt van de spotprent van meneer Nast, waarop mevrouw Woodhull als mevrouw Satan werd voorgesteld, die met de belofte van verlossing door middel van Vrije Liefde afgebeulde echtgenotes probeerde te lokken. Haar haar was in de vorm van horens gekapt en ze droeg een mantel die als een stel vleermuisvleugels achter haar rug opwaaide. In een dergelijke uitdossing, vond Maci, had ze beter als bestuurder van de hel kunnen zijn voorgesteld, maar ze leed net als iedere andere gedoemde, ze wrong haar hooggeheven handen in een smekend gebaar en had een uitdrukking van zwakheid en afschuw op haar gezicht die Maci nooit bij haar had gezien en die ze ook zeker nooit zou zien.

Meneer Beecher kronkelde naast mevrouw Woodhull en meneer en mevrouw Tilton waren ook van de partij; er likten vlammen van oranje en rode watten aan hen. Het was een minder overtuigende uitbeelding van de hel dan het tafereel in het caisson, en dat zei Maci ook. Ze haalde een blocnote en een potlood uit haar jas en begon het met haar rechterhand onbeholpen te schetsen — mevrouw Woodhull had van de beeldengroep gehoord en wilde weten hoe hij eruitzag. Haar linkerhand trok het potlood uit haar rechter en nam het werk over. 'Dank je,' zei Maci beleefd. Ze kon haar blik en haar aandacht nu vrij laten ronddolen. Ze keek naar haar echtgenoot. Hij stond bij een voorstelling van de katafalk van meneer Lincoln, die zeven jaar daarvoor op het stadhuis had gestaan. Gob keek ingespannen naar het wassen gezicht. 'Alweer een povere gelijkenis,' riep hij over zijn schouder naar haar. Ze liep al tekenend achter hem aan en bleef voor een reeks verwrongen spiegels staan die haar beeld vervormden. In de ene was ze kort en dik, in de andere geweldig lang.

'Nog meer povere gelijkenissen,' zei Gob, toen hij weer naast haar stond. Hij hief zijn hoofd om haar iets in het oor te fluisteren; hij zei haar dat iedereen een povere gelijkenis van zichzelf was, dat de dood het beste deel van ons in een gevangenis van angst vasthield en dat zijn machine dit allemaal zou omdraaien, zodat alle niet-stervende mensen die op de aarde rondliepen volmaakt zichzelf zouden zijn. Maci probeerde te lachen.

'Bezorg uw machine maar niet te veel werk, meneer,' zei ze. 'Anders gaat hij nog aan nerveuze uitputting lijden.'

Wat een vleugels! Ze spreiden zich uit over heel Zomerland en de poorten zijn hoog als de wolken. We zouden wel eeuwig kunnen zuchten om de schoonheid van deze machine. Hij leeft hier bijna. Als de Kosmos erin stapt, als hij de plaats van het hart inneemt, dan zal hij ademen en spreken. Kom naar me toe, zal hij zeggen, de muren storten in. Je hebt ze neergehaald met je schitterende rouw, met je liefde, je verlangen. Kom naar me toe, de weg is vrij.

Vaarwel, zuster. Je hoort pas weer van me als we elkaar in de veranderde wereld terug zullen zien. Vaarwel, ik kom naar je toe!

Maci probeerde te juichen toen mevrouw Woodhull haar kolenkitmuts afwierp en zich vertoonde aan de mensen die in het Cooper Institute bijeen waren gekomen in de hoop een verboden lezing te kunnen horen met de titel 'De Naakte

Waarheid!' Maci kon echter niet meer dan een zwak piepje uitbrengen. Ze was heel moe—niet slaperig, maar zo moe dat het pijn deed. Maanden bouwen waren hier debet aan. Naarmate de weken verstreken leek het of iedere tekening haar iets meer ontstal, alsof ze haar eigen levenskracht als inkt gebruikte en alsof haar hand haar iedere keer dat ze iets op papier zette iets vermoeider maakte. Ze wist dat ze opgewonden behoorde te zijn, dat ze moest juichen voor mevrouw Woodhull, die eindelijk uit de gevangenis in Ludlow Street was bevrijd en actief verzet bood tegen pogingen haar daar weer op te sluiten, en dat ze inwendig voor de machine behoorde te juichen omdat deze nu helemaal klaar was en er in Maci geen inkt meer over was. De laatste stut was aangebracht, het laatste glasnegatief op zijn plaats gezet, de laatste glazen pijp gevuld met een wonderlijke vloeistof waarvoor de vreemde kleine Pickie had gezorgd. Ze kon toch minstens de energie opbrengen het ding als een dwaasheid te vervloeken, maar als ze probeerde—soms, als haar gezonde verstand even de overhand kreeg—er haar vuist tegen te schudden, was het resultaat hetzelfde als nu, nu ze voor mevrouw Woodhull haar handen op elkaar probeerde te krijgen. Het enige dat ze scheen te kunnen was een hand naar haar ogen brengen, ze afschermen en ertegen drukken tot ze pijn deden.

'Je bent moe, liefste,' zei Gob. 'Je moet rust nemen.' Hij had gewild dat ze thuisbleef om op de komst van meneer Whitman te wachten, die, zei hij stellig, naar het huis aan Fifth Avenue zou gaan nu de machine klaar was om hem te ontvangen. Het leek Maci onwaarschijnlijk, omdat ze zeker wist dat meneer Whitman heel erg opzettelijk uit het leven van haar echtgenoot verdwenen was. 'Hij zal komen,' had Gob gezegd.

'Hoera,' zei Maci zachtjes in het Cooper Institute. Ze keek over de menigte heen naar de plaats waar haar echtgenoot juichend en klappend bij meneer Whitman stond. Ook meneer Whitman zag er moe uit. Nadat de toespraak tot een dramatisch besluit was gekomen en mevrouw Woodhull zich weer aan de politiemannen had overgegeven, keerde Maci samen met dokter Fie naar het huis aan Fifth Avenue terug. De kleine Pickie was als een razende aan het poetsen en voorbereiden. Maci ging op een koude pijp zitten die zo dik was als haar eigen lichaam, en door de koelte moest ze terugdenken aan het privé-partijtje schaatsen dat Gob veertien maanden daarvoor voor haar had verzorgd. Ze sloot haar ogen en herinnerde zich hoe ze door het donkere, koele huis had gegleden. Een tijdje kon ze aan niets anders denken, maar nog terwijl ze van deze aangename herinnering genoot werd ze door een andere gedachte beslopen.

Het was een gedachte die de afgelopen paar maanden steeds bij haar was opgekomen en weer verdwenen, de gedachte dat ze dat ding moest vernietigen, dat ze het iedere nacht ongedaan moest maken, als een Penelope die haar gezonde verstand trouw bleef. 'Ik moet hem eigenlijk kapotslaan,' zei ze, 'voor hij hem teleur kan stellen.' Haar linkerhand bewoog zich over haar rechter heen, pakte de pols vast en drukte hem omlaag op haar been. 'Ik wilde het niet echt doen, hoor,' zei ze.

Ze zou het niet doen omdat ze dacht dat het voor haar echtgenoot noodzakelijk was zijn vriend in het ding te zetten en dan te zien dat er niets gebeurde. Ze dacht verder ook dat het nodig was omdat ze soms hoopte dat er toch iets zou gebeuren, dat de hemel zou openscheuren en dat allen die de aarde hadden verlaten als veren omlaag zouden regenen. Ze had zo hard haar best gedaan te geloven, omwille van hem, en hieraan schreef ze eigenlijk haar vermoeidheid toe, niet aan de dagen van haar vluchtelingenbestaan of de nachten werk aan dat vreemde, monsterlijke Kind, waarbij vergeleken het Kind van haar vader een puppie was. Misschien was ongeloof haar waanzin; ze geloofde het immers niet als haar hand haar liefdevol toesprak, als hij sprak als Rob, als hij tekende als Rob, als hij wist wat Rob wist en ware verhalen vertelde die de levens van andere mensen waren—als hij al die dingen deed en ze hem nog steeds niet broer kon noemen.

Als ze de kleine Pickie een reusachtige lens door een gang in Gobs huis zag rollen, als ze de machine zo groot en complex zag worden dat het leek alsof hij genoeg stuwkracht had om Manhattan de zee in te drijven, zodat het eiland halverwege Europa voor anker kon gaan en een nieuw Atlantis kon worden: ze geloofde het toch niet, en was dat dan geen waanzin, om te negeren wat je zintuigen je duidelijk maakten, ook al zeiden ze dat je het ongelofelijke moest geloven?

'Daar komen ze!' zei Pickie, en sprong elastisch op. Hij rende naar de plek waar Maci zat en trok haar aan haar handen overeind. Hij zwierde haar rond in een dansje. Een paar seconden schuifelde Maci in een kringetje rond, en toen liet hij haar los en liep naar de deur. Ze zou gevallen zijn als dokter Fie haar niet had opgevangen. 'Blijft u staan,' zei hij. Zijn gezicht stond strak.

'Is het wel in de haak wat we doen?' vroeg ze, maar op het moment dat ze het vroeg zag ze in dat het niet de juiste vraag was in die situatie en dat ze het alleen maar vroeg om zich te verschuilen voor de dringender vraag of het hun zou lukken of niet en voor de nog dringender vraag waarom ze in haar hart geen ruimte vrij kon maken voor de mogelijkheid dat het hun inderdaad zou lukken.

'God zegene u,' zei ze tegen meneer Whitman toen deze binnenkwam, en ze riep hem deze woorden ook achterna toen hij weer op de vlucht sloeg, toch hopend dat God hem zou zegenen en hem verder situaties zou besparen als die waaraan hij net was ontkomen. Ze voelde een golf energie bij de gedachte dat ze nu moesten beginnen aan het demonteerwerk, want ze wist dat als meneer Whitman niet meespeelde het spel niet doorging, vanavond of wanneer dan ook.

'Hij komt terug,' zei Gob. Maci dacht dat hij bedoelde dat meneer Whitman over een paar dagen of weken zou terugkomen, maar hij was een paar tellen later al terug. Maci glimlachte nogmaals tegen hem. Gob en haar hand hadden haar verteld dat het onplezierig voor hem zou zijn, dat zijn lichaam het vormloze verdriet zou uitbeelden waarvan de wereld der levenden verzadigd was. Het zou hem echter geen blijvende schade berokkenen. Hij was een kosmos, zei Gob, die de eigenschappen van ieder mens en ieder ding in zich meedroeg. Het verdriet zou door hem heen gaan maar hem geen kwaad doen. 'Weet je dat zeker?' had ze gevraagd, toen haar hand de hoed met staken tekende waarvan je alleen al pijn kreeg als je ernaar keek.

'Absoluut,' zei hij.

'Daar is hij dan,' had Gob tegen meneer Whitman gezegd voordat deze op de vlucht was geslagen. 'De machine. Hij is volledig, afgezien van jou. Er is binnenin plaats voor jou, Walt. Je moet naar binnen gaan, en dan zal hij ze allemaal terugbrengen, alle zeshonderdduizend, mijn broer en Wills broer en Maci's broer en ook jouw Hank. Alle doden van de oorlog, alle doden van alle oorlogen, alle doden uit het verleden. We zullen vanavond de dood te snel af zijn, Walt, als jij ons helpt. Ik ben klaar. Will is klaar, Maci is klaar. Pickie is klaar en de machine is klaar. Ben jij klaar?'

Ben ik wel klaar? vroeg Maci zich af. Ze probeerde weer te geloven, een wilsinspanning alsof ze een poging deed haar botten uit haar lichaam te laten stappen, maar toen ze naar het ding keek zag ze alleen maar een mislukking, en het scheen haar toe dat het een geweldige vloek en een straf was om niet te geloven, dat de mensen die alleen maar in de dood geloofden immers alleen de dood als lot kregen toebedeeld. En ze begon zich voor het eerst zorgen te maken dat haar twijfel de werking van het ding zou vergiftigen, zoals ze bang was geweest dat haar twijfel aan het Kind van haar vader het had vergiftigd en vermoord, nog voordat ze het met een moersleutel had doodgeslagen.

'Eigenlijk zou ik erin moeten,' zei ze hardop, maar dokter Fie trok haar al mee naar haar werk, naar de schakelaars die moesten worden omgezet, naar de kleppen die open moesten. Er waren honderd verschillende taken onder hen vieren onderverdeeld, en deze moesten verricht worden in een volgorde die even nauw luisterde als muziek. 'God zegene u,' zei ze weer tegen meneer Whitman, terwijl ze de hoed met de pennen op zijn hoofd zette.

Toen de tandwielen begonnen te draaien dacht ze dat haar twijfel zou wegvallen. Toen ze zag dat hij echt iets leek te doen, dat de stoommachine stoomde en de lampen licht gaven, dacht ze dat mechanische competentie op bovennatuurlijke competentie zou wijzen en haar twijfel zou verschrompelen. Het ding stond echter glorieus te brullen en nog steeds vond ze het een dwaasheid, niet meer dan een enorm monument voor Gobs verdriet—de machine was weliswaar mooi en ingewikkeld, maar de kans dat hij de doden zou opwekken was niet groter dan als ze een gewone hefboom hadden gebruikt. Maci merkte dat ze voor zichzelf en haar echtgenoot toekomstplannen maakte. Haar neurasthenie zou verdwijnen en ze zou kracht opbrengen voor hen beiden omdat hij zou instorten en in een teleurgesteld wrak zou veranderen. Hij zou zo zwak en bedroefd zijn dat hij maanden niets zou kunnen zeggen, maar ze zou hem meenemen naar Europa en zijn zieke geest met een reis langs prachtige musea laten aansterken. Hij zou langzaam in het leven terugkeren, en dan zouden ze op tijd in Amerika terug zijn, zodat ze mevrouw Woodhull in 1876 met haar volgende gooi naar het presidentschap kon helpen.

Zelfs toen het onmogelijke licht aanging, zo fel dat het door hen allen heen leek te schijnen, geloofde ze het niet. Maar toen dacht ze: Misschien zal er vanavond ergens in deze stad een hond doodgaan van eenzaamheid en verwaarlozing en zal hij meteen weer opstaan. En toen dacht ze: Misschien zal het een kind zijn, dat van zijn doodsbed opstaat om het gezicht van zijn moeder te kussen. Ze hoorde een gekerm, waarvan ze eerst dacht dat het van een rouwende moeder kwam, maar het was meneer Whitman, die in zijn kristallen huis zat te schreeuwen. Hij begon harder te schreeuwen en haar geloof groeide, tot er die avond drie baby's, tien mannen, honderd vrouwen uit de dood zouden opstaan. Terwijl hij in zijn stoel kronkelde en schreeuwde, het afgrijselijkste geluid dat ze ooit in haar leven had gehoord, geloofde Maci en geloofde en geloofde. Het was net een spier in haar, die opzwol terwijl ze hem steeds weer spande. Haar vermoeidheid verdampte—ze dacht dat ze haar zag optrekken, een klein grijs rookpluimpje dat samen met haar tranen uit haar ogen lekte. Er speelde nog steeds die andere gedachte door haar hoofd, door de geloofsvreugde tot iets heel kleins gekrompen—de gedachte dat ze deze hele weg had afgelegd om ook deze machine te vernietigen, dat het haar heilige plicht was hem kapot te slaan. Had het grove lot haar niet al een keer in de gelegenheid gesteld zo'n verwoestend optreden te oefenen? Ze besteedde echter heel weinig aandacht aan deze gedachte.

Ze overwoog dat het prachtig was dat een machine geloof kon voortbrengen en je ervan kon doordringen, dat hij twijfel kon afschaffen en dat dit misschien wel een groter wonder was dan de afschaffing van de dood. Terwijl het hele huis trilde en haar echtgenoot jubelend stond te roepen hield ze zich vast aan een pijp die aan de ene kant heet was en aan de andere koud. Met haar rechterhand hief ze haar linker naar haar wang en schreeuwde: 'Rob!' en er verscheen voor haar geestesoog een beeld dat even perfect was als een foto, een tafereel waarin hij weer leefde en met soldaat Vanderbilt aan zijn zijde door de poort in de machine marcheerde. 'Ze komen!' riep ze, en ze geloofde het.

Gob stond voor het poorthuis, woorden zingend die Maci niet begreep. Zijn haar stond lachwekkend overeind. Maci bracht haar hand naar haar hoofd en ontdekte dat het hare hetzelfde deed. Ze hoorde ademen, en zingen, een prachtig geluid van klagende stemmen, en over dat alles heen het verschrikkelijke geschreeuw van meneer Whitman. Er klonk ook een ander geluid, een ruw kloppen, alsof er iemand voor de deur stond die hen op dit verrukkelijke moment wilde storen. Ze bedacht dat het waarschijnlijk meneer Comstock was, die haar wilde laten arresteren, maar het was dokter Fie, die eerst had geprobeerd de deur van het kristallen huis van meneer Whitman te openen, toen had gemerkt dat deze op slot zat en nu met zijn vuisten op de wanden bonkte. Iedere keer dat hij sloeg klonk het anders—de ene keer was het alsof hij op hout klopte, dan weer klonk het als een koperen gong, en nu was het het tere getinkel van twee glazen die tegen elkaar tikten, in een heildronk op het succes. Gob liep langzaam op hem af, en toen hij dichtbij hem was gekomen riep hij een vraag. Bij wijze van antwoord duwde dokter Fie hem weg, en toen Gob weer op hem afliep gaf dokter Fie hem een klap in zijn gezicht.

Pickie klauterde een steiger af en sprong dokter Fie op de rug. Ze worstelden een tijdje en Gob rende op hen af, woorden schreeuwend die Maci als windstoten uit zijn mond dacht te zien komen, waardoor dokter Fie tegen het glas werd teruggeblazen. Hij schudde zijn hoofd en hield Pickie op armslengte van zich af. Toen Gob hem had bereikt sloeg dokter Fie hem met de jongen, raakte hem als met een zware knuppel. Maci was er net op tijd bij om te zien hoe hij Pickie tegen de glazen wand sloeg. Deze brak bij de eerste klap, versplinterde bij de volgende. Pickie leek geen last te hebben van deze mishandeling. Hij klauwde naar dokter Fies gezicht en vloekte. Dokter Fie smeet hem door de kamer.

'Help me,' riep dokter Fie naar Maci, boven een nieuw geluid uit, dat een wanklank in het gezang was. Meneer Whitman gilde nog steeds, harder nu zijn stem niet meer door het huis werd gedempt. 'Hij gaat dood!' riep hij.

Maci schudde haar hoofd. 'Dokter Fie,' zei ze ongelovig, 'begrijpt u niet dat de dood niet meer bestaat?'

'O, mevrouw Woodhull,' zei dokter Fie. 'Voor *hem* wel.' Ze legde haar hand op dokter Fie om hem tegen te houden toen hij probeerde naar binnen te gaan, en hij duwde haar weg en betrad het huis; haar hoofd bonkte tegen dat van Gob toen deze achter haar opdook. Gob zei steeds weer 'Nee!' en Maci werd getroffen door de gedachte dat hij er aan het graf van zijn broer, huilend en protesterend, waarschijnlijk precies zo had uitgezien. Er ontstond een golf van ademhalingen en gezang. Het licht schitterde uit de reusachtige lens en Maci hoorde in haar hoofd een ploppend geluid, eenzelfde als ze in het caisson had gehoord, alsof er een snelle verandering in de luchtdruk was opgetreden. Ze voelde zich misselijk worden en viel op haar knieën, denkend dat ze zou gaan overgeven.

'Will,' zei Gob zachtjes—Maci hoorde zijn stem duidelijk in al het enorme lawaai, alsof de woorden in een doodstille kamer klonken. 'Je maakt alles kapot.' Pickie Beecher rende het huis in en werd onmiddellijk weer naar buiten gesmeten. Hij stuiterde als een bal over de vloer.

Gob ging achter dokter Fie aan het kristallen huis in, en daar raakten ze slaags boven het lichaam van meneer Whitman. Terwijl meneer Whitman in zijn stoel zijn lichaam tot een hoepel verboog en schreeuwde stompten ze elkaar op het hoofd en in het gezicht. Maci riep: 'Stop! Stop!' maar ze letten niet op haar of hoorden haar helemaal niet. Dokter Fie sloeg zijn handen in elkaar, rukte ze naar achteren en raakte Gob met zo'n kracht in zijn gezicht dat het bloed in het rond vloog en de wand van het huis met volmaakt ronde druppels bedekte. Gob wankelde en viel, en dokter Fie maakte van de gelegenheid gebruik om meneer Whitman uit de stoel te sleuren.

Al het lawaai hield opeens op, begon weer en stopte. De vloer begon te hellen en de grote lens viel uit zijn houder. Hij belandde met een klap op de poort en spleet deze in tweeën. In de stilte voordat het lawaai van de machine weer begon— er zat nu een kuchende en amechtige klank in—besefte ze dat meneer Whitman niet meer schreeuwde. Hij kwam, leunend tegen dokter Fie, het huis uit. Dokter Fie hing hem tegen Maci aan en zei: 'Breng hem naar buiten.' Toen Maci probeerde meneer Whitman terug het huis in te duwen duwde dokter Fie haar ruw opzij en rende met de dichter weg terwijl Maci hem nog achterna riep dat hij terug moest komen.

Haar gevoel voor evenwicht was verdwenen, of de vloer deed alsof hij van vloeistof was, of beide—ze kon zichzelf nauwelijks door de deur van het huis loodsen, naar de plek waar Gob langzaam overeind krabbelde. Zijn neus stond scheef en zat onder het bloed en er zaten bloedvlekken op zijn tanden en zijn mond en zijn gescheurde lippen. 'Kom mee,' zei Maci tegen hem. Zijn handen waren glibberig van het bloed. Hij trok ze met gemak uit de hare en schudde zijn hoofd.

'Waarheen?' vroeg hij. Heel rustig en weloverwogen nam hij in de stoel van meneer Whitman plaats en zette de hoed op zijn hoofd. 'Ga jij maar naar buiten als je wilt, maar voor mij is er geen andere plaats.' Heel erg dichtbij kwam er iets met een klap naar beneden, en tussen al het gehijg en gekuch en onderbroken gezang werd er een kermend geluid hoorbaar. De vloer smeet haar bovenop hem en hij duwde haar weg; hij had nu een uitdrukking van doodsangst en haat op zijn gezicht waarvoor Maci bijna op de vlucht sloeg. Toen riep hij iets tegen haar, zonder dat ze de woorden kon onderscheiden, of misschien riep hij omdat hij dezelfde folteringen voelde die meneer Whitman had gevoeld. Ze dacht dat zijn geschreeuw haar achteruit blies en haar van hem weg dwong, maar het was dokter Fie, wiens grote handen in haar jurk en haar haar klauwden en die haar door de openstaande kristallen deur naar buiten sleepte, door de verkruimelende ruimten die ooit salons waren geweest, over de sporen van de muren. Terwijl ze van hem werd weggetrokken zag ze hoe Gob in de stoel begon te kronkelen en trappen. Ze zag de kleine Pickie, die onder een enorm tandwiel bekneld zat en als een kever met zijn armen en benen zwaaide. Hij riep om zijn broer. Dokter Fie bleef niet staan om hem te helpen.

Hij trok haar naar buiten, hield haar stevig bij beide schouders vast en riep in haar gezicht: 'Blijf hier, ik haal hem eruit!' Voor hij weer naar binnen kon gaan werden ze echter door een explosie van de marmeren trap gesmeten. Maci lag in de Fiftythird Street, haar been verwrongen onder haar, duidelijk gebroken, maar op een of andere manier deed het niet erg pijn. Dokter Fie en meneer Whitman lagen vlakbij haar en bewogen geen van beiden. Er klonk weer een explosie, en toen nog een, en opeens kolkte er vuur uit een hele rij ramen. Er vloog een stuk steen omlaag—ze volgde zijn hele reis van het huis naar haar hoofd. Terwijl ze sliep droomde ze van een nacht waarin haar echtgenoot zijn vinger op dezelfde plek had gelegd waar de steen haar had getroffen en haar de naam van de plek had genoemd. 'Glabella,' had hij gezegd, en ze had gedacht wat een prachtige naam het zou zijn voor een dochter.

Toen ze wakker werd zat dokter Fie met zijn handen voor zijn gezicht op de trap te huilen. Meneer Whitman had zijn ogen opengedaan en bewoog zijn lippen, maar bracht geen geluid uit. Maci richtte zich op haar armen op en keek omhoog naar het huis, waar een gedaante vlak voor de brandende deur stond. De gedaante keek besluiteloos en verward. 'Hier beneden!' riep ze, denkend dat het Gob was. 'Kom naar beneden!' De gestalte draaide zich om toen hij haar stem hoorde en kwam de trap af, te langzaam voor iemand die voor een brand vluchtte.

'Houd op met huilen, hij leeft!' zei Maci tegen dokter Fie, maar deze begon alleen maar nog harder te huilen, en toen de gestalte dichterbij kwam zag Maci dat het niet haar echtgenoot was en zelfs niet de kleine Pickie. Het was een oudere jongen dan hij, een jongen met het gezicht van Gob. Volkomen naakt kwam hij vlakbij haar staan en keek haar nauwlettend aan; hij probeerde, zag ze, haar te herkennen en deinsde toen terug alsof hij nog nooit een dame had zien schreeuwen of huilen. 'Laat me los!' smeekte hij. Maar ze hield hem stevig vast.

'Thomas,' riep zijn vrouw van haar kant van het bed, 'je had al op moeten zijn.'

'Ik weet het,' zei Tomo, 'ik kom er al uit.' Maar hij bleef nog even liggen. Zijn knieën en ellebogen en schouders waren de laatste tijd 's morgens zo stijf dat hij ze graag even in bed losmaakte voordat hij probeerde op te staan. Hij was oud voor zijn leeftijd, en zijn gewrichten leken wel het oudste deel van zijn lichaam.

'Zorg dat je op tijd bent,' zei ze, omdat ze dacht dat hij een afspraak aan de overkant van de rivier had, een wekelijkse verplichting om college te geven aan de medische faculteit. Ze ging weer slapen. Tomo tastte nietsziend naar zijn wandelstok, en toen hij hem had gevonden schoof hij zijn benen over de rand van het bed en stond op met de snelheid waarmee een plant groeide. Hij had ineengedoken liggen slapen, en nu wilde zijn rug zich niet meer rechten. Hij liep, steun zoekend bij het meubilair waar hij langskwam, even in de kamer rond en bleef bij het raam staan om naar de brug te kijken. De helft van de ramen in het huis keek erop uit — het was de reden waarom hij het had gekocht. Hij had bij het raam zijn kleren uitgetrokken, zodat hij zich daar ook weer aan kon kleden, terwijl hij naar de brug keek en bedacht dat hij er zo dadelijk op zou staan. Het was een wekelijks ritueel. Iedere zaterdag maakte hij een wandeling naar de overkant, naar Manhattan.

Tomo was een van de eersten geweest die de brug was overgestoken toen deze op 25 mei 1883 om middernacht officieel was geopend. Hij was toen eenentwintig en nog student geweest en had toen bij Will gewoond, die hem bij zich in huis had genomen voordat zijn moeder en Tennie in '76 naar Engeland waren vertrokken. 'Ga je niet mee, Will?' had hij gevraagd, maar Will had die avond niet naar buiten gewild. 'Ik kom later wel,' maar Tomo had zeker geweten dat Will niet eens uit zijn raam naar het ongelofelijke vuurwerk had gekeken.

'Ik heb mijn moeder een telegram gestuurd,' had hij de volgende dag gezegd. 'Bij de datum heb ik "Brooklyn Bridge" gezet.'

'Daar zal ze blij mee zijn,' had Will gezegd. 'Je had er Walt eigenlijk ook een moeten sturen.'

'Die stuur ik hem ook,' had Tomo gezegd, hoewel hij niet van plan was geweest het te doen. Toen hij nog klein was had Will hem wel eens naar Camden meegenomen om de oude dichter op te zoeken, een man die Tomo iedere keer kneep en een kus eiste, als een tante met een baard en slechte adem. Will ging hem ieder jaar in januari opzoeken, op de verjaardag van de beroerte waardoor meneer Whitman bedlegerig was geworden en die hem half had verlamd.

Ze ontbeten—biefstuk voor Tomo, appels en geroosterd brood voor Will—en Tomo vertelde enthousiast hoe schitterend de brug was, dat hij in het midden op en neer had gesprongen omdat hij had verwacht dat de brug onder hem zou gaan veren.

'Natuurlijk gebeurde dat niet,' had Tomo gezegd, en zwijgend doorgegeten. De licht aangedane Will huilde weer en het was het beste hem met rust te laten als hij in zo'n stemming was. Toen Tomo eerder die ochtend was thuisgekomen had Will in een afgetrapte stoel neer zitten kijken op de menigten die in Fulton Street onder de papieren lantarens wandelden. 'Niemand weet het meer,' had hij gezegd toen Tomo de kamer binnenkwam. 'Zelfs jij niet. Dat vind ik nog het ergste. Walt gaat binnenkort dood en dan zijn alleen Maci en ik nog over. Hij heeft *jou* toch ook nooit vergeten? Hij bleef binnen zitten terwijl hij evengoed naar de wereld had kunnen teruggaan. Waarom weet je het niet meer? Moet je je niet schamen dat je hem vergeten bent? En moet je je niet schamen dat je vergeten bent wat hij heeft gedaan?'

'Ik weet niet waar je het over hebt, Will,' zei Tomo. 'Heb je het over Sam? Heb je het over Gob?'

'Je zou je het moeten herinneren,' zei Will bedroefd.

'Maar ik herinner het me,' zei Tomo. 'Wie zou er zich zijn eigen broer nou niet herinneren?' Hij trok een stoel naar die van Will toe en legde zijn hand op de knie van de ander, denkend aan hun beider broers, beiden gesneuveld in de oorlog. Hij huilde zelf ook even als hij aan het voortijdige einde van Gob dacht, maar hij kon niet op tegen Will, de kampioen-rouwer, en de sniffelende snikken van Will veranderden in Tomo's hoofd in stemmen terwijl Tomo in slaap wegzonk in zijn stoel, weer denkend aan de feestverlichting boven de brug.

Hij had onder de miljoenen spetterende sterren gestaan, luisterend hoe ieder schip in de haven had getoeterd, en gedacht dat Will op dat moment waarschijnlijk met zijn gezicht naar een muur stond om zelfs het geschitter in de ramen van de buren niet te hoeven zien. Naast Tomo had een kleine jongen in een zwart pak en met een hoge hoed op in zijn handen staan klappen en staan lachen uit bewondering voor het vuurwerk, de fonteinen gouden en zilveren sterren die brullend van de torens kwamen en de honderden vuurpijlen die in snelle opeenvolging uiteenspatten in rode, witte, blauwe en smaragdgroene vonken die nog brandend in de river verdwenen. 'Is het niet treurig?' had de jongen Tomo gevraagd. 'Is het niet vreselijk treurig?'

Tomo deed er altijd erg lang over de trappen naar het wandelpad te beklimmen. Soms bleef hij staan en leunde achteloos tegen de reling, vouwde de krant open die hij onder zijn arm droeg en deed alsof hij hem las. Even later zou hij weer verder kunnen naar de bovenste trede van de trap, waar hij altijd merkte dat hij aan de mensen dacht die tijdens de grote paniek op de brug om het leven waren gekomen. Ieder jaar, in mei, nam hij een kleine grafkrans mee en legde deze daar neer, waar de krans dan ook vertrapt werd.

Het was zijn gewoonte om midden op de brug even te pauzeren en naar de rivier in de diepte te kijken. Het gebeurde tegenwoordig niet vaak meer dat je iemand zag springen of er zelfs maar in de kranten over las. Tomo was er echter bij geweest toen Odlum in 1885 was gesprongen en hij herinnerde zich nog heel goed hoe hij was gesprongen, met een arm boven zijn hoofd, en hoe gemakkelijk zijn val te volgen was geweest vanwege het oogverblindende rode overhemd dat Odlum had gedragen. Tomo had de sprong die Steve Brodie naar verluidde middenin de nacht had gemaakt gemist, een sprong die misschien helemaal niet had plaatsgevonden, maar hij was er wel bij geweest in '87, toen een man, Hollow, met een stel reusachtige canvasvleugels van de brug was gesprongen. Tomo had staan kijken terwijl de man omlaag was gezweefd en zacht op het rivieroppervlak was geland, vlak voor een vriendelijk ogende sleepboot. Deze was over hem heengeploegd, had de vleugels verpletterd, maar Hollow zelf had het overleefd.

'Hij is dood!' had de kleine jongen gezegd, die naast Tomo had gestaan. Hij had zich opgetrokken aan de reling, en keek omlaag naar de rivier; zijn gezicht was vertrokken geweest van ontzetting.

'Nee, kind,' had Tomo gezegd. 'Kijk maar, daar zwemt hij weg, in de hekgolf. Alleen zijn vleugels zijn kapot.'

'Hij is dood!' had de jongen gekermd. 'Hij is doodgegaan, en niets kan hem terugbrengen!' Tomo stak zijn hand uit om hem te troosten, maar de jongen had zich van de reling laten zakken en was weggerend.

'Wat weet je nog van je kindertijd?' vroeg Maci hem altijd. Het was een vraag die ze voor haar zelden voorkomende plechtige stemmingen reserveerde. Ze was ook een vriendin van Tomo's vrouw (ze had hen aan elkaar voorgesteld) en kwam dikwijls bij hen thuis langs. Ze had Tomo zijn hele leven opgezocht, en toen hij jonger was zo regelmatig dat ze bijna voortdurend in zijn leven aanwezig was geweest. Nu bezocht ze hem minder vaak. Vijf- of zesmaal per jaar maakte ze tijd vrij van haar loopbaan als politieke agitator en kwam ze naar Brooklyn.

'Niet veel,' had Tomo tijdens haar laatste bezoek weer gezegd – het antwoord dat hij altijd gaf. 'Toen we klein waren speelden Gob en ik altijd op een open plek in de boomgaard achter ons huis in Homer. Hij deed graag spelletjes die Fredericksburg en Chancellorsville heetten – we hadden vogelverschrikkers als soldaten van de Zuidelijken verkleed, en we schoten op ze met speelgoedgeweren die we van takken van de appelbomen hadden gemaakt.'

'Ja,' zei Maci, en zweeg even. 'Mijn vriend,' zei ze, 'ik geloof niet dat je je geheugen mag vertrouwen. Vroeger dacht ik dat waanzin de grootste vijand van vreugde was, daarna dat het waarschijnlijk hypocrisie was en toen leek het erg duidelijk dat het de sterfelijkheid was. Maar nu, aan het einde van mijn leven, denk ik dat het ons geheugen is dat ons er allen van weerhoudt gelukkig te zijn.'

'Lieve dame,' zei Tomo. 'Leer van mij. Ik ben heel gelukkig.' Dat was de waarheid. Haar bezoeken maakten hem gelukkig. Vanuit de kamer ernaast straalde zijn vrouw geluk uit alsof het warmte was. En toch, nu hij aan de boomgaard in Homer dacht, herinnerde hij zich opeens hoe hij zijn broer had gekwetst, dat hij een lafaard was geweest en geweigerd had mee te gaan toen Gob naar de oorlog was vertrokken. Tomo sloot zijn ogen en beleefde het moment weer, terwijl het gejodel van Alanis Bell in zijn oren klonk. Steeds weer stuurde hij zijn broer weg, zodat deze zonder hem stierf.

'Waarom huil je?' vroeg Tomo de jongen. Hij had driekwart van de afstand over de brug al afgelegd en moest nog een kwart tot zijn bestemming toen hij de jongen zag, die snikkend tegen de reling stond. De andere voorbijgangers leken totaal onberoerd door het beeld dat de jongen opleverde. Hij was ongeveer zeven jaar, had lang, glanzend bruin haar, dat over zijn schouders en zijn rug viel. Hij droeg een keurig, ouderwets zwart pak. Op dat moment kwam hij Tomo helemaal niet bekend voor.

'Hij is weg! ' zei de jongen. 'Voor altijd!'

'Wie?' vroeg Tomo. 'Is er iemand van de brug gesprongen?'

'Wie?' vroeg de jongen op zijn beurt, naar hem opkijkend met zwarte ogen, waarin meer woede dan verdriet te lezen was. 'Wie denk je? Ze zijn allemaal weg. Allemaal, en ze komen nooit meer terug, en voordat zij weg waren was mijn broer weg, voor altijd weg.'

'Kalm maar,' zei Tomo, die zijn hand uitstak om het hoofd van de jongen aan te raken. 'Mijn broer is ook dood.' Hij boog zich traag voorover om het kereltje te troosten en hoorde hoe zijn lichaam kraakte. 'Het is moeilijk, de dood van een broer,' zei hij. De jongen glimlachte en schoot als een slang naar voren. Hij kuste hem in plaats van dat hij beet, een droog kort kusje, maar het brandde verschrikkelijk toen hij het op Tomo's wang drukte.

'Het is moeilijk,' zei de jongen, en Tomo voelde zich opeens duizelig. Hij had de gewaarwording dat hij viel, en hij wist zeker dat hij op een of andere manier kans had gezien van de brug te tuimelen. Hij hief zijn arm in de pose van Odlum boven zijn hoofd, en bereidde zich voor op de ontmoeting met het water.

'Vaarwel, liefste,' zei hij tegen zijn vrouw. Hij hoorde een geluid als van de oceaan of de ademhaling van een reus en werd overweldigd door verlangen—hij opende zijn ogen en verlangde naar die verre oever van Manhattan en alle hoge gebouwen erop; hij verlangde naar de lichamen van allen die langs de plek kwamen waar hij met zijn arm boven zijn hoofd stond en voelde zich nog steeds alsof hij door eindeloze ruimten lucht viel, hij verlangde ernaar zijn handen onder hun jurk en hemd te steken, met zijn droge oude handen naar hun vlees te grijpen.

'Neemt u me niet kwalijk,' zei een passerende dame, want haar hond had in het voorbijgaan in Tomo's schoen gebeten. Hij liet zijn arm zakken en keek om zich heen. Daar stond de jongen, een meter van hem vandaan. Tomo kon zich niet herinneren waarover ze hadden gepraat. Hij gooide het kereltje een muntstukje toe omdat hij wist dat iedere jongen graag een stuiver krijgt om een zakje snoep te kopen, en ieder kind vond het prachtig zoals Tomo een munt in de lucht kon laten duikelen. De jongen ving de munt in zijn mond op en leek hem door te slikken.

'Ik wilde u alleen maar even zien, Oom,' zei de jongen, en toen rende hij weg in de richting van Brooklyn, tussen de wandelaars door duikend. Tomo draaide zich om en liep verder, heel even bedenkend dat de jongen hem toch erg bekend voorkwam, omdat hij opeens besefte dat de jongen hem zijn hele leven had achtervolgd—Tomo had hem overal op Manhattan en in Brooklyn gezien, en ook verder weg, in Londen en Parijs, op Cuba, in Hongkong, in Portugal en Marokko. Er was geen plek waar de jongen niet was. Tomo liep door, bedenkend dat hij zich heel binnenkort zou herinneren waarom de jongen zo bedroefd was en waarom hij nooit ouder werd, maar toen hij dichter bij Manhattan kwam begon hij de jongen te vergeten. Bij het einde van het voetpad aangekomen stapte hij over de schaduw van een straatlantaren heen en bleef even staan om een uithangbord in de verte te lezen—zijn gewrichten waren kapot, zijn hart was zwak en zijn blaas gedroeg zich grillig, maar zijn ogen waren nog heel scherp. 'Als uw baby tandjes krijgt,' adviseerde het bord, 'gebruikt u dan Mevrouw Winslows Verzachtende Siroop.'

'Welke baby?' vroeg Tomo hardop, en liep door.

'Wil je misschien harder?' vroeg zijn moeder hem. Ze reden in een snelle Talbot-Darracq, haar nieuwe auto. Ze had wel een chauffeur, maar zette deze altijd op de passagiersplaats omdat ze met alle geweld zelf met hoge snelheden over haar landgoed in Bredon's Norton in Engeland wilde rijden.

'Nee,' zei Tomo, wetend dat ze het toch zou doen. Zijn vrouw hield niet van automobielen. Ze was thuis gebleven om aardbeien te eten en in de zon een dutje te doen terwijl Tomo en zijn moeder een ritje maakten. Ze vond dat automobielen iets obsceens hadden. Tomo vond ze intrigerend, hoewel hij er nooit een wilde besturen.

'Het is een schande dat ze geen snellere maken,' zei zijn moeder. Ze reed iedere dag een uur omdat ze ervan overtuigd was dat ze op die manier een beetje meer afstand tussen zichzelf en de dood schiep. Sinds haar derde echtgenoot, de bankier Martin, was overleden, was ze geobsedeerd geraakt door haar eigen sterfelijkheid. 'Niet te dichtbij!' zei ze als iemand haar een zoen probeerde te geven, want ze was bang voor de besmetting die een aanraking zou opleveren.

'Snelle weduwe!' riep Tomo tegen haar, maar ze was half doof en hoorde hem niet boven het lawaai van de motor uit.

Dikwijls, als hij de overkant van de brug had bereikt, was Tomo wel uit gewandeld en nam dan een rijtuigje naar de kerk, worstelend met zijn krant om voor de bestuurder een adres uit te kiezen. Iedere keer ging het om een ander adres, en hij wist zeker dat hij zo langzamerhand elke kerk op het eiland had bezocht. Die dag in 1927 ging hij naar een katholieke aan East Twentyfifth Street, naar een begrafenis, een bijzonder smartelijke en sombere—zo zag hij begrafenissen graag.

Het was een zonde, wist hij, tegen zijn vrouw te liegen, en waarschijnlijk ook om zich als rouwende voor te doen. Maar voelde hij zich toch niet treurig omwille van deze persoon, deze man, die aan een maagbloeding was overleden en een vrouw, zeven kinderen en wel twintig kleinkinderen achterliet? Tomo zou morgen of overmorgen naar het ziekenhuis kunnen gaan en er niet in slagen iemand als deze man te redden, een kalende Ier wiens huid zo wijd was geworden dat hij er niet meer in paste. Misschien ging hij ook wel naar begrafenissen omdat hij ertoe werd aangetrokken, omdat hij er altijd toe was aangetrokken.

Tomo zat achterin de kerk, en keek rustig toe; hij huilde pas aan het slot, toen hij op de kist af liep en erin keek om het gezicht van de man te zien. Hij legde een hand voor zijn mond en huilde, wetend dat overal om hem heen mensen zich afvroegen wie hij was, deze goedgeklede, hinkende oude man die zo'n dramatisch verdriet had. Twee meisjes brachten hem terug naar zijn stoel. Het waren zussen, dat zag hij zo. 'Zijn jullie een tweeling?' vroeg hij hun met luide stem, en ze zeiden allebei dat hij stil moest zijn. Een van hen bleef bij hem staan terwijl hij zat; ze liet haar hand zacht op zijn nek rusten.

'Luister,' zei hij tegen haar. 'Weet je hoe je nooit hoeft te sterven? Weet je dat de Hemel op de gelovigen wacht? Dat is toch goed nieuws, dat een mens zo'n mooi stuk werk is dat er geen einde aan haar kan komen.'

'Ssst,' zei ze.

'Twijfel je er soms aan?' vroeg hij. 'Echt?' Hij hield haar pols vast, vond de ader en constateerde er volmaakte gezondheid. 'Je twijfelt eraan, hè? Jij onvolwassen, twijfelend meisje! Je bent bang om te sterven!'

'Mond dicht, opa,' zei ze, en legde een zachte hand over zijn mond, maar Tomo duwde hem weg. Hij stond op en liep de kerk uit; het kon hem niet schelen dat zijn trage, zware pas weergalmde in de lucht en de prachtige, treurige muziek verminkte.

'Een goede dag gehad?' vroeg zijn vrouw. Het was de vraag die ze iedere avond stelde als ze naar bed gingen.

'Heel behoorlijk,' zei Tomo. Hij had de middag in Central Park doorgebracht, ijs gegeten aan Madison Avenue, voor zijn vrouw een armvol margrieten gekocht en een tijdje genoten hoe ze de blikken van iedere voorbijganger hadden getrokken.

'Mijn voeten doen pijn,' zei ze, nadat ze even naast elkaar hadden gelegen in de stille duisternis. Ze hadden die avond gedanst. Ze waren er geen van beiden erg goed in, dus deden ze het in de beslotenheid van hun huis, in de lege slaapkamer die ooit hun tweede dochter onderdak had geboden.

'Ik zal er iets aan doen,' zei Tomo, die rechtop ging zitten en de dekens terugsloeg, zodat hij bij de grote voeten van zijn vrouw kon. Ze waren heel bleek, en terwijl hij ze masseerde leken ze lichter dan ieder ander voorwerp in de kamer.

'Zal ik het onder het bed uit halen?' vroeg ze, nadat hij haar een tijdje had gemasseerd en zijn handen een zwerftocht omhoog langs haar lichaam waren begonnen.

'Ja, doe maar,' zei hij. Terwijl zijn handen doorgingen stak ze haar arm onder het bed en haalde een klein porseleinen potje tevoorschijn. Het was zo donker in de kamer dat Tomo het niet duidelijk zag, maar hij wist dat het met vogels was beschilderd: grote reigers en kleine zilverreigers. Hij hoorde een schurend, scherp geluid toen zijn vrouw de deksel eraf schroefde. Haar leeftijd maakte het nodig dat ze haar natuurlijke charmes met petrolatum verhoogde.

Gezien zijn krakende gewrichten en zijn gebogen rug, zijn bewolkte brein en zijn geconstipeerde darmen leek het Tomo altijd dat lichamelijke liefde buiten zijn bereik viel, maar dat was nog niet het geval, en soms, zoals deze nacht, was er een enorme wilsinspanning voor nodig om te voorkomen dat hij als een naïeve jongen meteen zijn zaad loosde. In gedachten verrichtte hij operaties terwijl hij zijn

vrouw kuste en haar haar eigen naam in het gezicht fluisterde. Het deed hem aan hernia's denken wat ze deden, aan
organen die holten binnendrongen die niet hun gewone
thuis waren, en om zichzelf onder controle te houden nam
hij de Bassini-hechting door, naaide in gedachten de sa-
mengevoegde pezen en de tractus iliopubica aan elkaar tot
een onneembare muur die tegen de uitstulpende ingewanden zei: Blijf waar je hoort.

Toen zijn tijd kwam stelde hij zich voor dat de futiele
hechtingen openbraken, de pezen scheurden en knapten en
een rondtollende massa felgekleurde confetti loslieten die
in zijn brein tot ontbranding kwam en in miljoenen sterren
veranderde die in die verre nacht in het verleden om de
brug heen waren gevallen. Hij riep haar naam: 'Phoebe!'
Het was een heel ander en even groot genot haar naam zo
hard mogelijk te schreeuwen in een huis dat door de tijd
was geleegd, waar niemand de naam kon horen, behalve
hijzelf en de eigenares. Zijn vrouw, die zangeres was, antwoordde hem met een volmaakte C in een octaaf die hem
duidelijk maakte dat hij het er wat haar betrof vanavond
goed afbracht.

Hij kreeg een vreselijke pijn in zijn linkeroog, en als zijn
armen niet om zijn vrouw heen hadden gelegen zou hij een
hand tegen zijn gezicht hebben geslagen. Het deed pijn,
alsof hij een dolksteek had gekregen, en het deed pijn omdat het gepaard ging aan een schroeiende, heldere herinnering. In een flits wist Tomo dat niet Gob in Chickamauga
was gesneuveld. Zijn vrouw zou zijn geschreeuw zeker als
een blijk van ondraaglijk genot opvatten.

De kennis was, net als het genot, een moment later echter verdwenen, en hij zakte, nog zacht huilend, op zijn
vrouw in elkaar. Waar zijn geest had moeten zijn bevond
zich nu een chaotische massa vlammen, en hij wist niet
waarom hij huilde. 'Rustig maar,' zei zijn vrouw, terwijl ze
een hand op zijn nek legde en hem streelde. 'Zo erg was het
toch niet, liefste?'

'Nee,' zei Tomo. En toen steeds weer: 'Nee, nee, nee.'

'Ga maar slapen,' zei zijn vrouw als reactie op zijn voort-durende 'nee'. Tomo kalmeerde, maar het woord galmde na in zijn hoofd. Hij rolde op zijn zij en hield haar nog dichter tegen zich aan, bedenkend dat ze nooit dood zou gaan, en dat hijzelf nooit dood zou gaan, dat de Hemel op de gelovi-gen wacht, dat een mens zo'n mooi stuk werk is dat er geen einde aan hem kon komen, en dat hij dat wilde geloven.

Opmerking

De historische gebeurtenissen in deze roman zijn door de onwetendheid en fantasie van de schrijver tot een gedaante vervormd die weinig overeenkomst vertoont met wat ooit werkelijke levens zijn geweest. Victoria Woodhull had geen twee zoons maar slechts een—een jongen met een hersenbeschadiging van wie bekend is dat hij nooit een volwassen gebit heeft gekregen. Canning Woodhull heeft nooit in een ziekenhuis gewerkt dat Armory Square heette en is nooit de minnaar geweest van dokter Mary Walker, een dame die pas in 1864 een contract als assistent-chirurg bij het Amerikaanse leger kreeg. Het citaat dat aan het verhaal over Maci voorafgaat heeft nooit deel uitgemaakt van de heer Tiltons al te verhitte en aanbiddende biografie van V. W. Soortgelijke inbreuken op de werkelijkheid, groot en klein, komen overal in het boek voor.

Dit is geen historische roman, hoewel hij nogal zwaar op de geschiedenis leunt. De brieven van Walt Whitman zijn grotendeels zoals hij ze heeft geschreven, de postume uitspraken van Hank zijn direct aan de poëzie van Whitman ontleend en veel van de woorden die Whitman in de roman uitspreekt zijn in eerste instantie door hemzelf in zijn correspondentie of in *Specimen Days* geschreven. Evenzo zijn delen van de oorlogsbrieven van Rob Trufant met enige wijzigingen ontleend aan werkelijk bestaande brieven die leden van het Negende New York naar huis hebben gestuurd en zijn de toespraken van Victoria Woodhull weergegeven zoals ze ze heeft gehouden; het leek me het kleinste kwaad zulke uitnemend formulerende mensen voor zichzelf te laten spreken.

Ik ben een aantal boeken veel verschuldigd voor de hulp die ze me bij het schrijven van dit boek hebben geboden, met name: James McCabe, *Secrets of the Great City* (1868), de Eerwaarde J. F. Richmond, *New York and Its Institutions, 1609-1873* (1873), Constantin Grebner, *We Were the Ninth* (1864), D. B. Swinfer, *Ruggles' Regiment: The One-Hundred Twenty-Second New York Volunteers in the American Civil War* (1983), Matthew Graham, *The Ninth Regiment New York Volunteers (Hawkin's Zouaves)* (1900), Allen Putnam, *Flashes of Light from the Spirit Land* (1872), Edward W. Byrn, *The Progress of Invention in the Nineteenth Century* 1900), Edward Haviland Miller, *Whitman, The Correspondence 1868-1875* (1961), the Alumnae Association of Bellevue Hospitals, *Bellevue: A Short History of the Hospital and Training Schools* (1915) en alle biografieën van mevrouw Woodhull. Lezers die op zoek zijn naar een betrouwbaar verhaal over het leven van Victoria Woodhull verwijs ik naar het recente werk van haar meest gedistantieerde en volledige biografen, Emanie Sachs en Barbara Goldsmith.

Ik ben ook een aantal mensen dank verschuldigd voor hun hulp bij het schrijven, herschrijven en publiceren van dit boek, in het bijzonder: Eric Simonoff, Lois Rosenthal, Luke Dempsey, Gerry Howard, Jenny Minton, John Sterling, Aaron Cohen, Glen Weldon, Stephanie Griffin, Mary Malinda Polk, Emily Barton, Nathan Englander en David Keffer. Veel dank aan dr. Melissa Broadman voor mijn kennismaking met mevrouw Woodhull. Dank ook aan mijn docenten, Padgett Powell en Marilynne Robinson, en tenslotte dank aan Mark Gorenflo.

Lees nu een fragment uit
Het kinderziekenhuis *van Chris Adrian*.
Het verschijnt in februari 2011 bij uitgeverij Ailantus.

*Na een zware storm dobbert een kinderziekenhuis een-
zaam op de golven. Als de dagen verglijden, verwacht
niemand dat er nog overlevenden zijn of dat er binnenkort land in zicht zal komen. De wonderlijke dagelijks-
heid begint een gewoonte te worden, totdat...*

✱

Een beter teken deed zich voor op de drieëntwintigste
dag na de storm. Jemma was in de NICU op bezoek bij
Brenda, hoewel die in Robs ronde zat, niet in de hare. Rob
maakte haar het milde verwijt dat ze geobsedeerd was met
het kind, omdat ze had toegegeven dat het meisje om het
uur haar gedachten binnen kroop, en dat ze een band van
nieuwsgierigheid en ongegronde genegenheid met haar
voelde. 'Ze heeft helemaal niemand,' zei Jemma, zich afvragend waarom dat juist zo vreselijk moest zijn voor dit
kind, terwijl het voor alle kinderen gold wier ouders buiten waren verrast in de nacht van de storm.

Omdat haar couveuse nog steeds op een verhoging
stond, moest Anna telkens de vier treden op om haar om
te draaien, het slijm uit het beademingsbuisje te zuigen
of in te grijpen bij een desaturatie. 'Ligt ze er niet mooi
bij?' vroeg Anna toen Jemma, die zich had gedrukt voor
de avondronde van het afdelingsteam, naar boven liep

I

en zich over Brenda heen boog. Ze was groter geworden, maar niet mooier dan drie weken daarvoor; niet alleen lag ze weer aan de beademing, ze had aan conventionele beademing zelfs niet meer genoeg. Nu hing ze aan een oscillator, een apparaat dat honderden keren per minuut voor haar ademhaalde en haar borstkas zo snel als een insectenvleugel liet trillen. Een maagsonde slingerde zich rond haar beademingsbuis en verdween in haar konijnenmondje. Ze had de meeste infusen van iedereen op de afdeling: twee perifere infusen, één in haar voet en één in haar hoofdhuid, een perifeer ingebrachte centraalveneuze katheter die haar linkerarm in ging en door haar ader naar de voorkamer van haar hart liep, en een arterielijn in haar linkerpols. Jemma slaagde erin het slangetje van haar Foley-katheter, dat in kronkels over het bed lag, door een bundel draden en katheters te volgen tot in het piepkleine urinezakje.

'Ze is gisteren honderd gram aangekomen,' zei Anna.

'Dat is mooi,' zei Jemma.

'Het is te veel, meid. Een normale gewichtstoename is twintig of dertig, de rest is allemaal vocht. Ze hebben haar volgepompt.'

'Ik ben je meid niet,' zei Jemma.

Anna glimlachte en streek haar haar naar achteren. 'Het was geen "barst jij"-meid of "lik me reet"-meid. Het was alleen maar "meid". Het was aardig bedoeld. Maar sorry hoor. Sorry, echt.'

'Sorry,' zei Jemma ook, vol spijt over haar experimentje met snibbigheid. Maar ze had gezworen de hatelijkheden van de verpleegkundigen niet meer te pikken, noch het neerbuigende gezucht, noch de kleinerende opmerkingen, de duizend manieren waarop ze een hartgrondig 'barst' inkleedden.

'Het geeft niet,' zei Anna, nog steeds met een glimlach en niets dan welwillendheid op haar gezicht. Jemma had haar venijnantenne op maximale gevoeligheid, maar ving niets op. Er klonk een alarmsignaal en Anna boog zich over de couveuse. 'Dat heeft ze nou nog nooit gedaan,' zei ze. Jemma keek en zag dat het kind zich naar haar had omgedraaid en haar armpje en handje uitstak om recht naar Jemma's gezicht te wijzen. Haar piepkleine wijsvingertje, niet groter dan een potloodpunt, hield ze volledig gestrekt met de andere vingers naar binnen gekruld, zodat het gebaar onmiskenbaar was. 'Dat heb ik er nou nog nooit één zien doen.'

Jemma wilde vragen: kunnen zuigelingen wijzen? Maar toen ze wegkeek van het vingertje zag ze de man voor het raam drijven en slaakte ze een gil. Dat was niets voor haar, en er was in jaren niet zo'n meisjesachtig kreetje over haar lippen gekomen. Het was een hoog geluidje, kort en snerpend als van een fluitketel, waardoor ieders aandacht werd getrokken, niet naar het raam en de man, maar naar Jemma, die haar hand voor haar mond had geslagen. Ze wees naar het raam, en alle hoofden draaiden mee. Niemand anders gilde, alleen Anna zei heel kalm: 'Krijg nou de tering.'

Vroeger konden de ramen open. Met de metamorfose van het ziekenhuis waren de smalle metalen kozijnen verdwenen, maar de personeelsleden van de neonatale intensive care die waren samengedromd voor het raam, streken toch met hun vingers over het glas op zoek naar een onzichtbare handgreep om aan te draaien. Een verdieping hoger, op de pediatrische ic, zaten om de twaalf meter ramen die wel intact waren gebleven. Daarom werd de reddingsactie vanaf de vierde verdieping ondernomen, en het was uiteindelijk Rob – sterk, fit en als geneeskundestudent traditiegetrouw vervangbaar – die werd neergelaten aan een koord van lakens om het lijk beet te pakken en op te vissen. Jemma rende heen en weer tussen de verdiepingen waar een steeds groter aantal mensen zich vergaapte, en was verbaasd hoe gaaf het lijk was. Na al die weken in het water had het opgezwollen moeten zijn en ontbindingsverschijnselen moeten vertonen, maar de huid zag er roze en strak uit en het fijne blonde haar glansde. Jemma merkte wat een fors lijf het was toen Rob er in zijn volle lengte naast hing en klauwde om met zijn armen de brede borstkas te omvatten. Toen ze hem weer naar boven hesen, had hij één arm om het middel en één tussen de benen door, om zo de helft van de vierkante kont vast te grijpen. Jemma kon er niets aan doen, maar ze was plaatsvervangend trots op de aanblik van Robs armen en rug, die zwollen door de inspanning. Het lijk dreigde weg te glijden en Rob sloeg zijn benen om de benen van de man heen, zodat de levende en de dode nog inniger verstrengeld het water uit kwamen. Ze draaiden rond aan het koord, en plotseling was daar Robs gezicht, recht voor het hare. Hij lachte.

Tegen de tijd dat zij en de menigte weer boven waren, lag het lichaam al op de PICU. Er stonden een man of zes omheen, die meer drukte maakten dan passend was bij een lijk, hoe wonderbaarlijk goed het ook bewaard was gebleven.

'Hij is nog warm!' riep Rob naar haar. 'De pols is voelbaar!' Samen met een verpleegster droogde hij de man af met een handdoek, net zo stevig wrijvend als bij een pasgeborene. Op weg naar het bed trapte Jemma op een kleddernatte handdoek; het water dat tegen haar enkel spatte, was zo warm als zweet. Nadat Rob het gezicht had afgedroogd trok hij de handdoek met een onbedoeld elegante zwaai weg van de rechte neus, de hoge jukbeenderen, het litteken onder de kin. Nu de wenkbrauwen droog waren, veerden ze op in een vorm die aan vleugels deed denken. Een andere verpleegkundige sloot de man op een monitor aan, en Jemma zag zijn hartslag uitgetekend op het scherm.

'Normale sinus,' mompelde dokter Tiller goedkeurend. Ze stond aan de zijlijn met haar armen over elkaar orders uit te delen. Dat was een standaardhouding, had Jemma gemerkt, die je als leidinggevende in een acute situatie hoorde aan te nemen. Deze man zag er te gezond uit om acuut te zijn. Hij zag er beter uit dan Jemma zich voelde, die steevast uit een urgentie kwam en steevast doodmoe was, gezonder en uitgeruster dan alle aanwezigen. Toch kreeg hij de hele batterij standaardtests voor de kiezen, een ecg, een longfoto, bloed en urine. Jemma stak een infuusnaald in zijn linkerhand en nam bloed af, terwijl Rob zijn rechter polsslagader aanprikte voor een bloedgas. De hand was groot, met flinke aders die zich volmaakt duidelijk aftekenden: makkelijk prikken. Ze prikte meteen goed; de man gaf geen kik. Rob was nog steeds op zoek naar de slagader, terwijl het bloed haar buisjes al binnenstroomde, en toen ze net klaar was, lukte het hem. Nog nooit had ze zulk helderrood bloed gezien als uit die pols kwam, of zulk warm bloed gevoeld als in de vier buisjes in haar hand liep. Ze gaf ze aan een laborant en ging op zoek naar een ander klusje. Janie, de verpleegkundige die hem aan de ecg had gelegd, was nu een blaaskatheter aan het inbrengen, maar de voorhuid zat in de weg. 'Zal ik hem voor je terugschuiven?' vroeg Jemma. Janie bromde iets. Jemma haalde een steriele handschoen. Vivian beweerde dat een penis een eigen persoonlijkheid had, of de persoonlijkheid weerspiegelde van de man die

eraan vastzat. Als je haar liet begaan haalde ze er homo-
pornoblaadjes bij: 'Verlegen, laat je niet misleiden door
het formaat. Achterbaks. Rusteloos. Bedroefd, die heeft
iets vreselijks meegemaakt. Loyaal. Liefdevol, vast té
liefdevol.' Deze zou ze waarschijnlijk 'nobel' noemen, bedacht Jemma.

'Wakker worden,' zei Janie zachtjes terwijl ze de katheter er met een deskundige draai in ramde. Toen lag
ze ineens languit halverwege de zaal, vlak achter Robs
natte voetstappen, want de man was wakker geworden,
overeind gekomen en had haar geslagen met de hand waar
Jemma net bloed uit had afgenomen, en dat allemaal zo
razendsnel dat Jemma pas besefte wat er gebeurde toen
het voorbij was.

Het speet hem. Het speet hem echt heel, heel, heel erg,
en hij putte zich uit in verontschuldigingen tegenover Janie. Hij zei dat hij nog nooit een vrouw had geslagen, of
wie dan ook, hoewel hij dat natuurlijk niet helemaal zeker kon weten, omdat hij zich niets meer herinnerde van
voordat hij in de PICU wakker werd. Hij was zijn naam
vergeten, dus kreeg hij een nieuwe. De afdeling schreef
ter plekke een prijsvraag uit: Klerelijer (Janies voorstel),
John, Geschenk-uit-de-zee, Manannán mac Lir, Posei-
don, Aquaman, Nimor, Joe. Rob noemde hem Ishmael,
en won.

Vertaling: Leen Van Den Broucke, An de Greef en Marijke Versluijs

Rainbow

825   *Badmeester, ben ik al bruin?* **Arthur Japin e.a.**

905   *Daar brak m'n hak* **Jennifer L. Leo (red.)**

868   *Daar ging m'n string* **Jennifer L. Leo (red.)**

944   *Dicht!*

967   *De dunne ik* **Arjen Ribbens (red.)**

981   *Ga je mee?*

795   *De Koran*

881   *Legendarische bijbelverhalen*

717   *Nooit meer Frankrijk* **Harmen van Straaten e.a.**

940   *Op reis*

939   *Waar ben ik nu beland?*

986   *Waar ben ik nu gestrand?*

978   **Aart Aarsbergen & Peter Nijssen** *De grootste wielerkampioenen*

980   **Aart Aarsbergen & Peter Nijssen** *Tour de France: de grootste winnaars*

923   **Clark Accord** *Bingo!*

1009   **Chris Adrian** *De machine van Gob*

882   **Robert Anker** *Hajar en Daan*

810   **Armando** *De straat en het struikgewas*

710   **Marcus Aurelius** *Leven in het heden*

888   **Jane Austen** *Emma*

847   **Jane Austen** *Overtuiging*

814   **Jane Austen** *Trots en vooroordeel*

874   **Jane Austen** *Verstand en gevoel*

866   **Lean Baas en Janna Overbeek Bloem** *Bakvissen met ballen*

956   **Hassan Bahara** *Een verhaal uit de stad Damsko*

916   **Bram Bakker** *De dwarse psychiater*

895   **Ángela Becerra** *De voorlaatste droom*

993   **Ángela Becerra** *Waar het de tijd aan ontbreekt*

819   **Gregory Bergman** *Filosofie voor in bed, op het toilet of in bad*

930   **Bernlef** *Op slot*

892   **Bernlef** *Verbroken zwijgen*

479   **Jean Shinoda Bolen** *Goden in elke man*

478   **Jean Shinoda Bolen** *Godinnen in elke vrouw*

658   **Khalid Boudou** *Het schnitzelparadijs*

999   **Diane Broeckhoven** *De buitenkant van meneer Jules en Reiskoorts*

845   **Charlotte Brontë** *Jane Eyre*

945   **Emmanuel Carrère** *De sneeuwklas*

998   **Emmanuel Carrère** *De tegenstander*

884   **Mohammed Choukri** *Hongerjaren*

181   **John Cleese en Robin Skynner** *Hoe overleef ik mijn familie*

896   **Maryse Condé** *Tocht door de mangrove*

530   **Dalai Lama** *De kunst van het geluk*

798 **Dalai Lama** De kunst van het geluk op het werk
671 **Dalai Lama** Open je hart
920 **Florinda Donner** Shabono
399 **F.M.Dostojewski** Boze geesten
701 **F.M.Dostojewski** De idioot
324 **F.M.Dostojewski** Misdaad en straf
910 **F.M.Dostojewski** De speler
704 **Douwe Draaisma** Waarom het leven sneller gaat als je ouder wordt
899 **Jean-Paul Dubois** Een Frans leven
700 **Ute Ehrhardt** Brave meisjes komen in de hemel, brutale overal
803 **Ute Ehrhardt** Vrouwen zijn gewoon beter
886 **Stephan Enter** Lichtjaren
935 **Annie Ernaux** De schaamte
921 **Laura Esquivel** Rode rozen en tortilla's
824 **Philip Freriks** Gare du Nord
838 **Iki Freud** Electra
811 **N.W.Gogol** De lotgevallen van Tsjitsjikow of Dode zielen
983 **Sam De Graeve** Reizen met dochters
954 **Renske de Greef** Was alles maar konijnen
1008 **Jens Christian Grøndahl** Hartslag
987 **Jens Christian Grøndahl** De tijd die nodig is
955 **Sara Gruen** Water voor de olifanten
1000 **Arnon Grunberg** De joodse messias
946 **Hella S.Haasse** Cider voor arme mensen
922 **Hella S.Haasse** De ingewijden
913 **Hella S.Haasse** De meermin
891 **Hella S.Haasse** De Meester van de Neerdaling
957 **Hella S.Haasse** De scharlaken stad
972 **Hella S.Haasse** Sterrenjacht
958 **Hella S.Haasse** De tuinen van Bomarzo
907 **Hella S.Haasse** Het tuinhuis
1007 **Hella S.Haasse** De wegen der verbeelding
933 **Hella S.Haasse** Het woud der verwachting
991 **Hella S.Haasse** Zwanen schieten
911 **Sebastian Haffner** Churchill
977 **Sebastian Haffner** Kanttekeningen bij Hitler
953 **Sebastian Haffner** Het verhaal van een Duitser
880 **Yusef el Halal** Man zoekt vrouw om hem gelukkig te maken
995 **Bas Haring** Voor een echt succesvol leven
827 **Kathryn Harrison** De weg naar Santiago de Compostela
985 **Sjon Hauser** Mekong
931 **A.F.Th. van der Heijden** Een gondel in de Herengracht
877 **A.F.Th. van der Heijden** De Movo Tapes
912 **A.F.Th. van der Heijden** De slag om de Blauwbrug

963 **Albert Helman** De stille plantage
952 **Joke J. Hermsen** De profielschets
959 **D. Hooijer** Sleur is een roofdier
828 **Robert Hughes** Barcelona de grote verleidster
832 **Ilja Ilf & Jevgeni Petrov** Het gouden kalf
831 **Ilja Ilf & Jevgeni Petrov** De twaalf stoelen
122 **Elfriede Jelinek** De pianiste
992 **Edward P. Jones** De bekende wereld
971 **Judith Katzir** De ontdekking van de liefde
937 **Daniel Kehlmann** Het meten van de wereld
918 **Wolf Kielich** Vrouwen op ontdekkingsreis
960 **Hanco Kolk & Peter de Wit** Samen S 1ngle
917 **Dirk Ayelt Kooiman** Montyn
990 **Kees van Kooten** Mijn plezierbrevier
869 **Bert Kruismans & Peter Perceval** België voor beginnelingen
988 **Guus Kuijer** Het kleine rotgodje
898 **Laila Lalami** Hoop en andere gevaarlijke verlangens
969 **Rick de Leeuw** De laatste held
1002 **M.J. Lermontov** De held van onze tijd
976 **Arjen Lubach** Mensen die ik ken die mijn moeder hebben gekend
970 **Perihan Mağden** Moord op de boodschappenjongens
834 **Mark Magill** Waarom lacht de Boeddha?
974 **Colum McCann** Het verre licht
934 **Colum McCann** Zoli
1005 **Cormac McCarthy** Geen land voor oude mannen
1004 **Ian McEwan** Aan Chesil Beach
876 **Ian McEwan** Boetekleed
950 **Ian McEwan** Zaterdag
975 **Doeschka Meijsing** 100% chemie
885 **Alice Miller** Het drama van het begaafde kind
909 **David Mitchell** Dertien
996 **Ronald Naar** Passie voor sneeuw
897 **Marlene van Niekerk** Triomf
856 **Willem Jan Otten** Specht en zoon
879 **Jos Palm** De vergeten geschiedenis van Nederland
809 **Orhan Pamuk** Het zwarte boek
924 **Marion Pauw** Villa Serena
966 **Allan & Barbara Pease** Waarom mannen niet luisteren en vrouwen niet kunnen kaartlezen
858 **Eefje Pleij** Juf met staarten op een zwarte school
857 **Chaim Potok** Davita's harp
763 **Chaim Potok** Uitverkoren
943 **Lois Pryce** Lois onderweg
914 **Wanda Reisel** Baby Storm

932 **Philippe Remarque** Boze geesten van Berlijn

859 **Mark Retera** Dirkjan

942 **Cees de Reus** Rond de wereld met een glimlach

961 **Jonathan van het Reve** De boot en het meisje

968 **Matthieu Ricard & Trinh Xhuan Thuan** De monnik en de wetenschapper

904 **Frank van Rijn** Pelgrims en pepers

872 **Frank van Rijn** De twee scherven

947 **Thomas Rosenboom** Hoog aan de wind

890 **Thomas Rosenboom** Publieke werken

615 **Heleen van Royen** De gelukkige huisvrouw

901 **Marjon van Royen** De nacht van de schreeuw

982 **Boudewijn Smid** Op de helling

994 **Laurence Sterne** Een sentimentele reis

965 **Barbara Stok** Was iedereen maar zoals ik

893 **Peter van Straaten** Hoezo oud?

806 **Peter van Straaten** Is er iets?

929 **Peter van Straaten** Roken Neuken Drinken

744 **Peter van Straaten** Slippertjes

964 **Peter van Straaten** Vader & Zoon zijn terug!

843 **Peter van Straaten** Waarom ligt mijn boek niet naast de kassa?

867 **Peter van Straaten** Zijn we er al?

1006 **Peter van Straaten** Zo zijn we niet getrouwd

878 **Antal Szerb** Reis bij maanlicht

758 **Toon Tellegen** Daar zijn woorden voor

205 **L.N. Tolstoj** Anna Karenina

839 **L.N. Tolstoj** Kindertijd/Jeugdjaren/Jongelingschap

292 **A.P. Tsjechow** Huwelijksverhalen

726 **A.P. Tsjechow** Kinderverhalen

1001 **A.P. Tsjechow** Een vervelende geschiedenis

894 **Ebru Umar** Burka en Blahniks

997 **Lisa Unger** Black-out

951 **Lisa Unger** Halve waarheden

938 **Pauline Valkenet** Italiaanse mannen

984 **Luc Verhuyck** SPQR

796 **S. Vestdijk** De dokter en het lichte meisje

915 **Judith Visser** Tegengif

919 **Julia Voznesenskaja** Vrouwendecamerone

973 **Pieter Waterdrinker** Danslessen

962 **Pieter Waterdrinker** Een Hollandse romance

941 **Pieter Waterdrinker** Montagne Russe

883 **Irvine Welsh** Porno

926 **Peter de Wit** Sigmund, pillen, praten en patiënten

861 **Peter de Wit** Sigmund, relatietherapeut

936 **R.C. de Zeeuw** De ereburger